DEUTSCHE KULTUR

EIN LESEBUCH

DEUTSCHE KULTUR

EIN LESEBUCH

Revised Edition

edited by HARRY STEINHAUER

Antioch College

with the assistance of ANNA OTTEN

New York

OXFORD UNIVERSITY PRESS

1962

PREFACE

Deutsche Kultur was first published in 1939. In the two decades since it first made its appearance the German scene has altered radically; for this reason alone a revision of the book's contents was called for. Moreover, it was inevitable that certain of the original selections should not stand the test of time; these needed to be replaced by better texts. The steady interest shown in the book encouraged publisher and editor to plan a new edition.

This is a cultural, not a literary, reader; the materials in it represent the various aspects of German civilization, from geography to thought and humor. My own experience as a teacher has convinced me that such "area" study is the most interesting way to learn German in the early stages.

The book is intended for intermediate courses in colleges and high schools. To give students legitimate help and remove unnecessary obstacles from their path, the editorial apparatus has been enlarged in this edition. The brief introductory headnotes are designed as "teasers," to lure the student into the labyrinth.

The arrangement of the material by topic and in chronological sequence is logical. But it raises a problem for the learner who must still proceed from the easier to the more difficult. For such students the graded list appended below is offered: selections in group I are the easiest, those in group IV the most difficult. There is no attempt at grading within each of the four classes.

I wish to thank Professor Arthur Hanhardt for his most helpful encouragement and criticism of the manuscript in its various stages of composition; also Alison Bond of the Oxford University Press. The general vocabulary was prepared by my colleague Mrs. Anna Otten.

Yellow Springs, Ohio   H.S.
September 1961

For those who wish to use this book as a graded reader, the material may be arranged in the following four categories, ranging from easy to difficult:

I   §§ 6, 7, 8, 24, 32, 53, 54, 59, 60, 65, 68, 74, 76, 77, 78, 79, 80, 81, 82, 83, 84, 85, 86, 90, 91, 94, 104, 107, 108, 111, 114, 119, 129, 131, 132, 133, 136.

II   §§ 9, 10, 12, 13, 14, 15, 16, 19, 20, 21, 24, 25, 26, 28, 29, 31, 33, 34, 39, 41, 47, 55, 56, 57, 58, 61, 63, 64, 69, 71, 73, 87, 88, 89, 93, 95, 97, 98, 99, 102, 103, 105, 106, 113, 115, 120, 128, 130, 137, 138, 139.

III   §§ 3, 5, 11, 17, 18, 22, 23, 27, 30, 36, 38, 40, 46, 49, 50, 51, 52, 62, 66, 67, 70, 72, 92, 96, 101, 109, 110, 112, 116, 118, 121, 127, 134, 135.

IV   §§ 1, 2, 4, 35, 37, 42, 43, 44, 45, 48, 75, 100, 117, 122, 123, 125, 126.

Since the aphorisms in § 124 vary widely in difficulty they are not listed here.

CONTENTS

I DEUTSCHLAND

1 *Land und Leute* Johannes Scherr 3
2 *Deutsche Landschaft* Josef Ponten 10
3 *Körper und Antlitz des deutschen Menschen* Eugen Diesel 14
4 *Deutsche Innerlichkeit* Friedrich Nietzsche 17
5 *Der deutsche Individualismus* Richard Müller-Freienfels 21

II MYTHOS, MÄRCHEN UND LEGENDE

6 *Siegfried* 29
7 *Meister Pfriem* Jacob und Wilhelm Grimm 31
8 *Die Bremer Stadtmusikanten* Jacob und Wilhelm Grimm 36

III GESCHICHTE

9 *Die Germanen* Wilhelm Scherer 43
10 *Das Rittertum* Gustav Freytag 46
11 *Deutsche Gilden* Jakob Burckhardt 49
12 *Der Dreißigjährige Krieg* Hermann Hettner 52
13 *Der Bauer* Gottfried August Bürger 54
14 *1813* Gustav Freytag 55
15 *Das Gebet der Witwe* Adalbert von Chamisso 59
16 *Die schlesischen Weber* Heinrich Heine 60
17 *Großdeutsch und Kleindeutsch* Ricarda Huch 62
18 *Der Gott der Stadt* Georg Heym 65
19 *Ein neues Ethos* Rudolf Binding 67

20 *Eine Religion der Wehrhaftigkeit*   Rudolf Binding   68
21 *Ein sinnloses Gemetzel*   Erich Maria Remarque   70
22 *Der Nazistaat*   Golo Mann   71
23 *Widerstand*   Golo Mann   76
24 *Tag- und Nachtbücher*   Theodor Haecker   82
25 *Generation ohne Abschied*   Wolfgang Borchert   86

IV   BIOGRAPHISCHES

26 *Karl der Große*   Gustav Freytag   91
27 *Friedrich Barbarossa*   Karl Hampe   93
28 *Martin Luther*   Wilhelm Scherer   96
29 *Albrecht Dürer*   Ludwig Tieck und Wilhelm
       Wackenroder   99
30 *Johann Sebastian Bach*   Hermann Hettner   101
31 *Friedrich der Große*   Gustav Freytag   104
32 *Immanuel Kant*   Heinrich Heine   107
33 *Gotthold Ephraim Lessing*   Heinrich Heine   109
34 *Goethe der Olympier*   Heinrich Heine   111
35 *Mozarts Lebensweise*   Eduard Mörike   112
36 *Der Freiherr vom Stein*   Heinrich von Treitschke   116
37 *Schubert und Beethoven*   Rudolf Hans Bartsch   120
38 *Werner von Siemens*   Oskar Loerke   124
39 *Otto von Bismarck*   Georg Kaufmann   127
40 *Albert Einstein*   Werner Bloch   129

V   AUTOBIOGRAPHISCHES

41 *Kinderspiele*   Johann Wolfgang von Goethe   139
42 *Aus dem Briefwechsel Goethe–Schiller*   142
43 *Das   Heiligenstädter   Testament*   Ludwig   van
       Beethoven   149
44 *Über meine Entlassung*   Jacob Grimm   153
45 *Die sokratische Methode*   Theodor Fontane   159

VI   DICHTUNG

46 *Gedenket des Todes*   165
47 *Unter der Linden*   Walther von der Vogelweide   167

48 *Der XLVI. Psalm*   Martin Luther   168

49 *Abendlied*   Paul Gerhardt   170

50 *Es ist alles eitel*   Andreas Gryphius   172

51 *Aus dem „Cherubinischen Wandersmann"*   Angelus
Silesius   173

52 *Die drei Ringe*   Gotthold Ephraim Lessing   175

53 *Mailied*   Johann Wolfgang von Goethe   179

54 *Heidenröslein*   Johann Wolfgang von Goethe   180

55 *Prometheus*   Johann Wolfgang von Goethe   181

56 *An den Mond*   Johann Wolfgang von Goethe   184

57 *Grenzen der Menschheit* Johann Wolfgang von
Goethe   186

58 *Das Göttliche*   Johann Wolfgang von Goethe   187

59 *Mignon*   Johann Wolfgang von Goethe   189

60 *Meeresstille*   Johann Wolfgang von Goethe   190

61 *Selige Sehnsucht*   Johann Wolfgang von Goethe   191

62 *Prooemion*   Johann Wolfgang von Goethe   192

63 *Epirrhema*   Johann Wolfgang von Goethe   193

64 *Dämmrung senkte sich von oben* Johann Wolfgang
von Goethe   194

65 *Lied des Lynkeus*   Johann Wolfgang von Goethe   195

66 *Aus „Faust": Nacht; Mitternacht* Johann
Wolfgang von Goethe   196

67 *Aus „Don Carlos"*   Friedrich Schiller   206

68 *Der Handschuh*   Friedrich Schiller   213

69 *Die Worte des Glaubens*   Friedrich Schiller   216

70 *Sokrates und Alkibiades*   Friedrich Hölderlin   217

71 *Hyperions Schicksalslied*   Friedrich Hölderlin   218

72 *Die Heimat*   Friedrich Hölderlin   219

73 *An die Parzen*   Friedrich Hölderlin   220

74 *Hälfte des Lebens*   Friedrich Hölderlin   221

75 *Das Bettelweib von Locarno*   Heinrich von Kleist   222

76 *Das Märchen von Hyazinth und Rosenblütchen*
Novalis   226

77 *Das zerbrochene Ringlein*   Joseph von Eichendorff   231

78 *Der frohe Wandersmann*   Joseph von Eichendorff   232

79 *Mondnacht*   Joseph von Eichendorff   233

80 *Die Nachtblume* Joseph von Eichendorff 234

81 *Belsatzar* Heinrich Heine 234

82 *Die Lotosblume* Heinrich Heine 236

83 *Es war ein alter König* Heinrich Heine 237

84 *Es ragt ins Meer der Runenstein* Heinrich Heine 238

85 *Psyche* Heinrich Heine 239

86 *Der Asra* Heinrich Heine 239

87 *Laß die heil'gen Parabolen* Heinrich Heine 240

88 *Aus der „Harzreise"* Heinrich Heine 241

89 *Um Mitternacht* Eduard Mörike 248

90 *In der Frühe* Eduard Mörike 249

91 *Das verlassene Mägdlein* Eduard Mörike 250

92 *Auf eine Lampe* Eduard Mörike 251

93 *Denk' es, o Seele* Eduard Mörike 251

94 *Aus „Bergkristall"* Adalbert Stifter 252

95 *Aus „Agnes Bernauer"* Friedrich Hebbel 262

96 *Aus „Kleider machen Leute"* Gottfried Keller 269

97 *Eingelegte Ruder* Conrad Ferdinand Meyer 275

98 *Schnitterlied* Conrad Ferdinand Meyer 276

99 *Nach einem Niederländer* Conrad Ferdinand Meyer 277

100 *Der römische Brunnen* Conrad Ferdinand Meyer 278

101 *In der Sistina* Conrad Ferdinand Meyer 279

102 *Tod in Ähren* Detlev von Liliencron 280

103 *Märztag* Detlev von Liliencron 281

104 *Schwalbensiziliane* Detlev von Liliencron 282

105 *Wer weiß wo* Detlev von Liliencron 282

106 *Aus „Die Weber"* Gerhart Hauptmann 284

107 *Was wirst du tun, Gott?* Rainer Maria Rilke 291

108 *Der Panther* Rainer Maria Rilke 292

109 *Spanische Tänzerin* Rainer Maria Rilke 293

110 *Alles Erworb'ne bedroht die Maschine* Rainer Maria
Rilke 294

111 *Oh sage, Dichter, was du tust?* Rainer Maria Rilke 295

112 *Aus „Tonio Kröger"* Thomas Mann 296

113 *Der schwere Weg* Hermann Hesse 307

114 *Vor dem Gesetz* Franz Kafka 313

115 *Geschichten vom Herrn Keuner* Bertolt Brecht 316

VII GEDANKLICHES

116 *Beschreibung des Belvederischen Apollo* Johann
    Joachim Winckelmann   323
117 *Was ist Aufklärung?*   Immanuel Kant   325
118 *Die Natur*   Johann Wolfgang von Goethe   330
119 *Lehrbrief*   Johann Wolfgang von Goethe   333
120 *Über den Müßiggang*   Friedrich Schlegel   334
121 *Selbstdenken*   Arthur Schopenhauer   337
122 *Was ist Kultur?*   Friedrich Nietzsche   339
123 *Wert und Ehre deutscher Sprache*   Hugo
    von Hofmannsthal   342
124 *Aphorismen*   348

VIII WISSENSCHAFTLICHES

125 *Der psychische Apparat*   Sigmund Freud   361
126 *Die Bedeutung in der Natur*   Jakob von Uexküll   364
127 *Das physikalische Denken*   Arthur March   374

IX SCHERZ UND SPASS

128 *Die ungleichen Eheleute*   Abraham a Santa Clara   385
129 *Das Lied vom Floh*   Johann Wolfgang von Goethe   386
130 *Elfenlied*   Eduard Mörike   387
131 *Humor*   Wilhelm Busch   388
132 *Der Unentbehrliche*   Wilhelm Busch   389
133 *Dorfkirche im Sommer*   Detlev von Liliencron   390
134 *Die Musik kommt*   Detlev von Liliencron   391
135 *Auf der Elektrischen*   Ludwig Thoma   392
136 *Der Werwolf*   Christian Morgenstern   395
137 *Der Würfel*   Christian Morgenstern   397
138 *Der Mensch*   Kurt Tucholsky   398
139 *Ansprache zum Schulbeginn*   Erich Kästner   400

ACKNOWLEDGMENTS

Selections in this volume include copyright material from the following works. All are reprinted by permission of the copyright owners.

Wolfgang Borchert, *Draußen vor der Tür*. Rowohlt Verlag, Hamburg-Reinbek

Bertolt Brecht, *Geschichten vom Herrn Keuner*. Suhrkamp Verlag, Frankfurt am Main

Eugen Diesel, *Die deutsche Wandlung*. J. G. Cotta'sche Buchhandlung, Stuttgart. Reprinted by permission of Dr. Eugen Diesel

Sigmund Freud, *Abriß der Psychoanalyse* (copyright Imago Publishing Co.). S. Fischer Verlag, Frankfurt am Main

Theodor Haecker, *Tag- und Nachtbücher*. Kösel Verlag, München (All rights reserved.)

Hermann Hesse, *Der schwere Weg*. Suhrkamp Verlag, Frankfurt am Main

Hugo von Hofmannsthal, *Werke*. S. Fischer Verlag, Frankfurt am Main

Ricarda Huch, *1848. Die Revolution des 19. Jahrhunderts in Deutschland*. Atlantis Verlag, Zürich. Reprinted by permission of Frau Marietta Böhm

Franz Kafka, *Erzählungen* (copyright 1935 by Schocken Verlag, Berlin; copyright 1946 by Schocken Books, Inc., N. Y.). Schocken Books, Inc., New York

Erich Kästner, *Die kleine Freiheit* (copyright Atrium Verlag, Zürich). Atrium Verlag, Zürich

Golo Mann, *Deutsche Geschichte des 20. Jahrhunderts*. Büchergilde Gutenberg, Frankfurt am Main

Thomas Mann, *Tonio Kröger*. S. Fischer Verlag, Frankfurt am Main. Reprinted by permission of Frau Thomas Mann

Arthur March, *Das neue Denken der modernen Physik*. Rowohlt Verlag, Hamburg-Reinbek

Richard Müller-Freienfels, *Psychologie des deutschen Menschen und seiner Kultur*. C. H. Beck'sche Verlagsbuchhandlung, München

Christian Morgenstern, *Alle Galgenlieder*. Insel-Verlag, Frankfurt am Main

Josef Ponten, *Kleine Prosa*. Deutsche Verlagsanstalt, Stuttgart. Reprinted by permission of Frau Dr. Elisabet Albert

Rainer Maria Rilke, *Gesammelte Werke*. Insel-Verlag, Frankfurt am Main. *Sonette an Orpheus*. Insel-Bücherei Band 115, Frankfurt am Main. *Der ausgewählten Gedichte anderer Teil*. Insel-Bücherei Band 480, Frankfurt am Main. *Neue Gedichte*. Insel-Verlag, Frankfurt am Main

Peter Suhrkamp, *Deutscher Geist*. Suhrkamp Verlag, Frankfurt am Main

Kurt Tucholsky, *Zwischen Gestern und Morgen*. Rowohlt Verlag, Hamburg-Reinbek

Jakob von Uexküll/Georg Kriszat, *Streifzüge durch die Umwelten von Tieren und Menschen*. Rowohlt Verlag, Hamburg-Reinbek.

I DEUTSCHLAND

LAND UND LEUTE

JOHANNES SCHERR (1817–1886)

Johannes Scherr was a statesman and scholar. He was leader of the democratic party in southern Germany during the revolutionary year of 1848. He had to flee Germany in 1849 and he settled in Switzerland. He was a pioneer in cultural history and cultural anthropology and left ten volumes of novellas. The present selection is from his *Deutsche Kultur- und Sittengeschichte* (1853). It should be borne in mind that the characterization that follows represents the views of a nineteenth-century German; his picture should be compared with those of later writers and with the stereotype of the German that has grown up in our own day.

Kein Wissender wird bestreiten wollen, daß die natürliche Beschaffenheit des Landes die Zustände, die Sitten und den Charakter der Leute urmächtig bedingt und bestimmt. Die Bodengestaltung ist eine der bedeutendsten und unveränderlichsten Ursachen der geschichtlichen Entwicklung einer Nation, und mit Fug durfte ein 5 geologischer Forscher sagen, daß eine Menge von Wurzeln des menschlichen und staatlichen Lebens tief in das Innere der Erde hinabreiche.

Nun aber hat die Natur unser Land weder allzu üppig noch allzu kärglich bedacht. Wenn sie uns mit den melancholischen Nebeln, 10 dem Schnee und Frost eines langen Winters nicht verschonte, so gab sie uns dagegen auch einen blütenreichen Frühling, früchtereifende Sommerwärme und eine klare, milde Herbstsonne. Der Übergang der kalten Jahreszeit in die warme und dieser in jene ist in der Regel kein schroffer, sondern ein der Gesundheit zuträgliches stufenweises 15 Vor- und Rückschreiten. Einige ganz unfruchtbare Striche ab-

---

³ *urmächtig* with primitive power
⁵ *mit Fug* rightly
⁹ *üppig* luxuriously; *kärglich* scantily

¹⁰ *bedacht* i.e. provided
¹⁵ *schroff* sharp; *zuträglich* beneficial
¹⁶ *abgerechnet* leaving out

gerechnet, leistet der Boden für die Mühewaltung seiner Bebauer
mehr oder minder dankbaren Ersatz. Auf unübersehbaren Flächen
wogen goldene Ährenfelder im Winde, in fetten Niederungen ge-
20 deihen Futterkräuter in Fülle, Wälder von Obstbäumen wechseln
mit wohlgepflegten Gemüsegärten, und an den sonnigen Halden
klimmt die Rebe empor, die besonders im Rhein-, Mosel-, Main-
und Neckargau edle Ausbeute gewährt. Auch der unterirdische
Reichtum unseres Bodens ist nicht klein. Lager von Torf und von
25 Steinkohlen kommen einem der wichtigsten Bedürfnisse des Menschen entgegen, Gesundbrunnen treiben ihre gesegneten Strahlen
aus der Tiefe hervor, und reiche Erzgänge öffnen ihre Metallschätze
dem Bergmann, der auch nach gehaltvollen Silberadern nicht vergebens sucht und dem sogar mehr als ein „Körnlein Goldes" ent-
30 gegenblinkt. Noch sind der Edelhirsch und das schlanke Reh in
unsern Forsten nicht ausgestorben, wenn auch Ur, Bär, Elen und
Wolf der Kultur weichen mußten. Zahllose Herden füllen unsere
Weiden, und in Flüssen und Seen wimmelt die schuppige Brut der
Fische. Und nicht nur das Notwendige gewährt uns die Natur; sie
35 hat auch für Schönheit und Schmuck gesorgt. Deutschland mit
seinen Bergen und Wäldern, mit seinen Tälern und Strömen ist ein
schönes Stück Erde. Die mannigfaltigen Formen seiner Oberfläche
verleihen ihm jene landschaftliche Abwechslung, die für das Auge
so wohltuend ist. Von den höchsten Alpengipfeln im Süden an stuft
40 sich das Land durch Hochebenen und Bergketten mittlerer und
niederer Art allmählich bis zu den Marschen der nördlichen Küsten-
gegenden ab. Wenn die Schweiz, Tirol und Steiermark die großartige
Schönheit der Hochalpennatur besitzen, so erfreuen sich die Nord-
und Ostseeländer der Poesie des Meeres. Schwaben ist seines
45 Schwarzwalds schattiger Waldheimeligkeit, der Rheingau seiner

17 *Mühewaltung* efforts
19 *Niederung* lowland
20 *Futterkraut* grass for fodder
21 *Halde* slope
23 *Gau* region. The rivers mentioned
   are all tributaries of the Rhine.
   Ausbeute yield
24 *Torf* peat
25 *Steinkohle* hard coal
26 *Gesundbrunnen* medicinal spring
27 *Erzgang* metallic vein, lode
30 *Edelhirsch* stag

31 *Ur* wild ox; *Elen* elk
32 *Kultur* i.e. civilized life
33 *schuppig* scaly
39 *sich ab-stufen* be graduated
42 The *Tirol* and *Steiermark* Styria,
   are regions in Austria.
44 *Schwaben* Swabia, the present Württemberg
45 *Schwarzwald* Black Forest, a wooded
   mountain range of great beauty
   in southern Germany; *Waldheimeligkeit* i.e. forest retreats

romantischen Herrlichkeit, Thüringen des idyllischen Friedens seiner Auen froh. Die Heiden Westfalens stimmen den Wanderer zu sinnender Betrachtung, die Bergquellen des Harzes plaudern ihm uralte Sagen vor, auf Helgoland und Rügen weitet ihm Seehauch die Brust, und die gewaltige Donau führt ihn auf ihrem Laufe, das fruchtbare 50 Bayern entlang und ins fröhliche Österreich hinein, durch ein farbensattes Gemälde voll Reiz und Wechsel der Szenen.

Was immer die Natur geboten, wurde von den Bewohnern Deutschlands emsig und dankbar benutzt. In der Landwirtschaft steht kein Land dem unsrigen voran, und nur wenige stehen mit ihm auf gleicher 55 Stufe. Unserer Bauernschaft unermüdlichem Fleiß und entsagungsvoller Wirtlichkeit ist die Umwandlung der germanischen Urwaldwildnis zu einem der bevölkertsten und ertragfähigsten Länder der Erde hauptsächlich zuzuschreiben. Sobald der Vorschritt der Geschichte die Begründung und Entwicklung des Bürgertums ermög- 60 lichte, sehen wir dieses Bürgertum mit Kraft und Strebsamkeit die Wege der Industrie wandeln und mit preiswürdiger Kühnheit die Bahnen des Handels sich eröffnen. Ruhm und Stolz desselben Bürgertums sind die deutschen Städte, wie sie sich inmitten einer zahllosen Menge wohnlicher Dörfer zu Tausenden erheben, geschmückt 65 mit Domen, Hallen und Palästen, angefüllt mit allem, was dem Leben höheren Reiz verleiht und feinere Genüsse sichert, verbunden unter sich durch Heerstraßen, durch Wasserwege, durch die „ländereinigenden" Schienenpfade, auf denen das Dampfroß ungeheure Lasten mit der Geschwindigkeit des Windes fortbewegt, und durch 70 jene gleich wundersamen Drahtzüge, auf denen Botschaften mit des Blitzes Raschheit hin und her fliegen. Ja, nicht allein die Natur, sondern auch die Kultur hat Deutschland zu einem schönen Lande gemacht, und die Schöpfungen der Kultur sind wohl geeignet, auch schwarzsichtige Zweifler mit Zukunftsvertrauen zu erfüllen. 75

Unser Land ist zwischen dem 23. bis 37. Grade östlicher Länge und

46 *Thüringen* Thuringia, a region in eastern Germany
48 *Harz* a mountain range in northwest Germany
49 *Helgoland* and *Rügen* are islands in the Baltic Sea.
51 *farbensatt* saturated with color
56 *entsagungsvolle Wirtlichkeit* self-denying management

58 *ertragfähig* productive
61 *Strebsamkeit* ambition
68 *Heerstraße* military road
69 *Schienenpfad* i.e. railroad; *Dampfroß* steam horse, i.e. locomotive
71 *Drahtzug* wire train, i.e. telegraph
75 *schwarzsichtig* pessimistic
76 *Länge* longitude; *Breite* latitude

dem 45. bis 54. Grade nördlicher Breite gelegen. Es besitzt also ein
Klima, das geeignet ist, die Bevölkerung vor des Nordens Erstarrung
wie vor des Südens Erschlaffung gleichermaßen zu bewahren. Auch
80 zeigt in der Tat die Gemütsart unseres Volkes das Fernsein der Ex-
treme und im ganzen eine glückliche Mischung von skandinavischer
Kraft und romanischer Regsamkeit auf. Um aber gerecht zu sein,
darf nicht verschwiegen werden, daß die deutsche Art vielfach einerseits in norddeutsch zähes Phlegma, andererseits in süddeutsch un-
85 beholfene Viereckigkeit ausartet.

Die große Vielartigkeit des inneren Baues wie der äußeren Gestaltung des Bodens von Deutschland läßt die Vielartigkeit der
deutschen Volksstämme als von der Natur gesetzt ansehen. Unser
Land hatte bis zum Jahre 1871 keinen staatlichen Mittelpunkt,
90 keine eigentliche Hauptstadt und auch keinen einförmigen Typus
in Auffassung und Führung des Lebens. Welche außerordentliche
Mannigfaltigkeit der deutschen Bevölkerungen in Gewohnheiten
und Bräuchen, in Behausung und Tracht, im Betrieb der Landwirtschaft und der Industrie! Welcher Wechsel des landschaftlichen
95 Charakters und der atmosphärischen Verhältnisse von den Glet-
scherhöhen der Alpen bis hinab zu den Niederungen der Oder, Elbe
und Weser oder vom Rheintal bis hinüber zu den Blachfeldern
Schlesiens! Was für Unterschiede der Bevölkerung im Schauen,
Denken und Sprechen stoßen dem Beobachter auf, wenn er den
100 Lauf des Rheins von den Rhätischen Alpen bis nach Holland oder
den der Donau vom Schwarzwalde bis zur ungarischen Grenze begleitet! Wie fremdartig muß der Märker dem Schwaben, der
Schweizer dem Holsten, der Rheinländer dem Ostpreußen, der Ti-
roler dem Friesen vorkommen! Deutscher Art vortretender Zug,

---

[78] *Erstarrung* stiffness, rigidity; *Erschlaffung* enervation
[80] *Gemütsart* temperament
[82] *romanisch* romance, Latin, i.e. pertain-
ing to the Mediterranean peoples
[84] *zähes Phlegma* stubborn sluggishness;
unbeholfene Viereckigkeit clumsy
stiffness
[85] *aus-arten* degenerate
[88] *Volksstamm* race; *gesetzt* given
[89] *staatlich* political
[93] *Betrieb* conduct

[97] *Blachfeld* open field; *Schlesien* Silesia
in eastern Germany, now Polish
[98] *Schauen* i.e. attitude, grasp
[99] *auf-stoßen* strike
[100] *Rhätisch* from the region of Grau-
bünden in Switzerland
[102] *Märker* inhabitant of Brandenburg-
Prussia; *Holste* inhabitant of
Schleswig-Holstein; *Friese* Frisian,
inhabitant of Friesland in the north
[104] *deutscher Art* genitive depending on
Zug

die Hochhaltung und Geltendmachung der Persönlichkeit, vom 105
individuellen zum Stammcharakter erweitert — dieser Zug vor allen
andern hat uns verhindert, eine ganz gleichartige Nation, ein stramm
in sich geschlossener Volkskörper zu werden.

Man hat die deutsche Natur in Beziehung auf Gestaltung des
Bodens, landschaftlichen Charakter und atmosphärische Verhält- 110
nisse nicht mit Unrecht eine knorrige genannt. Auch unser Volk
hat in seiner Erscheinung etwas Knorriges, Eckiges. Es fehlt im
Ausdruck der Züge das südliche Feuer, in Bewegung und Gebärde
die französische Raschheit und Geschmeidigkeit. Hellenische Schönheit des Profils gehört zu den seltensten Ausnahmen. Wenn aber 115
auch in den unteren Ständen die Mühsal der Arbeit und der Druck
der Entbehrung, in den oberen verkehrte Erziehung und das Affentum
der Mode die natürliche Anlage zur körperlichen Schönheit vielfach
arg verkümmern, so ist darum unser Volk doch kein unschönes.
Denn wie in Wahrheit nicht die Eiche, sondern die Linde der deutsche 120
Lieblingsbaum von jeher gewesen — unsere Dichtung vom Minnesang bis zu den jüngsten Volksliedern herab beweist dies, — so ist
im deutschen Gesicht neben dem Schroffen und Harten auch wieder
viel Lindes und Weiches. Das vorschlagend blonde oder bräunliche,
schlicht anliegende Haar, die Weiße der Haut, das zarte Wangenrot, 125
des Auges heller, treuherziger Blick, die meist hohe und gewölbte
Stirn, bezeichnet mit dem Stempel der Intelligenz — das alles mildert
und veredelt das Derbe, Eckige und Rauhe der deutschen Gesichtsbildung. Der ganze Typus in Zügen und Haltung trägt den Charakter
der deutschen Innerlichkeit und Innigkeit, nicht minder aber auch 130
der deutschen Unschlüssigkeit und der kritischen Zweifelei.

Und wie im deutschen Gesicht die realen Schatten neben den
idealen Lichtern stehen, so auch im moralischen Wesen unseres
Volkes. Es ist echt deutsch, wenn Goethe seinen Faust klagen läßt:
„Zwei Seelen wohnen, ach, in meiner Brust!" Die Vielseitigkeit der 135

---

105 *Geltendmachung* assertion
107 *gleichartig* uniform; *stramm* rigidly
111 *knorrig* knotty
112 *eckig* angular
114 *geschmeidig* supple; *hellenisch* Greek
116 *Stand* social class
117 *verkehrt* perverse; *Affentum* aping
118 *Anlage* disposition
119 *arg verkümmern* be badly crippled

121 *Minnesang* the idealized love poetry
   of the Middle Ages
124 *vorschlagend* predominantly
125 *anliegend* close-lying
128 *Gesichtsbildung* facial contour
130 *Innerlichkeit und Innigkeit* inwardness and fervor
131 *Unschlüssigkeit* uncertainty
135 *zwei Seelen . . . Faust I,* l. 1113ff.

deutschen Art hat vielfachen Zwiespalt im Gefolge und bringt eine
Menge von Widersprüchen in unsern Charakter. Es scheint, als
wollte der deutsche Genius einen festen Charakterstempel gar nicht
dulden, als gehörte Schwanken und Zerfahrenheit mit zu unserm
140 eigensten Wesen. Wir sind keine in sich geschlossene einförmige
Nation, wir haben auch keinen ein für allemal fertigen National-
charakter. Erinnern wir uns aber hierbei daran, daß der prosaische
Mensch viel leichter und sicherer zu einem fertigen und abgeschlossenen Ganzen wird als der genial angelegte. Das Franzosentum kann
145 unter die Schablone gebracht werden, das Deutschtum niemals.
Dagegen fällt bei unserm Volke der Mangel eines Vorzugs auf, dessen
die Franzosen und noch mehr die Italiener sich erfreuen: der Mangel
an Schönheitsinstinkt und künstlerischem Formgefühl. Dieser Mangel, der die Massen zu den Schöpfungen unserer Poesie und Kunst
150 nur eine oberflächliche oder gar keine Beziehung gewinnen ließ, hat
auch in die deutsche Politik leidig genug herübergewirkt. Nur ein
Volk ohne Formsinn vermochte so widerliche politische Mißbildungen
zu ertragen, wie das Heilige Römische Reich Deutscher Nation und
der Deutsche Bund gewesen sind.
155 Wir haben es schon gesagt: Idealismus ist die deutsche Grundstimmung. Aus ihr entspringt die unvergleichliche Kühnheit des
deutschen Gedankens, die deutsche Begeisterung für das Edle, Schöne,
Große, aus ihr entspringt auch jene Kosmopolitik, die uns hoch-
herzigste Teilnahme und Gerechtigkeit gegen andere Völker lehrt,
160 die aber der große Dichterpatriot Klopstock mit Grund beschränkt
wissen wollte. Vergegenwärtige dir nur den deutschen Idealismus
in seinen höchsten Aufschwüngen, in Poesie, Philosophie, Freiheits-
begeisterung und Rechtsgefühl, und dann stelle daneben die deutsche

[136] *Zwiespalt* cleavage
[139] *Zerfahrenheit* looseness, scatter-brainedness
[140] *eigen* essential
[144] *genial angelegt* with the character of genius
[145] *Schablone* stereotype
[151] *leidig* grievously; *herüber-wirken* spread its influence
[153] *das Heilige Römische Reich Deutscher Nation* The Holy Roman Empire founded by Charlemagne in 800 lasted till the Napoleonic era and was regarded as the first German empire. It was succeeded by the German Confederation (*der Deutsche Bund*) which lasted till 1871.
[155] *Grundstimmung* basic attitude or frame of mind
[158] *hochherzig* high-minded
[160] *Friedrich Klopstock* (1724–1803) lyric and epic poet of the *Aufklärung*, forerunner of the emotional revival that led to German romanticism
[161] *vergegenwärtigen* picture
[162] *Aufschwung* flight

Spießbürgerphilisterei, deren blödes Auge über den Gesichtskreis des Kirchturms ihres Krähwinkels nicht hinaussieht, nicht hinaussehen 165 will: welch ein Gegensatz! Ist nicht die deutsche Heimseligkeit hold und schön? Aber dicht neben dieser poesiegetränkten Blume des deutschen Gemütes wuchert das giftige Unkraut des Partikularismus, wuchern alle die Schmarotzerpflanzen, alle die Lächerlichkeiten und Lasten der Kleinstaaterei. Der sehnsüchtige Zug nach 170 der Fremde, wie viele Bildungskeime trägt er in sich, und doch auch zugleich wie viele Keime des Verderbens, in seiner Ausartung zur äffischen Nachahmungssucht und zur Verachtung des Eigenen und Heimischen! Hierbei trifft namentlich die deutsche Frauenwelt der begründetste und schärfste Tadel. Was immer der Auswurf der 175 Pariser Kurtisanen- und Kokottenwelt an unschönen, verrückten und schamlosen Haar- und Kleidermoden erfinden mochte: mit der leichtfertigen Hast von richtigen Äffinnen machten es die deutschen Frauen und Mädchen nach. Gar zu gern erfreut sich der Deutsche der „Freiheit in dem Reich der Träume" und ist daneben 180 in der Wirklichkeit nur allzuoft ein zahmster und, ach! ein bewußt Unfreier, ein Knecht mit Methode. Wie rührend ist die deutsche Pietät, aber wie leicht auch schlägt sie in servile Gewöhnung um! Auch die Tugend der freien Selbstbestimmung hat ihre Kehrseite: eigensinnige Verhärtung von Kopf und Herz und jene „Politik des 185 einzelnen", die das eigene Ich zum Mittelpunkt der Welt macht und auf gemeinste Selbstsucht hinausläuft. Der deutsche Familiensinn, wie ist er preiswürdig in seiner Reinheit und Innigkeit! Aber wie oft erstickt im Familiensinn das Bürgergefühl, der Sinn für Gemeinde und Staatsleben! Mannhaftigkeit, Tapferkeit, Kriegsgeist 190 hat den Deutschen noch niemand abgesprochen. Auf tausend Schlachtfeldern haben sie ihren Mut erprobt. Aber ist es nicht eine traurige Wahrheit, daß die Deutschen ihr Blut so häufig für

---

164 *Spießbürgerphilisterei* philistine babbitry; *blöde* dull, stupid; *Gesichtskreis* horizon
165 *Krähwinkel* the typical small town: Podunk
166 *Heimseligkeit* domestic happiness
168 *wuchern* grow rank. Particularism is the desire of each political unit to be independent; it militated against German unity.

169 *Schmarotzer* parasite
170 *Kleinstaaterei* particularism
171 *Bildungskeim* germ of culture
175 *begründet* justified; *Auswurf* scum
176 *Kokotte* prostitute
178 *leichtfertig* facile; *nach-machen* imitate
183 *um-schlagen* be changed into
187 *Familiensinn* i.e. love of family

fremde Zwecke vergossen haben? Wenn die Treue im Privatleben
195 auch jetzt noch eine nicht seltene deutsche Tugend ist, wie oft
wurde diese Tugend im öffentlichen Leben zu einem Märchen! Schön
bewährt sich die sittliche Kraft unseres Volkes in Arbeit und Aus-
dauer, in entsagungsvollem Ringen mit der Not des Lebens. Aber
zuweilen auch bricht aus der maßvollen deutschen Natur in stoß-
200 weisen Entladungen, oft angesammelt durch die noch keineswegs
überwundene urgermanische Trinksucht, ein furchtbarer Jähzorn
hervor, eine berserkerhaft sinnlose Lust an Schlägerei und Zerstörung,
das Erbteil waldursprünglicher Wildheit. Und hart daneben steht
wieder die sinnigste Gemütlichkeit, das mitleidvolle Erbarmen, die
205 vorsorgliche Teilnahme für das Unglück, für den Fremden, für das
Tier, für die Träger des Lasters und Verbrechens sogar. Endlich
berühren sich im deutschen Volkscharakter auch die Gegensätze
des Ernstes und der Heiterkeit. Vorwiegend ist der Deutsche ernst,
oft verschlossen, nicht selten ängstlich und schwermütig. Und doch,
210 wie kann er offen, mitteilsam, keck, fröhlich, lustig sein! Seine ver-
ständnisvolle Freude an der Natur teilt der Deutsche mit allen
Sprößlingen der germanischen Völkerfamilie, aber nur er weiß so
recht, was die Freude an „Wein, Weib und Gesang" zu bedeuten hat.

2

DEUTSCHE LANDSCHAFT

JOSEF PONTEN (1883–1940)

Josef Ponten was an art historian by profession, a geologist and geographer
by avocation, and a writer of fiction. He is remembered chiefly for his series

199 *stoßweise Entladungen* spasmodic
    releases, discharges
201 *urgermanische Trinksucht* Tacitus
    in his *Germania* commented on the
    addiction of the early Germans to
    heavy drinking. *Jähzorn* sudden
    anger

202 *Schlägerei* brawling
203 *waldursprünglich* primeval sylvan
204 *sinnig* sensitive
205 *vorsorglich* provident
209 *verschlossen* uncommunicative
210 *mitteilsam* communicative
212 *Sprößling* scion

of novels *Volk auf dem Wege* (six volumes, unfinished) which deals with the fate of German settlements in lands outside the Reich. The present selection is from *Kleine Prosa* (1923).

Tiefe Ebene, niedriges Gebirge, hohe Ebene, Hochgebirge — so baut sie sich vom Meere herauf auf. Ist nicht Gebirgsland ohne Ebene wie die Schweiz und Norwegen, kein Flachland ohne Gebirge wie Rußland, Holland, Dänemark. Beide große Architekturgedanken arbeiten an ihr. Das deutsche Land hat große Flüsse und sendet ihre 5 Wasser zu den grauen Meeren im Norden und den blauen Meeren im Süden. Hat Seen zu Hunderten, nicht zu viel wie Schweden, nicht zu wenig wie Frankreich. Hat Anteil an zerealisch-notwendiger Pflanzenwelt, der Körnerfrucht, und an dionysisch-überflüssiger, dem Weinstock. Entbehrt nicht der Rebe wie Skandinavien, nicht des 10 Apfels wie Italien (o fader italischer Apfel!). Die geheimnisreiche Föhre reicht von Norden, die stachlige immergrüne Steineiche von Süden herein. Sonnetrinkender Mais glüht bei Innsbruck, die Mandel blüht und die Feige reift am Oberrhein. Das Maultier des Südens schreitet auf den Saumpfaden seines Hochgebirges, und der Hering 15 des Nordens berennt seine Küsten. Es hat gefaltete getürmte Gebirge wie Italien und (in Franken und Schwaben) seit unvorstellbarer Zeit ungestört liegende Landtafeln wie Rußland. Der große, eben erst abgetretene Landschaftsbildner, das Eis, das an Griechenland fast nichts, an Italien und Frankreich wenig gestaltet hat, formte 20 die Hälfte seines Bodens. Es hat in tiefem Bereiche Anteil am strengen, heiß-und-kalten Landklima Rußlands und am lauen, flauen Seeklima Nordwesteuropas. Beschränken wir uns auf das Architektonische. Norddeutschland ist vom skandinavischen Glet-

[7] *zu* by the
[8] *zerealisch...* The sense is that Germany produces two types of crop: utilitarian for food (cereals, wheat-grains), and luxury (the vine). Dionysos was the Greek god of the vine and intoxication.
[11] *fade* tasteless
[12] *Föhre* pine; *stachlig* prickly; *Steineiche* ilex, evergreen oak
[15] *Saumpfad* mule track
[16] *berennen* overrun; *gefaltet* folded, i.e. layered; *getürmt* projecting into the sky, like towers

[17] *Franken ... Schwaben* Franconia and Swabia, regions in southern Germany; *seit unvorstellbarer Zeit* since time immemorial
[18] *eben erst abgetreten* which has just left the scene
[19] *Landschaftsbildner* The ice age is pictured as having just recently occurred.
[21] *Bereich* realm, here: measure, degree
[22] *Landklima* continental climate
[23] *flau* insipid
[24] *Architektonische* i.e. the physical structure

25 scher gebaut. Da sind: die unter der Gletschersohle abgelagerten
Lehmflächen — heute Äcker —; rosenkranzförmige Hügelhalbringe,
die sich aufschütteten vor den Zungen des abschmelzenden Gletschers;
die angeschütteten Sand- und Schotterfelder vor den Hügelzügen
und die Sandtäler, welche unter und vor dem Gletscher ziehende
30 Schmelzwasserflüsse anlegten, von der Natur mit Nadelwald besetzt
und von der Kultur mit Nadelwald belassen; die architektonisch
gereihten, streng geformten Schlauchseen und die regellos verstreuten
lappigen Seen. Urtümlich ist sie, diese Landschaft, primitiv, von
vorgeschichtlichem Zauber umweht, — etwas asiatisch auch im Weit-
35 räumigen und oft noch Unkultivierten. Sie schwingt weit nach
Rußland, im Zwange gleicher Entstehung, hinaus, Rußland (und
mit Rußland Asien) leckt in dieser norddeutschen Landschaft mit
langer Zunge nach Deutschland-Europa herein. Das Baltische Meer,
dieses nordische Halbmeer, Mittelmeer, gibt Gemeinsames ihr und
40 der schwedischen und finnischen. Meer und Asien schenken ihr
Weite.

Gegenstück im Süddeutschen Alpengletscher, der bis München
vordrang, baute eine sehr ähnliche Landschaft, doch gedrängter,
enger, reiner, nicht so weiträumig verloren, sinnfälliger und besser
45 überschaubar, herb auch und voll Größe. Was dort die Ahnung
Asiens, ist hier das Blaulicht der Alpen.

Das reinste Hügelland, meine ich, findet man im Dreieck zwischen
München und Donau. Boden eines jung abgeflossenen Meeres ist's,
weicher Stoff, leicht von den Kräften der Luft bearbeitet. Eigen-
50 tümliche kurzwellige Hügel hat die Landschaft, Ackerschollen im
großen, wie die jüngste Landschafterei sie malt.

Das Mittelland ist gebirgig, Rest uralter, abgetragener Alpen.
Mild wie das Alter. Runde Formen, weiche Linien, Felsen hier und

---

25 *die unter der Gletschersohle abgelagerten Lehmflächen* the clay deposits
from under the sole of the glacier
26 *rosenkranzförmige Hügelhalbringe*
semicircular hills strung together
like beads in a rosary
28 *Schotter* moraine (gravel); *Hügelzug*
chain of hills
30 *Schmelzwasserfluß* river of melted
water
31 *Kultur* i.e. by man (as opposed to
nature); *belassen* leave (in its
natural state)
32 *Schlauchsee* long (pipe-shaped) lake
33 *lappig* lobated, i.e. round-shaped like
a lobe
39 *ihr* i.e. *Landschaft*
44 *sinnfällig* manifest, striking the
senses
50 *kurzwellig* with short wavy lines
51 *im großen* on a large scale; *Landschafterei* landscape painting

da, im ganzen ist das Felsskelett umhüllt vom Fleisch der Verwitterungskrone. Die Flüsse ausgeglichen, die Sturzhöhe der ehemaligen 55
Wasserfälle auf linde gleichsinnige Flußgefälle weiter Strecken ausgetragen. Durchbruchstäler sind da, ja schwarzbraune des Rheines
im Schiefer, rote des Neckars im bunten Sandstein, gelbe des Mains
im Muschelkalk, rötliche der Elbe im Elbsandstein, weiße der Saale
und der Donau im Kalke, — aber das alles gedämpft, gemäßigt, der 60
Ruhe nahe. Das wissende Auge zieht imaginäre Ebenen von Kuppe
zu Kuppe durch die Luft, Einräumungsebenen konstruierend. Ein
kosmischer Kreisablauf der Formen zwischen Alpe und abrasierter
Ebene, von romantischer Formenjugend zu klassischem Gestalten-
alter, unermeßliche Zeiträume übergreifend, unterbrochen von Wie- 65
derbelebungen der Flüsse und Verjüngungen der Täler durch sich
hebende Gebirge — ein ungeheures, tief in die Seele sinkendes Gesetz.
Vulkane begegnen der Rhön und der Eifel, mit fast pädagogisch
reinen Formen der Musterbeispiele, auch weiße Gebirgsmauern wie
die Schleifen des ebenlagernden ungestörten Juras, aber verhaltene 70
Rhythmen, gebundene Gestalten. Alte Landschaft. Klassisch ist
sie ihrem Wesen und ihrer seelischen Wirkung nach, obgleich ein
wenig romantisches Volk in ihr sitzt.

Aber romantisch in Wesen und Wirkung, anregend, auch aufregend,
aufreizend ist das Hochgebirge. Es ist junges Gebirge, schon an der 75
Zeit, auch am Formenschatze gemessen. Zu solcherart doppelsinnig
junger Erdformenwelt zählen auch die zum Alpenzuge gehörigen
Gebirge und Landschaften Griechenlands und Italiens. Romantisch

[54] *Verwitterungskrone* top layer caused
by weathering
[55] *Sturzhöhe* falling distance
[56] *gleichsinnig* like-minded, i.e. also
behaving like a waterfall
[57] *Durchbruchstal* valley cut through
the rock
[58] *Schiefer* slate; *Neckar* tributary of
the Rhine
[59] *Muschelkalk* shell limestone; *Elbsandstein* sandstone from the Elbe
region (the Elbe is one of the principal German rivers); *Saale* river
in central Germany
[61] *Kuppe* summit
[62] *Einräumungsebene* plateau on which
a house may be built
[63] *Kreisablauf* circular course; *abrasiert*

eroded
[64] *romantisch* ...   The rough, asym-
metrical forms are characterized as
youthful (still unformed), romantic; the more rounded forms as
classical and mature in age.
[66] *durch sich hebende Gebirge* by mountain ranges which rose up
[68] *Rhön, Eifel* mountain ranges in central and western Germany; *pädagogisch* "textbook"
[70] *Schleife* winding; *ebenlagernd* level-
lying; *Jura* a mountain range in
southern Germany and Switzerland; *verhalten* restrained
[71] *gebunden* controlled
[75] *schon* if only
[77] *Alpenzug* Alpine chain

sind sie nach Wesen und seelischer Wirkung, obgleich ein in klas-
80 sischen Formen denkender Mensch sie bewohnt und sie die klassischen
Stätten bergen. Nicht nötig, die Alpen mit ihren Berglinien und
Kammreihen, mit einschmiegsamen Längs- und widerspruchsreichen
trotzigen Quertälern, mit Spitz- und Trogtälern, mit Gletschern,
Seen und Klammen zu beschreiben. Jeder kennt sie, wenn auch nur
85 im Bilde, denn einprägsam, selbstdeutlich, frisch sind die Formen,
prächtig, merkwürdig, sonderbar, naiv wie alles Junge. Und auch
was sie an Erhabenheit haben — etwa die Silberpanzer ewiger Firne
vom Himmel hängend —, wirkt unmittelbar. Das Mittelgebirge aber
ist schwerer zu deuten, es fragt den Geist, beschäftigt die Überlegung,
90 regt eine — wahr zu sagen! — größere, tiefer in die Erhabenheit von
Raum und Zeit greifende Betrachtung an. Hochgebirge wirkt sinnlich, Mittelgebirge sinnig. Jenes hat fast physische, dieses schon
metaphysische Reize.

3

KÖRPER UND ANTLITZ DES DEUTSCHEN MENSCHEN

EUGEN DIESEL (1889–)

Eugen Diesel, the son of Rudolf Diesel, the inventor of the Diesel engine,
is a writer on cultural subjects. The following selection is from *Die deutsche
Wandlung* (1929).

Der deutsche Körper ist eher grobknochig als fein, nicht eigentlich
hochgereckt und lang, also „untersetzt", aber im Durchschnitt nicht

[79] *klassisch* The landscape is rounded, well-formed, sedate; the inhabitants are free and dynamic.
[81] *bergen* contain
[82] *Kammreihe* row of hill ridges; *mit...* with pliant longitudinal valleys and contradictory, defiant diagonal valleys, pointed valleys and trough valleys
[84] *Klamm* ravine, glen
[87] *Firn* last year's snow, glacier
[88] *Mittelgebirge* mountain ranges of central Germany
[91] *sinnlich, sinnig* sensuously, pensively

[2] *hochgereckt* upright; *untersetzt* thickset

klein. Er ist nicht schlank, eher etwas dick und macht oft einen
zugleich eckigen und runden Eindruck. Sieht man in Anstalten
viele Jungen ähnlich gekleidet, so nimmt man ganz unmittelbar das 5
Kantige des deutschen Körpers wahr. Die Deutschen kommen
nicht eigentlich stolz, aber auch nicht gelockert-beweglich oder
graziös-zierlich daher. Ihre Abmessungen und Bewegungen sind
eher philiströs-tüchtig, fest und gediegen. Sich stolz fühlende Deutsche, etwa höhere Offiziere der alten Armee und einige Generaldirek- 10
toren, wirken eher stattlich-pompös als „stolz". Hand- und
Fußbewegungen sind kräftig, nicht weich, oft energisch. Die Gangart ist häufig die eines Schreitens oder Marschierens, weniger die
eines leichten Gehens, und ein deutsches Regiment wirkt darum
neben dem Tänzeln und Hüpfen französischer Bataillone fast wie 15
eine Dampfwalze. Trotz ihres oft steifen und winkligen Benehmens
gestikulieren die Deutschen nicht wenig, mehr als Engländer und
Nordländer, nicht mit der plastischen Beweglichkeit der Italiener,
sondern in heftigen Linien und Rucken. Nach der Meinung von
Engländern sind die Deutschen stämmig und muskelstark, besitzen 20
die Fähigkeit, Schmerzen zu erdulden, viel und unausgesetzt zu
arbeiten und die Nächte bei schwerem Essen und Trinken zu ver-
bringen.

An Schädeln gibt es feine und grobe, große und kleine, runde und
lange, hohe und eckige, alle Übergänge noch mannigfaltiger als bei 25
anderen Völkern. Es gibt fliehende und steile Stirnen an runden
und langen Köpfen, feine Schläfen auf rundem Kopf, kantige An-
sätze auf langer Fläche. Der lange Kopf mit feinen Schläfen ist
seltener als der dicke runde Kopf, der wegen des meistens großen
Gesichts größer wirkt, als er ist, und oft mit kräftigem Nacken ver- 30
sehen ist. Bei einem immer wieder auffallenden Typ (Ibsen nennt
ihn Eberkopf) betrachtet man starke Nasenfalten. Zuweilen sieht

---

4 *eckig* angular
6 *kantig* angular; *daher-kommen* walk
7 *gelockert-beweglich oder graziös-zier-*
   lich loose-mobile or graceful-dainty
8 *Abmessung* stride
9 *philiströs-tüchtig* philistine-efficient;
   gediegen solid
10 *Generaldirektor* company president
12 *Gangart* walk
15 *Tänzeln* dance-like walk
16 *Dampfwalze* steam roller; *winklig*

   angular
19 *Ruck* jerk
20 *stämmig* stocky
21 *unausgesetzt* steadily
26 *fliehend* receding
27 *Ansatz* slope. The brow slopes
   sharply for some distance before it
   bends.
30 *wirken* appear
31 *auffallend* striking
32 *Eber* boar

man kantige und sehr hohe Schädel sich erheben, wie aus Muschelkalk. Die Haare streben senkrecht darauf empor, und ihre Besitzer
35 lieben kräftige Schnurrbärte. Sie sind echt deutsch und wie ein
Ausdruck der Zuverlässigkeit, Willenskraft und Schwere.
Alle Haarfarben sind vorhanden. Die Sportsegler sind auffallenderweise meistens blond. Der Durchschnitt ist ein unentschiedenes
Dunkelblond, die häufigste Benennung in der Personalbeschreibung
40 der Pässe. Alle Arten von Augen finden sich: blaue, grüne, braune,
graue; braune mit grünem Innenkreis, graue mit bräunlichem. Die
Haut spielt in vielen Tönungen vom Rosig-Lichten bis zum Bräun-
lichen oder sogar Olivenartigen, zwischen Frischem und Fahlem.
Aber der deutsche Durchschnitt scheint rotwangiger zu sein als bei
45 andern Völkern; denn Rotwangigkeit der Deutschen fällt dem
Amerikaner auf, und selbst die Schweden bezeichnen gewisse Deutsche als „Apfeldeutsche" im Hinblick auf rotbackige runde Gesich-
ter.

Auf dem Antlitz der Deutschen liegt nicht die Heiterkeit des Südens,
50 die Lichtheit des Nordens, die Schwermut des Ostens, die Festigkeit
des Westens. Es ist geprägt von Bedrückung, philosophischer Schwere,
von Gutmütigkeit ohne rechte Klarheit, von einem sachlichen Instinkt sich zu behaupten, von Mißgelauntheit, die aber vor der
Gemütlichkeit die Waffen streckt.

55 Die Frauen wirken oft schwer dahinschreitend, breit mütterlich,
formlos gutmütig und ein wenig aufgeregt sorgend. Sie sind selten
Madonnen, die besten unter ihnen sind wesenhaft innig und wohl
auch im Urteil und Gefühl fester als der deutsche Mann. Sie sind,
wenn auch gewiß nicht schöner, so doch oft in einigen Hinsichten
60 weicher, anmutiger, weiblicher als die Frauen der nördlicheren Länder,
und vor allem wahren sie ihr persönliches Gesicht länger als die so
oft in eine gewisse Fahlheit und Ausgeglichenheit verblassenden
skandinavischen Frauen.

Im Vergleich zu andern Nationen wirken die Deutschen weniger
65 festgefahren. Nach allen Seiten hin ähneln sie — je nach ihrer

---

33 *Muschelkalk* shell limestone
34 *senkrecht* vertically
36 *Zuverlässigkeit* trustworthiness
38 *unentschieden* indeterminate
40 *Paß* passport
47 *Hinblick* respect

53 *Mißgelauntheit* ill-humor
54 *die Waffen strecken* capitulate
57 *wesenhaft innig* basically sincere
62 *Ausgeglichenheit* flatness; *verblassen* pale
65 *festgefahren* distinctive

Grenze und Landschaft — Franzosen, Holländern, Dänen, Polen, Böhmen und Schwaben. Überall aus der deutschen Masse kann man Menschen aussuchen, die mit leichter Anpassung an Mode und Auftreten ohne aufzufallen in den andern Völkern aufgehen würden. Das Volk als Ganzes erscheint plastischer als irgend ein anderes 70 Volk Europas. Die Deutschen sind in besonderer Hinsicht eine im Fluß befindliche Mischung. Im Stilwandel der Jahrhunderte ist immer wieder zu beobachten, daß der europäische Stil eher den deutschen Menschen zu beherrschen trachtet, als daß umgekehrt der deutsche Mensch maßgebenden Einfluß auf den europäischen 75 Stil ausübt.

4

DEUTSCHE INNERLICHKEIT

FRIEDRICH NIETZSCHE (1844–1900)

From the essay *Vom Nutzen und Nachteil der Historie für das Leben* (1874). In this brilliant critique of German life, Nietzsche argues that modern civilization suffers from an excess of historism, that is, it pays too much attention to past tradition, which paralyzes the will to act and change life. One of his sharp criticisms of German ways is that directed against the proud boast that the German cares nothing for form and everything for content or spirit. To this point he addresses himself in the following passage.

Aus uns haben wir Modernen gar nichts; nur dadurch, daß wir uns mit fremden Zeiten, Sitten, Künsten, Philosophien, Religionen, Erkenntnissen anfüllen und überfüllen, werden wir zu etwas Beachtungswertem, nämlich zu wandelnden Enzyklopädien, als welche uns

---

[67] *Böhme* Bohemian (German from the present Czechoslovakia); *Schwaben* Swabians (from Württemberg)
[69] *Auftreten* deportment; *auf-gehen* vanish
[70] *plastisch* i.e. less fixed

[75] *maßgebend* definitive

Innerlichkeit inwardness, i.e. spirituality
[3] *beachtungswert* worthy of noticing

5 vielleicht ein in unsere Zeit verschlagener Alt-Hellene ansprechen
würde. Bei Enzyklopädien findet man aber allen Wert nur in dem,
was darin steht, im Inhalte, nicht in dem, was darauf steht oder was
Einband und Schale ist; und so ist die ganze moderne Bildung wesentlich innerlich: auswendig hat der Buchbinder so etwas darauf ge-
10 druckt wie „Handbuch innerlicher Bildung für äußerliche Barbaren".
Man wird im Äußerlichen immer läßlicher und bequemer und erweitert die bedenkliche Kluft zwischen Inhalt und Form bis zur
Gefühllosigkeit für die Barbarei. Die Kultur eines Volkes als der
Gegensatz jener Barbarei ist einmal, wie ich meine, mit einigem
15 Rechte, als Einheit des künstlerischen Stiles in allen Lebensäußerungen eines Volkes bezeichnet worden; diese Bezeichnung darf
nicht dahin mißverstanden werden, als ob es sich um den Gegensatz
von Barbarei und schönem Stile handele; das Volk, dem man eine
Kultur zuspricht, soll nur in aller Wirklichkeit etwas lebendig Eines
20 sein und nicht so elend in Inneres und Äußeres, in Inhalt und Form
auseinanderfallen. Wer die Kultur eines Volkes erstreben und
fördern will, der erstrebe und fördere diese höhere Einheit und ar-
beite mit an der Vernichtung der modernen Gebildetheit zugunsten
einer wahren Bildung, er wage es, darüber nachzudenken, wie die
25 durch Historie gestörte Gesundheit eines Volkes wiederhergestellt
werden, wie es seine Instinkte und damit seine Ehrlichkeit wieder-
finden könne.

Ich will nur geradezu von uns Deutschen der Gegenwart reden,
die wir mehr als ein anderes Volk an jener Schwäche der Persönlich-
30 keit und an dem Widerspruche von Inhalt und Form zu leiden haben.
Die Form gilt uns Deutschen gemeinhin als eine Konvention, als
Verkleidung und Verstellung und wird deshalb, wenn nicht gehaßt,
so doch jedenfalls nicht geliebt; noch richtiger würde es sein zu sagen,
daß wir eine außerordentliche Angst vor dem Worte Konvention
35 und auch wohl vor der Sache Konvention haben. In dieser Angst
verließ der Deutsche die Schule der Franzosen: denn er wollte natür-

---

5 *verschlagen* throw
8 *Einband* binding; *Schale* skin
11 *läßlich* lax
12 *bedenklich* serious
14 *einmal* in the polemic against David
   Friedrich Strauss
17 *dahin* in such a way
19 *zu-sprechen* ascribe

21 *erstreben* achieve
22 *fördern* promote
23 *Gebildetheit* education, culture (here
   used in a contemptuous sense)
25 *wiederher-stellen* restore
32 *Verkleidung* disguise; *Verstellung*
   pretense, hypocrisy

licher und dadurch deutscher werden. Nun scheint er sich aber in
diesem „Dadurch" verrechnet zu haben: aus der Schule der Konvention entlaufen, ließ er sich nun gehen, wie und wohin er eben Lust
hatte, und machte im Grunde schlottericht und beliebig in halber 40
Vergeßlichkeit nach, was er früher peinlich und oft mit Glück nach-
machte. So lebt man, gegen frühere Zeiten gerechnet, auch heute
noch in einer bummelig inkorrekten französischen Konvention: wie
all unser Gehen, Stehen, Unterhalten, Kleiden und Wohnen anzeigt.
Indem man zum Natürlichen zurückzufliehen glaubte, erwählte man 45
nur das Sichgehenlassen, die Bequemlichkeit und das möglichst
kleine Maß von Selbstüberwindung. Man durchwandere eine deutsche Stadt — alle Konvention, verglichen mit der nationalen Eigenart
ausländischer Städte, zeigt sich im Negativen, alles ist farblos, abgebraucht, schlecht kopiert, nachlässig, jeder treibt es nach seinem 50
Belieben, aber nicht nach einem kräftigen, gedankenreichen Belieben,
sondern nach den Gesetzen, die einmal die allgemeine Hast und sodann die allgemeine Bequemlichkeitssucht vorschrieben. Ein
Kleidungsstück, dessen Erfindung kein Kopfzerbrechen macht und
dessen Anlegung keine Zeit kostet, also ein aus der Fremde entlehntes 55
und möglichst läßlich nachgemachtes Kleidungsstück, gilt bei den
Deutschen sofort als ein Beitrag zur deutschen Tracht. Der Formensinn wird von ihnen geradezu ironisch abgelehnt, — denn man
hat ja *den Sinn des Inhaltes:* sind sie doch das berühmte Volk der
Innerlichkeit.   60
Nun gibt es aber auch eine berühmte Gefahr dieser Innerlichkeit:
der Inhalt selbst, von dem es angenommen ist, daß er außen gar
nicht gesehen werden kann, möchte sich gelegentlich einmal ver-
flüchtigen; außen würde man aber weder davon, noch von dem
früheren Vorhandensein etwas merken. Aber denke man sich im- 65
merhin das deutsche Volk möglichst weit von dieser Gefahr entfernt:
etwas Recht wird der Ausländer immer behalten, wenn er uns vor-
wirft, daß unser Inneres zu schwach und ungeordnet ist, um nach

---

38 *verrechnen* miscalculate
40 *schlottericht* sloppily; *beliebig* at will
43 *bummelig* carelessly
47 *Selbstüberwindung* self-control
48 *Eigenart* character
49 *abgebraucht* worn out
53 *Bequemlichkeitssucht* mania for comfort
54 *Kopfzerbrechen* trouble, effort
55 *entlehnen* borrow from
63 *gelegentlich* occasionally; *sich ver-*
flüchtigen take flight
65 *vorhanden-sein* exist
67 *vor-werfen* reproach

außen zu wirken und sich eine Form zu geben. Dabei kann es sich
70 in seltenem Grade zart empfänglich, ernst, mächtig, innig, gut erweisen, vielleicht selbst reicher als das Innere anderer Völker sein:
aber als Ganzes bleibt es schwach, weil alle die schönen Fasern nicht
in einem kräftigen Knoten geschlungen sind: so daß die sichtbare
Tat nicht die Gesamttat und Selbstoffenbarung dieses Innern ist,
75 sondern nur ein schwächlicher oder roher Versuch irgend einer Faser,
zum Schein einmal für das Ganze gelten zu wollen. Deshalb ist der
Deutsche nach einer Handlung gar nicht zu beurteilen und als Individuum auch nach dieser Tat noch völlig verborgen. Man muß
ihn bekanntlich nach seinen Gedanken und Gefühlen messen, und
80 die spricht er jetzt in seinen Büchern aus. Wenn nur nicht gerade
diese Bücher neuerdings mehr als je einen Zweifel darüber erweckten,
ob die berühmte Innerlichkeit wirklich noch in ihrem unzulänglichen
Tempelchen sitze: es wäre ein schrecklicher Gedanke, daß sie eines
Tages verschwunden sei und nun nur noch die Äußerlichkeit, jene
85 hochmütig täppische und demütig bummelige Äußerlichkeit, als
Kennzeichen des Deutschen zurückbliebe. Fast eben so schrecklich,
als wenn jene Innerlichkeit, ohne daß man es sehen könnte, gefälscht,
gefärbt, übermalt darin säße und zur Schauspielerin, wenn nicht zu
Schlimmerem geworden wäre.
90   Hier muß geholfen werden, jene höhere Einheit in der Natur und
Seele eines Volkes muß sich wieder herstellen, jener Riß zwischen
dem Innen und dem Außen muß unter den Hammerschlägen der Not
wieder verschwinden. Und damit ich keinen Zweifel lasse, woher
ich das Beispiel jener Not, jenes Bedürfnisses, jener Erkenntnis
95 nehme: so soll hier ausdrücklich mein Zeugnis stehen, daß es *die
deutsche Einheit* in jenem höchsten Sinne ist, die wir erstreben und
heißer erstreben als die politische Wiedervereinigung, *die Einheit
des deutschen Geistes und Lebens nach der Vernichtung des Gegensatzes
von Form und Inhalt, von Innerlichkeit und Konvention.*

---

70 *empfänglich* receptive
72 *Faser* fiber
74 *offenbaren* reveal
76 *zum Schein* for the sake of appear-
    ance
77 *nach* according to

81 *neuerdings* recently
82 *unzulänglich* inadequate
85 *hochmütig* arrogant; *täppisch* clumsy;
    demütig humble
86 *Kennzeichen* distinguishing mark
89 *Schlimmerem* i.e. prostitute
95 *Zeugnis* testimony

5

DER DEUTSCHE INDIVIDUALISMUS

RICHARD MÜLLER-FREIENFELS (1882–1949)

Müller-Freienfels was a philosopher and psychologist who wrote brilliantly on individual and group psychology, cultural history, philosophy, and aesthetics. The following extract is from *Psychologie des deutschen Menschen und seiner Kultur* (1922), whose central thesis is that the German is essentially an emotional (i.e. irrational) individualist (as stated in the opening sentence of this selection).

Unmittelbarste Spiegelung des deutschen empfindsamen Individualismus ist die Lyrik.   Nur ein Deutscher, Goethe, konnte schreiben und sprach damit aus, was für die meisten seiner dichtenden Landsleute gilt: daß seine Dichtungen alle Bruchstücke einer großen Konfession seien.   „Was ich weiß, kann jeder wissen, mein Gefühl   5 nur hab ich für mich allein!" sagt der gleiche große Lyriker.   Es ist kein Zufall, daß in der deutschen Lyrik so oft der Gegensatz zwischen Ich und „Welt" betont wird.   „Laß, o Welt, o laß mich sein!"   Gewiß klingen solche Töne auch in nichtdeutschen Versen an, sie sind jedoch nicht so typisch.   Jener Ausruf Goethes: „Selig, wer sich vor   10 der Welt ohne Haß verschließt!" könnte als Motto für die Hälfte der deutschen Lyrik gelten; selbst das Einklangsgefühl mit der Natur entwächst zum guten Teil dieser antisozialen Neigung des deutschen Dichters.   Der Deutsche sucht die Natur, um die „Welt" zu fliehen, um sein Ich zu finden.   Der Romane redet in seiner Lyrik   15

---

¹ *empfindsam* emotional
⁵ *seien* a remark of Goethe's to his secretary Eckermann; *Was . . .* from Goethe's novel *Die Leiden des jungen Werthers*
⁸ *laß . . .* the opening line of Mörike's poem *Verborgenheit*

⁹ *an-klingen* be heard
¹⁰ *Selig . . .* from Goethe's poem *An den Mond* (§ 56 of this book)
¹² *Einklang* harmony
¹⁵ *Romane* Latin (one of the Romance peoples)

stets zu einem Publikum, dichtet für den anderen, wie auch die besten
Portraits der besten italienischen Meister immer irgendwie posieren,
ihre Modelle sich bewußt sind, daß sie gesehen werden. Niemals
findet man, selbst bei Tizian oder Raffael nicht, jene wunderbare
20 Unbefangenheit, die Dürers oder Rembrandts beste Schöpfungen
haben. So sind die romanischen Gedichte meist rhetorische Lei-
stungen, die sich der Resonanz auf viele Hörer bewußt sind und
gleichsam von einer Bühne gesprochen werden, während der Deutsche
in sich hinein und für sich redet, bis zur bewußten Mißachtung
25 des Hörers darin gehend. Dem Romanen kommt es auf *Eindruck*
bei anderen an, dem Germanen auf *Ausdruck* seiner selbst. Romanische Gedichte kann man sozusagen von außen verstehen, die
deutschen nur, wenn man sich ganz in das Ich des Dichters hinein-
lebt, ganz aus seiner Subjektivität heraus fühlt. Daher das „Unver-
30 ständliche" deutscher Lyrik, das Romanen ihr oft vorwerfen, das
Aufsuchen einsamer Sonderpfade, die nur derjenige findet, der ge-
willt ist, dem Dichter sich zu verschreiben und sich aller Konvention
zu entledigen, die der Romane noch bis in die Poesie hinein mit-
schleppt.
35   Der romanische Dichter will gefallen, will wirken, will die „große
Mauer durchbrechen, die ihn vom Publikum trennt", wie Zola einmal sagt. Dem deutschen Dichter, wenigstens dem großen, ist „das
Lied, das aus der Kehle dringt, Lohn, der reichlich lohnet." Der
deutsche Dichter fühlt sich nicht wie die meisten nichtdeutschen als
40 Mitbewerber bei einem großen Rennen auf gleicher Bahn mit gleichem
Ziele, sondern als Finder eigener Pfade. Er will „Persönlichkeit"
sein, eine eigne „Weltanschauung" haben, die ganze Welt in be-
sonderem Brennspiegel auffangen. Daher ist ihm seine Kunst nicht
in erster Linie ein Können, wie für die meisten romanischen Dichter,
45 sondern ein „Erleben", eine natürliche Blüte eigentümlicher Wesensart.
      Nicht minder ist der deutsche *Roman* die Spiegelung eines

---

20 *Unbefangenheit* lack of self-conscious-
   ness
21 *romanisch* i.e. French, Italian, Spanish
25 *an-kommen* matter
32 *sich verschreiben* hand himself over
33 *sich entledigen* rid himself
36 *Émile Zola* (1840–1902) French

novelist
37 *das Lied* ... from Goethe's ballad
   Der Sänger
40 *Mitbewerber* competitor; *Rennen*
   race
43 *Brennspiegel* concave mirror
44 *Können* skill
45 *Wesensart* nature, character

wesentlich individualistischen Seelenlebens. Die typisch deutsche Romanform, der „Ich-Roman", gibt die Entwicklung einer einzigen Mittelgrundfigur, meist einer Verkappung des Autors, neben der 50 alle übrigen Romangestalten sekundäre Bedeutung haben. Im griechischen Schrifttum findet sich dafür keinerlei Entsprechung, auch der französische und russische Roman sind im Vergleich mit dem deutschen sozialen Charakters; höchstens in der stamm-verwandten englischen und skandinavischen Dichtung findet sich 55 Verwandtes.

Am besten erhellt die individualistische Art des deutschen Romans, wenn man ihn mit der des französischen vergleicht. Die französischen Romane gehen fast durchweg von einer überindividuellen Wesen-heit, der *Gesellschaft*, aus. Diese ist das Gegebene, innerhalb 60 deren sich die Menschen bewegen als in der ihnen notwendigen Atmosphäre. Daher das Bestreben der großen französischen Roman-dichter, ihre Bücher zusammenzuschließen zu großartigen Gesell-schaftsbildern, einer „Comédie humaine", einer „Histoire naturelle et sociale d'une famille du second empire", d.h. strenggenommen 65 der ganzen Gesellschaft des zweiten Kaiserreichs. Auch die Romane der großen Russen sind unindividualistisch: die „Toten Seelen" Gogols, die Hauptwerke Tolstois, die Romane Dostojewskis, vor allem die „Dämonen", der „Idiot", die „Karamasows" sind Gemälde einer (von der französischen Gesellschaft freilich verschiedenen) 70 typisch slawischen überindividuellen Welt.

Ganz anders der deutsche Ich-Roman. Sein Grundproblem ist gerade die Auseinandersetzung des Individuums mit der „Welt", in die es hineingeboren ist. Der Held des deutschen Romans steht nicht in der Welt, er steht ihr *gegenüber:* sein Schicksal ist das 75 allmähliche Sichanpassen oder, häufiger noch, sein tragisches Unter-liegen in dieser Auseinandersetzung mit der Welt. Und diese „Welt"

---

[48] *Seelenleben* mental life
[49] *Ich-Roman* novel in which the story is told in the first person, as in Dickens's *David Copperfield*
[50] *Mittelgrundfigur* central basic figure; *Verkappung* disguise
[54] *sozialen Charakters* social in char-acter; *stammverwandt* racially akin
[57] *erhellen* become clear
[59] *aus-gehen* take their departure; *durchweg* altogether

[64] *The Human Comedy* is the title that Balzac gave to his novels; Zola called his *The Rougon-Macquarts* (The Natural and Social History of a Family under the Second Em-pire).
[65] *strenggenommen* in the strict sense
[66] *zweites Kaiserreich* i.e. France 1850–70
[73] *Auseinandersetzung* opposition
[76] *Sichanpassen* adaptation

ist nicht so sehr die typische Welt, sondern sie ist gebrochen durch
ein individuelles Spektrum. Die „Welt" der Romane Balzacs,
80 Zolas, Maupassants, Tolstois macht Anspruch auf objektive Gültigkeit: die Welt des „Wilhelm Meister", des „Titan", des „Grünen
Heinrich", des „Emanuel Quint" ist weit subjektiver geschaut, ist
die Welt, wie sie der Autor in der Seele des Helden spiegelt, mit dem
er sich stets bis zu weit höherem Grade in eins setzt, als es Franzosen
85 oder Russen jemals tun.

Der Held des deutschen Romans ist sich seiner Individualität mit
Stolz bewußt. Er fesselt gerade als Individualität, während die
Helden der Franzosen als *Typen* interessieren: Balzacs Grandet
als der typische Geizige, Tartarin de Tarascon als der typische Pro-
90 venzale, Zolas Saccard in „L'Argent" als der typische Glücksritter
der Börse. Jede dieser Gestalten ist auf eine typische Formel zu
bringen. Bei den Helden der berühmtesten deutschen Romane
gelingt es nicht, sie mit einem solchen Begriff zu charakterisieren,
und versuchte man es mit dem Wilhelm Meister, mit dem Grünen
95 Heinrich, mit Jörn Uhl dennoch, so entglitte einem das Beste unter
den Händen. Denn wie in der Philosophie ist dem deutschen Dichter
das Individuum letzte, irrationale Einheit, nicht bloß der Einzelfall
eines Typus. Der Mensch ist „geprägte Form, die lebend sich entwickelt", eine Monas, ein Mikrokosmos, der dem Makrokosmos
100 selbständig gegenübersteht, sein „Gesetz" von innen, nicht von der
Gesellschaft empfängt.

Ein besonderes Relief gewinnt der individualistische deutsche
Roman vielleicht noch durch Kontrastierung gegen die klassische
Antike, die bezeichnenderweise überhaupt nichts ihm Ähnliches
105 hervorgebracht hat. Denn der klassische Geist, hierin der polare
Gegensatz des deutschen, denkt ganz unindividualistisch. Das er-
kennt man am besten aus den klassischen Biographien. Dem griechi-

---

[81] *Wilhelm Meister*, etc. novels by
Goethe, Jean Paul Richter, Gottfried Keller, Gerhart Hauptmann
[84] *sich in eins setzen* identify oneself
[87] *fesseln* grip
[89] *Geizige* miser; *Tartarin de Tarascon*
hero of a novel by Alphonse Daudet
(1840–97); *Provenzale* native of
Provence in southern France
[90] *Glücksritter der Börse* speculator on
the stock exchange

[95] *Jörn Uhl* hero of the novel by the
same name by Gustav Frenssen
(1863–1945)
[98] *geprägte . . . entwickelt* (pre)stamped
form which develops organically;
from Goethe's poem *Urworte Or-
phisch*
[99] *Monas* usual form: *Monade*. The
monad is the irreducible unit of
being in the philosophy of Leibniz.
[104] *bezeichnenderweise* characteristically

schen Biographen ist der Ausgangspunkt nicht die Einzelpersönlich-
keit, sondern die typische Lebensform, die verschiedene Art des Bios.
Dem Griechen kam es auf typische Darstellung eines Staatsmanns, 110
eines Philosophen, einer moralischen Persönlichkeit an, für die ihm
das darzustellende Individuum ein bloßes Beispiel war. Der in-
dividualisierende Gesichtspunkt der Deutschen ist dem Griechen in
noch höherem Grad als dem ihm darin verwandten modernen Romanen fremd.   115
   Auch in der *Dramatik* ergeben sich ähnliche Gegensätze zwischen
dem klassischen und französischen Drama einerseits und dem
germanischen andererseits. Der griechische Dramenheld inte-
ressiert niemals als Individuum, schon darum nicht, weil er kaum
als solches gekennzeichnet wird. Was wissen wir vom Individuum 120
Ödipus? Er ist der typische Mensch, über dem sich die Allgewalt
des Schicksals wie ein Wolkenbruch entlädt. Was sind uns der Orest
des Äschylus, die Iphigenie des Euripides als Individuen? Sie sind
typische Träger von typischen Schicksalen und als solche gewiß
groß gesehen. Individuen werden sie trotz aller daneben erstrebten 125
Typisierung erst in Goethes Gestaltung. In anderer Weise typisiert
das französische Drama, hierin dem Roman entsprechend. Schon
die Titel der Molièreschen Komödien weisen auf Typen hin: „der
Geizige", „der Menschenfeind", „der eingebildete Kranke." Wenn
ein Name gewählt wurde wie „Le Tartuffe," so konnte dieser Eigen- 130
name zur Typusbezeichnung werden! Auch die Helden Corneilles
oder Racines sind weit mehr Typen als Individuen, sind auf rationale
Formeln zu bringen. — Wie ganz anders ist es mit den Helden des
deutschen, überhaupt des germanischen Dramas! Es ist grobe Verkennung, wenn man versucht hat, für Hamlet, Othello, Faust, Wal- 135
lenstein, Herodes, Peer Gynt rationale Formeln zu finden. Bei
allen diesen Versuchen entschlüpft gerade das *Wertvollste*, weil

---

[109] *Bios* life
[112] *darzustellende* to be depicted
[116] *Dramatik* older term for *Drama*
[119] *schon darum* if for this reason alone
[120] *kennzeichnen* characterize
[121] *Allgewalt* omnipotence
[125] *daneben* besides
[126] *Gestaltung* creation; in Goethe's drama *Iphigenie auf Tauris*
[128] *Der Geizige* ... *L'Avare; Le Misanthrope; Le Malade imaginaire*

[130] *Eigenname* proper name
[131] *Typusbezeichnung* i.e. "a Tartuffe" is a religious hypocrite; *Corneille, Molière, Racine* are the three great dramatists of 17th-century France.
[134] *grobe Verkennung* crude misconception
[135] *Wallenstein* a trilogy by Schiller; *Herodes und Mariamne* a tragedy by Hebbel; *Peer Gynt* a drama by Ibsen

das Individuum, das vom germanischen Dichter gestaltet ist, stets
„ineffabile" ist. Es ist eine armselige, französische Brillen benutzende
140 Betrachtungsweise, wenn man glaubt, etwa in Hamlet den typischen
Pessimisten oder den „Zauderer aus zu viel Reflexion", in Othello
den Eifersüchtigen sehen zu wollen. Keine der wirklich gelun-
genen Gestalten Goethescher, Schillerscher, Hebbelscher oder Haupt-
mannscher Dramen sind durch gesellschaftliche Typenbegriffe
145 erschöpfend zu kennzeichnen. Wie grob sind solche Schemata
gegenüber der irrationalen Fülle der gestalteten Individualitäten!

In der verschiedenen Gefühlsbetonung des Individuellen wurzelt
ein weiterer Unterschied zwischen Deutschen und Franzosen. Der
Deutsche empfindet den Kampf des Individuums gegen die Allge-
150 meinheit als tragisch (für Hebbel z.B. ist dies der Typus aller echten
Tragik), der Franzose sieht in dem gleichen Kampfe (man vergleiche
Molières „Menschenfeind") das Komische. Wir Deutschen sind
geneigt, auch in jenem „Misanthropen" etwas Tragisches zu erblicken. Bei Molière ist Alceste in erster Linie eine lächerliche Figur.
155 Wir nehmen unsern Standpunkt im Individuellen, der Franzose in
der Gesellschaft. So können wir, nach Goethes Wort, keine Komödie
haben, „weil wir keine Gesellschaft haben."

[139] *ineffabile* inexpressible
[141] *Zauderer* hesitator
[142] *Eifersucht* jealousy
[145] *erschöpfen* exhaust; *Schemata* plural

of *Schema*
[149] *Allgemeinheit* society
[154] *Alceste* hero of *Le Misanthrope*
[156] *Wort* to Eckermann

II MYTHOS, MÄRCHEN UND LEGENDE

6

SIEGFRIED

The saga of the mythical race of the *Nibelungen* and of the hero Siegfried
or Sigurd is widespread among the Germanic peoples. One version of it
has crystallized in the *Nibelungenlied*, written in rhymed four line stanzas
in the late twelfth century by a South German poet.

Siegfried war der Sohn von König Siegmund aus den Niederlanden
und dessen Schwester Siegelinde. Der Vater fiel im Kampfe vor der
Geburt des Sohnes. Die Mutter gebar ihn im Walde auf der Flucht
vor den Feinden und starb bei seiner Geburt. Eine Hindin nährte
das Kind und der Knabe wuchs im Walde wie ein Tier auf. 5
Der Schmied Mime, berühmt wegen seiner Kunst, fand das schöne
Kind im Walde und nahm es zu sich. Siegfried lernte bei Mime die
Schmiedekunst. Weil er aber mit den Gesellen nicht auskommen
konnte, wollte Mime ihn loswerden. Er schickte ihn daher an einen
Ort im Walde, wo der Drache Fafner, der eigentlich Mimes Bruder 10
war, lebte. Mime hoffte, daß der Drache den jungen Helden töten
würde. Siegfried erschlug aber den Drachen; er badete in seinem
Blut und bekam davon eine Hornhaut, die ihn unverwundbar machte.
Nur eine Stelle an seinem Körper, auf dem Rücken zwischen den
Schultern, wurde von dem Blut nicht berührt. Diese Stelle war 15
seine „Achillesferse".
Bei Mime und seinen Gesellen konnte Siegfried nicht länger bleiben.
Er ging in die Welt hinaus. Er wanderte lange umher, bis er an die
Burg Isenstein kam, wo die Königin Brünhild wohnte. Diese empfing
ihn gastfreundlich, denn sie hatte von ihm gehört; sie schenkte ihm 20
das edle Roß Grane, das nur er zähmen konnte.
Er wanderte weiter durch die Länder und vollbrachte manche

---

4 *Hindin* doe
8 *aus-kommen* get along
10 *Drache* dragon

16 *Achillesferse* Achilles' heel (where
   the Greek hero was vulnerable)
21 *Grane* name of the horse

Heldentat. Endlich kam er in das Land der Nibelungen hoch oben
im Norden. Die Nibelungen waren ein Volk von Zwergen; sie be-
25 saßen einen unermeßlich großen Schatz an Gold und Edelsteinen.
Nach dem Tode des Königs Nibelung war der Schatz an seine zwei
Söhne gekommen, die in bitterer Feindschaft lebten. Sie beschlossen,
den Hort zu teilen und bestimmten Siegfried zum Schiedsrichter.
Zum Lohn schenkten sie ihm im voraus das verzauberte Schwert
30 Balmung. Siegfried teilte den Schatz in zwei gleiche Teile; das
war aber beiden Brüdern nicht recht. Sie schickten zwölf Riesen
gegen ihn; er aber erschlug sie alle in einem einzigen Kampf. Auch
die zwei Königssöhne erschlug er. Er bezwang den Zwerg Alberich,
den Hüter des Hortes, der ihm dann zum treuen Diener wurde.
35 Nachdem er auch den Riesen Kuperan erschlagen hatte, ließ Siegfried den Hort in die Berge bringen, wo ihn der Zwerg bewachen
sollte.

Siegfried und Kriemhild

Siegfried ging dann nach Worms am Rhein, der Hauptstadt des
Burgunderreichs. Hier herrschten die drei Königssöhne Gunther,
40 Gernot und Giselher; hier lebten auch ihre schöne Schwester Kriem-
hild und ihre Mutter Frau Ute. Am burgundischen Hofe waren
viele Ritter, darunter Hagen von Tronje, der Waffenmeister der
Könige und ein Verwandter des Königshauses.
Ein ganzes Jahr verbrachte Siegfried am Hofe der Burgunder.
45 Er kämpfte gegen die Feinde des Landes und besiegte sie. Er besiegte auch zwei Frauen, Brünhild und Kriemhild; und dieser doppelte
Sieg wurde ihm zum Verhängnis.
Die isländische Königin Brünhild hatte Siegfried nicht vergessen.
Sie liebte ihn und wartete auf ihn. Von vielen Ländern kamen
50 Freier zu ihr; aber keiner von diesen konnte die Kampfspiele
bestehen, die die Königin ihm aufgab und die sie selbst glänzend aus-

---

24 *Zwerg* dwarf
25 *Edelstein* jewel
28 *Hort* hoard, treasure; *Schiedsrichter*
    umpire
30 *Balmung* name of the sword
39 The Burgundians were an East
    Germanic tribe, settled about the

middle Rhine around Worms and
Mainz. They were destroyed by
the Huns in 436.
42 *Waffenmeister* armorer
47 *Verhängnis* fate
50 *Freier* suitor; *Kampfspiel* tourna-
    ment

führte. Auch Gunther wollte die Königin zur Frau gewinnen und bat Siegfried, ihm bei dieser Unternehmung zu helfen. Siegfried war einverstanden, unter der Bedingung, daß ihm Gunther die schöne Kriemhild zur Frau gebe. Gunther versprach es und sie ritten, zu- 55 sammen mit einem großen Gefolge, nach Isenstein. Hier bewarb sich Gunther als Freier um Brünhildes Hand und unternahm es, sie in den Kampfspielen, im Springen, Stein- und Speerwerfen, zu überbieten. Das gelang ihm auch, weil Siegfried hinter ihm in einer unsichtbaren Tarnkappe stand und die Bewegungen für ihn aus- 60 führte. Die Königin glaubte sich von Gunther besiegt und mußte seine Frau werden. Auch in der Brautnacht mußte Siegfried die Braut für Gunther besiegen. Er gewann dafür die schöne Kriemhild zur Frau und zog mit ihr nach seiner Heimat in Xanten am Rhein.

Siegfrieds Tod

Jahre darauf wurden Siegfried und Kriemhild nach Worms zu 65 einer Festlichkeit geladen. Bei dieser Gelegenheit gerieten die zwei Frauen in einen Streit um ihren Rang und Kriemhild entdeckte der Rivalin das Geheimnis, daß Siegfried, nicht Gunther, sie besiegt hatte. Diese Kränkung konnte Brünhild natürlich nicht unbestraft lassen und sie sann auf Rache. 70
Hagen von Tronje, Gunthers Waffenmeister, wurde zum Werkzeug ihrer Rache. Er nahm den Auftrag aus Treue zu seiner Herrin an. Von Kriemhild hatte er erfahren, an welcher Stelle Siegfried verwundbar sei; denn er hatte ihr versprochen, dem Helden im Kampfe an der Seite zu stehen und ihn gegen seine Feinde zu beschützen. 75 Kriemhild hatte in Siegfrieds Gewand ein kleines Kreuz genäht, an der gefährlichen Stelle zwischen den Schultern. Diese Entdeckung brachte dem Helden den Tod.
Die Burgunder gingen auf die Jagd. Siegfried war natürlich auch dabei und überbot sie alle an Heldentaten und mutwilligen Strei- 80 chen. Als er sich über eine Wasserquelle beugte, um zu trinken, ergriff Hagen seinen Speer und warf ihn nach der Stelle, wo Kriemhild das Kreuz genäht hatte. Tödlich verwundet, kämpfte Siegfried trotzdem mit Hagen. Aber nur kurze Zeit: seine Kräfte schwanden,

---

56 *Gefolge* retinue
58 *überbieten* outdo
60 *Tarnkappe* vanishing cap

80 *mutwillig* high-spirited; *Streich* prank, escapade

85 er verfluchte Hagen und Gunther, klagte um seine Frau und starb.
Die Leiche wurde in der Nacht nach Worms gebracht und vor
Kriemhilds Schlafzimmer gelegt. Am folgenden Morgen entdeckte
die Königin ihren toten Gemahl. Die Leiche wurde im Münster
aufgebahrt und alle Ritter gingen an ihr vorbei. Als Hagen an die
90 Bahre trat, öffneten sich die Wunden des Toten und fingen an zu
bluten. Kriemhild wußte jetzt, wer die grausame Tat verübt hatte
und schwor ihm and ihren Brüdern Rache.

7

MEISTER PFRIEM

JACOB (1785–1863) UND WILHELM (1786–1859) GRIMM

From *Kinder- und Hausmärchen* (1812–21). We tend to forget what a
varied treasure the Grimm collection of "fairy tales" contains. This is
hardly a *Märchen*, but an essay in characterology in the tradition of Theo-
phrastus and La Bruyère.

Meister Pfriem war ein kleiner, hagerer, aber lebhafter Mann, der
keinen Augenblick Ruhe hatte. Sein Gesicht, aus dem nur die auf-
gestülpte Nase vorragte, war pockennarbig und leichenblaß, sein
Haar grau und struppig, seine Augen klein, aber sie blitzten un-
5 aufhörlich rechts und links hin. Er bemerkte alles, tadelte alles,
wußte alles besser und hatte in allem recht. Ging er auf der Straße,
so ruderte er heftig mit beiden Armen, und einmal schlug er einem
Mädchen, das Wasser trug, den Eimer so hoch in die Luft, daß er
selbst davon begossen wurde. „Schafskopf", rief er ihr zu, indem
10 er sich schüttelte, „konntest du nicht sehen, daß ich hinter dir her-

---

₈₆ *Leiche* corpse
₈₈ *Münster* minster
₈₉ *auf-bahren* lay out in state
₉₀ *Bahre* bier

₁ *Pfriem* awl, a shoemaker's tool. Mas-

ter *Pfriem* is a popular nickname
for shoemaker.
₂ *aufgestülpt* turned up
₃ *pockennarbig* pock-marked
₄ *struppig* shaggy
₉ *Schafskopf = Dummkopf*

kam?" Seines Handwerks war er ein Schuster, und wenn er arbeitete,
so fuhr er mit dem Draht so gewaltig aus, daß er jedem, der sich
nicht weit genug in der Ferne hielt, die Faust in den Leib stieß.
Kein Geselle blieb länger als einen Monat bei ihm, denn er hatte
an der besten Arbeit immer etwas auszusetzen. Bald waren die 15
Stiche nicht gleich, bald war das Leder nicht hinlänglich geschlagen.
„Warte", sagte er zu dem Lehrjungen, „ich will dir schon zeigen,
wie man die Haut weich schlägt", holte den Riemen und gab ihm
ein paar Hiebe über den Rücken. Faulenzer nannte er sie alle. Er
selber brachte aber doch nicht viel vor sich, weil er keine Viertel- 20
stunde ruhig sitzen blieb. War seine Frau frühmorgens aufgestanden
und hatte Feuer angezündet, so sprang er aus dem Bett und lief mit
bloßen Füßen in die Küche. „Wollt ihr mir das Haus anzünden?"
schrie er, „das ist ja ein Feuer, daß man einen Ochsen dabei braten
könnte! Oder kostet das Holz etwa kein Geld?" Standen die Mägde 25
am Waschfaß, lachten und erzählten sich, was sie wußten, so schalt
er sie aus. „Da stehen die Gänse und schnattern und vergessen über
dem Geschwätz ihre Arbeit. Und wozu die frische Seife? Heillose
Verschwendung und obendrein eine schändliche Faulheit: sie wollen
die Hände schonen und das Zeug nicht ordentlich reiben." Er sprang 30
fort, stieß aber einen Eimer voll Lauge um, so daß die ganze Küche
überschwemmt ward. Richtete man ein neues Haus auf, so lief er
ans Fenster und sah zu. „Da vermauern sie wieder den roten Sandstein," rief er, „der niemals austrocknet; in dem Haus bleibt kein
Mensch gesund. Und seht einmal, wie schlecht die Gesellen die 35
Steine aufsetzen. Der Mörtel taugt auch nichts: Kies muß hinein,
nicht Sand. Ich erlebe noch, daß den Leuten das Haus über dem
Kopf zusammenfällt." Er setzte sich und tat ein paar Stiche, dann
sprang er wieder auf, hakte sein Schurzfell los und rief: „Ich will
nur hinaus und den Menschen ins Gewissen reden." Er geriet aber 40
an die Zimmerleute. „Was ist das?" rief er, „ihr haut ja nicht nach
der Schnur. Meint ihr, die Balken würden gerad stehen? Es weicht

---

¹² *aus-fahren* wave; *Draht* cobbler's
    wax
¹⁴ *Geselle* journeyman, i.e. worker
¹⁶ *geschlagen* pounded
¹⁹ *Faulenzer* loafer
²⁰ *brachte nicht viel vor sich* did not ac-
    complish much

²⁷ *schnattern* cackle
³¹ *Lauge* lye
³⁷ *erleben* see the day
⁴⁰ *ins Gewissen reden* appeal to one's
    conscience
⁴² *Schnur* string, i.e. plumb line

einmal alles aus den Fugen." Er riß einem Zimmermann die Axt aus der Hand und wollte ihm zeigen, wie er hauen müßte, als aber

45 ein mit Lehm beladener Wagen herangefahren kam, warf er die Axt weg und sprang zu dem Bauer, der nebenher ging. „Ihr seid nicht recht bei Trost", rief er „wer spannt junge Pferde vor einen schwer beladenen Wagen? Die armen Tiere werden Euch auf dem Platz umfallen." Der Bauer gab ihm keine Antwort, und Pfriem

50 lief vor Ärger in seine Werkstätte zurück. Als er sich wieder zur Arbeit setzen wollte, reichte ihm der Lehrjunge einen Schuh. „Was ist das wieder?" schrie er ihn an, „habe ich euch nicht gesagt, ihr solltet die Schuhe nicht so weit ausschneiden? Wer wird einen solchen Schuh kaufen, an dem fast nichts ist als die Sohle? Ich ver-

55 lange, daß meine Befehle unmangelhaft befolgt werden." „Meister", antwortete der Lehrjunge, „Ihr mögt wohl recht haben, daß der Schuh nichts taugt, aber es ist derselbe, den Ihr zugeschnitten und selbst in Arbeit genommen habt. Als Ihr vorhin aufgesprungen seid, habt Ihr ihn vom Tisch herabgeworfen, und ich habe ihn nur

60 aufgehoben. Euch könnte es aber ein Engel vom Himmel nicht recht machen."

Meister Pfriem träumte in einer Nacht, er wäre gestorben und befände sich auf dem Weg nach dem Himmel. Als er anlangte, klopfte er heftig an die Pforte: „Es wundert mich", sprach er, „daß

65 sie nicht einen Ring am Tor haben, man klopft sich die Finger wund." Der Apostel Petrus öffnete und wollte sehen, wer so ungestüm Einlaß begehrte. „Ach, Ihr seid's, Meister Pfriem", sagte er, „ich will Euch wohl einlassen, aber ich warne Euch, daß Ihr von Eurer Gewohnheit ablaßt und nichts tadelt, was Ihr im Himmel seht: es

70 könnte Euch übel bekommen." „Ihr hättet Euch die Ermahnung sparen können", erwiderte Pfriem, „ich weiß schon, was sich ziemt, und hier ist, Gott sei Dank, alles vollkommen und nichts zu tadeln wie auf Erden." Er trat also ein und ging in den weiten Räumen des Himmels auf und ab. Er sah sich um, rechts und links, schüt-

75 telte aber zuweilen mit dem Kopf oder brummte etwas vor sich hin. Indem erblickte er zwei Engel, die einen Balken wegtrugen. Es

---

43 *aus den Fugen weichen* collapse
46 *Ihr* the older form of polite address
47 *recht bei Trost* in your right mind
53 *weit* wide

66 *ungestüm* impetuously
70 *übel bekommen* turn out badly
75 *vor sich hin* to himself
76 *indem* meanwhile

war der Balken, den einer im Auge gehabt hatte, während er nach
dem Splitter in den Augen anderer suchte. Sie trugen aber den
Balken nicht der Länge nach, sondern quer. „Hat man je einen
solchen Unverstand gesehen?" dachte Meister Pfriem; doch schwieg 80
er und gab sich zufrieden. „Es ist im Grunde einerlei, wie man den
Balken trägt, geradeaus oder quer, wenn man nur damit durchkommt,
und wahrhaftig, ich sehe, sie stoßen nirgend an." Bald hernach erblickte er zwei Engel, welche Wasser aus einem Brunnen in ein Faß
schöpften, zugleich bemerkte er, daß das Faß durchlöchert war und 85
das Wasser von allen Seiten herauslief. Sie tränkten die Erde mit
Regen. „Alle Hagel!" platzte er heraus, besann sich aber glück-
licherweise und dachte: „Vielleicht ist's bloßer Zeitvertreib; macht's
einem Spaß, so kann man dergleichen unnütze Dinge tun, zumal
hier im Himmel, wo man, wie ich schon bemerkt habe, doch nur 90
faulenzt." Er ging weiter und sah einen Wagen, der in einem tiefen
Loch stecken geblieben war. „Kein Wunder", sprach er zu dem
Mann, der dabeistand, „wer wird so unvernünftig aufladen? Was
habt Ihr da?" „Fromme Wünsche", antwortete der Mann, „ich
konnte damit nicht auf den rechten Weg kommen, aber ich habe 95
den Wagen noch glücklich heraufgeschoben, und hier werden sie
mich nicht stecken lassen." Wirklich kam ein Engel und spannte
zwei Pferde vor. „Ganz gut", meinte Pfriem, „aber zwei Pferde
bringen den Wagen nicht heraus, vier müssen wenigstens davor."
Ein anderer Engel kam und führte noch zwei Pferde herbei, spannte 100
sie aber nicht vorn, sondern hinten an. Das war dem Meister Pfriem
zu viel. „Tolpatsch", brach er los, „was machst du da? Hat man
je, solange die Welt steht, auf diese Weise einen Wagen heraus-
gezogen? Da meinen sie aber in ihrem dünkelhaften Übermut, alles
besser zu wissen." Er wollte weiter reden, aber einer von den Him- 105
melsbewohnern hatte ihn am Kragen gepackt und schob ihn mit
unwiderstehlicher Gewalt hinaus. Unter der Pforte drehte der
Meister noch einmal den Kopf nach dem Wagen und sah, wie er
von vier Flügelpferden in die Höhe gehoben ward.
    In diesem Augenblick erwachte Meister Pfriem. „Es geht freilich 110

[77] *Balken* allusion to Luke 6:42
[78] *Splitter* splinter, mote
[79] *der Länge nach* lengthwise
[81] *gab sich zufrieden* accepted the situa-
    tion; *es ist einerlei* it doesn't

matter
[87] *alle Hagel* a mild oath
[93] *wird* can
[96] *glücklich* i.e. I managed to
[102] *Tolpatsch* clumsy lout

im Himmel etwas anders her als auf Erden", sprach er zu sich selbst,
„und da läßt sich manches entschuldigen, aber wer kann geduldig
mit ansehen, daß man die Pferde zugleich hinten und vorn anspannt?
Freilich, sie hatten Flügel, aber wer kann das wissen? Es ist übrigens
115 eine gewaltige Dummheit, Pferden, die vier Beine zum Laufen haben,
noch ein Paar Flügel anzuheften. Aber ich muß aufstehen, sonst
machen sie mir im Haus lauter verkehrtes Zeug. Es ist nur ein
Glück, daß ich nicht wirklich gestorben bin."

8

DIE BREMER STADTMUSIKANTEN

This fairy tale goes back to the twelfth century; there are versions of it
by Hans Sachs and Rollenhagen, both of the sixteenth century. It is a sort
of beast fable containing a psychological idea at its core.

Es hatte ein Mann einen Esel, der schon lange Jahre die Säcke
unverdrossen zur Mühle getragen hatte, dessen Kräfte aber nun zu
Ende gingen, so daß er zur Arbeit immer untauglicher ward. Da
dachte der Herr daran, ihn aus dem Futter zu schaffen, aber der
5 Esel merkte, daß kein guter Wind wehte, lief fort und machte sich
auf den Weg nach Bremen: dort, meinte er, könnte er ja Stadtmusikant werden.

Als er ein Weilchen fortgegangen war, fand er einen Jagdhund auf
dem Wege liegen, der jappte wie einer, der sich müde gelaufen hat.
10 „Nun, was jappst du so, Packan?" fragte der Esel. „Ach", sagte
der Hund, „weil ich alt bin und jeden Tag schwächer werde, auch
auf der Jagd nicht mehr fort kann, hat mich mein Herr totschlagen

---

117 *lauter verkehrtes Zeug* everything up-
     side down

  Bremen is a seaport in northwest
    Germany.
2 *unverdrossen* patiently

3 *untauglich* useless
4 *aus dem Futter schaffen* i.e. to stop
    feeding him
5 *sich auf den Weg machen* set out
9 *jappen* pant
10 *Packan* "catch hold"

wollen, da hab ich Reißaus genommen; aber womit soll ich nun
mein Brot verdienen?" „Weißt du was", sprach der Esel, „ich gehe
nach Bremen und werde dort Stadtmusikant, geh mit und laß dich 15
auch bei der Musik annehmen. Ich spiele die Laute, und du schlägst
die Pauke." Der Hund war's zufrieden, und sie gingen weiter.

Es dauerte nicht lange, so saß da eine Katze an dem Weg und
machte ein Gesicht wie drei Tage Regenwetter. „Nun, was ist dir
in die Quere gekommen, alter Bartputzer?" sprach der Esel. „Wer 20
kann da lustig sein, wenn's einem an den Kragen geht", antwortete
die Katze, „weil ich nun zu Jahren komme, die Zähne stumpf werden
und ich lieber hinter dem Ofen sitze und spinne, als nach Mäusen
herumjage, hat mich meine Frau ersäufen wollen; ich habe mich
zwar noch fortgemacht, aber nun ist guter Rat teuer: wo soll ich 25
hin?" „Geh mit uns nach Bremen, du verstehst dich doch auf die
Nachtmusik, da kannst du ein Stadtmusikant werden." Die Katze
hielt das für gut und ging mit.

Darauf kamen die drei Landesflüchtigen an einem Hof vorbei, da
saß auf dem Tor der Haushahn und schrie aus Leibeskräften. „Du 30
schreist einem durch Mark und Bein", sprach der Esel, „was hast
du vor?" „Da hab' ich gut Wetter prophezeit", sprach der Hahn,
„weil Unserer lieben Frau Tag ist, wo sie dem Christkindlein die
Hemdchen gewaschen hat und sie trocknen will: aber weil morgen
zum Sonntag Gäste kommen, so hat die Hausfrau doch kein Erbar- 35
men und hat der Köchin gesagt, sie wollte mich morgen in der Suppe
essen, und da soll ich mir heute abend den Kopf abschneiden lassen.
Nun schrei ich aus vollem Hals, solang ich noch kann." „Ei was,
du Rotkopf", sagte der Esel, „zieh lieber mit uns fort, wir gehen
nach Bremen, etwas Besseres als den Tod findest du überall; du 40

---

13 *Reißaus nehmen* run away
15 *sich an-nehmen lassen* get employ-
ment
16 *Laute* lute
17 *Pauke* bass drum
19 *was ist dir in die Quere gekommen?*
what has crossed your path?
20 *Bartputzer* referring to the way a cat
cleans its whiskers
21 *an den Kragen geht* i.e. your neck is
at stake
22 *zu Jahren kommen* get old
23 *spinnen* purr

24 *ersäufen* drown
25 *sich fort-machen* get away; *guter
Rat teuer* i.e. I am at my wits'
end
26 *sich verstehen auf* be an expert in
29 *Landesflüchtige* refugee
30 *Haushahn* farm rooster; *aus Leibeskräften* with all his might; *du
schreist einem durch Mark und
Bein* your screams go right
through one
33 There is no such holiday in the
Roman Catholic calendar.
38 *ei was* oh nonsense

hast eine gute Stimme, und wenn wir zusammen musizieren, so muß
es eine Art haben." Der Hahn ließ sich den Vorschlag gefallen, und
sie gingen alle vier zusammen fort.

45 Sie konnten aber die Stadt Bremen in einem Tag nicht erreichen
und kamen abends in einen Wald, wo sie übernachten wollten. Der
Esel und der Hund legten sich unter einen großen Baum, die Katze
und der Hahn machten sich in die Äste, der Hahn aber flog bis in
die Spitze, wo es am sichersten für ihn war. Ehe er einschlief, sah
er sich noch einmal nach allen vier Winden um, da deuchte ihn, er
50 sähe in der Ferne ein Fünkchen brennen, und rief seinen Gesellen
zu, es müßte nicht gar weit ein Haus sein, denn es scheine ein Licht.
Sprach der Esel: „So müssen wir uns aufmachen und noch hingehen, denn hier ist die Herberge schlecht." Der Hund meinte, ein
paar Knochen und etwas Fleisch dran täten ihm auch gut.

55 Also machten sie sich auf den Weg nach der Gegend, wo das Licht
war, und sahen es bald heller schimmern, und es ward immer größer,
bis sie vor ein hellerleuchtetes Räuberhaus kamen. Der Esel, als
der größte, näherte sich dem Fenster und schaute hinein. „Was
siehst du, Grauschimmel?" fragte der Hahn. „Was ich sehe?" ant-
60 wortete der Esel, „einen gedeckten Tisch mit schönem Essen und
Trinken, und Räuber sitzen daran und lassen sich's wohl sein."
„Das wäre was für uns", sprach der Hahn. „Ja ja, ach, wären wir
da!" sagte der Esel. Da ratschlagten die Tiere, wie sie es anfangen
müßten, um die Räuber hinauszujagen, und fanden endlich ein Mittel.
65 Der Esel mußte sich mit den Vorderfüßen auf das Fenster stellen,
der Hund auf des Esels Rücken springen, die Katze auf den Hund
klettern, und endlich flog der Hahn hinauf und setzte sich der Katze
auf den Kopf. Wie das geschehen war, fingen sie auf ein Zeichen
insgesamt an, ihre Musik zu machen: der Esel schrie, der Hund
70 bellte, die Katze miaute, und der Hahn krähte; dann stürzten sie
durch das Fenster in die Stube hinein, daß die Scheiben klirrten.
Die Räuber fuhren bei dem entsetzlichen Geschrei in die Höhe,

---

42 *Art* i.e. style, class; *sich gefallen*
   lassen accept
47 *machten sich in* made for
49 *dünken deuchte gedeucht* seem
53 *Herberge* shelter
59 *Grauschimmel* gray nag, donkey

61 *lassen sich's wohl sein* are having a
   good time
62 *was = etwas*
63 *ratschlagen* take counsel
67 *klettern* climb
69 *insgesamt* all together

meinten nicht anders, als ein Gespenst käme herein, und flohen in
größter Furcht in den Wald hinaus. Nun setzten sich die vier Gesellen an den Tisch, nahmen mit dem vorlieb, was übriggeblieben 75
war, und aßen, als wenn sie vier Wochen hungern sollten.

Wie die vier Spielleute fertig waren, löschten sie das Licht aus
und suchten sich eine Schlafstätte, jeder nach seiner Natur und
Bequemlichkeit. Der Esel legte sich auf den Mist, der Hund hinter
die Tür, die Katze auf den Herd bei der warmen Asche, und der 80
Hahn setzte sich auf den Hahnenbalken; und weil sie müde waren
von ihrem langen Weg, schliefen sie auch bald ein.

Als Mitternacht vorbei war und die Räuber von weitem sahen,
daß kein Licht mehr im Haus brannte, auch alles ruhig schien, sprach
der Hauptmann: „Wir hätten uns doch nicht sollen ins Bockshorn 85
jagen lassen", und hieß einen hingehen und das Haus untersuchen.
Der Abgeschickte fand alles still, ging in die Küche, ein Licht anzuzünden, und weil er die glühenden, feurigen Augen der Katze für
lebendige Kohlen ansah, hielt er ein Schwefelhölzchen daran, daß
es Feuer fangen sollte. Aber die Katze verstand keinen Spaß, sprang 90
ihm ins Gesicht, spie und kratzte. Da erschrak er gewaltig, lief und
wollte zur Hintertür hinaus, aber der Hund, der da lag, sprang auf
und biß ihn ins Bein; und als er über den Hof an dem Miste vor-
beirannte, gab ihm der Esel noch einen tüchtigen Schlag mit dem
Hinterfuß; der Hahn aber, der vom Lärmen aus dem Schlaf geweckt 95
und munter geworden war, rief vom Balken herab: „Kikeriki!"
Da lief der Räuber, was er konnte, zu seinem Hauptmann zurück
und sprach: „Ach, in dem Haus sitzt eine greuliche Hexe, die hat
mich angehaucht und mit ihren langen Fingern mir das Gesicht
zerkratzt; und vor der Tür steht ein Mann mit einem Messer, der 100
hat mich ins Bein gestochen; und auf dem Hof liegt ein schwarzes
Ungetüm, das hat mit einer Holzkeule auf mich losgeschlagen; und
oben auf dem Dache, da sitzt der Richter, der rief: ‚Bringt mir den
Schelm her.' Da machte ich, daß ich fortkam."

---

[73] *Gespenst* ghost
[75] *vorlieb nehmen* be satisfied
[77] *Spielmann* minstrel, musician
[79] *Mist* manure heap
[81] *Hahnenbalken* top crossbeam
[85] *ins Bockshorn jagen* frighten away
[87] *Abgeschickte* emissary
[89] *Schwefelhölzchen* sulphur match

[91] *speien* spit; *kratzen* scratch
[96] *munter* fully awake
[97] *was* as fast as
[98] *Hexe* witch
[99] *an-hauchen* breathe on
[102] *Ungetüm* monster; *Holzkeule* wooden club
[104] *Schelm* rogue; *machen* see to it

105   Von nun an getrauten sich die Räuber nicht weiter in das Haus,
den vier Bremer Musikanten gefiel's aber so wohl darin, daß sie
nicht wieder heraus wollten.   Und der das zuletzt erzählt hat, dem
ist der Mund noch warm.

107 *der* he who The sense may be: the   that the last person who told it still
     story has been told so many times   has warm lips from the telling.

III   GESCHICHTE

9

DIE GERMANEN

Wilhelm Scherer (1841–1886)

Wilhelm Scherer was an eminent scholar, a professor of German literature at the University of Berlin, and the author, among other works, of a *Geschichte der deutschen Literatur*, which has become a classic of its kind.

Um die Zeit, in welcher Alexander der Große Indien für die griechische Wissenschaft aufschloß, segelte ein griechischer Gelehrter, Pytheas von Marseille, aus seiner Vaterstadt durch die Straße von Gibraltar, fuhr an der Westküste von Spanien und Frankreich entlang, um Britannien herum — und entdeckte an der Mündung des 5 Rheines die Teutonen.

Dieselben Teutonen wurden zu Ende des zweiten Jahrhunderts vor Christi Geburt den Römern furchtbar, und bald nannte man das große Volk, dem sie angehörten, mit einem gallischen Namen, Germanen, das heißt: „die Nachbarn". Der große Cäsar hat mit 10 ihnen gekämpft, sie besiegt und doch in ihrem eigenen Lande, rechts vom Rheine, nichts ausgerichtet. Er entwarf eine Schilderung der barbarischen Gegner, die er seiner Geschichte des gallischen Krieges einfügte und worin er über ihr geistiges Leben nur unvollkommen zu berichten wußte; ihre Religion war ihm als reiner Naturdienst 15 erschienen; die Freiheit ihres Lebens, ihre Pflicht- und Zuchtlosigkeit, ihre Unfähigkeit, den eigenen Willen zu verleugnen, ihre Lust, sich abzuhärten und Körperbeschwerden zu ertragen, ihre Freude

---

3 *Straße* straits
6 *Teutonen* Teutons; the older name for the Germanic peoples
9 *gallisch* Gallic; the language from which French developed
10 *Nachbarn* This interpretation of the word *Germani* is disputed by philologists.

12 *aus-richten* accomplish; *entwerfen* sketch
13 *Geschichte* Caesar's history *De bello Gallico* (On the Gallic War)
16 *Zucht* discipline
18 *ab-härten* harden; *Beschwerde* hardship

an Raubzügen, ihren Ehrgeiz, rings um ihre Grenzen eine Wüste
20 zu schaffen, hebt er als bezeichnende Züge des Jäger- und Soldaten-
volkes, nicht bewundernd, nicht verachtend, sondern als einfacher
Beobachter, hervor.

Weiterer Verkehr, friedlicher und kriegerischer, Vordringen und
Zurückweichen, Siege und Niederlagen machten die Germanen den
25 Römern bald genauer bekannt. Und in dem Jahrhunderte der Geburt Christi und des Lebens, in den ersten glorreichen Zeiten des
römischen Kaisertums brachte man unseren Urvätern ein Interesse
entgegen, das sich aus Furcht und Bewunderung mischte. Die un-
gebrochene Kraft dieses Naturvolkes erschien dem Stoiker als ein
30 Ideal der Sittenstrenge, dem aristokratischen Oppositionsmann als
ein Ideal der Freiheit, dem weitblickenden Patrioten als eine drohende Gefahr. Und im Winter 98 auf 99 faßte der Geschichtsschreiber
Tacitus alles, was man von ihnen wußte, in seiner berühmten „Ger-
mania" zusammen. Indem er als Politiker den Blick des römischen
35 Publikums auf ein wichtiges Volk lenkte, dessen Angelegenheiten den
neugewählten, schmerzlich erwarteten Kaiser Trajan von der Hauptstadt fernhielten, entwarf er zugleich ein Gegenbild der übermäßigen
Verfeinerung mit ihren moralischen Folgen, welche ihn und seine
Leser umgab. Es liegt über seinem Bericht etwas von der Stimmung
40 des Hirtengedichtes, womit der Kulturmensch seine Sehnsucht nach
ursprünglicher Unschuld in der Phantasie befriedigt.

Die Germanen des Tacitus kennen keinen Reichtum als ihre Herden;
Silber und Gold zu besitzen und damit Wucher zu treiben, kann sie
nicht locken. Ihre Kleidung ist kunstlos, ihre Bewaffnung unvoll-
45 kommen; auf kriegerischen Schmuck legen sie ebensowenig Wert
wie auf prächtige Begräbnisse. Ihre Nahrung besteht aus Früchten,
Wild oder Milch. Sie sind äußerst gastfrei, wohnen nicht in Städten,
sondern jeder für sich in der freien Natur, wo ihm Wald oder Feld
oder Brunnen gefällt. Sie kennen keine aufregenden Schauspiele,

19 *Raubzug* plundering expedition
20 *hervor-heben* emphasize
23 *Vordringen und Zurückweichen* ad-
    vance and retreat
27 *Kaisertum* The Roman Empire was
    established by Augustus in 27 B.C.
    entgegen-bringen show
31 *drohen* threaten
33 *Publius Cornelius Tacitus* (*c.* A.D.
    55–*c.* 117)

36 *Trajan* Roman emperor, ruled A.D.
    98–117
37 *übermäßig* excessive
40 *Hirtengedicht* pastoral (i.e. idyllic)
    poem; *Kulturmensch* civilized man
43 *Wucher treiben* practice usury
45 *Schmuck* adornment
47 *Wild* game; *gastfrei* hospitable
48 *frei* open

keinen Sinnenkitzel; sie halten die Frauen hoch; sie leben keusch 50
und in streng beschützter Ehe.

Enthält die Schilderung des edlen Römers viele idyllische Elemente,
so könnte man doch nicht wohl das Ganze als ein Idyll bezeichnen.
Denn das Hirtenvolk ist noch immer ein Kriegervolk, wie es Cäsar
gefunden. Alles scheint auf den Krieg zugeschnitten und Tapferkeit 55
die höchste Tugend, worin der Adel dem Volke vorleuchtet. Die
Häuptlinge sind von einer Schar edler Jünglinge umgeben, die durch
ein enges Band der Treue an sie gefesselt werden; Führer und Gefolge
opfern sich in der Schlacht füreinander auf.

Tacitus verfügt augenscheinlich über einen reichen Stoff, der aus 60
unmittelbarer Beobachtung geschöpft ist und dem seine Tendenz
nur eine leise Färbung verleiht. Das Leben der Germanen ist ihm
nach allen Seiten hin bekannt; er entwirft die Grundzüge ihrer
Verfassung, ihres militärischen Brauches, ihrer Religion und Sitte;
er verschweigt nicht ihre Fehler: ihre Trägheit, wo es nicht Kampf 65
gilt, ihre Unlust zur Arbeit, ihre maßlose Trunk-, Spiel- und Streitsucht; er gibt eine Übersicht all der Stämme und zahllosen Völker-
schaften, in welche die Nation politisch zerfiel, und bringt dadurch
einen Eindruck unerschöpflicher, stetig nachwachsender Kraft hervor, gegen welche vereinzelte römische Siege keinen nennenswerten 70
Erfolg bedeuteten. Kurz, er liefert ein im großen und ganzen unzweifelhaft treues Bild, worin sich schöne und widrige Züge mischen,
und er übergibt der Nachwelt eine überaus wertvolle Urkunde, wertvoll für die allgemeine Geschichte, welche daraus eine Vorstellung
gewinnt, wie diejenigen beschaffen waren, welche das römische Welt- 75
reich zerstören sollten, — wertvoll insbesondere für uns, die wir von
diesen Völkern abstammen und ihren Zustand in jener frühen Epoche
mit denselben Augen ansehen, mit welcher der einzelne Mensch auf
seine Kindheit zurückblickt.

---

50 *Sinnenkitzel* titillation of the senses;
   keusch chastely
55 *zugeschnitten* tailored to
56 *vor-leuchten* give a shining example
57 *Häuptling* chieftain; *Schar* troop,
   band
58 *fesseln* bind
60 *verfügen* to have at one's disposal;
   augenscheinlich obviously
61 *Tendenz* didactic purpose
63 *Grundzug* basic feature
64 *Verfassung* constitution; *Brauch*
   practice
66 *gelten* be involved
67 *Sucht* mania; *Übersicht* survey
68 *zerfallen* fall apart
69 *stetig nachwachsend* constantly re-
   generated
71 *im großen und ganzen* on the whole
72 *widrig* repellent
73 *Nachwelt* posterity; *Urkunde* document
75 *beschaffen* constituted

10

DAS RITTERTUM

GUSTAV FREYTAG (1816–1895)

Freytag was active as a journalist, novelist, dramatist, and critic. He is remembered for his excellent comedy *Die Journalisten* (1852), his social novel *Soll und Haben* (1855), and his *Technik des Dramas* (1863). The following selection is from *Bilder aus der deutschen Vergangenheit* (1859–67).

Wer von seinen Eltern für Ritterschaft bestimmt war, der wurde gern als Knabe auf den Hof eines Edlen gebracht, um die Zucht zu lernen, welche den höfischen Mann von dem bäurischen unterschied. Hier tat er als Kind Pagendienst, bildete einen Teil des Gefolges, 5 wartete dem Herrn oder der Frau auf bei Tische und in der Kammer, und stand an großen Höfen mit seinen Altersgenossen unter einem Hüter, dem er bei der Annahme wohl ein Geschenk gab.

Uralter Brauch war den deutschen wie anderen indogermanischen Völkern, daß sich nach freier Wahl zwei Kinder oder Gesellen an-10 einander banden, sie besiegelten die Bundesbrüderschaft durch Gelöbnis und geweihten Trank. Solch innige Verbindung zweier Männer begegnet einige Male in der deutschen Heldensage, Spuren davon haben sich im Volk bis zur Neuzeit erhalten. Es mag mit dieser Sitte zusammenhängen, daß im Hofhalt häufig je zwei der Dienenden

---

1 *Rittertum* chivalry
2 *Knabe* page: the attendant to a knight; *Zucht* discipline, breeding
3 *höfisch* courtly; *bäurisch* rustic
4 *Gefolge* retinue
5 *warten auf* wait on
8 The Indo-Germanic or Indo-European races include most European

and some Asian peoples.
10 *besiegeln* seal; *Gelöbnis* vow
11 *weihen* consecrate; *innig* intimate; *zweier* = gen. plur.
12 *Heldensage* heroic legend, i.e. dating from the earliest period
14 *Hofhalt* court administration; *je* each

gesellt wurden, sie aßen aus einer Schüssel, erhielten zusammen 15
ihren Trunk und schliefen oft auf demselben Bett.

Die Zucht, welche der Knabe erlernte, war zunächst gesittetes
Verhalten in Rede und Haltung, vor allem bei Essen und Trinken.
Zahlreiche Lehren, welche zum größten Teil aus frühem Mittelalter
stammten, wurden in Verse gefügt und auswendig gelernt. Die 20
„Tischzuchten" zum Beispiel befahlen: man soll hübsch die Nägel
beschneiden — was auch deshalb wünschenswert war, weil man vor
dem fünfzehnten Jahrhundert keine Gabeln gebrauchte und den
Fingern bei Tische dreiste Eingriffe nicht wehren konnte; — man
soll vor dem Essen sagen: „Segne es Jesus Christ", soll am Tische 25
nicht den Gürtel vom Bauch schnallen, nicht das Brot beim Schneiden
an die Brust stemmen, nicht mit dem Finger in Senf, Salz und in die
Schüssel stoßen, sondern die Speisen, die man aus der Schüssel holt,
mit einem Löffel oder einer Brotkruste anfassen, die man vorher
mit der Hand und nicht mit dem Munde zugespitzt hat; wer die 30
Speisen mit Brot angreift, soll die Krumen behüten, wenn er mit
einem andern ißt, daß sie nicht in die Schüssel fallen. Niemand
soll aus der Schüssel trinken, nicht abbeißen und wieder in die Schüssel
legen, nicht zwei sollen einen Löffel gebrauchen, beim Schneiden soll
man nicht die Finger auf die Klinge legen, man soll nicht trinken 35
und sprechen, bevor man die Speisen hinabgeschluckt hat, nicht
schmatzen und rülpsen, sich nicht in das Tischtuch schneuzen, nicht
über den Tisch legen, nicht krumm sitzen und sich nicht auf die
Ellbogen stützen. Andere Dinge als Speisen soll man während des
Essens nicht mit der bloßen Hand anfassen, sondern dafür das Ge- 40
wand über die Hand decken. Vor dem Trinken soll man den Mund
wischen, nicht in den Trunk blasen, während dem Trunk nicht über
den Becher sehen. Man soll nur zwischen den Trachten trinken,
man soll nicht essen, während der Geselle trinkt, man soll beim
Essen gegen seinen „Gemaßen "billig sein und ihm nicht seinen 45

---

15 *gesellen* couple
17 *gesittetes Verhalten* mannerly be-
    havior
18 *Haltung* bearing
20 *fügen* set, put
22 *beschneiden* pare
24 *dreiste Eingriffe* bold movements
    i.e. liberal use
26 *schnallen* unbuckle

27 *stemmen* press
30 *zu-spitzen* shape
35 *Klinge* blade
37 *schmatzen und rülpsen* smack one's
    lips and belch
40 *Gewand* cloak
43 *Tracht* course (of a meal)
45 *Gemaße* table companion; *billig*
    fair, decent

Anteil wegessen, endlich die Zähne nicht mit dem Messer stochern.
War das Kind im Edeldienst herangewachsen, so wurde es Knecht
eines ritterlichen Herrn; nicht immer an demselben Hofe, wo der
Glanz und Müßiggang vornehmen Dienstes verweichlichte, sondern
50 bei einem festen und erprobten Lehrmeister. Jetzt ward der Knappe
im Reiterhandwerk unterwiesen; dazu gehörte außer den alten
Turnübungen: Steinstoß, Wurf, Sprung, vor allem Gebrauch der
Waffen, dann die vornehme Jagd mit Falken und mit Winden, hö-
fischer Tanz und ritterlicher Dienst bei Frauen durch Liederdichtung
55 und Gesang. Der junge Knecht nahm teil an den Fahrten seines
Herrn und wartete ihm auf bei Spiel, Fehde und Krieg. Es scheint,
daß der Jüngling als Knecht einen Beinamen erhielt, mit dem er
von seinen Gesellen gerufen wurde; wenigstens sind in den höfischen
Kreisen kennzeichnende Beinamen sehr häufig, welche als Laune,
60 Spott, Haß beigelegt werden, zuweilen als haftende Bezeichnungen
den wirklichen Namen ihres Besitzers verstecken. Der junge Knecht
turnierte eifrig mit seinen Gefährten, die Ritterschaft zu lernen, um
besondere Knechtspreise.

In jedem Beruf wird streng unterschieden zwischen dem Herrn,
65 der das Amt mit allen Rechten ausübt, und den lernenden und hel-
fenden Arbeitern; Kind und Knecht sind überall die Vorstufen zur
Ehre des Herrn, beim Bauer, Handwerker, Kaufmann, sogar die
Mönche waren in Würden und Rechten abgestuft. Und sehr früh
muß der systematische Sinn der Germanen und ihre Freude an be-
70 deutsamem Brauch in jedem dieser Lebenskreise die Rechte der
einzelnen Stufen sorglich bestimmt und die Einführung mit wei-
hendem Zeremoniell umgeben haben. Hatte sich der Knecht in
Ritterschaft wacker geübt, stammte er von einem Vater, welcher
selbst den Ritterschlag erhalten hatte, oder war er seinem Herrn
75 besonders wert geworden, so erhielt er feierlich die Ritterwürde.

46 *stochern* pick
49 *Müßiggang* idleness; *verweichlichen* make soft
50 *erprobt* tested; *Knappe* esquire
51 *unterweisen* instruct
52 *Turnübung* gymnastic exercise; *Steinstoß, Wurf, Sprung* putting the stone, throwing, jumping
53 *Winde* windlass
56 *Fehde* feud
57 *Beinamen* nickname
59 *kennzeichnend* characteristic; *Laune* whim
60 *bei-legen* add; *haftend* permanent
62 *turnieren* joust
68 *Würde* dignity; *ab-stufen* graduate
70 *bedeutsam* significant
73 *wacker* gallantly
74 *Ritterschlag* accolade (the ceremony of being dubbed a knight)

Von dem Brauch, der sich allmählich dabei ausbildete, war der
älteste das Umgürten mit dem Ritterschwert durch den Herrn,
seit den Kreuzzügen unter kirchlicher Weihe der Waffen und Ablegung eines Gelübdes, wodurch der Ritter sich verpflichtete, treu
gegen das Reich zu sein, Frauen zu ehren, Gotteshäuser, Witwen 80
und Waisen zu schirmen.

11

DEUTSCHE GILDEN

JACOB BURCKHARDT (1818–1897)

Jacob Burckhardt is today generally recognized as one of the most profound
historical minds of the nineteenth century.   His insight into future developments is impressive.   The following passage is from the essay *Conrad von
Hochstaden* in the collection *Frühe Schriften*.

Von der jetzigen Bedeutung des Wortes Gilde, das heißt Zunft,
müssen wir, als von einer abgeleiteten, völlig absehen.   Es waren
frei zusammengetretene Vereine freier Städtebewohner zu einer
Rechtsgenossenschaft, mit der Verpflichtung gemeinsamen Schutzes
für die öffentliche Sicherheit und für Wahrung der Rechte.   Nie galt   5
der Schutz einem Frevler, die gemeinsame Ehre der Gilde forderte,
daß ein solcher durch den Frevel selbst ausgeschlossen war.   Ja, das
vielleicht ursprüngliche Band, welches die Mitglieder einer Gilde
umschloß, war nicht nur ein sittliches, sondern auch ein religiöses;
an gewissen Tagen versammelten sich die Mitglieder samt ihren   10

<table>
<tr><td>76 sich aus-bilden develop</td><td>2 abgeleitet derived; ab-sehen von dis-</td></tr>
<tr><td>77 um-gürten gird about</td><td>regard</td></tr>
<tr><td>78 Kreuzzug crusade; Ablegung eines</td><td>4 Rechtsgenossenschaft legal fraternity</td></tr>
<tr><td>Gelübdes taking of an oath</td><td>5 Sicherheit security; Wahrung preser-</td></tr>
<tr><td>80 Witwen und Waisen zu schirmen to</td><td>vation</td></tr>
<tr><td>protect widows and orphans</td><td>6 Frevler criminal</td></tr>
<tr><td></td><td>10 samt together with</td></tr>
</table>

Familien zu gemeinsamem Gottesdienste; dann folgte ein festliches
Gelage in dem Gildehause. Eine gemeinsame Kasse, durch regel-
mäßige Beiträge und durch Bußen gebildet, mußte die Unkosten,
besonders die glänzenden Schmäuse und Gelage, decken. Die Gilde
15 übte Gericht über Streitigkeiten ihrer Mitglieder, wobei nach den
alten Volksrechten verfahren wurde. Stritt ein Gildenbruder mit
einem Nichtteilnehmer, so begleitete die ganze Gilde jenen vor das
öffentliche Gericht und half ihm beim Eide.

Ebenso erschien sie auch, wenn ein Mitglied beerdigt wurde; sie
20 ließ Seelenmessen lesen und gedachte des Verstorbenen bei ihren
Gottesdiensten.

Anfangs, als die Städte noch minder bedeutend waren, mochte
wohl nur eine Gilde in jeder Stadt bestehen, welche natürlich alle
einigermaßen begüterten und unabhängigen Einwohner umfaßte.
25 Aber die Städte wuchsen; neue, oft ebenfalls reiche Ankömmlinge
fanden schon eine geschlossene Gesellschaft vor, welche von alten
Zeiten her den meisten oder den gesamten Grundbesitz in Händen
hatte; es blieb ihnen nichts übrig, als eine zweite Gilde zu bilden.
Nach ihnen kamen andere, welche eine dritte, vierte, fünfte usw.
30 Gilde gründeten. Ihnen allen trat nun die erste Gilde als Altbürgergilde, als Patriziat gegenüber; der fast ausschließliche freie Besitz
des städtischen Grundes und Bodens gab ihr nach altgermanischer
Ansicht das größte Recht im öffentlichen Leben. In manchen Städten
hielt sie sich nach und nach für ebenbürtig mit dem Ritterstande;
35 andererseits verschmähten es auch umwohnende Dynastien nicht, in
die Stadt zu ziehen und an der Altbürgergilde teilzunehmen.

Die wichtigste, aber nirgends in ihrem ganzen Umfange zu beant-
wortende Frage ist nun diese: Welchen Einfluß hat die erste Gilde
auf die Stadtverfassung und diese wiederum auf jene geübt? In
40 manchen deutschen Städten entwickeln sich beide so mit und durcheinander und bedingen sich so wesentlich und unaufhörlich, daß

---

12 *Gelage* banquet
13 *Buße* penalty
14 *Schmaus* feast
16 *verfahren* proceed
19 *beerdigen* bury
20 *Seelenmesse* mass for the soul of the
dead; *gedenken* remember
24 *einigermaßen begütert* fairly well-
to-do

30 *Altbürgergilde* senior guild
31 *Patriziat* patriciate (i.e. aristocracy)
34 *ebenbürtig* of equal rank
35 *verschmähen* scorn
37 *Umfang* scope
40 *mit und durcheinander* beside each
other and intertwined
41 *bedingen* condition

jede Scheidung unmöglich wird, zumal bei der Spärlichkeit und Unverständlichkeit der Nachrichten. Für jetzt bemerken wir bloß
soviel: Die Blüte des städtischen Patriziats fällt überall in das drei-
zehnte Jahrhundert; in dieser Zeit besetzt es die Schöffenstühle und 45
die Verwaltung und drängt die landesherrlichen oder kaiserlichen
Beamten auf einen kleinen Rest ihrer ursprünglichen Befugnisse
zurück. Nun aber steigt eine neue, im Laufe der Zeiten mit Notwendigkeit erwachsene Macht, die Gewerke (besonders die Weber),
hinter dem Patriziat empor und stürzt dasselbe in den meisten deut- 50
schen Städten während des merkwürdigen vierzehnten Jahrhunderts,
in welchem alle jene reichen idealen Gebilde, die im dreizehnten
Jahrhundert ihren Gipfelpunkt fanden, in einem kräftigen, aber
zersplitterten Realismus untergehen. Man vergleiche zum Beispiel
Kaiser Friedrich II. mit Karl IV., das Rittertum der Kreuzzüge mit 55
dem des vierzehnten Jahrhunderts, die großen hierarchisch-kaiser-
lichen Weltkämpfe um Ideen mit den deutschen Fehden unter den
luxemburgischen Königen, endlich den Minnegesang mit dem Meistergesang, die ideale Kunst des dreizehnten Jahrhunderts mit dem eindringenden Realismus am Ende des folgenden — überall wendet 60
sich der deutsche Geist von großen gemeinsamen Bestrebungen zum
Besonderen, Handgreiflichen, Verständigen in Staat, Kunst und
Leben.

42 *zumal* especially
44 *Blüte* flower
45 *Schöffenstuhl* magistrate's bench
46 *landesherrlich* serving the local ruler
   (king, duke, etc.); *kaiserlich* serving the emperor
47 *Befugnis* authority, power
49 *Gewerk* trade guild
52 *Gebilde* structure, institution
54 *Realismus* i.e. spirit of realism
55 *Friedrich II* reigned 1212–50;
   Karl IV reigned 1346–78; *Kreuzzug* crusade
56 *hierarchisch-kaiserliche Weltkämpfe*
   i.e. conflicts of power between

emperor and pope
57 *Fehde* feud
58 *luxemburgisch* a line of emperors from
   the House of Luxemburg; the outstanding one was Karl IV. *Minnesang* (usual form) the poetry of
   the troubadours, observing the
   tradition of idealized courtly love;
   the *Meistersinger* were artisans who
   wrote poetry in their spare time.
   While the *Meistergesang* ostensibly
   carried on the tradition of the
   Minnesang, it was bourgeois, pedestrian in spirit.
62 *handgreiflich* solid, palpable

12

DER DREISSIGJÄHRIGE KRIEG

Hermann Hettner (1821–1882)

From *Literaturgeschichte des achtzehnten Jahrhunderts* by the eminent literary historian Hermann Hettner. The Thirty Years' War (1618–1648), fought between Protestant and Roman Catholic Germans, drew in other nations by its political implications and left its mark on Germany for over a century.

Wohl gibt es Kriege, durch welche eine Nation gehoben und ge-
kräftigt wird; es sind die Kriege um Macht und Größe, um Ehre
und Freiheit. Auf die Perserkriege folgte die Perikleische Glanzzeit; Shakespeare und die niederländischen Maler, selbst Corneille
5 und Racine, erhoben sich wie ein siegreicher Phönix aus dem rau-
chenden Schutt leidensschwerer Verfassungskämpfe. Aber der Dreißigjährige Krieg ist ein Krieg schmachvollster Erniedrigung, ohne
festes Ziel und ohne erhebende Begeisterung. Mehr und mehr war
im Verlauf desselben der ideale religiöse Hintergrund geschwunden;
10 es war fast nur noch ein Kampf um die Macht des Hauses Österreich
und um die gefährdeten Forderungen und Vorteile der einzelnen
Fürsten. Auf der einen Seite Spanier, Italiener und Kroaten; auf
der andern Dänen, Schweden und Franzosen. Zuletzt ein wildes
Gemetzel zur Befriedigung der grausamen Beutelust zügelloser Hor-
15 den. Wie jammervoll war der Zustand Deutschlands zur Zeit des

3 *Perserkriege* between the Greeks and
Persians (546–466 B.C.); *Perikleische Glanzzeit* the splendid age
of Pericles (Athenian statesman,
whose name is used to describe the
golden age of Athens in the 5th
century)
4 *Corneille und Racine* French dramatists of the 17th century
5 *Phönix* phoenix, the mythical bird

which is supposedly reborn out of
its own ashes
6 *Schutt* rubble; *Verfassung* constitution
7 *schmachvollster Erniedrigung* of the
most shameful humiliation
10 *Österreich* i.e. the Habsburg dynasty
11 *gefährden* endanger
14 *Gemetzel* butchery; *Beutelust* lust
for plunder; *zügellos* unbridled

Friedensschlusses! Vor dem Ausbruch des Krieges waren trotz
aller gewalttätigen Übergriffe noch drei Vierteile Deutschlands pro-
testantisch gewesen; jetzt war ganz Österreich und das größere
Drittel des gesamten übrigen Deutschlands katholisch. Fruchtbare
und weite Länderstrecken waren an die Fremden verloren. Das 20
ganze Land war verheert und entvölkert. Oft war in den Dörfern
kein Wagen, kein Pflug, kein Zugtier. Der Glanz jener freien und
mächtigen Städte, welche einst der Sitz blühenden Kunstfleißes und
Welthandels gewesen, war erloschen. Die Sitte war durch die wüsten
Söldnerbanden, durch den verzweifelten Kampf mit der täglichen 25
Not des Lebens, durch die Aufstachelung aller niedrigen und selbst-
süchtigen Leidenschaften entfesselt und verwildert. Rohheit, Aberglaube, Rechtlosigkeit überall.

Keiner, der ein Herz hat für das Heil und die Ehre Deutschlands,
kann dieses entsetzlichen Krieges ohne tiefsten Schauder gedenken. 30
Die Sittenschilderungen Philanders von Sittewald und die Epigramme
Logaus muß man lesen, um all den Gram und das Weh zu empfinden,
das damals die Besten des Volks durchzitterte und verzehrte.

17 *Übergriff* excess, i.e. forced conver-
sions to Roman Catholicism
20 *Fremden* i.e. to France
21 *verheeren* devastate; *entvölkern* de-
populate
22 *Zugtier* draft animal
23 *Kunstfleiß* artistic energy
24 *Sitte* morality
25 *Söldnerbande* gang of mercenaries
26 *auf-stacheln* stir up
27 *entfesseln* unchain, i.e. go wild; *verwildern* brutalize; *Aberglaube* superstition

28 *Rechtlosigkeit* lawlessness
29 *Heil* welfare
30 *entsetzlich* horrible; *Schauder* shudder
31 *Philander von Sittewald* a satirical
novel by Hans Michael Mosche-
rosch (1601–69)
32 *Friedrich von Logau* (1604–55) baroque writer of epigrams in verse
and of *Sinngedichte* (see § 124);
Gram grief
33 *durchzittern und verzehren* agitate and
consume

13

DER BAUER

AN SEINEN DURCHLAUCHTIGEN TYRANNEN

GOTTFRIED AUGUST BÜRGER (1747–1794)

Bürger was a poet of importance in his own day, not only in Germany but abroad as well. The following poem is one of the early examples of social poetry in German literature. It was published in 1773. The meter is iambic tetrameter.

> Wer bist du, Fürst, daß ohne Scheu
> Zerrollen mich dein Wagenrad,
> Zerschlagen darf dein Roß?
>
> Wer bist du, Fürst, daß in mein Fleisch
> 5   Dein Freund, dein Jagdhund, ungebläut
> Darf Klau' und Rachen haun?
>
> Wer bist du, daß durch Saat und Forst
> Das Hurrah deiner Jagd mich treibt,
> Entatmet, wie das Wild? —
>
> 10   Die Saat, so deine Jagd zertritt,
> Was Roß, und Hund, und Du verschlingst,
> Das Brot, du Fürst, ist mein.
>
> Du Fürst, hast nicht, bei Egg' und Pflug,
> Hast nicht den Erntetag durchschwitzt.
> 15   Mein, mein ist Fleiß und Brot! —

durchlauchtig most illustrious, high
2 *zerrollen* crush
3 *zerschlagen* smash
5 *ungebläut* without being beaten

6 may thrust his claw and jaw
9 *entatmet* breathless; *Wild* game
10 *so* which
13 *Egge* harrow

Ha! du wärst Obrigkeit von Gott?
Gott spendet Segen aus; du raubst! —
Du nicht von Gott, Tyrann!

14

1813

GUSTAV FREYTAG (1816–1895)

This selection is from *Bilder aus der deutschen Vergangenheit*. Germans
think of the War of Liberation against Napoleon as a people's rather than
a princes' war. This is the point of view that Freytag develops in the following selection.

Seit drei Monaten wußte man, daß der russische Winter und das
Heer des Kaisers Alexander die Große Armee vernichtet hatten.
Seit einigen Wochen waren unter den neuen Büchern häufig solche,
welche russisches Wesen behandelten, Beschreibungen des Volkes,
russische Dolmetscher, Hefte russischer Nationalmusik. Was von 5
Osten kam, wurde verklärt durch den leidenschaftlichen Wunsch
des Volkes. Niemand mehr als die Vortruppen des fremden Heeres,
die Kosaken. Nächst dem Frost und Hunger galten sie als die Be-
sieger der Franzosen. Wunderbare Geschichten von ihren Taten
flogen ihnen voraus. Sie sollten halbwilde Männer sein, von großer 10
Einfachheit der Sitten und von ausgezeichneter Herzlichkeit, von
unbeschreiblicher Gewandtheit, Schlauheit und Tapferkeit. Wie
schnell ihre Pferde, wie unwiderstehlich ihr Angriff sei, wurde ge-

---

¹⁶ *Obrigkeit* authority
¹⁷ *aus-spenden* grant, bestow

---

² *Alexander I* (1777–1825) czar of
   Russia; *Große Armee* Napoleon's
   grande armée
⁴ *Wesen* matters
⁵ *Dolmetscher* i.e. handbooks of con-
   versational Russian
⁶ *verklären* glorify
⁷ *Vortruppen* advance troops
⁸ *Kosak* cossack
¹¹ *von ausgezeichneter Herzlichkeit*
   markedly affectionate
¹² *Gewandtheit* dexterity
¹³ *unwiderstehlich* irresistible

rühmt, daß sie die größten Flüsse durchschwimmen, die steilsten
15 Hügel erklettern, die grimmigste Kälte mit gutem Mut ertragen
könnten.

In solcher Stimmung empfing das Volk die großen Erlasse seines
Königs, welche vom 3. Februar, wo die freiwilligen Jäger, bis zum
17. März, wo die Landwehr aufgerufen wurde, die gesamte Wehr-
20 kraft Preußens unter die Waffen stellten. Wie ein Frühlingssturm,
der die Eisdecke bricht, fuhren sie durch die Seele des Volkes. Hoch
wogte die Strömung, in Rührung, Freude, stolzer Hoffnung schlugen
die Herzen. Und wieder in diesen Monaten des höchsten Schwunges
dieselbe Einfachheit und ruhige Fassung. Es wurden nicht viele
25 Worte gemacht, kurz war der Entschluß. Die Freiwilligen sam-
melten sich still in den Städten ihrer Landschaft und zogen mit
ernstem Gesang aus den Toren zur Hauptstadt, nach Königsberg,
Breslau, Kolberg, bald auch nach Berlin. Die Geistlichen verkün-
deten in der Kirche den Aufruf des Königs; es war das kaum nötig,
30 die Leute wußten bereits, was sie zu tun hatten. Als ein junger
Theologe, der predigend seinen Vater vertrat, die Gemeinde von der
Kanzel ermahnte, ihre Pflicht zu tun, und zufügte, daß er nicht leere
Worte spreche und sogleich nach dem Gottesdienst selbst als Husar
eintreten werde, da stand sofort in der Kirche eine Anzahl junger
35 Männer auf und erklärte, sie würden dasselbe tun. Als ein Bräutigam
zögerte, sich von seiner Verlobten zu trennen, und ihr endlich doch
seinen Entschluß verriet, sagte ihm die Braut, sie habe in der Stille
getrauert, daß er nicht unter den Ersten aufgebrochen sei. Es war
in der Ordnung, es war nötig, die Zeit war gekommen, niemand fand
40 etwas Außerordentliches darin. Die Söhne eilten zum Heere und
schrieben vor dem Aufbruch ihren Eltern von dem fertigen Entschluß; die Eltern waren damit einverstanden, es war auch ihnen
nicht auffallend, daß der Sohn selbstwillig tat, was er tun mußte.

---

[15] *grimmig* grim, fierce
[17] *Erlaß* decree
[18] *König* Friedrich Wilhelm III, reigned
    1797–1840; *freiwillige Jäger* volun-
    teer chasseurs
[19] *Landwehr* second reserve army;
    Wehrkraft defensive power
[22] *wogen* surge; *Strömung* current
[23] *Schwung* élan
[24] *Fassung* composure
[26] *Landschaft* region

[27] *Königsberg, Breslau, Kolberg* capitals
    of East Prussia, Silesia, Pomerania,
    now no longer in German territory
[28] *Geistliche* clergy
[29] *Aufruf* summons
[31] *predigend vertrat* preached in place of
[32] *Kanzel* pulpit; *ermahnen* exhort
[34] *ein-treten* join the forces
[38] *auf-brechen* depart
[41] *fertig* i.e. already made
[43] *auffallend* surprising

Wenn ein Jüngling sich zu einem der Sammelpunkte durchgeschlagen
hatte, fand er wohl seinen Bruder bereits ebendort, der von andrer 45
Seite zugereist war, sie hatten einander nicht einmal geschrieben.
Die akademischen Vorlesungen mußten geschlossen werden, in
Königsberg, Berlin, Breslau. Auch die Universität Halle, noch unter
westfälischer Herrschaft, hörte auf, die Studenten waren einzeln
oder in kleinen Haufen aus dem Tor nach Breslau gezogen. Die 50
preußischen Zeitungen meldeten das lakonisch in den zwei Zeilen:
„Aus Halle, Jena, Göttingen sind fast alle Studenten in Breslau
angekommen, sie wollen den Ruhm teilen, die deutsche Freiheit
zu erkämpfen." Auf den Gymnasien waren die großen und alten
nicht immer für die besten Schüler gehalten worden; jetzt waren 55
sie die Beneideten, der Stolz der Schule, herzlich drückten die Lehrer
ihnen die Hand, und mit Bewunderung sahen die jüngeren den Schei-
denden nach. Nicht nur die erste blühende Jugend trieb es in den
Kampf, auch die Beamten, unentbehrliche Diener des Staates, Richter, Landräte, Männer aus jedem Kreise des Zivildienstes. Auch die 60
Stadtgerichte, die Stellen der Landesregierungen, die Schreibstuben
der Unterbeamten begannen sich zu leeren. Schon am 2. März
mußte ein königlicher Erlaß diesen Eifer einschränken, der Ordnung
und Verwaltung des Staates ganz aufzuheben drohte.
Mit jedem Tage steigt der Andrang. Die Väter bieten ihre gerü- 65
steten Söhne dar. Wer nicht selbst ins Feld zieht oder einen seiner
Familie ausrüsten hilft, der sucht durch Gaben dem Vaterland zu
helfen. Es ist eine holde Arbeit, die langen Verzeichnisse der ein-
gelieferten Spenden zu durchmustern. Beamte verzichten auf einen
Teil ihres Gehaltes, Leute von mäßigem Wohlstand geben einen 70
Teil ihres Vermögens, Reiche senden ihr Silbergeschirr, Ärmere
bringen ihre silbernen Löffel, wer kein Geld zu opfern hat, bietet
von seinen Habseligkeiten, seiner Arbeit. Gewöhnlich wird es, daß

---

44 *sich durch-schlagen* make one's way
54 *erkämpfen* win (by fighting)
56 *beneiden* envy
59 *Beamte* civil servant; *unentbehrlich* indispensable
60 *Landrat* chief administrative officer of a district
61 *Landesregierung* provincial government; *Schreibstube* office
64 *Verwaltung* administration; *aufheben* cancel, destroy
65 *Andrang* surge; *gerüstet* equipped for war
68 *Verzeichnis* list
69 *Spende* gift (of money)
70 *Wohlstand* (financial) ease; *Silbergeschirr* silver plate
73 *Habseligkeit* possession

Gatten ihre goldenen Trauringe — sicher oft das einzige Gold, das
75 im Hause war — einsenden (sie erhielten dafür zuletzt eiserne mit
dem Bild der Königin Luise zurück), Landleute schenken Pferde,
Gutsbesitzer Getreide, Kinder schütten ihre Sparbüchsen aus. Da
kommen hundert Paar Strümpfe, vierhundert Ellen Hemdenleinwand, Stücke Tuch, viele Paar neue Stiefeln, Büchsen, Hirschfänger,
80 Säbel, Pistolen. Ein Förster kann sich nicht entschließen, seine
gute Büchse wegzugeben, wie er in lustiger Gesellschaft versprochen
hat, und geht daher lieber selbst ins Feld. Junge Frauen senden
ihren Brautschmuck ein, Bräute die Halsbänder, die sie von den Geliebten erhalten. Ein armes Mädchen, der ihr Haar gelobt worden war,
85 schneidet es ab zum Verkauf an den Friseur, patriotische Unternehmungslust verfertigt daraus Ringe, wofür mehr als hundert Taler
gelöst werden. Was das arme Volk aufbringen kann, wird eingesendet,
mit der größten Opferfreudigkeit gerade von kleinen Leuten.

Nicht selten hat seither der Deutsche zu vaterländischem Zweck
90 beigesteuert. Aber die Gaben des großen Jahres verdienen wohl
ein höheres Lob. Denn wenn man von jenen Sammlungen der alten
Pietisten für ihre menschenfreundlichen Anstalten absieht, ist es
zum erstenmal, daß ein deutsches Volk in solcher Opferlust auflodert.
Und überhaupt das erste Mal, daß dem Deutschen die Freude wird,
95 für seinen Staat freiwillig hinzugeben.

---

[74] *Gatte* spouse; *Trauring* wedding ring
[76] *Luise*, Queen of Prussia 1776–1810,
    deeply beloved by her people
[77] *Gutsbesitzer* estate owner
[78] *Elle* ell (variously estimated between
    24 and 36 inches)
[79] *Büchse* rifle; *Hirschfänger* hunting
    knife
[80] *Säbel* saber
[83] *Brautschmuck*   wedding   jewelry;
    Halsband necklace
[84] *der ihr = dessen; geloben* vow

[86] *Taler* coin worth 3 marks
[87] *lösen* realize; *auf-bringen* get to-
    gether
[89] *vaterländisch* patriotic
[90] *bei-steuern* contribute
[92] The Pietists were a revivalist sect in
    the Lutheran Church in the 17th
    and 18th centuries. *menschen-
    freundlich* philanthropic
[92] *ab-sehen von* disregard
[93] *auf-lodern* flame up

15

DAS GEBET DER WITWE

ADALBERT VON CHAMISSO (1781–1838)

Chamisso was of Huguenot extraction; his aristocratic parents fled France during the Revolution. He is best remembered for his famous tale *Peter Schlemihls wundersame Geschichte* (1814). He has left a considerable body of lyric poetry, including some ballads of note and social poetry, liberal in spirit. The following poem was written in 1831 and published three years later. The meter is iambic tetrameter.

Die Alte wacht und betet allein
In später Nacht bei der Lampe Schein:
„Laß unsern gnädigen Herrn, o Herr!
Recht lange leben, ich bitte dich sehr.
    Die Not lehrt beten."   5

Der gnädige Herr, der sie belauscht,
Vermeint nicht anders, sie sei berauscht;
Er tritt höchstselbst in das ärmliche Haus,
Und fragt gemütlich das Mütterchen aus:
    „Wie lehrt Not beten?"   10

„Acht Kühe, Herr, die waren mein Gut,
Ihr Herr Großvater sog unser Blut,
Der nahm die beste der Kühe für sich
Und kümmerte sich nicht weiter um mich.
    Die Not lehrt beten.   15

„Ich flucht' ihm, Herr, so war ich betört,
Bis Gott, mich zu strafen, mich doch erhört;

3 *Herrn* i.e. the ruling sovereign
7 *vermeinen* think; *berauscht* drunk
8 *höchstselbst* his august self
9 *aus-fragen* question

12 *saugen o o* suck
16 *betört* befuddled
17 *erhört* heard my prayer

    Er starb, zum Regimente kam
    Ihr Vater, der zwei der Kühe mir nahm.
20   Die Not lehrt beten.

    „Dem flucht' ich arg auch ebenfalls,
    Und wie mein Fluch war, brach er den Hals;
    Da kamen höchst Sie selbst an das Reich
    Und nahmen vier der Kühe mir gleich.
25   Die Not lehrt beten.

    „Kommt Dero Sohn noch erst dazu,
    Nimmt der gewiß mir die letzte Kuh —
    Laß unsern gnädigen Herrn, o Herr!
    Recht lange leben, ich bitte dich sehr.
30   Die Not lehrt beten."

16

DIE SCHLESISCHEN WEBER

HEINRICH HEINE (1797–1856)

Written in 1844, almost immediately after the abortive rebellion of the
Silesian weavers against their employers; published on July 10, 1844, in
Karl Marx's newspaper *Vorwärts*. The present version appeared in 1847.
This is one of the most powerful expressions of social indignation in all
literature; it might be compared with Thomas Hood's *Song of the Shirt*.
Gerhart Hauptmann's *Die Weber* (§ 106) is based on the same historical
event. The meter is iambic tetrameter with deviations.

    Im düstern Auge keine Träne,
    Sie sitzen am Webstuhl und fletschen die Zähne:

---

18 *Regiment* government   *noch erst dazu* to (power) too
21 *arg* badly
26 *Dero = Dero Gnaden* Your Grace's;   2 *Webstuhl* loom; *fletschen* gnash

Deutschland, wir weben dein Leichentuch,
Wir weben hinein den dreifachen Fluch —
    Wir weben, wir weben!   5

Ein Fluch dem Gotte, zu dem wir gebeten
In Winterskälte und Hungersnöten;
Wir haben vergebens gehofft und geharrt,
Er hat uns geäfft und gefoppt und genarrt —
    Wir weben, wir weben!   10

Ein Fluch dem König, dem König der Reichen,
Den unser Elend nicht konnte erweichen,
Der den letzten Groschen von uns erpreßt
Und uns wie Hunde erschießen läßt —
    Wir weben, wir weben!   15

Ein Fluch dem falschen Vaterlande,
Wo nur gedeihen Schmach und Schande,
Wo jede Blume früh geknickt,
   Wo Fäulnis und Moder den Wurm erquickt —
    Wir weben, wir weben!   20

Das Schiffchen fliegt, der Webstuhl kracht,
Wir weben emsig Tag und Nacht —
Altdeutschland, wir weben dein Leichentuch,
Wir weben hinein den dreifachen Fluch,
    Wir weben, wir weben!   25

3 *Leichentuch* shroud
4 *Fluch* curse
6 *gebeten* = *gebetet*
8 *vergebens* in vain;   *harren* wait
9 *geäfft, gefoppt, genarrt* aped, mocked,
    fooled
12 *erweichen* soften

13 *Groschen* a small coin: dime
17 *gedeihen* thrive;   *Schmach* disgrace
18 *knicken* nip in the bud
19 *Fäulnis* rottenness;   *Moder* mold;
    erquicken nourish
21 *Schiffchen* shuttle;   *krachen* groan
22 *emsig* zealously

17

GROSSDEUTSCH UND KLEINDEUTSCH

RICARDA HUCH (1864–1947)

Ricarda Huch was one of the most gifted women of the twentieth century, a poet and novelist of rank, and a historian and philosopher of distinction. In the field of history she wrote three series of works dealing with different aspects of European history: the Italian Risorgimento, the Thirty Years' War, and the rise and fall of the Holy Roman Empire (*Römisches Reich deutscher Nation*, 3 volumes). The following passage is from *1848. Die Revolution des 19. Jahrhunderts in Deutschland* (1930; revised 1944). The question discussed here — whether modern Germany should continue the medieval imperial ambitions of her emperors or develop as a national, purely German state — was at that time a crucial one.

Unter den tragischen Problemen dieses chaotischen Jahrhunderts war das Verhältnis Österreichs zu Deutschland ganz besonders unentwirrbar verwickelt. Das alte Kaiserreich hatte noch Stolz und Purpur genug, um seine tödliche Krankheit zu verhüllen. Es trat
5 immer, auch wenn es wankte, auch als es stürzte, herrschermäßig auf; Herrscher sein war ihm zur Gewohnheit geworden und wurde ihm willig oder unwillig zugestanden. Nicht die Siege und die Popularität Friedrichs des Großen und nicht die bewundernswerten Anstrengungen Preußens in den Befreiungskriegen hatten das Gefühl
10 in den Deutschen auslöschen können, daß Österreich die zur Vorherrschaft in Deutschland berufene Macht sei; so stark wirkte in diesem Punkte die Überlieferung. Die Vorstellung blieb in Deutschland bestehen, daß die Vorherrschaft über Deutschland Österreich

---

² *unentwirrbar verwickelt* inextricably complicated
⁵ *wanken* totter; *herrschermäßig* imperiously
⁷ *zu-gestehen* concede

⁹ The wars of liberation against Napoleon were fought 1812–15.
¹⁰ *Vorherrschaft* hegemony
¹² *Überlieferung* tradition

zukomme, und wenn das in Preußen weniger der Fall war, so muß
man seine letzten Könige ausnehmen; besonders zu Friedrich Wil- 15
helms IV. Weltbilde gehörte es, daß das Kaisertum bei Österreich
sei.

Der Freiherr vom Stein und der kleine Kreis seiner Anhänger
indessen gingen von dieser Voraussetzung ab, als Franz II. ausdrücklich die Bedingungen der Vormachtstellung abgelehnt hatte, wenn 20
er auch nicht auf sie verzichtete; daraus, daß Österreich keine Rhein-
lande mehr hatte, folgte für ihn, daß Preußen die Grundlage der
Macht Deutschlands bilden müsse. Arndt vertrat diese Ansicht
in einer Schrift mit der ihm eigentümlichen dichterischen Leidenschaft; es war die Zeit, wo man darauf rechnete, daß Preußen eine 25
Verfassung bekommen, daß es sich überhaupt in der Richtung weiter-
bewegen werde, die es unter der Leitung Steins eingeschlagen hatte.
Die furchtbare Enttäuschung, die die Regierung Friedrich Wil-
helms III. den deutschen Preußenfreunden bereitete, hob ihren
Glauben an Preußens Bestimmung nicht auf; es blieb in den Augen 30
der kleinen Schar, die nach Freiheit und Einheit strebte, die durch
historische Notwendigkeit zum Fortschritt und zur Grundlage
Deutschlands bestimmte Macht, Österreich die beharrende und erstar-
rende.

Preußen herabzusetzen, wurde den Großdeutschen nicht schwer, 35
in die meisten ihrer Anklagen stimmten ja die Anhänger Preußens
selbst ein. Preußen, sagten sie, sei ein halbslawischer Staat, an
dem die reichen Ströme deutscher Kultur vorübergeflossen wären,
dessen Wesen Absolutismus im Inneren, Eroberungssucht nach
außen sei; es sei widersinnig, daß ein solcher Staat über Deutschland 40
herrsche. Entrüstet wies Heinrich von Gagern die Annahme zurück,
er beabsichtige eine Vorherrschaft Preußens über Deutschland zu
begründen. Wenn Preußen an die Spitze Deutschlands trete, so

---

14 *zu-kommen* pertain
15 *Friedrich Wilhelm IV* reigned 1840–61
18 *Stein* See § 36
19 *ab-gehen* deviate; *Voraussetzung* presupposition; *Franz II* was emperor from 1792 to 1835. *Vormachtstellung* hegemony
23 *Ernst Moritz Arndt* (1769–1860) poet
 and publicist
28 *Friedrich Wilhelm III* reigned 1797–
 1840

29 *auf-heben* cancel
33 *beharrend und erstarrend* conservative
 and rigid
35 *herab-setzen* disparage
39 *Eroberungssucht* lust for conquest
41 *entrüstet* indignantly; *Heinrich von
 Gagern* (1799–1880) statesman and
 writer, president of the Frankfurt
 national assembly in 1848; *zurück-
 weisen* reject

folge daraus nicht, daß Deutschland preußisch, vielmehr daß Preußen
45 deutsch werden müsse. Er rollte das Programm seines Bruders auf:
Preußen dürfe in dem neuen Bundesstaate kein eigenes Parlament,
keine Gesandten im Auslande haben, es müsse Reichsland werden,
dadurch auf eine Linie mit den anderen Ländern gestellt. Die Hohenzollern müßten aus preußischen deutsche Könige werden, Deutsch-
50 lands Hauptstadt werde nicht Berlin, sondern Frankfurt oder sonst
eine bequem gelegene deutsche Stadt sein. Das Untergehen oder
Aufgehen Preußens in Deutschland wurde ein beliebtes Stichwort.

Es waren hauptsächlich zwei Richtungen, die sich in dem zunehmend erbitterter werdenden Kampfe gegenüberstanden, eine zentra-
55 listische und eine föderative, jede einer bestimmten Auffassung vom
Charakter und der historischen Aufgabe der Deutschen entsprechend.
Die preußische Partei wollte Deutschland zu einer Macht werden
lassen, die zwischen den auf Eroberung gestellten, stets sprung-
bereiten Nachbarn Frankreich und Rußland ebenso kraftvoll, ebenso
60 gepanzert dastehe, nicht mehr in Gefahr überfallen und vergewaltigt
zu werden, nicht mehr geneigt, sich verräterisch dem Stärkeren
anzuschließen. Die föderalistische Richtung war aus der Vergangenheit herausgewachsen und durfte sich deshalb wohl als der deutschen
Eigenart angemessen betrachten. Ihre Vertreter dachten sich das
65 deutsche Reich als ein Friedensreich in der Mitte Europas, dessen
Wehrkraft mehr zur Verteidigung als zum Angriff eingerichtet sei,
das aber durch den Charakter gelassener Machtfülle den Frieden
des europäischen Staatsvereines verbürge. Die Vorstellung eines so
ungeheuren, damals siebzig Millionen umfassenden Reiches, das
70 sich vom Norden über die Alpen bis an das Schwarze Meer senken,
bis an die Schwelle Konstantinopels reichen würde, das den Ruhm
der Hohenstaufenzeit zu erneuern versprach, hatte etwas wie die

---

45 *Bruder* i.e. Friedrich (1794–1848),
general and liberal statesman
46 *Bundesstaat* confederate state
47 *Gesandte* ambassador
48 *Hohenzollern* the reigning dynasty of
Prussia
52 *Aufgehen* dissolution, absorption;
Stichwort catchword
53 *Richtung* i.e. course; *zunehmend* in-
creasingly
60 *gepanzert* armored; *vergewaltigen*
violate
61 *verräterisch* treacherously
64 *angemessen* appropriate
67 *gelassene Machtfülle* relaxed full
power
68 *verbürgen* guarantee
71 *Constantinople* (now Istanbul) was
the former capital of Turkey.
72 The Hohenstaufen dynasty ruled the
Holy Roman Empire at the height
of the Middle Ages.

Vision eines großen Kunstwerks Entzückendes. Dem Reich, das
seine Glieder nicht in die Schranken der Nationalität einschnüren
würde, das jedem seine Sprache und seine Kultur ließe, würden sich 75
die einst abgetrennten, das Elsaß, die Schweiz, Holland freiwillig
wieder anschließen. Wie einseitig und dürftig erschien dagegen
Kleindeutschland, von dem viele fürchteten, es würde nicht einmal
über den Main hinausdringen. Die Kleindeutschen wiederum wiesen
den ghibellinischen Traum zurück: es war, als sollte sich die Auf- 80
lehnung Heinrichs des Löwen gegen den in südliche Ferne schweifen-
den Barbarossa erneuern.

18

DER GOTT DER STADT

GEORG HEYM (1887–1912)

Heym was a poet of great promise, whose early death was a calamity for
German literature. He was a forerunner of expressionism in literature.
This poem, like its famous companion piece *Der Krieg*, accumulates a series
of terrifying images to describe brutal aspects of modern civilization. Compare Rilke's sonnet in § 110.

> Auf einem Häuserblocke sitzt er breit.
> Die Winde lagern schwarz um seine Stirn.
> Er schaut voll Wut, wo fern in Einsamkeit
> Die letzten Häuser in das Land verirr'n.

73 *entzückend* rapturous
74 *ein-schnüren* constrict
77 *dürftig* paltry
80 *ghibellinisch* imperial (of the Hohenstaufen dynasty)
81 *Heinrich der Löwe* reigned 1142–80
   and was an opponent of the Hohen-

staufen rulers. Friedrich Barbarossa suspected him of con-
spiratorial activity and exiled him.
schweifen roam

2 *lagern* lie
4 *verirren* stray out

5   Vom Abend glänzt der rote Bauch dem Baal,
     Die großen Städte knieen um ihn her.
     Der Kirchenglocken ungeheure Zahl
     Wogt auf zu ihm aus schwarzer Türme Meer.

     Wie Korybanten-Tanz dröhnt die Musik
10   Der Millionen durch die Straßen laut.
     Der Schlote Rauch, die Wolken der Fabrik
     Ziehn auf zu ihm, wie Duft von Weihrauch blaut.

     Das Wetter schwält in seinen Augenbrauen.
     Der dunkle Abend wird in Nacht betäubt.
15   Die Stürme flattern, die wie Geier schauen
     Von seinem Haupthaar, das im Zorne sträubt.

     Er streckt ins Dunkle seine Fleischerfaust.
     Er schüttelt sie. Ein Meer von Feuer jagt
     Durch eine Straße. Und der Glutqualm braust
20   Und frißt sie auf, bis spät der Morgen tagt.

---

⁵ *Baal* the Phoenician god whose cult included the burning of children
⁸ *wogen* surge
⁹ The corybantes were priests of the goddess Cybele. Their cult consisted of wild orgies and dances in which they inflicted wounds on themselves.   *dröhnen* resound
¹¹ *Schlot* smokestack
¹² *Weihrauch* incense; *blauen* turn blue
¹³ *schwält* ...   The thunderstorm gathers in his eyebrows (*schwelen* is the usual form).
¹⁴ *betäuben* stupefy
¹⁵ *Geier* vulture
¹⁶ *sträuben* = *sich sträuben* stand on end
¹⁹ *Glutqualm* fiery smoke

DER ERSTE WELTKRIEG

The three selections following present two conflicting views of the First World War (1914–1918): that of a liberal and that of a conservative. Both men wrote in the period between the two wars, when Western opinion was radically split on political and social issues. The liberal sees in the war nothing but a "meaningless carnage," while the conservative finds a positive value in the struggle.

19

EIN NEUES ETHOS

RUDOLF BINDING (1867–1938)

Binding wrote poetry, novellas, and essays. His general attitude toward life was an aristocratic conservatism. The following two passages are from his war book *Aus dem Kriege*, which was published in 1924 and appeared in an English translation (*A Fatalist at War*). Binding was a cavalry officer in World War I.

Silvester 1914

Das Jahr geht zu Ende. Es war ernst genug für uns alle, die wir trotz allen Ernstes, trotz allen Nachdenkens uns eingestehen, den Krieg nicht zu begreifen. Erscheint er uns nicht wie ein ungeheurer Wahn, in welchem die Menschheit taumelnd mit gezücktem Schwert 5 dahinstampft und ein Blutbad anrichtet, vor dem sie einst stehen wird wie Ajax vor den gemordeten Widdern?

Hüten wir uns vor diesem Gedanken. Er befaßt sich mit der Erscheinung, dem Sichtbaren, ohne dessen Sinn zu verstehen. Wie

---

Ethos ethic, way of life
[1] *Silvester* New Year's Eve
[3] *ein-gestehen* confess
[4] *ungeheuer* monstrous
[5] *taumeln* stagger; *zücken* draw
[6] *dahin-stampfen* tramp along; *an-richten* prepare
[7] Ajax became insane because he was

defeated by Ulysses in the contest for the armor of Achilles. He rushed from his tent and slaughtered sheep in the belief that they were his enemies. *Widder* ram
[8] *sich befassen* concern oneself
[9] *Erscheinung* external appearance

10 wenn die ungeheure Folge von Greuel, von Vernichtung, von Verrohung, von Verstumpfung dennoch für die ganze Welt ein neues Ethos,
ein neues Pathos hervorgebäre, wie sich aus der Tiefe der Wunde
unter dem Eiter das frische, gesunde Fleisch ans Licht emporarbeitet?
Wie also, wenn — und ich versuche die beiden eben gebrauchten
15 Worte halb und halb zu verdeutschen — eine Neueinschätzung des
eigenen Menschheitswertes, eine Neuauffassung des Schicksals Mensch
zu sein, in jedem von uns geboren würde (vielleicht zunächst nur in
wenigen) als das ungeheure Gute für das ungeheure Übel?

Das wäre genug! Das würde uns schadlos halten für alles, was
20 der Krieg uns angetan. Mir ist, als sei er ohne diese Hoffnung nicht
zu ertragen.

20

EINE RELIGION DER WEHRHAFTIGKEIT

Osterbrief 1915

Westflandern

Inmitten des ungeheuren Geschehens aber steht der Mensch:
die Tausende, die Hunderttausende, die Kämpfer und die Nichtkämpfer; und alle haben nur den einen Wunsch, das eine Ziel: den
Krieg abzuwerfen, seine Wirkung, wie man sie versteht, unsichtbar
5 zu machen, einen wohlverdienten Frieden über den Opfern sein Gras
wachsen zu lassen und es im großen Ganzen zu treiben wie vorher.
Die Zeit mag noch so groß sein, der Mensch bleibt klein. Wandlung,
Läuterung sind nicht seine Sache.

Wir werden siegen, sagen sie, wissen sie. Wie herrlich ist es, das

---

10 *Greuel, Vernichtung, Verrohung, Ver-*
stumpfung horror, destruction,
coarsening, dulling
12 *Pathos* way of feeling, sensibility;
hervor-gebären give birth to
13 *Eiter* pus
15 *Worte* i.e. *Ethos* and *Pathos; Neu-*
einschätzung new evaluation

20 *an-tun* inflict upon

Wehrhaftigkeit defensiveness
1 West Flanders in Belgium, scene of
battles between the opposing forces
6 *im großen Ganzen* on the whole
7 *Wandlung* transformation
8 *Läuterung* purification

zu wissen und zu sagen. Aber uns werden wir nicht besiegen. Wir 10
werden's weitertreiben wie zuvor und wunder denken was für herrlich Neues wir an Stelle des Alten gesetzt haben. Denn manches,
was besteht, ist wert, daß es zugrunde geht. Und manch Unent-
decktes ist wert, daß man es weckte.

Das klingt sehr hart, nicht wahr? Aber wenigstens dem, der die 15
Härte der Zeit wahrnimmt, sollte es auch erlaubt sein harte Worte
auszusprechen. Sie werden fragen, was ich denn eigentlich will,
das an Stelle des Alten trete, oder was eigentlich neu zu entdecken
sei?

Ich meine, es wäre in einem Worte zu sagen: Eine Religion der 20
Wehrhaftigkeit. Dies für alle Völker! Es gäbe einen Glauben an
das Recht wehrhaft zu sein, sich erwehren zu dürfen. Dies und
nicht mehr. Das würde uns selbst und der Welt, die unserer Religion
anhängen würde, eine so ungeheure Kraft geben auf Tausende von
Jahren — denn Religionen überdauern Geschichte, Völker und Reiche, 25
Kulturen und Philosophien, Entdeckung und Fortschritt der Menschen, — daß keine Nation, auch kein Zusammenschluß von Nationen
uns gewachsen wäre. Geheiligt würde die Wehrhaftigkeit dastehen,
ebensowohl mit der Waffe der Abwehr in der Hand wie mit den Er-
zeugnissen der Arbeit im Arm: unantastbar, einigend durch die 30
Gewalt der Idee, beruhend in der heiteren Sicherheit des Glaubens,
fromm machend durch das Bekenntnis des Mannes zu ihr. Ich
würde diese Forderung, eine Religion zu gebären, nicht an die Zeit
stellen, wenn ich nicht wüßte, wie groß sie ist. Sie trägt dies Kind.
Wir aber sind ihr schlechte Helfer in ihrer schweren Stunde; und 35
wer sollte beides bestreiten: das Ungeheure des Geschehens und die
Hilflosigkeit, es für die Menschheit oder auch nur für unser Volk
in Werte umzusetzen.

Ein ungeheures Land der Sehnsucht tut sich auf — nicht nach
fremden Gebieten, nicht nach Meeren, Festungen, Reichtümern, 40
Gewalten, sondern nach jenem einen Gnadengeschenk dieser Zeit,
das ihrer und unserer zugleich würdig ist.

---

[11] *wunder* Heaven knows
[12] *manches* the words of Mephistopheles
    in *Faust I*, ll. 1339–40
[13] *zugrunde gehen* perish
[28] *gewachsen* a match
[29] *Abwehr* defense; *Erzeugnis* product
[30] *unantastbar* inviolable

[31] *heiter* serene
[32] *Bekenntnis* adherence
[36] *bestreiten* dispute
[38] *um-setzen* transpose
[40] *Festung* fortress
[41] *Gnadengeschenk* gift of grace

21

EIN SINNLOSES GEMETZEL

ERICH MARIA REMARQUE (1898–   )

Remarque attained world fame with his war book *Im Westen nichts Neues*
(*All Quiet on the Western Front*) (1929), of which more than a million and
a half copies were sold in Germany alone at the time of publication.

Ich bin jung —, ich bin zwanzig Jahre alt: aber ich kenne vom
Leben nichts anderes als die Verzweiflung, den Tod, die Angst und
die Verkettung sinnlosester Oberflächlichkeit mit einem Abgrund
des Leidens. Ich sehe, daß Völker gegeneinander getrieben werden
5 und sich schweigend, unwissend, töricht, gehorsam, unschuldig töten.
Ich sehe, daß die klügsten Gehirne der Welt Waffen und Worte erfinden, um das alles noch raffinierter und länger dauernd zu machen.
Und mit mir sehen das alle Menschen meines Alters hier und drüben,
in der ganzen Welt, mit mir erlebt das meine Generation. Was
10 werden unsere Väter tun, wenn wir einmal aufstehen und vor sie
hintreten und Rechenschaft fordern? Was erwarten sie von uns,
wenn eine Zeit kommt, wo kein Krieg ist? Jahre hindurch war
unsere Beschäftigung Töten — es war unser erster Beruf im Dasein.
Unser Wissen vom Leben beschränkt sich auf den Tod. Was soll
15 danach noch geschehen? Und was soll aus uns werden?

---

³ *Verkettung* linking together; *Ober-*   ⁷ *raffiniert* refined, cunning
flächlichkeit superficiality   ⁸ *drüben* i.e. on the side of the Allies

22

DER NAZISTAAT

GOLO MANN (1909–   )

Golo Mann, son of Thomas Mann, is a historian of note, the author of an authoritative two-volume history of Germany in the last two centuries. The two selections following are from the second volume of this work Deutsche Geschichte des 20. Jahrhunderts.

Der „Nationalsozialismus", haben seine Wortführer oft gesagt, sei eine „Weltanschauung". Im Grunde war er das nicht; nicht in dem Sinn, in dem etwa der Kommunismus eine war. Dieser war ein ausgeklügeltes System von Doktrinen über Welt, Mensch und Geschichte; falsche Wissenschaft, falsche Religion, die von vielen 5 im Ernst geglaubt wurde. Viele sind für den Kommunismus wissentlich und freiwillig gestorben, auch deutsche Kommunisten; wo man ihre Partei verbot und verfolgte, da gingen sie untergrund und wenn, Jahrzehnte später, der Druck von ihnen genommen wurde, so waren sie wieder da, — echte, unausrottbare Fanatiker, die sie waren. 10 Auch die Nazis rühmten sich ihres fanatischen Glaubens, das Wort „fanatisch" gebrauchten sie gern; aber es war nicht weit her damit. Fanatismus verlangt Glauben; und was glaubten sie denn? Als Hitlers Reich zerschlagen wurde, hat man fast gar keine Nationalsozialisten gefunden. Sie waren es nie gewesen, sie hatten nichts 15 gewußt, sie hatten nur gezwungen mitgemacht oder mitgemacht, um zu mildern und zu verhindern, nicht, um ihren Glauben zu erfüllen. Nur in den umstrittenen Grenzgebieten, wo die Nazisache mit der großdeutsch-nationalistischen momentweise ein und dasselbe

---

¹ *Wortführer* promoter
³ *etwa* let us say
⁴ *ausgeklügelt* ingenious
⁸ *verfolgen* persecute
¹⁰ *unausrottbar* ineradicable

¹² *weit her damit* much to it
¹⁸ *umstrittene Grenzgebiete* controversial border areas
¹⁹ *großdeutsch* See § 17.

20 war, wie in Österreich 1934, gab es Todesbereitschaft für die Sache. Das war die Ausnahme, nicht das Typische. Demokraten, Sozialisten, Studenten, konservative Edelleute, Gewerkschaftler haben in Deutschland ihr Leben für die Sache menschlicher Anständigkeit gewagt. Die Nazis wollten leben und genießen.

25 Die Intensität des Machtwillens war beträchtlich; die Doktrin war es nicht. Wer könnte heute auch nur sagen, was die Nazis eigentlich „lehrten"? Die Überlegenheit der nordischen Rasse? Sie machten sich selber darüber lustig, gestanden, wenn sie unter sich waren, ein, daß es nur eine Machtwaffe sei und keine Wahrheit.

30 Nur wenige unter ihnen scheinen den Unfug ernsthaft geglaubt zu haben. Den Judenhaß? Der war wohl das echteste Gefühl, dessen Hitler fähig war, aber schwerlich eine Weltanschauung. Auch hat er die Phantasie des Volkes nicht bewegt, unter den Deutschen war der Antisemitismus nicht stärker als unter den meisten anderen

35 Völkern. Später, als die Obrigkeit befahl, Europas Juden umzubringen, fanden sich Leute, die es taten, so wie sie jeden anderen Befehl ausgeführt hätten. Himmler selbst hat kurz vor dem Ende gemeint, es sei Zeit, daß Deutsche und Juden das Kriegsbeil begrüben und wieder gut zueinander wären. Jetzt, da er sich selber retten

40 und bei den Alliierten anbiedern wollte, gab er die ganze Judenmörderei als ein bedauerliches Mißverständnis aus. Das war kein Glaube, sondern Verbrechen durch schlechte Literatur. So mit den alten Programmpunkten der Partei, die verworfen wurden, sobald die Macht erreicht war, den wirtschaftlichen Theorien, dem

45 Gerede von der Volksgemeinschaft. Einer von der Bande, der Präsident des Volksgerichtshofes während der Kriegsjahre, hat erklärt, der Nationalsozialismus habe das mit dem Christentum gemein, daß er den ganzen Menschen verlange. Aber auch das war nur schlechte Literatur, Prahlerei, Nachahmung der Kommunisten, der

---

20 *1934* during the crisis when the Austrian chancellor Dollfuss was murdered by Nazi conspirators
22 *Gewerkschaftler* trade unionist
25 *beträchtlich* considerable, important
30 *Unfug* nonsense
35 *Obrigkeit* authorities
37 *Heinrich Himmler* (1900–1945) head of the Gestapo
38 *Kriegsbeil* war hatchet

40 *sich an-biedern* ingratiate oneself
43 *verwerfen* abandon
45 *Volksgemeinschaft* racial community; *Bande* gang
46 *Volksgericht* a species of judicial system, introduced by the Nazis, in which "popular" justice was meted out to enemies of the regime
49 *Prahlerei* bragging

Jakobiner. Was das eigentlich war, wozu der Nationalsozialismus 50
den ganzen Menschen verlangte, hätte er gar nicht sagen können.
Die vergleichsweise interessantesten Formulierungen der Lehre stammen von Leuten, die, von außen kommend, ihr Talent rasch in den
Dienst der neuen Macht stellten und ihr allerlei Finessen andichteten.
So war es auch manchem deutschen Gelehrten gar nicht so schwer 55
gefallen, sich dem ganzen blutigen Hokuspokus zu entziehen und
seine Sache weiterzumachen wie vorher; weit weniger schwer, als
es das unter dem Kommunismus ist. Ein Wille von furchtbarer
Intensität, der nur sich selber wollte und daher eins war mit zyni-
schem Opportunismus — dies war der „Nationalsozialismus" in seiner 60
Spitze; und ohne ihn war er überhaupt nicht. Deshalb ist er im
Nichts verschwunden, sobald Hitler tot war, und es sahen damals
die Leute sich verdutzt an, als erwachten sie aus langer Verzauberung.
Wenn die Nazis einen Glauben hatten, so war es der an den großen
Mann. Wenn er einen hatte, so war es der Glaube an sich selber; 65
seine Überzeugung von sich, seine Berufenheit, die in den letzten
Jahren seines Lebens kaum noch menschlich zu nennende Ausmaße
annahm.

Die Nazis lebten im Lande wie fremde Eroberer, beuteten es aus,
zeigten dem Volke, wie es stünde, durch kahle, plumpe Prachtbauten, 70
durch Aufmärsche und Paraden, bei denen der einzelne sich sehr
klein fühlen sollte, durch Kolonnen riesiger Automobile, darinnen
die schwarz uniformierten Herren saßen, schließlich durch die Wacht-
türme und Maschinengewehre der Gefangenenlager. Sie wußten,
wie man die Macht erschreckend zur Darstellung bringt. Aber 75
dann wußten sie sich auch wieder als eins erscheinen zu lassen mit
den Massen, die sie erobert hatten, wußten ihnen heisere Schreie
der Begeisterung zu entlocken und der Jugend ein Gefühl des Wohl-

---

50 *Jakobiner* radicals in the French
   Revolution
52 *vergleichsweise* comparatively
54 *Finesse* subtlety; *an-dichten* invent
55 *schwer fallen* be difficult
57 *Sache* i.e. his private scientific pur-
   suits
63 *verdutzt* puzzled
65 *er = der große Mann*, i.e. Hitler
66 *Berufenheit* mission
67 *Ausmaß* proportion
69 *Eroberer* conqueror; *aus-beuten* exploit
70 *wie es stünde* i.e. how things were
   going; *kahle, plumpe Prachtbauten*
   bare, crude splendid edifices
71 *Aufmarsch* massing of troops
72 *darinnen = worin*
73 *schwarz uniformiert* i.e. the S.S.,
   Hitler's elite private army
74 *Gefangenenlager* i.e. concentration
   camp
77 *heiser* hoarse
78 *entlocken* lure from

seins und Glückes zu geben. Sie konnten die finster blickenden
80 Tyrannen spielen und die gemütlichen Volksmänner, die lustigen
Hanswurste selbst, und sich beliebt machen, wie nie ein deutscher
Monarch beliebt gewesen war. Sagt man, ihre Herrschaft sei im
Grunde landfremd gewesen, so sagt man etwas Wahres damit. Sagt
man dagegen, sie sei die am echtesten deutsche, in allen modernen
85 Zeiten populärste Regierungsform gewesen, so sagt man auch etwas
Wahres. Was sie eigentlich war und wirkte, läßt sich nicht auf
einen einzigen Begriff bringen, oder allenfalls auf einen, dessen Formulierung recht künstlich klingen muß: Es war eine Verbindung
von Identität und Nichtidentität. Der Nazismus war das Deutscheste
90 vom Deutschen, hervorgebracht und getragen von einer Schicht der
Nation, viel breiter als sie je zuvor ein deutsches Regierungssystem
getragen hatte; das ist der schwerste Vorwurf, den man den Deutschen machen kann. Und dann war er auch wieder etwas Fremdes
im eigenen Land, war wie der Hauptmann von Köpenick, der sich
95 als Befehlshaber der Stadt verkleidete und dem die Stadt gehorchte,
weil sie etwas anderes als Gehorchen nicht gewohnt war. Die Stadt,
die weitere Umwelt, die Außenwelt selbst fielen auf die Verkleidung
herein.

Die Macht sollte total sein, aus einem Guß, in Partei und Staat.
100 Das war sie nicht. Groß war der Einfluß des Menschen an der
Spitze, und jene, die ihn für das bloße Werkzeug irgendwelcher Interessen hielten, irrten sich gründlich. Die Entscheidungen über
Krieg und Frieden, wie später über die Strategie im Kriege, lagen
bei ihm allein. Unter ihm aber war Unordnung, wühlende Kon-
105 kurrenz und nahm jeder sich soviel Macht, wie er irgend sammeln
konnte. Die Höflinge um den Diktator herum und die Gewaltigen
in der Provinz, Minister, Gauleiter, Statthalter, Oberpolizisten, sie
alle bildeten Machtzentren, regierten gegeneinander, hatten ihre

---

80 *gemütlich* easy-going
81 *Hanswurst* clown
87 *allenfalls* in any case
88 *künstlich* artificial
90 *Schicht* stratum
92 *Vorwurf* reproach
94 *Hauptmann* . . . In 1906 an ex-
   convict bought a captain's uniform, commandeered a detachment
   of soldiers on the street, and with
   this detachment arrested the mayor

of Köpenick and confiscated the
municipal treasury.
95 *Befehlshaber* commander; *sich ver-
   kleiden* disguise oneself
97 *Umwelt* i.e. the area around; *herein-
   fallen* be taken in
99 *Guß* mold
104 *wühlende Konkurrenz* vicious competition
107 *Gauleiter* district leader; *Statthalter*
   governor

eigene Kulturpolitik, ihre eigenen Spionagesysteme, ihre eigenen
Druck- und Erpressungsmittel. Bis zu einem gewissen Grad ent- 110
sprach das Hitlers Absichten; das Gegeneinanderausspielen von
Menschen und Mächten ist ja ein alter Tyrannentrick. Hier aber
ging es weit über das hinaus, welches im Interesse der Zentralmacht
gelegen hätte.

Die Partei war außerdem nicht die einzige Macht im Staat. Sie 115
hatte ihn „erobert", der Ausdruck hatte seinen guten Sinn. Aber
gerade darin lag, daß das Eroberte weiterexistierte, anders als in
Rußland, wo die Bolschewisten mit einem blutigen Nichts und
ganz von unten neu anfingen. Mit dem durchzivilisierten deutschen
Staat und allen seinen feinnervigen, lebenswichtigen Organismen 120
konnte man das nicht machen. Trotz aller Korruption, aller „Richt-
linien von oben" und Einmischungen der Partei setzte die Beamtenschaft im Kern ihre traditionelle Arbeit fort und konnte mancher
tüchtige Verwaltungsmann seine Laufbahn machen, wie er sie ungefähr auch in Kaiserreich oder Republik gemacht hätte. Ähnliches 125
gilt für die Wirtschaft. Man hat darauf hingewiesen, daß die deutsche
Industrie sich unter Hitler in der Richtung weiterentwickelte, die
sie schon in der Hohenzollern- und Weimarer Zeit genommen hatte:
Rationalisierung, Konzentration, Vertrustung, Abhängigkeit von
Staatsaufträgen. Man hat daraus geschlossen, daß der Nazistaat, 130
wie wild und unabhängig er sich auch gebärdete, im Grunde doch
im Dienst industrieller Interessen gestanden hätte. Ist das nicht
ein Fehlschluß? Das Leben ging weiter. Es ging weiter in der alten
Spur, von der war kein Wegkommen. Neu war die Politik, und sie
war das, was Hitler interessierte. Die Wirtschaft ließ er im wesent- 135
lichen weitermachen wie vorher, solange sie ihm die für seine Politik
benötigten Güter lieferte. Das beweist nichts gegen die Unabhängigkeit und gegen die entscheidende Funktion der Politik. Die Diktatur war eine politische. Je stärker Hitlers persönliche Stellung

---

109 *Kulturpolitik* i.e. social policy
110 *Erpressung* blackmail
119 *durchzivilisiert* i.e. highly organized
    on modern, technical lines
121 *Richtlinie* directive
122 *Beamtenschaft* civil service
124 *Verwaltungsmann* administrator;
    Laufbahn career
125 *Kaiserreich* i.e. Bismarck's Empire
    1871–1918

126 *hin-weisen* point to
129 *Rationalisierung* the organization of
    the economy on an efficiency basis;
    Vertrustung formation of trusts or
    cartels
130 *Auftrag* order
131 *sich gebärden* behave
133 *Fehlschluß* fallacy
134 *weg-kommen* get away

140 wurde, desto kühner, drängender, schamloser wurde seine Politik,
desto näher kam er der Ausführung seiner eigensten Pläne.

23

WIDERSTAND

Die Münchener Studenten, die im Februar 1943 in Flugblättern
die Wahrheit über die Tyrannei aussprachen und zur Sabotage in
den Rüstungsbetrieben aufforderten, waren keine Politiker. Es
waren junge, lebensfrohe Christen; aus der katholischen Jugend-
5 bewegung kommend, zeitweise sogar vom fröhlichen Gemeinschafts-
geist beherrscht, den die Nazibewegung der Jugend lieferte, dann,
nach und nach, ihren wahren Charakter erkennend. Sie fochten
gegen das Riesenfeuer mit bloßen Händen, mit ihrem Glauben,
ihrem armseligen Vervielfältigungsapparat, gegen die Allgewalt des
10 Staates. Gut konnte das nicht ausgehen, und ihre Zeit war kurz.
Hätte es aber im deutschen Widerstand nur sie gegeben, die Geschwister Scholl und ihre Freunde, so hätten sie alleine genügt, um
etwas von der Ehre des Menschen zu retten, welcher die deutsche
Sprache spricht. Es gab viel mehr; Pfarrer, Professoren, Gewerk-
15 schaftler, Bürgermeister, Gutsbesitzer, Bürokraten. Es gab sie in
den christlichen Kirchen, in der unterdrückten, aber heimlich fort-
lebenden Sozialdemokratie, im Bürgertum, im Adel. Wir meinen
jetzt nicht die Verneiner und Hasser, die nur im engsten Kreise
wirkten, auch nicht die großen Prediger, die Bischöfe, die es wagen
20 konnten, falsche Götzen anzuklagen, ohne doch eigentlich Politik

---

1 *Flugblatt* handbill, pamphlet
3 *Rüstungsbetrieb* armament factory
4 *lebensfroh* lively
5 *zeitweise* for a time
9 *Vervielfältigungsapparat* mimeograph
11 Hans and Sophie Scholl belonged to
a resistance group *Die weiße Rose.*
Caught distributing anti-Nazi
handbills at the University of
Munich, they were tried by the
Volksgericht, condemned to death,
and executed.
14 *Gewerkschaftler* trade unionist
15 *Gutsbesitzer* landed proprietor
20 *Götze* idol

zu machen. Widerstand, das ist politisches Tun, der Versuch, den
Staat umzustürzen, der so stark, so furchtbar, so ruchlos war, daß
er von innen nicht umgestürzt werden konnte. Hier gab es
verschiedene Kreise, sozialistische und konservative, geistig vor-
bereitende und zur Tat drängende. In den Mittelpunkt müßte der
Erzähler in jedem Fall die Militäropposition stellen, weil ohne sie
die Zivilisten, die Julius Leber und Wilhelm Leuschner, die Carl
Goerdeler und Ulrich von Hassell, an keinen Staatsstreich hätten
denken können. Seit 1934 war der Tyrann nur noch durch militärische Gewalt zu beseitigen. Nicht mit dem Ziel einer Militär-
diktatur. Die Generäle wollten eine Diktatur stützen, keine errichten.
Aber ohne ihr Mitwirken ging es nicht. Zivilisten konnten Ideen
liefern, politische Pläne, Kontakte mit den Massen. Schießen mußten
die Soldaten.

Wir haben gesehen, daß im August 1939 the Militäropposition
nichts Ernsthaftes unternahm. Teils, weil sie noch gelähmt war
durch die Enttäuschung von „München"; teils wohl auch, weil
der Krieg gegen Polen der deutschen Armee so genehm war, wie nur
irgendein Krieg ihr sein konnte. Aber bald nach dem Polenfeldzug,
als Hitler die Vorbereitung einer Offensive im Westen befahl, ging
das heimliche Opponieren und Planen wieder an. Im Mittelpunkt
stand der verabschiedete Generalstabschef Ludwig Beck. Von ihm
gingen die Fäden zu Halder, selbst zu dem schwachen Oberbefehlshaber des Heeres, Brauchitsch, zu den Leitern der Abwehr, Admiral

---

²² *um-stürzen* overthrow; *ruchlos* ruthless
²⁷ *Julius Leber* (1891–1945) Social-
Democratic politician and jour-
nalist; *Wilhelm Leuschner* (1890–
1944) trade union leader, sculptor,
prominent politician in the Weimar
Republic, came into conflict with
the Nazi machine very early. He
was condemned to death by the
Volksgericht for participating in the
attempt on Hitler; *Carl Friedrich
Goerdeler* (1884–1945) mayor of
Leipzig; *Ulrich von Hassell* (1881–
1944) German ambassador to
Italy. All were active in the resistance and were executed by the
Nazis.
²⁸ *Staatsstreich* coup d'état
³⁰ *beseitigen* remove
³⁶ *lähmen* paralyze

³⁷ The pact of Munich (1938) sacrificed
Czechoslovakia to Hitler.
³⁸ *genehm* acceptable
³⁹ *Feldzug* campaign
⁴⁰ *an-gehen* begin
⁴² *verabschieden* dismiss; *Ludwig Beck*
(1880–1944), chief of the German
general staff, was dismissed by
Hitler in 1938 for opposing his
plans. Beck was active in the resistance and participated in the
attempt on Hitler's life in 1944.
He committed suicide when the
plot failed.
⁴³ *Franz Halder* (1884–) was chief of
the general staff 1938–42.
⁴⁴ Field Marshal *Walther von Brau-
chitsch* (1881–1948) was com-
mander in chief of army operations
1930–41; *Abwehr* counterespionage

45 Canaris, General Oster, zu hervorragenden Zivilisten wie dem ehemaligen Bürgermeister von Leipzig, Carl Goerdeler. Es sind damals
in Rom, durch Vermittlung des Papstes, Kontakte zwischen der
deutschen Opposition und London gepflogen worden, und es hat
auch in diesem Augenblick die englische Regierung Verständnis für
50 die Bemühungen der Gegner Hitlers gezeigt: wenn es ihnen gelänge,
den Diktator zu stürzen, bevor die Offensive im Westen begänne,
dann könnte man wohl zu einem alle vernünftigen deutschen Forderungen erfüllenden Frieden kommen. Es gelang nicht. Es wurde
nicht ernsthaft versucht, das Zeichen zum Losschlagen nicht ge-
55 geben. Und man muß sagen, daß die allgemeine Stimmung in
Deutschland damals so war, daß es nicht gegeben werden konnte.
Gar zu glatt, gar zu triumphal war der Überfall auf Polen vor sich gegangen; die Leute fühlten sich nicht schlecht während des „falschen
Krieges". Schließlich, nach häufigen Verschiebungen, kam es zur
60 Offensive im Westen. Wieder verlief sie so überwältigend, waren
die deutschen Verluste so gering, erwiesen sich die Warnungen der
Generäle, die ein zweites 1916, ein blutiges Steckenbleiben vor der
Maginot-Linie befürchtet hatten, als so falsch und Hitlers Beur-
teilungen sich als so richtig, daß nun auf lange Zeit von aktiver
65 Opposition keine Rede sein konnte. Das war das Unglück des deutschen Widerstandes. Solange Hitler siegte, gab es keine psycholo-
gische Möglichkeit, loszuschlagen.

Zur Möglichkeit und dringendsten Notwendigkeit wurde der
deutsche Widerstand wieder während des russischen Krieges, zumal
70 seit der erste schlimme Winter die üble Vorbereitung des Ganzen,

---

45 *Wilhelm Canaris* (1887–1945), director of German counterespionage,
was active in the resistance. After
the attempt on Hitler he was arrested, held in a concentration
camp and hanged. One of his
associates was General *Hans Oster*
(1888–1945), who was arrested by
the Gestapo for his role in the
attempt on Hitler and executed
four days before the arrival of
Allied troops.
48 *pflegen o o* foster
54 *los-schlagen* strike
58 *falscher Krieg* the "phony" war:
the stalemate that lasted from

1939 to the spring of 1940, when
the Germans launched their *Blitz-
krieg.*
60 *überwältigen* overwhelm
62 In 1916 the German offensive in
France was driven into a stalemate, causing heavy losses.
63 The Maginot line was an elaborate
defensive system set up by the
French against German invasion.
It was regarded as impenetrable
but was overrun by the Germans
through an outflanking action.
64 *sich = erwiesen sich*
69 The Russian offensive began in the
summer of 1941.

die dreiste Unterschätzung des Gegners, die Unmenschlichkeit der
Ziele an den Tag gebracht hatte. Die Überzeugung, daß der Tyrann
fort müßte, war den Verschwörern längst vertraut. Nun gab es
auch der Nation gegenüber die Chance einer Rechtfertigung: „den
Irreführer" konnte man, wenn sich die Männer dazu fanden, ge- 75
fangennehmen und vor Gericht stellen, konnte ihn notfalls ermorden;
den siegreichen „Führer" nicht, das hätte der größere Teil der Nation
nicht verstanden. Seit 1942 riß die Zahl der Komplotte, der nicht-
ausgereiften und der sehr wohlausgereiften, technisch bis zum letzten
vorbereiteten, aber an dämonischen Zufällen gescheiterten, nicht 80
mehr ab.

In dem Maß, in dem die Opposition sich verbreitete, in dem ihre
Aktivität drängender, deutlicher, nervöser wurde, wuchs auch die
Gefahr, die ihr drohte. Es ließ sich das, was so viele Menschen
dachten und planten, nicht verbergen. Eine Verhaftungswelle 85
folgte der anderen. Zentralfiguren der Verschwörung warteten
schon in Gefängnissen und Lagern auf ihren Prozeß, lange bevor
die letzte, offenste Tat gewagt wurde.

Am 20. Juli stellte bei der täglichen „Lagebesprechung" im Haupt-
quartier in Ostpreußen Oberst Stauffenberg eine Bombe mit Zeit- 90
zünder unter den Tisch, an dem Hitler mit seinen Beratern stand.
Stauffenberg verließ die Baracke unter einem Vorwand, sah die
Explosion, sah die Wirkung, glaubte den Tyrannen unfehlbar tot,
flog nach Berlin zurück und brachte den Verschwörern die erwartete
Nachricht. Darauf wurden die längst vorbereiteten Schritte getan. 95
General Witzleben erklärte sich zum Oberbefehlshaber der Wehr-
macht, gab Befehle zur Verhaftung der Partei- und SS-Führer nach
Wien, Paris und Prag, ließ das Regierungsviertel durch das Berliner
„Wach-Bataillon" abriegeln. Aber Hitler war nicht tot. Mehrere

[73] *Verschwörer* conspirator
[75] *Irreführer* seducer
[76] *notfalls* in case of necessity
[78] *ab-reißen* end
[80] *dämonisch* i.e. fateful; *scheitern* fail
[85] *Verhaftung* arrest
[89] *20. Juli* i.e. 1944; *Lagebesprechung* discussion of the situation
[90] Count *Claus Schenk von Stauffenberg* (1907–1944) was chief of staff of the reserve army. He was executed on the day of the attempt on Hit-

ler's life. *Zeitzünder* time fuse
[91] *Berater* adviser
[92] *Vorwand* pretext
[93] *unfehlbar* infallibly, absolutely
[96] Field Marshal *Erwin von Witzleben* (1881–1944) was hanged by the Nazis. *Oberbefehlshaber* commander in chief; *Wehrmacht* armed forces
[97] *SS = Schutzstaffel*, Hitler's elite private army
[99] *ab-riegeln* close off

100 seiner Mitarbeiter waren von der Explosion zerrissen worden, er
nicht; er war nur leicht verwundet. Auch war es nicht gelungen,
das Nachrichtenzentrum seines Hauptquartiers dem Plane entsprechend zu zerstören. Es folgte ein Wettkampf zwischen Berlin
und Ostpreußen, zwischen den von Hitlers Kreaturen und den von
105 Witzleben gezeichneten Befehlen, wobei die alte Autorität in wenigen
Stunden den Sieg davontrug. So stark war auch jetzt noch, in diesen
Tagen der von allen Seiten hereinbrechenden militärischen Katastro-
phen, der Zusammenhalt des Staates, so stark noch der Zauber des
bleichen, an allen Gliedern zitternden, nun nach Rache und Zer-
110 schmetterung aller Verräter gierenden Tyrannen. Sein Regime
hätte ihn damals keinen Tag überdauert. Da er aber lebte, beeilten
sich alle, die es noch konnten, und mancher, dem es nichts mehr
half, die Rebellion zu verleugnen und sich gegen sie zu kehren; Trup-
pen und Offiziere in Berlin und nahe Berlin, Befehlshaber in den
115 besetzten Gebieten, Befehlshaber an den Fronten. Aushielt die
Schar der echten Verschwörer; aber ihnen blieb nur der Tod. Die
Glücklicheren gaben ihn sich selber. Über die andern brach Hitlers
Mordgericht herein.

So wie die Parteiherrschaft auf einer Auswahl der Schlechten
120 beruhte, so beruhte der Widerstand auf einer echten Elite aus allen
Klassen, Traditionskreisen und Landschaften. Der gute Genius der
Nation hatte sich in der Verneinung, im Kampf gegen das Ungeheuer zusammengerafft. Nun, da seine Tat mißlungen war, stand
er da in rettungsloser Offenheit, ein Opfer der Volksgerichts-Präsi-
125 denten, der Schinder und Würger. Ein gleiches Schicksal traf die Sozialisten, Gewerkschaftler, demokratischen Politiker, Leber, Leuschner, Haubach, Reichwein, Bolz, Letterhaus; die Verwalter und
Juristen, Goerdeler, Planck, Harnack, Dohnanyi; die Theologen
und Schriftsteller, Delp, Bonhoeffer, Haushofer; den Adel, die Süd-
130 deutschen Stauffenberg, Guttenberg, Redwitz, Drechsel, wie die
Nord- und Ostdeutschen Witzleben, Dohna, York, Moltke, Schwerin,

---

103 *Wettkampf* contest
109 *zerschmettern* crush, smash
110 *gierend* greedy
115 *besetzt* occupied; *aus-hielt* The
    inversion is for literary effect.
122 *Ungeheuer* monster
123 *sich zusammen-raffen* pull oneself

together
124 *rettungslos* helpless
125 *Schinder und Würger* hangmen (lit.
    flayers and murderers)
126ff Pressure of space precludes identi-
    fication of all these resistance
    heroes.

Kleist, Lynar, Schulenburg. Wenn der ostelbische Adel, oder doch
ein Teil von ihm, in der Zeit vor der Machtergreifung eine schwere
Schuld auf sich lud, dann machte er sie gut durch das Opfer des 20.
Juli; und der deutsche Adel in seiner Gesamtheit hat in dieser äußer- 135
sten Krise in Ehren mitgewirkt. Dem Tyrann war das recht; nun
konnte er gegen die ihm längst verhaßte „Aristokratenbande" wüten,
übrigens das Ganze als ein Unternehmen von Reaktionären ausgeben
und so vor dem Volk diskreditieren. Aber die Namen der Opfer
redeten eine zu deutliche Sprache. Aristokraten waren sie alle, 140
Aristoi, die Besten; an Klasse und Stand gebunden waren sie nicht.

Ob Land und Volk, denen sie sich opferten, dies Opfer noch ver-
dienten, könnte man im Rückblick fragen. Sie nahmen noch den
Begriff des Vaterlandes ernst, und einer ihrer Stärksten, Graf Stauffenberg, starb mit dem Ruf „Es lebe das heilige Deutschland!" Aber 145
Deutschland war damals längst nichts Heiliges mehr und konnte auch
nie wieder heilig werden, dieser Glaube war veraltet; der Begriff des
Vaterlandes zerstört. Sie nahmen noch Geschichte ernst und das,
was der Nation drohte; eine nahe Zukunft sollte lehren, daß es mit
dem „Untergang" von 1945 eine nichts weniger als endgültige Sache 150
war. So hat man sie zweimal ignoriert und vergessen. Verwirrt und
betäubt, kümmerte man sich nicht um sie im Chaos des ausbrennenden
Krieges; damas begriff man gar nicht den Verlust an menschlicher
Substanz, den Deutschland durch die Katastrophe des zwanzigsten
Juli erlitt. Unwillkommen war die Erinnerung daran auch im Saus 155
und Braus des wirtschaftlichen Wiederaufstiegs ein paar Jahre später.
Straßen sind wohl nach den Männern des zwanzigsten Juli benannt,
aber wer kann heute auch nur sagen, wer das war, nach dem sie benannt sind? Die Gleichgültigkeit der Nation erwürgte die Lebenden
und vergaß die Toten. Indem sie den Versuch machten, den Sinn, 160
die Kontinuität und die Ehre der deutschen Geschichte zu retten,
was alles nicht mehr gerettet werden konnte, gehörten auch sie einer
abgeschlossenen Vergangenheit an und ist ihr Ruhm vor Gott viel
höher als jener, den eine wohlmeinende Obrigkeit ihnen vor der
Nachwelt zu fristen sich müht.   165

---

[132] *ostelbisch* from east of the Elbe river,
where the Prussian Junkers had
their big estates. These aristocrats
opposed the Weimar Republic and
helped the Nazis to power.

[137] *wüten* rage
[150] *endgültig* final
[155] *Saus und Braus* hurly-burly
[164] *Obrigkeit* authority
[165] *Nachwelt* posterity; *fristen* prolong

24

TAG- UND NACHTBÜCHER

THEODOR HAECKER (1879–1945)

Haecker was a philosopher and critic of culture. A convert to Roman Catholicism, he represented a Christian humanism which inevitably conflicted with the Nazi philosophy. He belonged to the resistance group *Die weiße Rose.* The following selections are from *Tag- und Nachtbücher 1939–1945*, which was published in 1947.

10. Juli 1940

Es ist dem Nationalsozialismus gelungen, ein Volk wie die Norweger, die tausend Jahre freie Menschen waren, über Nacht in eine Knechtschaft zu stürzen, derengleichen es in der Welt noch keine
5 gegeben hat.   Völker, die von Ägyptern, Assyriern, Babyloniern in die Sklaverei geführt wurden, waren doch sicherlich nicht gezwungen, zu behaupten, sie seien frei.   Just dazu aber werden die heute unterworfenen Völker gezwungen.

*

Die Rassentheorie schließt die Leugnung des Satzes ein, daß der
10 Geist, wo er will, weht und wehen kann.   Wie der Mensch der Sklave der Maschine werden *kann*, die er doch in Freiheit geschaffen hat, so *ist*, nach dieser Theorie, Gott, nachdem er einmal den Arier und insbesondere den Deutschen geschaffen hat, für alle Ewigkeit gebunden und gezwungen, durch ihn allein der Schöpfung alle
15 guten Gaben zukommen zu lassen.   Oder einfacher: alles, was jener tut, ist von Gott und gut und recht.   Das ist zwar für einen gesunden

---

2 Norway was overrun by the Germans in 1940, along with Belgium, Denmark, and Holland.
4 *derengleichen* the like of which
9 *Satz* proposition

12 *Arier* Aryan, as used by the Nazi racists, a member of the Germanic master race
15 *zu-kommen* fall to one's lot

Verstand kindisch, aber der Infantilismus ist nun einmal ein Merkmal des Dritten Reiches.

*

28. September 1940

Ich glaube nicht, daß die recht haben, die sagen, so etwas wie heute sei noch nie geschehen. Qualitativ haben sie unrecht, denn das alles [Verrat, Tücke, Lüge, Grausamkeit] ist schon geschehen. Quantitativ haben sie wohl recht: in solcher Masse und auch durchdachter Organisation ist es noch nie geschehen. Und noch etwas: es war noch nie, glaube ich, da, daß es den Menschen ausdrücklich verboten ist, diese Zeit und was in ihr geschieht, für abscheulich, widerlich, häßlich, falsch und schlecht zu halten und Sehnsucht nach einer besseren Welt zu haben. Das ist heute in Deutschland ein strafwürdiges Verbrechen, und das ist doch wohl viel mehr, als selbst die Hölle zu fordern das Recht hat.

*

11. Dezember 1940

12 Uhr. Die Italiener werden geschlagen und damit auch wir. Die Tatsache, daß Millionen Deutsche sich darüber freuen, und zwar gute Deutsche, ist das deutlichste Zeichen, wie sehr die Welt aus den Fugen ist. Hätte ich es als Kind für möglich gehalten, daß einer aus Pflicht und Liebe zu Gott die zeitliche Niederlage seines eigenen Volkes wünschen und begrüßen kann? Kann überhaupt ein *Kind* dieses begreifen? Wie schwer ist es heute, schwermütig und zum Schweigen verpflichtend ist es, Vater zu sein, Kinder zu haben, die einem vertrauen und denen man den wahren Sachverhalt nicht sagen darf, weil sie ihn noch gar nicht verstehen können.

*

30. Dezember 1940

Roosevelt hat gesprochen. Es scheint, daß er endlich weiß oder doch ahnt, worum es geht. Ganz sicher ist das freilich auch nicht. Immerhin, er hat zuweilen die richtigen Töne angeschlagen. Es geht

22 *Tücke* malice
26 *abscheulich* horrible
22 *widerlich* repulsive
29 *strafwürdig* punishable
35 *aus den Fugen* out of joint (Hamlet's phrase)

36 *zeitlich* i.e. earthly
38 *schwermütig* . . . The sense will become clear if parentheses or dashes are substituted for the commas.
40 *Sachverhalt* situation
44 *worum es geht* what is at stake

nicht bloß um die „Demokratie": es geht um „den Menschen". Es
geht darum, ob die Menschheit ihr Ende besiegelt mit dem Siege der
Lüge, ob die Menschheit endet als Schurke und als Knecht; ob der
„Deutsche" dazu prädestiniert ist, das Reich der Finsternis für diesen
50 Äon zu errichten. Ich glaube es noch nicht oder besser: ich kann es
noch nicht glauben. Ich fürchte mich; nicht immer! Gott sei
Dank! Das Wort: fürchtet euch nicht! hallt oft in meinem Herzen.
Wir werden entsetzliches Elend haben, aber die schrecklichsten Verbrecher Deutschlands werden wir los werden. Ich nehme mir heute
55 schon vor, alles Schreckliche zu tragen auf dem Grunde des Dankes
gegen Gott, daß er dieses nicht zugelassen hat. Aber wie lange noch,
o Gott, wie lange noch?

*

1. Januar 1941

Am 30. Januar 1933 haben wir als Volk die Apostasie erklärt.
60 Seitdem sind wir als Volk auf dem falschen Weg, auf der falschen
Seite. Es sind auch heute wenige in diesem Volke, die ahnen, was
das heißt: auf dem falschen Wege, auf der falschen Seite zu sein.

*

An die Deutschen 1941

Euer Ruhm ist ohne Glanz. Er leuchtet nicht. Man spricht von
65 euch, weil ihr die besten Maschinen habt und — seid. In diesem
Staunen der Welt ist kein Funke von Liebe. Und nur Liebe gibt
Glanz. Ihr haltet euch für auserwählt, weil ihr die besten Maschinen,
Kriegsmaschinen baut und sie am besten bedient. Ihr seid grotesk
und Un-Menschen. Eine andere Rasse! Ihr Freunde, nicht *diese*
70 Menschen! Lasset uns andere schaffen. . . Aber wie? Christlich
ist nur *ein* Weg: Umkehr, tätige Reue. Von außen hat vielleicht
Gott einen Umschmelzungsprozeß größten Stiles vor durch neue Ras-
sen- und Völkermischungen, also genau das Gegenteil dessen, was
die Nazis wollen und tun: künstliche Reinhaltung einer Unrasse
75 und eines Volkes, das ohne Maß ist. Wer kann an eine christliche
Umkehr des deutschen Volkes glauben? Auf Grund *menschlicher*

---

⁴⁸ *Schurke* rogue
⁵² *Fürchtet euch nicht* Luke 12:32;
   hallen echo
⁵³ *entsetzlich* horrible
⁵⁴ *sich vor-nehmen* propose

⁵⁹ *Apostasie erklären* to abjure one's
   (religious or political) faith
⁷¹ *Umkehr* conversion; *vor-haben* plan
⁷⁴ *künstlich* artificial; *Unrasse* i.e. bad
   race

Möglichkeiten und Wahrscheinlichkeiten muß man es für unmöglich halten. Geschähe es dennoch, so hätte man ein Wunder
vor sich.

*

21. Dezember 1942   80

Daß ein Götze auch etwas Lächerliches ist, daß sowohl der sich
göttlich verehren Lassende wie der ihn göttlich Verehrende unter
anderem auch komisch ist, das gehört immerhin — oder gehörte! —
im Abendland zu seiner auszeichnenden Eigenart, zu seiner quali-
tativen Differenz, zu seinem humanen Adel, das machte eben seinen   85
„Humor" aus, einen Hauptbestandteil seiner Kultur als Unter-
scheidung vom Osten . . . Daß heute ein Scheusal von solcher
Lächerlichkeit auf den ersten Blick, daß es nicht einfach zu dem
menschlichen Nichts, das es doch ist, zu Tode gelacht wurde oder
wird, das ist unbegreiflich, human und abendländisch unerklärbar   90
ohne die Mithilfe der Dämonen und die Annahme, daß das Volk
schon lange vorher abgefallen war. Die Katastrophe kündigte sich
freilich schon vorher an durch das Auftreten so absolut humorloser,
tierisch ernster Geister wie George, Klages, Spengler. Wenn der
Unmensch und das Unmenschliche von Menschenwitz nicht mehr   95
als lächerlich erkannt und behandelt wird, dann freilich ist das Abendland am Ende, dann bleibt nur noch das Gericht des Psalmwortes:
„Gott lacht ihrer", und das hat freilich nur ewiges Pathos und keine
zeitliche Komik mehr.

81 *Götze* idol
84 *Abendland* West; *Eigenart* character
87 *Scheusal* monster
90 *abendländisch* from the Western
   point of view
92 *ab-fallen* decline
94 *Stefan George* (1868–1933) influential
   poet and leader of a German elite;
   Ludwig Klages (1872–1956) ir-
   rationalist philosopher and psychologist; *Oswald Spengler* (1880–
1936) conservative thinker, author
of the very influential *Der Untergang des Abendlandes*
95 *Menschenwitz* human intellect
98 *Gott lacht ihrer* Psalms 2:4; *Pathos*
solemnity, elevated feeling; i.e.
God's laughter expresses itself in
serious events, not in ordinary
earthly ridicule

25

GENERATION OHNE ABSCHIED

WOLFGANG BORCHERT (1921–1948)

Wolfgang Borchert, a writer of great promise, spent his short, agonized life in Nazi Germany, which he hated bitterly. He did not live long enough to get over the stage of protest with which a young artist often begins. The following short piece sums up what most young Germans of intelligence must have felt amidst the ruins of 1945. What Borchert means by *Abschied* is perhaps the sense of finishing something and leaving the scene with satisfaction in one's heart. This sense of fulfillment modern youth does not know. Whatever it undertakes is left hanging — a Kafka-esque idea.

Wir sind die Generation ohne Bindung und ohne Tiefe. Unsere Tiefe ist der Abgrund. Wir sind die Generation ohne Glück, ohne Heimat und ohne Abschied. Unsere Sonne ist schmal, unsere Liebe grausam und unsere Jugend ist ohne Jugend. Und wir sind die
5 Generation ohne Grenze, ohne Hemmung und Behütung — ausgestoßen aus dem Laufgitter des Kindseins in eine Welt, die die uns bereitet, die uns darum verachten.

Aber sie gaben uns keinen Gott mit, der unser Herz hätte halten können, wenn die Winde dieser Welt es umwirbelten. So sind wir
10 die Generation ohne Gott, denn wir sind die Generation ohne Bindung, ohne Vergangenheit, ohne Anerkennung.

Und die Winde der Welt, die unsere Füße und unsere Herzen zu Zigeunern auf ihren heißbrennenden und mannshoch verschneiten Straßen gemacht haben, machten uns zu einer Generation ohne
15 Abschied.

Wir sind die Generation ohne Abschied. Wir können keinen Ab-

---

2 *Abgrund* abyss
5 *Hemmung* inhibition; *Behütung* protection
6 *Laufgitter* play-pen; *die die* ... i.e. our elders, who despise us for what we are, have prepared this world into which they thrust us
7 *bereitet = bereitet haben*
9 *umwirbeln* whirl about
13 *Zigeuner* gypsy, vagrant

schied leben, wir dürfen es nicht, denn unserm zigeunernden Herzen
geschehen auf den Irrfahrten unserer Füße unendliche Abschiede.
Oder soll sich unser Herz binden für eine Nacht, die doch einen
Abschied zum Morgen hat? Ertrügen wir den Abschied? Und 20
wollten wir die Abschiede leben wie ihr, die anders sind als wir und
den Abschied auskosteten mit allen Sekunden, dann könnte es geschehen, daß unsere Tränen zu einer Flut ansteigen würden, der
keine Dämme, und wenn sie von Urvätern gebaut wären, widerstehen.   25
Nie werden wir die Kraft haben, den Abschied, der neben jedem
Kilometer an den Straßen steht, zu leben, wie ihr ihn gelebt habt.
Sagt uns nicht, weil unser Herz schweigt, unser Herz hätte keine
Stimme, denn es spräche keine Bindung und keinen Abschied. Wollte
unser Herz jeden Abschied, der uns geschieht, durchbluten, innig, 30
trauernd, tröstend, dann könnte es geschehen, denn unsere Abschiede sind eine Legion gegen die euren, daß der Schrei unserer
empfindlichen Herzen so groß wird, daß ihr nachts in euren Betten
sitzt und um einen Gott für uns bittet.
Darum sind wir eine Generation ohne Abschied. Wir verleugnen 35
den Abschied, lassen ihn morgens schlafend, wenn wir gehen, verhindern ihn, sparen ihn — sparen ihn uns und den Verabschiedeten.
Wir stehlen uns davon wie Diebe, undankbar dankbar und nehmen
die Liebe mit und lassen den Abschied da.
Wir sind voller Begegnungen, Begegnungen ohne Dauer und ohne 40
Abschied, wie die Sterne. Sie nähern sich, stehen Lichtsekunden
nebeneinander, entfernen sich wieder: ohne Spur, ohne Bindung,
ohne Abschied.
Wir begegnen uns unter der Kathedrale von Smolensk, wir sind
ein Mann und eine Frau — und dann stehlen wir uns davon.   45
Wir begegnen uns in der Normandie und sind wie Eltern und
Kind — und dann stehlen wir uns davon.
Wir begegnen uns eine Nacht am finnischen See und sind Verliebte
— und dann stehlen wir uns davon.

---

[18] *Irrfahrt* straying
[20] *ertragen* endure
[22] *aus-kosten* savor
[30] *durchbluten* experience with our
   heart's blood
[32] *empfindlich* sensitive

[44] *Smolensk* in Russia, scene of warfare
   between Germans and Russians
[46] *Normandy* in northern France, occupied by the Germans during
   World War II

50   Wir begegnen uns auf einem Gut in Westfalen und sind Genie-
ßende und Genesende — und dann stehlen wir uns davon.

Wir begegnen uns in einem Keller der Stadt und sind Hungernde,
Müde, und bekommen für nichts einen guten satten Schlaf — und
dann stehlen wir uns davon.

55   Wir begegnen uns auf der Welt und sind Mensch mit Mensch —
und dann stehlen wir uns davon, denn wir sind ohne Bindung, ohne
Bleiben und ohne Abschied. Wir sind eine Generation ohne Abschied, die sich davonstiehlt wie Diebe, weil sie Angst hat vor dem
Schrei ihres Herzens. Wir sind eine Generation ohne Heimkehr,
60   denn wir haben nichts, zu dem wir heimkehren könnten, und wir
haben keinen, bei dem unser Herz aufgehoben wäre — so sind wir
eine Generation ohne Abschied geworden und ohne Heimkehr.

Aber wir sind eine Generation der Ankunft. Vielleicht sind wir
eine Generation voller Ankunft auf einem neuen Stern, in einem
65   neuen Leben. Voller Ankunft unter einer neuen Sonne, zu neuen
Herzen. Vielleicht sind wir voller Ankunft zu einem neuen Lieben,
zu einem neuen Lachen, zu einem neuen Gott.

Wir sind eine Generation ohne Abschied, aber wir wissen, daß alle
Ankunft uns gehört.

[51] *genesen* recover   [61] *auf-heben* lift up

IV BIOGRAPHISCHES

26

KARL DER GROSSE (742–814)

GUSTAV FREYTAG (1816–1895)

From Freytag's monumental cultural history of Germany, *Bilder aus der deutschen Vergangenheit* (1859–67).

Wer das große Bild des Königs und die Erfolge seines Lebens prüfend betrachtet, findet in dem, was er war und tat, einen auffallenden Grundzug, der ihn von allen folgenden Herrschern seines Geschlechtes, von allen späteren Kaisern des neuen römischen Reiches, welches er gründete, unterscheidet. Alle späteren Ludwige, Ottone, 5 Heinriche, Friedriche waren vornehme Edle mit den Tugenden und Schwächen des hohen Adels. Karl war gewaltiger als der größte von ihnen durch die Wucht seiner Natur und die Kraft seines Willens, in Wahrheit der stärkste Herr, welchen germanische Völker je bewundert und gehaßt haben, aber er war in Purpur und Goldreif die 10 ideale Verkörperung eines deutschen Landbauers aus alter Zeit.

Hart und dauerhaft wie ein Eichenstamm, wuchs er während des wildesten Kriegstreibens ruhig fort, bedächtig, nachdenklich, bei großem Tun von unerschütterlichem Willen; Fehlschlag und Niederlage entmutigten ihn nicht, der größte Erfolg berauschte ihn nicht, 15 in der härtesten Arbeit blieb sein Geist klar und gesammelt, mitten im Kampfe um ein hohes Ziel sann er auf neue Kulturen.

2 *prüfend* critically; *auffallend* striking
3 *Grundzug* basic trait
4 *Geschlecht* dynasty, progeny
5 *gründete* On Christmas day 800, Charlemagne was crowned emperor by Pope Leo III. This marks the beginning of the Holy Roman Empire of the German People.

8 *Wucht* weight; i.e. strength
10 *in Purpur und Goldreif* in his purple robes and golden crown
13 *Kriegstreiben* warring activity; *bedächtig, nachdenklich* prudent, pensive
14 *unerschütterlich* unshakable; *Fehlschlag* failure
15 *entmutigen* discourage; *berauschen* intoxicate

Er war ein Kriegsfürst wie wenig andere, aber er war — und auch
darin ist er den vornehmen Helden früherer und späterer Zeit un-
20 gleich — nicht ehrgeizig nach Schlachtenruhm, noch weniger beneidete er ihn seinen Befehlshabern. Denn, immer war ihm der
Kampf nur das Mittel, um einen Zweck zu erreichen. Er selbst hat
einige Male als Heeresfürst entscheidende Siege erfochten, viele
Feldzüge durch andere geführt; er empfand, daß seine Aufgabe
25 eine größere war; und diese höchste Tugend eines Königs erwies
er nicht nur im späteren Mannesalter, auch in seiner Jugend.

Er besaß drei höchste Eigenschaften eines Regenten: er sieht die
Dinge richtig, wie sie sind, er besitzt die erfindende Kraft, welche
an Stelle des Ungenügenden Besseres zu schaffen weiß, und er hat
30 eine unwiderstehliche Gewalt in der Ausführung seiner Pläne. Immer findet er die rechten Mittel, und immer wird er der Hindernisse
Herr. Kaum ein anderer deutscher Fürst hat diese drei Eigenschaften,
welche glückliche Erfolge verbürgen, in so ausgezeichneter Weise
vereinigt: ein Gemüt, welches klar und ruhig die Bilder der Außen-
35 welt aufnimmt, eine schöpferische Kraft, welche sie zweckvoll zu
verwenden weiß, und kurzen, eisenfesten Entschluß, der gerade auf
das Ziel losgeht. Deshalb ist uns die Gestalt des Königs, welche
mehr als tausend Jahre von uns liegt, weit durchsichtiger und ver-
ständlicher als die meisten Herrscher, welche ihm folgten. Wohl
40 war auch Karl ein Kind seiner Zeit, einer wilden, abergläubischen
Zeit, in welcher der Wille des Menschen übermächtig beeinflußt
wurde durch Träume und Prophezeiungen, durch plötzliche, für
uns ganz unsichtbare Stimmungen der Stunde, durch Gelüste und
persönliche Rücksichten. Aber diese dämmerige Welt der Schatten
45 hat auf das Tun des Königs geringen Einfluß. Einfach und schlicht
ist seine Seele. Das Größte umfaßt sein Geist und das Kleinste,
bei der umfassendsten Arbeit sorgt er um alle Einzelheiten, und das
Geringste weiß er groß zu behandeln. Der Herr von Europa, der

---

20 *ehrgeizig* ambitious; *beneiden* envy
21 *ihn = Schlachtenruhm; Befehlshaber*
    commander
23 *erfechten* win
24 *Feldzug* campaign
25 *erweisen* show
27 *Regent* ruler
30 *unwiderstehlich* irresistible
33 *verbürgen* guarantee

34 *Gemüt* disposition
35 *zweckvoll* i.e. practically
38 *durchsichtig* transparent
40 *abergläubisch* superstitious
43 *Gelüst* desire
44 *Rücksicht* consideration; *dämmerig*
    twilit, i.e. hazy
47 *umfassend* complex

harte Kriegsheld, der unermüdliche Gesetzgeber seines Volkes, der
Wächter über die Rechtgläubigkeit seiner Zeitgenossen, zählt auch 50
selbst die Eier, welche ihm seine Verwalter von den Gütern schicken,
befiehlt, welche Fruchtbäume gesetzt werden sollen, hört argwöhnisch
auf jeden rauhen und falschen Ton seiner Sänger in der Kapelle, ist
eifrig dabei, sich von Alkuin über den Unterschied der verschiedenen
lateinischen Worte für „ewig" unterrichten zu lassen. Und dies un- 55
geheure Gebiet menschlicher Tätigkeit umspannt er mühelos, er
hat immer Zeit zur Mittagsruhe, zur Jagd, zu fröhlichem Heldenspiel; denn er versteht jede menschliche Kraft in seiner Umgebung
und weiß jeden nach seinem Talent für Ausführung der eigenen
Gedanken zu verwenden.

27

FRIEDRICH BARBAROSSA (*c.* 1123–1190)

KARL HAMPE (1869–1936)

Frederick I, surnamed Barbarossa (= redbeard), was a member of the
Hohenstaufen dynasty and emperor from 1152 till 1190, when he drowned
on his way to the Holy Land on a crusade. The following selection is
from *Herrschergestalten des deutschen Mittelalters*.

Als eine Figur aus einem Guße tritt uns Friedrich entgegen; kör-
perlich voll Ebenmaß, Kraft und Gesundheit, seelisch gänzlich un-
kompliziert, von seltener innerer Harmonie und Sicherheit, von
einem überaus starken, aber durch unerschütterliches Pflichtgefühl

---

50 *Rechtgläubigkeit* orthodoxy; *Zeit-*
   genosse contemporary
51 *Verwalter* administrator; *Gut* = estate
52 *argwöhnisch* suspiciously
54 *eifrig dabei* keenly interested; *Alcuin*
   (735–804), celebrated English
   scholar, in charge of education at

Charlemagne's court
56 *umspannen* encompass
58 *Umgebung* environment

1 *aus einem Guße* of a single cast, i.e.
   perfectly integrated
2 *Ebenmaß* proportion; *seelisch* mentally

5 bestimmten Willen nahezu in jeder Stunde seines Lebens beherrscht.
Das war es, was schon den gleichzeitigen Chronisten am meisten
auffiel, was sie an Theodorich den Großen oder gar an Sokrates
erinnerte. „Denn sein Antlitz", so schreibt ein Engländer, der ihn
gesehen, „spiegelte die Festigkeit seiner Seele wider, stets gleich-
10 mäßig und unbewegt, weder von Schmerz verdüstert, noch vom
Zorn verzerrt, oder in Freude sich gehen lassend." „Standhaft, wie
er in allen Lagen seines Lebens war", so schildert ein Trierer den
Empfang einer Hiobspost, „unterdrückte er die Regung seines Gemütes und verbarg seinen Unwillen in gewohnter Weise unter einem
15 Lächeln." Es ist die „Mutter aller Rittertugenden", die *maze*, die
ihn ganz beherrschte. Diesen Typus eines Helden seiner Zeit haben
nicht erst beschränkte Berichterstatter in ihn hineingesehen, sondern
sein ganzes Leben hat gezeigt, daß er dies Ideal tatsächlich in sich
verkörpert hat. Das macht ihn uns als „Charakterfigur" vielleicht
20 weniger „interessant" als andere, zum Beispiel Sohn und Enkel,
aber es lag darin die Hauptquelle seiner Erfolge.

Rastlos und von unermüdlicher Frische, überall mit dem vollen
Einsatz seiner Gesamtpersönlichkeit eingreifend, durchzog dieser
ganz auf die Tat gerichtete Willensmensch seine Reiche, die Hand
25 am Schwert oder am Richterstabe. Als Kriegsmann aufgewachsen,
gab er sich bis in sein Greisenalter frohlockend der „lustigen Jagd"
des Männerkampfes hin, immer im Hauptgewühl der Streitenden,
ständig in Lebensgefahr, gelegentlich verwundet, auch aus Niederlagen völlig ungebrochen auftauchend. Auf Eilmärschen nahm er
30 die kurze Mahlzeit im Sattel, beim Brande eines Belagerungswerkes
beteiligte er sich an der Löscharbeit, nach der Übergabe von Crema
half er selber einem der abziehenden Gegner, der krank war, sein

---

[7] *Theodoric* king of the Ostrogoths (455–526)
[8] *Antlitz* countenance
[9] *wider-spiegeln* reflect; *gleichmäßig* composed
[10] *verdüstern* make gloomy
[11] *verzerren* distort; *standhaft* steadfast
[12] *Trierer* inhabitant of Trier on the Moselle
[13] *Hiobspost* Job's news, i.e. bad news; *Regung des Gemütes* agitation of his mind, i.e. his emotions
[15] *maze* a Middle High German word for moderation or propriety

[17] *beschränkt* narrow-minded; *hinein-sehen* i.e. read into
[20] *Sohn und Enkel* i.e. *Heinrich VI* reigned 1190–97 and *Philip I* reigned 1198–1208
[23] *Einsatz* engagement; *ein-greifen* act
[26] *Greisenalter* old age; *frohlocken* exult
[27] *Hauptgewühl* thick (of a fight)
[28] *gelegentlich* occasionally
[29] *Eilmarsch* forced march
[30] *Belagerungswerk* entrenchment
[31] *Löscharbeit* fire fighting; *Crema* a town in Italy, conquered in 1160
[32] *ab-ziehen* depart

Gepäck tragen. Er verstand eine kriegerische Unternehmung zu organisieren und die Zucht mit eiserner Strenge aufrecht zu halten; soweit das der Ritterkampf jener Tage erforderte, war er auch ein 35 kühner und umsichtiger Heerführer.

Geistige Bedürfnisse konnten in diesem auf Macht gerichteten Tatleben keinen größeren Raum gewinnen. Das Lateinische und andere fremde Sprachen hat Friedrich nur unvollkommen beherrscht und im Verkehr mit auswärtigen Gesandten unter Vermittlung von 40 Dolmetschern stets deutsch gesprochen, dessen Rede ihm leicht und eindrucksvoll von den Lippen quoll. Aber die üblichen Neigungen großer Herrscher hat er auch geteilt: von seiner Baulust zeugt ein reicher Kranz von Burgen und Schlössern in Deutschland und Italien, und die Geschichtsschreibung sollte ihm nicht nur die 45 Taten seiner großen Vorgänger zutragen, die er sich gern vorlesen ließ, sondern auch seine eigenen auf die Nachwelt bringen.

Durchführung des einmal als richtig Erkannten gegen jeden Widerstand glaubte Friedrich seiner Würde schuldig zu sein. Hat das überzähe Festhalten seiner Entschlüsse sich wiederholt als ver- 50 hängnisvoll erwiesen, so kam es überwiegend doch seinem Ansehen zugute; denn jeder wußte, daß es hart auf hart ging bis zum äußersten, wenn man es wagte, dem kaiserlichen Willen zu trotzen. In der Tat „auch seine Feinde zu lieben" hatte Friedrich, wie einer seiner geistlichen Vertrauten gestand, „nicht völlig gelernt." Das be- 55 leidigte Majestätsgefühl, das ihn trieb, von der Empörung Mailands bis zu seiner Zerstörung seine Krone nicht zu tragen, bäumte sich auf gegen Rebellen; Schrecken und Vergeltung hatten sie zu gewärtigen. Die Mißhandlungen wehrloser Gefangener sind für unser Gefühl oft von brutaler Grausamkeit und gehen über das im da- 60 maligen Italien übliche Maß noch eine Linie hinaus; sie haben

---

34 *Zucht* discipline
36 *umsichtig* wary
38 *größer* substantial
40 *auswärtige Gesandte* foreign ambassadors; *Vermittlung* mediation
41 *Dolmetscher* interpreter
42 *quellen* flow
46 *Vorgänger* predecessor
47 *Nachwelt* posterity
50 *überzäh* excessively stubborn; *verhängnisvoll* fateful

51 *überwiegend* mostly; *Ansehen* reputation
52 *hart auf hart bis zum äußersten* a fight to the finish
55 *Vertraute* confidant; *gestehen* confess
56 Revolt of Milan in 1160; after a two years' siege Frederick ordered the destruction of the city.
57 *sich auf-bäumen* rise in anger
58 *Vergeltung* retribution; *gewärtigen* expect
59 *wehrlos* defenseless

Repressionen hervorgerufen, und die Wildheit des Kampfes hat
sich dann wechselseitig übersteigert. Aber da der Kaiser als Richter
schwerlich ohne Beirat seiner Umgebung und mit äußerer Ruhe
65 handelte, haben auch solche Taten nicht den zeitgenössischen Eindruck der *maze*, beeinträchtigen können.

28

MARTIN LUTHER (1483–1546)

WILHELM SCHERER (1841–1886)

From *Geschichte der deutschen Literatur.*

Die Reformation war für Deutschland zunächst Luther. Sein
Wille, seine geistige Richtung entschied. Die vielen bedeutenden
Männer, welche der Humanismus gebildet hatte und die sich dann
in den Dienst der Reformation stellten, mußten sich entweder ihm
5 anschließen oder verschwanden neben ihm. Selbst Zwingli gelangte
nur zu lokaler Wirkung: in ihm waren Humanismus und Reformation
keine Gegensätze; er hoffte im Himmel den Sokrates, den Aristides,
die Scipionen und andere fromme Heiden zu finden; er war schwei-
zerisch nüchtern und praktisch, zuerst ein Sittenreiniger und dann
10 erst Reformator; seine heitere Klarheit wußte nichts von inneren
Kämpfen.

---

63 *wechselseitig* mutually; *sich übersteigern* outdo itself
64 *Beirat* counsel
66 *beeinträchtigen* impair

1 *zunächst* primarily
3 Humanism was the intellectual current which championed the new
secular view of life against the
theological culture of the Middle
Ages. The humanists were especially influenced by classical

(Greek, even more Roman) literature.
5 *Huldreich Zwingli* (1484–1531) Swiss
religious reformer and opponent of
Luther
6 *Wirkung* influence
7 *Aristides* an Athenian statesman of
the 5th century B.C., surnamed the
Just. The *Scipios* were a Roman
family noted for their public spirit.
8 *Heide* pagan
9 *nüchtern* prosaic; *Sittenreiniger* puri-
fier of morals

Aus solchen Kämpfen hat dagegen Luther die Kraft gezogen, sich dem Papst und der alten Kirche entgegenzuwerfen und die Nation mit sich fortzureißen. Auch er hatte humanistische Bildungselemente in sich aufgenommen; aber er war kein Humanist. Einige 15 lehrhafte Erzeugnisse der antiken Poesie und Wissenschaft wußte er zu schätzen; aber die antike Schönheit ließ ihn kalt. Ihm war die heilige Schrift Wahrheit und Schönheit zugleich, und Wahrheit und Schönheit genug. Für sie war er Philolog; zu ihrer echten Gestalt ließ er sich durch Erasmus und Reuchlin den Weg weisen; 20 und als Übersetzer wies er ihn seinem Volke.

Die Übersetzung der Bibel ist Luthers größte literarische Tat, zugleich das größte literarische Ereignis des sechzehnten Jahrhunderts, ja der ganzen Epoche von 1348 bis 1648. Hier war der Grundstein einer allen Ständen gemeinsamen Bildung gelegt. Nicht bloß 25 der allgemeine Umriß des biblischen Inhaltes, wie er allen Christen längst geläufig geworden, sondern eine ganze geistige Welt, die klassischen Produkte der althebräischen Literatur, jedes überlieferte Wort Jesu Christi, die Briefe seines größten Apostels — dies alles ward nun Gemeingut aller: eine unerschöpfliche Quelle der Erhebung 30 und Erbauung, ein oft abergläubisch verehrter und mißbrauchter Schatz und ein vornehmes, unvergängliches Gesetzbuch der Sprache.

Aber Luther hat seiner Kirche nicht bloß die deutsche Bibel in die Hand gegeben. Er hat nicht bloß die Bibel zum Zentrum seiner Theologie gemacht, sondern auch die Predigt und den Kirchengesang 35 auf sie neu begründet.

Die meisten Lieder Luthers sind in den Jahren 1523 und 1524 entstanden. Es herrscht in ihnen ein so männlicher Ton, wie er noch niemals in der deutschen Lyrik erklungen war. Und es herrscht darin jene Selbstentäußerung, welche für die ganze Epoche charak- 40 teristisch ist. Wie der Dramatiker hinter seinen Figuren ver-

---

[16] *lehrhaft* didactic

[19] *Philolog* The humanists studied the ancient classical languages with zeal.

[20] *Desiderius Erasmus* (1466–1536) and *Johann Reuchlin* (1455–1522) were two outstanding humanists.

[24] *1348 bis 1648* i.e. from the end of the medieval period to the conclusion of the Thirty Years' War

[25] *Stand* social class

[26] *Umriß* outline

[27] *geläufig* familiar

[28] *überliefert* handed down by tradition

[29] *Christi* the Latin genitive; *Apostels* i.e. St. Paul

[30] *Erhebung und Erbauung* elevation and edification

[31] *abergläubisch* superstitiously

[32] *unvergänglich* imperishable

[40] *Selbstentäußerung* self-renunciation

schwindet, so tritt Luther mit seinem persönlichen Empfinden zurück.
Wie der Dramatiker aus einer fremden Seele heraus redet, so faßt
Luther die Gesinnung der Gläubigen in machtvolle Worte. Worin
45 alle zum Gottesdienste versammelten Christen einig sind, das läßt
er sie aussprechen: die Angst der Seele vor dem bösen Feinde, der
sie verfolgt, in dessen Banden sie schmachtet, sündig und der Erlösung bedürftig; das Vertrauen auf den Höchsten, den allmächtigen
Schutz; und die Gewißheit des Sieges durch göttliche Hilfe, durch
50 die Wohltat der Erlösung, die uns der Glaube erwirbt. Das ist nur
ein Typus, aber der wichtigste der Lutherschen Lieder; andere sind
erzählend, andere lehrhaft oder bekenntnismäßig. Die Gestalt des
christlichen Ritters, wie sie Paulus zuerst hingestellt hatte und wie
sie das Mittelalter hindurch in verschiedenen Metamorphosen auf-
55 taucht, ist das eigentliche Ideal der Reformationszeit. Nirgends
lebt es herrlicher, als in dem Lied: „Ein feste Burg ist unser Gott",
das wahrscheinlich nicht bloß dem Texte, sondern auch der Melodie
nach von Luther herrührt und auf Grund des 46. Psalms im Jahre
1527, etwa im Oktober, beim Herannahen der Pest entstand. Es
60 ist der Abdruck eines schwer bedrängten Augenblickes und zugleich
das wahre Bild von Luthers eigener starker Seele.

Nie ist in der deutschen oder in irgendeiner anderen Nation ein
Mann erstanden, der mit solcher Wucht zu dem ganzen Volke zu
reden wußte, wie Luther. Nie hat ein Schriftsteller mit seinen
65 Schriften so große und so unmittelbare Wirkungen erzielt, wie Luther.
Nie hat ein Professor die gelehrte Vornehmheit so gründlich ver-
leugnet, wie Luther. Der Doktor der Theologie rief die deutsche
Volksschule ins Leben. Der hochgestiegene Bauernsohn gab den
Bauern die göttlichen Quellen der Wahrheit hin. Der Mönch zer-
70 störte die Möncherei, pries den Segen der Ehe und gründete das
evangelische Pfarrhaus. Der Priester gab seinem vielverspotteten
Stande die öffentliche Würde wieder. Der Diener der Kirche umfaßte mit warmer Liebe die Nation, aus der er hervorgegangen, und

44 *Gesinnung* frame of mind
47 *schmachten* languish; *Erlösung* sal-
    vation
48 *bedürftig* needy
52 *bekenntnismäßig* sectarian
56 *Ein feste Burg* See §48.
58 *nach* with regard to; *her-rühren* come
    from

60 *Abdruck* impression; *bedrängt* op-
    pressed
63 *Wucht* weight
65 *erzielen* attain
68 *hochgestiegen* risen to eminence
71 *evangelisch* Protestant; *Pfarrhaus*
    parsonage
72 *Stand* estate, i.e. the clergy

sagte: „Für meine Deutschen bin ich geboren, ihnen will ich dienen."
Daß er trotz Schule, Universität, Kloster und Katheder innerlich 75
ein Mann aus dem Volke geblieben war, das machte ihn zum Helden
des Volkes. Er hat nicht bloß, wie seine Verehrer sagten, die alten
löblichen Deutschen von der römischen und babylonischen Gefangenschaft als der rechte Simson erlöst; sondern er hat auch sein
Volk, das in Frivolität zu versinken drohte, zum Ernst und zu einer 80
strengen Auffassung des Lebens zurückgerufen.

ALBRECHT DÜRER (1471–1528)

LUDWIG TIECK (1773–1853)
und WILHELM HEINRICH WACKENRODER (1773–1798)

From *Herzensergießungen eines kunstliebenden Klosterbruders*, written in
collaboration by Ludwig Tieck and Wilhelm Heinrich Wackenroder and
published anonymously in 1797. The little book was very influential in
directing attention to the glory of the Middle Ages and thus helped to
orientate the romantic movement in this direction. The city of Nurem-
berg, in which Dürer spent most of his life, has always been a center of
medieval and Renaissance culture. The following tribute to Dürer is remarkable for the moving piety of its tone rather than as a scientific appraisal
of its subject.

Nürnberg! du vormals weltberühmte Stadt! Wie gerne durch-
wanderte ich deine krummen Gassen; mit welcher kindlichen Liebe
betrachtete ich deine altväterischen Häuser und Kirchen, denen die
feste Spur von unserer alten vaterländischen Kunst eingedrückt ist!

---

[75] *Kloster* monastery; *Katheder* university post
[78] *löblich* laudable; *Gefangenschaft* allusion to Luther's polemic against
the Roman Church *De Captivitate
Babylonica*

[79] *Simson* Samson
[81] *Auffassung* conception

---

[1] *vormals* formerly
[3] *altväterisch* patriarchal
[4] *vaterländisch* national

5 Wie innig lieb' ich die Bildungen jener Zeit, die eine so derbe, kräftige
und wahre Sprache führen! Wie ziehen sie mich zurück in jenes
graue Jahrhundert, da du, Nürnberg, die lebendigwimmelnde Schule
der vaterländischen Kunst warst, und ein recht fruchtbarer, über-
fließender Kunstgeist in deinen Mauern lebte und webte: — da
10 Meister Hans Sachs und Adam Kraft, der Bildhauer, und vor allen,
Albrecht Dürer mit seinem Freunde, Willibaldus Pirkheimer, und
so viel andere hochgelobte Ehrenmänner noch lebten! Wie oft hab'
ich mich in jene Zeit zurückgewünscht! Wie oft ist sie in meinen
Gedanken wieder von neuem vor mir hervorgegangen, wenn ich in
15 deinen ehrwürdigen Büchersälen, Nürnberg, in einem engen Winkel,
beim Dämmerlicht der kleinen, rundscheibigen Fenster saß, und
über den Folianten des wackern Hans Sachs, oder über anderem alten,
gelben, wurmgefressenen Papier brütete; — oder wenn ich unter den
kühnen Gewölben deiner düstern Kirchen wandelte, wo der Tag
20 durch buntbemalte Fenster all das Bildwerk und die Malereien der
alten Zeit wunderbar beleuchtet! — —

Wenigen muß es gegeben sein, die Seele in deinen Bildern so zu
verstehen, und das Eigene und Besondere darin mit solcher Innigkeit
zu genießen, als der Himmel es mir vor vielen andern vergönnt zu
25 haben scheint; denn ich sehe mich um, und finde wenige, die mit
so herzlicher Liebe, mit solcher Verehrung vor dir verweilen, als ich.

Ist es nicht, als wenn die Figuren in diesen deinen Bildern wirkliche Menschen wären, welche zusammen redeten? Ein jeglicher ist
so eigentümlich gestempelt, daß man ihn aus einem großen Haufen
30 herauskennen würde; ein jeglicher so aus der Mitte der Natur genommen, daß er ganz und gar seinen Zweck erfüllt. Keiner ist mit
halber Seele da, wie man es öfters bei sehr zierlichen Bildern neuerer
Meister sagen möchte; jeder ist im vollen Leben ergriffen und so

5 *innig* deeply, fervently; *Bildung*
  i.e. picture; *derb* robust
7 *wimmeln* teem
9 *weben* stir
10 *Hans Sachs* (1494–1576) cobbler,
  poet, and Meistersinger; *Adam
  Kraft* (*c.* 1440–1509) sculptor and
  carver; *Willibald Pirkheimer*
  (1470–1530) patrician and humanist
15 *ehrwürdig* venerable

17 *Foliant* folio volume; *wacker* good,
   worthy
18 *brüten* brood
19 *Gewölbe* vault
20 *Bildwerk* statuary
23 *eigen* characteristic
24 *vergönnen* grant
28 *jeglicher = jeder*
29 *stempeln* stamp, mark
82 *zierlich* pretty
33 *ergriffen* caught

auf die Tafel hingestellt. Wer klagen soll, klagt; wer zürnen soll,
zürnt; und wer beten soll, betet. Alle Figuren reden, und reden 35
laut und vernehmlich. Kein Arm bewegt sich unnütz oder bloß
zum Augenspiel und zur Füllung des Raumes; alle Glieder, alles
spricht uns gleichsam mit Macht an, daß wir den Sinn und die Seele
des Ganzen recht fest im Gemüte fassen. Wir glauben alles, was
der kunstreiche Mann uns darstellt; und es verwischt sich nie aus 40
unserm Gedächtnis.

Friede sei mit deinen Gebeinen, mein Albrecht Dürer! und möchtest
du wissen, wie ich dich liebhabe, und hören, wie ich unter der heutigen
dir fremden Welt der Herold deines Namens bin! — Gesegnet sei
mir deine goldene Zeit, Nürnberg! — die einzige Zeit, da Deutsch- 45
land eine eigene vaterländische Kunst zu haben sich rühmen konnte.
Aber die schönen Zeitalter ziehen über die Erde hinweg, und verschwinden, wie glänzende Wolken über das Gewölbe des Himmels
wegziehen. Sie sind vorüber, und ihrer wird nicht gedacht; nur
wenige rufen sie aus innerer Liebe in ihr Gemüt zurück, aus be- 50
stäubten Büchern und bleibenden Werken der Kunst.

30

JOHANN SEBASTIAN BACH (1685–1750)

HERMANN HETTNER (1821–1882)

From *Literaturgeschichte des achtzehnten Jahrhunderts* (1856 f.).

Es überkommt uns der Hauch des ehrsamen zünftigen deutschen
Bürgertums, wenn wir den Stammbaum des trefflichen Meisters

---

[34] *zürnen* be angry
[36] *vernehmlich* audibly
[37] *zum Augenspiel* to please the eye
[38] *gleichsam* as it were
[39] *Gemüt* mind
[40] *verwischen* efface
[42] *Gebeine* bones

[47] *Zeitalter* era
[50] *bestäubt* dusty

---

[1] *zünftig* class-conscious (lit. organized in guilds)
[2] *Stammbaum* family tree

betrachten. Gegen das Ende des sechzehnten Jahrhunderts war
Veit Bach, ein Bäckermeister, glaubensbedrängt aus Presburg, wohin
5 einst seine Vorfahren aus Thüringen eingewandert waren, nach
Wechmar bei Gotha übergesiedelt. Die Musik war ihm seine liebste
Gefährtin gewesen; und ebenso waren seine Söhne, Hanns Bach,
ein Bäcker, und Johann Bach, ein Teppichmacher, tüchtige und
eifrige Musiker. Hanns Bach hinterließ bei seinem im Jahr 1626
10 erfolgten Tod drei Söhne, Johann, Christoph und Heinrich; alle
drei wurden Musiker. Sie zeichneten sich schon früh dergestalt
aus, daß der regierende Graf von Schwarzburg-Arnstadt sie zu weiterer Ausbildung nach Italien sandte. Seitdem waren die Bachs eine
zahlreiche und vielbezweigte Organistenfamilie. Fast alle Orga-
15 nisten- und Stadtkantorenstellen Thüringens waren mit ihnen besetzt.
Alljährlich pflegten sämtliche Familienglieder in Erfurt, Eisenach
oder Arnstadt zusammenzukommen und einen musikalischen Familientag zu halten, der mit einem feierlichen Choral begann und
nicht selten mit den ausgelassensten musikalischen Scherzen endete.
20   Johann Sebastian Bach war am 21. März 1685 zu Eisenach geboren; sein Vater, Johann Ambrosius Bach, war dort Hof- und Stadt-
musikus. Als zehnjähriger Knabe war er nach dem Tod seines Vaters
in das Haus seines Oheims, des Organisten in Ohrdruff, gekommen;
leidenschaftliche Liebe zur Musik erfüllte von Jugend auf seine Seele.
25 Er besuchte dann die Michaelisschule in Lüneburg und wurde 1703
Organist in Arnstadt. Eine Studienreise führte ihn von hier nach
Lübeck zu dem Orgelmeister Buxtehude. Im Jahr 1707 wurde er
Hofmusikus in Weimar, später Kapellmeister in Köthen und zuletzt,
im Jahr 1723, Universitäts-Musikdirektor und Kantor an der Thomas-
30 schule in Leipzig. In dieser Stellung verblieb er bis zu seinem Tod.
Er starb am 28. Juli 1750, im Alter von 66 Jahren.
    An der Orgel hatte sich Bach gebildet; die Orgel bestimmte seine

---

4 *glaubensbedrängt* i.e. forced because
   of religious persecution; *Presburg*
   now Bratislava in Czechoslovakia
5 *Thüringen* Thuringia, a region in
   central Germany
6 *Gotha* town in Thuringia; *über-
   siedeln* move
13 *Ausbildung* education
14 *vielbezweigt* many-branched
15 *besetzen* fill

16 *Erfurt* etc. towns in Thuringia
19 *ausgelassen* gay, wild
23 *Oheim = Onkel; Ohrdruff* town in
   Hanover
25 *Lüneburg* city in northern Germany
27 *Dietrich Buxtehude* (1637–1707) organist and composer
28 *Kapellmeister* conductor; *Köthen*
   town near Leipzig

ganze Kunstweise. Zu Gottes Ehre allein dachte er seine gewaltigen
Töne; daher das Reine, tief Innige, und zugleich das andächtig
Feierliche, Markige und Feste.   35

Bachs Phantasie war ebenso unerschöpflich als gewaltig. Der
reiche Schatz seiner Schöpfungen ist auch jetzt bei weitem noch
nicht gehoben; aber bei jedem bisher unbekannten, neu auflebenden
Werk wächst und steigert sich auch das Erstaunen über die Größe
der Konzeption, der Gesinnung und des Stils, über die Hoheit, Macht, 40
Frische, Innigkeit und Frömmigkeit der Gedanken, über die weder
vor ihm noch nach ihm erreichte, geschweige gar übertroffene Be-
herrschung aller Kunstformen, über die unnachahmlich kunstvolle
und doch immer nur den höchsten Zwecken dienende Polyphonie
aufs neue.   45

Die Anerkennung von Bachs hoher Stellung in der Kunst war
auch bei seinen Zeitgenossen allgemein und unbezweifelt; und doch
kannten diese nur den geringsten Teil seines Schaffens. Nur seine
Orgel- und Klavierkompositionen waren damals durch den Druck
schon weiter verbreitet. Die unzähligen Kantaten, Motetten und 50
Passionsmusiken schrieb Bach für die Leipziger Kirchen, wo sie nur
mit den bescheidenen Gesangskräften seiner Thomasschule und den
damals gewiß nicht hervorragenden Leipziger Instrumentalisten, und
zwar nur, so lange er lebte, aufgeführt wurden. Erst dem dritten
Jahrzehnt des neunzehnten Jahrhunderts war es vorbehalten, den 55
unsterblichen Riesengeist in sein volles Recht einzusetzen. Seitdem
aber hat die Erkenntnis dessen, was er getan, in einer in der Musik-
geschichte unerhörten Weise zugenommen. Es gibt jetzt keinen
echten und ernsten Musiker mehr, der nicht Sebastian Bach für das
vielleicht größte musikalische Genie aller Zeiten hielte.   60

[34] *andächtig* devotional
[35] *markig* pithy, solid
[36] *Phantasie* imagination
[37] *gehoben* discovered; *auf-leben* come to life
[39] *sich steigern* increase
[40] *Gesinnung* frame of mind
[42] *geschweige gar* let alone; *übertreffen* surpass
[43] *unnachahmlich* inimitably
[45] *aufs neue* anew
[47] *Zeitgenosse* contemporary
[50] *Cantata* a miniature opera with solos, choruses, and orchestral accompaniment, but without scenery or action; *Motet* a vocal composition using words from Scripture; *Passion music* setting for an oratorio or drama dealing with the passion of Christ, performed during Easter week; Bach wrote five passions.
[53] *hervorragend* outstanding
[55] *vor-behalten* reserve
[56] *ein-setzen* reinstate (through the efforts of the composer Mendelssohn)
[58] *zu-nehmen* increase

31

FRIEDRICH DER GROSSE (1712–1786)

GUSTAV FREYTAG (1816–1895)

From *Bilder aus der deutschen Vergangenheit*. It is difficult to find an un-
biased account of Frederick's character from a German source. The following sketch is one of the best in this respect.

Die ersten dreiundzwanzig Jahre seiner Regierung hatte er gerungen und gekriegt, seine Kraft gegen die Welt durchzusetzen;
noch dreiundzwanzig Jahre sollte er friedlich über sein Volk herrschen als ein weiser und strenger Hausvater. Die Ideen, nach denen
5 er den Staat leitete, mit größter Selbstverleugnung, aber selbstwillig,
das Größte erstrebend, und auch das Kleinste beherrschend, sind
zum Teil durch höhere Bildungen der Gegenwart überwunden worden;
sie entsprachen der Einsicht, welche seine Jugend und die Erfahrungen
des ersten Mannesalters ihm gegeben hatten. Frei sollte der Geist
10 sein, jeder denken, was er wollte, aber tun, was seine Bürgerpflicht
war. Wie er selbst sein Behagen und seine Ausgaben dem Wohl
des Staates unterordnete, mit etwa 200,000 Talern den ganzen könig-
lichen Haushalt bestritt, zuerst an den Vorteil des Volkes und zuletzt
an sich dachte, so sollten alle seine Untertanen bereitwillig das tragen,
15 was er ihnen an Pflicht und Last auflegte. Jeder sollte in dem Kreise
bleiben, in den ihn Geburt und Erziehung gesetzt, der Edelmann
sollte Gutsherr und Offizier sein, dem Bürger gehörte die Stadt,
Handel, Industrie, Lehre und Erfindung, dem Bauer der Acker und

¹ *23 Jahre* Frederick ascended the
   throne in 1740; hence till the end
   of the Seven Years' War in 1763
² *kriegen* war
⁶ *erstreben* strive for
⁷ *Bildungen* i.e. political and social

   ideas; *überwinden* supersede
¹¹ *Behagen* comfort
¹² *1 Taler* = 3 marks
¹³ *bestreiten* pay expenses
¹⁴ *Untertan* subject
¹⁷ *Gutsherr* landed proprietor

die Dienste. Aber in seinem Stande sollte jeder gedeihen und sich
wohl fühlen. Gleiches, strenges, schnelles Recht für jeden, keine 20
Begünstigung des Vornehmen und Reichen, in zweifelhaftem Falle
lieber des kleinen Mannes. Die Zahl der tätigen Menschen vermehren, jede Tätigkeit so lohnend als möglich machen und so hoch
als möglich steigern, so wenig als möglich vom Ausland kaufen,
alles selbst produzieren, den Überschuß über die Grenzen fahren, 25
das war der Hauptgrundsatz seiner Staatswirtschaft. Unablässig
war er bemüht, die Morgenzahl des Ackerbodens zu vergrößern,
neue Stellen für Ansiedler zu schaffen. Sümpfe wurden ausgetrock-
net, Seen abgezapft, Deiche aufgeworfen; Kanäle wurden gegraben,
Vorschüsse bei Anlagen neuer Fabriken gemacht, Städte und Dörfer 30
auf Antrieb und mit Geldmitteln der Regierung massiver und ge-
sünder wieder aufgebaut; das landwirtschaftliche Kreditsystem, die
Feuersozietät, die königliche Bank wurden gegründet, überall wurden
Volksschulen gestiftet, unterrichtete Leute angezogen, überall Bildung
und Ordnung des regierenden Beamtenstandes durch Prüfungen und 35
strenge Kontrolle gefördert.

Wie man sein siebenjähriges Ringen im Kriege übermenschlich
nennen darf, so war auch jetzt in seiner Arbeit etwas Ungeheures,
was den Zeitgenossen zuweilen überirdisch und zuweilen unmensch-
lich erschien. Es war groß, aber es war auch furchtbar, daß ihm das 40
Gedeihen des Ganzen in jedem Augenblick das Höchste war und das
Behagen des einzelnen so gar nichts. Wenn er den Obersten, dessen
Regiment bei der Revue einen ärgerlichen Fehler gemacht hatte,
vor der Front mit herbem Scheltwort aus dem Dienst jagte; wenn
er in dem Sumpfland der Netze mehr die Stiche der zehntausend 45
Spaten zählte, als die Beschwerden der Arbeiter, welche am Sumpf-
fieber in den Lazaretten lagen, die er ihnen errichtet; wenn er ruhelos

---

[19] *Stand* social class; *gedeihen* thrive
[21] *Begünstigung* favoring
[24] *steigern* increase
[25] *Überschuß* surplus
[26] *Staatswirtschaft* national economy;
   unablässig constantly
[27] *Morgenzahl* acreage
[28] *Ansiedler* settler; *Sumpf* swamp
[29] *ab-zapfen* drain; *Deich* dike
[30] *Vorschuß* advance (money), loan;
   Anlage planning
[31] *Antrieb* instigation

[33] *Feuersozietät* federal fire insurance
   company
[34] *stiften* found; *unterrichtet* trained
[35] *Beamtenstand* civil service
[36] *fördern* promote
[38] *ungeheuer* monstrous
[41] *Ganze* i.e. the State
[42] *Oberst* colonel
[44] *herbes Scheltwort* harsh scolding
[45] *Netze* river in Prussia
[46] *Beschwerde* hardship
[47] *Lazarett* military hospital

mit seinem Fordern auch der schnellsten Tat voraneilte, so verband
sich mit der tiefen Ehrfurcht und Hingebung in seinem Volke auch
50 eine Scheu wie vor einem, dem nicht irdisches Leben die Glieder
bewegt. Als das Schicksal des Staates erschien er den Preußen,
unberechenbar, unerbittlich, allwissend, das Größte wie das Kleine
übersehend. Und wenn sie einander erzählten, daß er auch die Natur
hatte bezwingen wollen, und daß seine Orangenbäume doch in den
55 letzten Frösten des Frühlings erfroren waren, dann freuten sie sich
in der Stille, daß es für ihren König doch eine Schranke gab, aber
noch mehr, daß er sich mit so guter Laune darein gefunden und vor
den kalten Tagen des Mai den Hut abgenommen hatte.

Mit rührendem Anteil sammelte das Volk jede Lebensäußerung
60 des Königs, in welcher eine menschliche Empfindung, die sein Bild
vertraulich machte, zutage kam. So einsam sein Haus und Garten
war, unablässig schwebte die Phantasie seiner Preußen um den
geweihten Raum. Wem es einmal glückte, in warmer Mondnacht
in die Nähe des Schlosses zu kommen, der fand vielleicht offene
65 Türen, ohne Wache, und er konnte in der Schlafstube den großen
König auf seinem Feldbett schlummern sehen. Der Duft der Blüten,
das Nachtlied der Vögel, das stille Mondlicht waren die einzigen
Wächter und fast der ganze Hofstaat des einsamen Mannes.

Noch vierzehnmal seit der Erwerbung von Westpreußen blühten
70 die Orangen von Sanssouci, da wurde die Natur Meisterin auch des
großen Königs. Er starb allein, nur von seinen Dienern umgeben.
Mit ehrgeizigem Sinn war er in der Blüte des Lebens ausgezogen,
alle hohen und prächtigen Kränze des Lebens hatte er dem Schicksal
abgerungen, der Fürst von Dichtern und Philosophen, der Geschichts-
75 schreiber, der Feldherr. Kein Triumph, den er sich erkämpft, hatte

48 *voran-eilen* anticipate
49 *Hingebung* devotion
50 *Scheu* fear
52 *unerbittlich* inexorable
54 *bezwingen* subdue
56 *Schranke* barrier, limit
57 *Laune* mood, spirit; *sich darein finden* submit
59 *Anteil* interest; *Lebensäußerung* maxim, saying
61 *vertraulich* intimate; *zutage kommen* appear
63 *geweiht* consecrated

66 *Feldbett* army cot
68 *Hofstaat* court ceremony
69 *Erwerbung* acquisition (through the first partition of Poland in 1772)
70 *Sanssouci* Frederick's castle near Potsdam
72 *ehrgeizig* ambitious
74 *ab-ringen* wrest from; *Fürst* Frederick encouraged the arts and sciences, wrote himself, and played the flute.
75 *Feldherr* general; *erkämpfen* win

ihn befriedigt. Zufällig, unsicher, nichtig war ihm aller Erdenruhm geworden; nur das Pflichtgefühl, das unablässig wirkende, eiserne, war ihm geblieben. Aus dem gefährlichen Wechsel von warmer Begeisterung und nüchterner Schärfe war seine Seele heraufgewachsen. Mit Willkür hatte er sich poetisch einzelne Menschen verklärt, die 80 Menge, die ihn umgab, verachtet. Aber in den Kämpfen seines Lebens verlor er den Egoismus, verlor er fast alles, was ihm persönlich lieb war, und er endigte damit, die einzelnen gering zu achten, während sich ihm das Bedürfnis, für das Ganze zu leben, immer stärker erhob. Mit der feinsten Selbstsucht hatte er das Größte 85 für sich begehrt und selbstlos gab er zuletzt sich selbst für das gemeine Wohl und das Glück der Kleinen. Als ein Idealist war er in das Leben getreten, auch durch die furchtbarsten Erfahrungen wurden ihm seine Ideale nicht zerrissen, sondern veredelt, gehoben, geläutert; viele Menschen hatte er seinem Staat zum Opfer gebracht, 90 niemanden so sehr als sich selbst.

IMMANUEL KANT (1724–1804).

32

HEINRICH HEINE (1797–1856)

From Heine's essay *Zur Geschichte der Religion und Philosophie in Deutschland* (1834). This is a poetic rather than scientific appreciation of Kant; it is, moreover, colored by Heine's own adherence to liberal ideas. But it is a brilliant sketch of the great philosopher.

Die Lebensgeschichte des Immanuel Kant ist schwer zu beschreiben. Denn er hatte weder Leben noch Geschichte. Er lebte ein mechanisch

[76] *nichtig* worthless
[79] *nüchtern* sober, bare
[80] *mit Willkür* arbitrarily; *verklären* transfigure
[85] *feinste Selbstsucht* subtlest selfishness; i.e. by satisfying the selfishness of his subjects
[87] *Wohl* welfare
[90] *läutern* purify

geordnetes, fast abstraktes Hagestolzenleben in einem stillen abge-
legenen Gäßchen zu Königsberg, einer alten Stadt an der nordöst-
5 lichen Grenze Deutschlands. Ich glaube nicht, daß die große Uhr der
dortigen Kathedrale leidenschaftsloser und regelmäßiger ihr äußeres
Tagewerk vollbrachte, wie ihr Landsmann Immanuel Kant. Aufstehen, Kaffeetrinken, Schreiben, Kollegienlesen, Essen, Spazieren-
gehen, alles hatte seine bestimmte Zeit, und die Nachbarn wußten
10 ganz genau, daß die Glocke halb vier sei, wenn Immanuel Kant in
seinem grauen Leibrock, das spanische Röhrchen in der Hand, aus
seiner Haustüre trat, und nach der kleinen Lindenallee wandelte,
die man seinetwegen noch jetzt den Philosophenweg nennt. Acht-
mal spazierte er dort auf und ab, in jeder Jahreszeit, und wenn das
15 Wetter trübe war oder die grauen Wolken einen Regen verkündigten,
sah man seinen Diener, den alten Lampe, ängstlich besorgt hinter
ihm drein wandeln mit einem langen Regenschirm unter dem Arm,
wie ein Bild der Vorsehung.

Sonderbarer Kontrast zwischen dem äußeren Leben des Mannes
20 und seinen zerstörenden, weltzermalmenden Gedanken! Wahrlich,
hätten die Bürger von Königsberg die ganze Bedeutung dieses Gedankens geahnt, sie würden vor jenem Manne eine weit grauen-
haftere Scheu empfunden haben als vor einem Scharfrichter, vor
einem Scharfrichter, der nur Menschen hinrichtet — aber die guten
25 Leute sahen in ihm nichts anderes als einen Professor der Philosophie,
und wenn er zur bestimmten Stunde vorbeiwandelte, grüßten sie
freundlich, und richteten etwa nach ihm ihre Taschenuhr.

3 *Hagestolz = Junggeselle*   bachelor;
 abgelegen remote
4 *Gäßchen* lane, alley; *Königsberg* in
 former East Prussia
6 *äußer* i.e. mechanical
8 *Kaffeetrinken* breakfasting; *Kollegienlesen* lecturing
10 *Glocke* clock
11 *Leibrock* (obsolete) frock coat;
 Röhrchen cane

12 *Allee* avenue
15 *verkündigen* announce
16 *hinter...drein* behind
18 *Vorsehung* providence
20 *weltzermalmend* world-crushing
22 *ahnen* suspect; *grauenhaft* gruesome
23 *Scheu* fear; *Scharfrichter* executioner
24 *hin-richten* execute
27 *richten* i.e. set; *etwa* possibly

33

GOTTHOLD EPHRAIM LESSING (1729–1781)

From *Die romantische Schule* (1836).

Lessing war der literarische Arminius, der unser Theater von jener
Fremdherrschaft befreite. Er zeigte uns die Nichtigkeit, die Lächer-
lichkeit, die Abgeschmacktheit jener Nachahmungen des französischen
Theaters, das selbst wieder dem griechischen nachgeahmt schien.
Aber nicht bloß durch seine Kritik, sondern auch durch seine eigenen 5
Kunstwerke ward er der Stifter der neuern deutschen Originalliteratur.
Alle Richtungen des Geistes, alle Seiten des Lebens verfolgte dieser
Mann mit Enthusiasmus und Uneigennützigkeit. Kunst, Theologie,
Altertumswissenschaft, Dichtkunst, Theaterkritik, Geschichte, alles
trieb er mit demselben Eifer und zu demselben Zwecke. In allen 10
seinen Werken lebt dieselbe große soziale Idee, dieselbe fortschreitende
Humanität, dieselbe Vernunftreligion, deren Johannes er war und
deren Messias wir noch erwarten. Diese Religion predigte er immer,
aber leider oft ganz allein und in der Wüste. Und dann fehlte ihm
auch die Kunst, den Stein in Brot zu verwandeln; er verbrachte den 15
größten Teil seines Lebens in Armut und Drangsal; das ist ein
Fluch, der fast auf allen großen Geistern der Deutschen lastet, und
vielleicht erst durch die politische Befreiung getilgt wird. Mehr als

---

¹ *Arminius* or *Hermann*, the Teutonic
chieftain who defeated the Romans
at the battle of the Teutoburg
Forest (A.D. 9), thereby liberating
the Germanic tribes from Roman
rule
² *Fremdherrschaft* i.e. the slavish imitation of French models which was
characteristic of German literature
in the 17th and earlier 18th centuries; *Nichtigkeit, Lächerlichkeit,
Abgeschmacktheit* worthlessness,
ridiculousness, bad taste

⁶ *Stifter* founder; *neuer* modern
⁸ *Uneigennützigkeit* unselfishness
⁹ *Altertumswissenschaft* archaeology
¹¹ *fortschreitend* progressive
¹² *Vernunftreligion* religion of reason;
Johannes John the Baptist, the
forerunner and herald of Christ
(the Messiah)
¹⁴ *Wüste* desert
¹⁵ *Stein* allusion to Luke 4:3
¹⁶ *Drangsal* misery
¹⁷ *Fluch* curse; *lasten* weigh
¹⁸ *tilgen* eradicate

man ahnte, war Lessing auch politisch bewegt, eine Eigenschaft, die
20 wir bei seinen Zeitgenossen gar nicht finden; wir merken jetzt erst,
was er mit der Schilderung des Duodezdespotismus in „Emilia Galotti" gemeint hat. Man hielt ihn damals nur für einen Champion
der Geistesfreiheit und Bekämpfer der klerikalen Intoleranz; denn
seine theologischen Schriften verstand man schon besser. Die beiden
25 kritischen Schriften, welche den meisten Einfluß auf die Kunst aus-
geübt, sind seine „Hamburgische Dramaturgie" und sein „Laokoon,
oder über die Grenzen der Malerei und Poesie". Seine ausgezeich-
neten Theaterstücke sind: „Emilia Galotti", „Minna von Barnhelm" und „Nathan der Weise".
30   Gotthold Ephraim Lessing ward geboren zu Kamenz in der Lausitz
den 22. Januar 1729, und starb zu Braunschweig den 15. Februar
1781. Er war ein ganzer Mann, der, wenn er mit seiner Polemik
das Alte zerstörend bekämpfte, auch zu gleicher Zeit selber etwas
Neues und Besseres schuf; er glich, sagt ein deutscher Autor, jenen
35 frommen Juden, die beim zweiten Tempelbau von den Angriffen der
Feinde oft gestört wurden, und dann mit der einen Hand gegen diese
kämpften, und mit der anderen Hand am Gotteshause weiterbauten.
Es ist hier nicht die Stelle, wo ich mehr von Lessing sagen dürfte;
aber ich kann nicht umhin zu bemerken, daß er in der ganzen Litera-
40 turgeschichte derjenige Schriftsteller ist, den ich am meisten liebe.

---

[20] *Zeitgenosse* contemporary
[21] *Duodezdespotismus* petty despotism
(a book bound *duodecimo* is small
in size); *Emilia Galotti* a tragedy
of conflict between the aristocracy
and the middle class, published in
1772
[23] *klerikal* clerical, i.e. ecclesiastical
[26] *Hamburgische Dramaturgie* a series
of essays in the form of reviews,
published 1767–69, while Lessing
was dramatist and critic for the
Hamburg municipal theater;
Laocoon published in 1766, an

outstanding monument in aesthetic
criticism
[28] *Minna von Barnhelm* a comedy set
in the Seven Years' War, published
1767
[29] *Nathan der Weise* see § 52
[30] *Lausitz* Lusatia, a region in Saxony
[31] *Braunschweig* Brunswick, in north-
western Germany
[32] *ganz* i.e. real
[35] *Angriff* attack
[37] *weiter-bauen* continue building; cf.
Nehemiah 4
[39] *umhin* help

Fragwürdiges Verhältniss zwischen Heine + Goethe. Sie waren distanziert.

34

GOETHE DER OLYMPIER

From *Die romantische Schule* (1836). There are many characterizations of Goethe by contemporaries. This one is chosen for its freshness and wit, and because it is the tribute of a writer of genius who was not given to adulation and who even had cause to resent the reception which Goethe gave him on the occasion of the visit described here.

Die Übereinstimmung der Persönlichkeit mit dem Genius, wie man sie bei außerordentlichen Menschen verlangt, fand man ganz bei Goethe. Seine äußere Erscheinung war ebenso bedeutsam wie das Wort, das in seinen Schriften lebte; auch seine Gestalt war har-
monisch, klar, freudig, edel gemessen, und man konnte griechische 5
Kunst an ihm studieren, wie an einer Antike. Goethes Auge blieb in seinem hohen Alter ebenso göttlich wie in seiner Jugend. Die Zeit hat auch sein Haupt zwar mit Schnee bedecken, aber nicht beugen können. Er trug es ebenfalls immer stolz und hoch, und wenn er sprach, wurde er immer größer, und wenn er die Hand aus- 10
streckte, so war es, als ob er mit dem Finger den Sternen am Himmel den Weg vorschreiben könne, den sie wandeln sollten. Um seinen Mund will man einen kalten Zug von Egoismus bemerkt haben; aber auch dieser Zug ist den ewigen Göttern eigen, und gar dem Vater der Götter, dem großen Jupiter, mit welchem ich Goethe 15
schon oben verglichen. Wahrlich, als ich ihn in Weimar besuchte und ihm gegenüberstand, blickte ich unwillkürlich zur Seite, ob ich

Olympier For a long time Goethe was pictured as a cold, serene man. Heine concurred in this conception. The epithet Olympian refers, of course, to the Greek gods. The title of this piece is not by Heine.
1 *Übereinstimmung* congruence; *Genius* i.e. natural endowment, what

Goethe himself called the *Dämon*
5 *edel gemessen* nobly proportioned
6 *Antike* classical statue
13 *will man* they claim
14 *eigen* characteristic
16 *oben* i.e. in a previous passage of the essay

nicht auch neben ihm den Adler sähe mit den Blitzen im Schnabel.
Ich war nahe daran, ihn griechisch anzureden; da ich aber merkte,
20 daß er deutsch verstand, so erzählte ich ihm auf deutsch, daß die
Pflaumen auf dem Wege zwischen Weimar und Jena gut schmeckten.
Ich hatte in so manchen langen Winternächten darüber nachgedacht,
wieviel Erhabenes und Tiefsinniges ich dem Goethe sagen würde,
wenn ich ihn mal sähe. Und als ich ihn endlich sah, sagte ich ihm,
25 daß die sächsischen Pflaumen sehr gut schmeckten. Und Goethe
lächelte.

35

MOZARTS LEBENSWEISE

EDUARD MÖRIKE (1804–1875)

From the novella *Mozart auf der Reise nach Prag* (1855). In the autumn of
1787 Mozart accepted the urgent invitation of friends and admirers to visit
Prague, where his opera *The Marriage of Figaro* had been received with wild
acclaim. Mörike made Mozart's journey from Vienna to Prague (which,
as far as is known, was quite uneventful) the setting for one of the master
novellas in German literature. The events described in it may be entirely
fictitious, but they serve as the background for a profound and sensitive
portrait of one genius by another.

Mozarts Bedürfnisse waren sehr vielfach, seine Neigung zumal für
gesellige Freuden außerordentlich groß. Von den vornehmsten
Häusern der Stadt als unvergleichliches Talent gewürdigt und gesucht,

---

18 *Schnabel* beak. This is a common
   representation of Zeus or Jupiter.
21 *Pflaumen* The allusion is to the
   efforts being made at that time by
   the young romantics, from Jena,
   especially the brothers Schlegel,
   to draw Goethe and Schiller into
   their orbit to promote the new
   romantic spirit. Goethe rejected
   these attempts.
23 *erhaben* sublime; *tiefsinnig* profound

   Mozart's dates: 1756–1791
1 *zumal* especially
3 *würdigen* appreciate

verschmähte er Einladungen zu Festen, Zirkeln und Partien selten
oder nie. Dabei tat er der eigenen Gastfreundschaft innerhalb seiner 5
näheren Kreise gleichfalls genug. Einen längst hergebrachten musikalischen Abend am Sonntag bei ihm, ein ungezwungenes Mittags-
mahl an seinem wohlbestellten Tisch mit ein paar Freunden und
Bekannten, zwei-, dreimal in der Woche, das wollte er nicht missen.
Bisweilen brachte er die Gäste, zum Schrecken der Frau, unange- 10
kündigt von der Straße weg ins Haus, Leute von sehr ungleichem
Wert, Liebhaber, Kunstgenossen, Sänger und Poeten. Der müßige
Schmarotzer, dessen ganzes Verdienst in einer immer aufgeweckten
Laune, in Witz und Spaß, und zwar vom gröberen Korn, bestand,
kam so gut wie der geistvolle Kenner und der treffliche Spieler er- 15
wünscht. Den größten Teil seiner Erholung indes pflegte Mozart
außer dem eigenen Hause zu suchen. Man konnte ihn nach Tisch
einen Tag wie den andern am Billard im Kaffeehaus und so auch
manchen Abend im Gasthof finden. Er fuhr und ritt sehr gerne in
Gesellschaft über Land, besuchte als ein ausgemachter Tänzer Bälle 20
und Redouten und machte sich des Jahrs einige Male einen Hauptspaß an Volksfesten, vor allem am Brigitten-Kirchtag im Freien,
wo er als Pierrot maskiert erschien.

Diese Vergnügungen, bald bunt und ausgelassen, bald einer ru-
higeren Stimmung zusagend, waren bestimmt, dem lang gespannten 25
Geist nach ungeheurem Kraftaufwand die nötige Rast zu gewähren;
auch verfehlten sie nicht, demselben nebenher auf den geheimnisvollen Wegen, auf welchen das Genie sein Spiel bewußtlos treibt,
die feinen flüchtigen Eindrücke mitzuteilen, wodurch es sich gelegentlich befruchtet. Doch leider kam in solchen Stunden, weil 30
es dann immer galt, den glücklichen Moment bis auf die Neige aus-

---

4 *verschmähen* scorn; *Zirkel* club;
  Partie group
5 *genug-tun* satisfy
6 *hergebracht* traditional
7 *ungezwungen* i.e. informal
8 *wohlbestellt* well-furnished
12 *Liebhaber* music lover; *Kunstgenosse*
  fellow artist; *müßiger Schmarotzer*
  idle parasite
13 *aufgeweckte Laune* lively mood
14 *vom gröberen Korn* of a rather coarse
  grain
15 *kam erwünscht* was welcome; *geist-*
  voller Kenner clever expert

18 *Billard* billiard table
20 *ausgemacht* accomplished
21 *Redoute* dance; *machte sich einen*
  Hauptspaß had great fun
22 St. Bridget's Day is July 23. *im*
  Freien in the open
24 *bunt und ausgelassen* gay and wanton
25 *zu-sagen* correspond to; *gespannt*
  tense
26 *ungeheurer Kraftaufwand* enormous
  expenditure of energy
27 *nebenher* incidentally
31 *es galt* it was a question; *Neige* dregs

zuschöpfen, eine andere Rücksicht, es sei nun der Klugheit oder
der Pflicht, der Selbsterhaltung wie der Häuslichkeit, nicht in Betracht. Genießend oder schaffend, kannte Mozart gleichwenig Maß
35 und Ziel. Ein Teil der Nacht war stets der Komposition gewidmet.
Morgens früh, oft lange noch im Bett, ward ausgearbeitet. Dann
machte er von zehn Uhr an, zu Fuß oder im Wagen abgeholt, die
Runde seiner Lektionen, die in der Regel noch einige Nachmittags-
stunden wegnahmen. Und wenn er nun, durch diese und andere
40 Berufsarbeiten, Akademien, Proben und dergleichen abgemüdet,
nach frischem Atem schmachtete, war den erschlafften Nerven
häufig nur in neuer Aufregung eine scheinbare Stärkung vergönnt.
Seine Gesundheit wurde heimlich angegriffen, ein je und je wieder-
kehrender Zustand von Schwermut wurde, wo nicht erzeugt, doch
45 sicherlich genährt an eben diesem Punkt und so die Ahnung eines
frühzeitigen Todes, die ihn zuletzt auf Schritt und Tritt begleitete,
unvermeidlich erfüllt. Gram aller Art und Farbe, das Gefühl der
Reue nicht ausgenommen, war er als eine herbe Würze jeder Lust
auf seinen Teil gewöhnt. Doch wissen wir, auch diese Schmerzen
50 rannen abgeklärt und rein in jenem tiefen Quell zusammen, der, aus
hundert goldenen Röhren springend, im Wechsel seiner Melodien
unerschöpflich, alle Qual und alle Seligkeit der Menschenbrust aus-
strömte.

Am offenbarsten zeigten sich die bösen Wirkungen der Lebens-
55 weise Mozarts in seiner häuslichen Verfassung. Der Vorwurf törichter, leichtsinniger Verschwendung lag sehr nahe; er mußte sich
sogar an einen seiner schönsten Herzenszüge hängen. Kam einer,
in dringender Not ihm eine Summe abzuborgen, sich seine Bürgschaft zu erbitten, so war meist schon darauf gerechnet, daß er sich

---

³² *Rücksicht* consideration; *Klugheit* prudence
³³ *Selbsterhaltung* self-preservation; *Häuslichkeit* domesticity
³⁵ *widmen* dedicate
³⁶ *aus-arbeiten* work out in detail
³⁸ *Lektion* (private) lesson
⁴⁰ *Akademie* musical discussion; *Probe* rehearsal
⁴¹ *schmachten* pine; *erschlafft* jaded
⁴² *scheinbar* seeming
⁴³ *an-greifen* attack; *je und je* over and over again

⁴⁴ *Schwermut* melancholy; *erzeugen* create
⁴⁷ *Gram* sorrow; goes with *gewöhnt*
⁴⁸ *herbe Würze* pungent spice
⁵⁰ *abgeklärt* purified
⁵⁴ *offenbar* obviously
⁵⁵ *Verfassung* constitution, i.e. arrange-ments; *Vorwurf törichter, leicht-sinniger Verschwendung* reproach of foolish, lightheaded prodigality
⁵⁷ *Herzenszug* character trait
⁵⁸ *Bürgschaft* guarantee

nicht erst lang nach Pfand und Sicherheit erkundigte; dergleichen 60
hätte ihm auch in der Tat so wenig als einem Kinde angestanden.
Am liebsten schenkte er gleich hin und immer mit lachender Großmut, besonders wenn er meinte, gerade Überfluß zu haben.

Die Mittel, die ein solcher Aufwand neben dem ordentlichen Hausbedarf erheischte, standen allerdings in keinem Verhältnis mit den 65
Einkünften. Was von Theatern und Konzerten, von Verlegern und
Schülern einging, zusamt der kaiserlichen Pension, genügte um so
weniger, da der Geschmack des Publikums noch weit davon entfernt war, sich entschieden für Mozarts Musik zu erklären. Diese
lauterste Schönheit, Fülle und Tiefe befremdete gemeinhin gegen- 70
über der bisher beliebten, leicht faßlichen Kost. Zwar hatten sich
die Wiener an „Belmonte und Konstanze" — dank den populären
Elementen dieses Stücks — seinerzeit kaum ersättigen können, hingegen tat, einige Jahre später, „Figaro", und sicher nicht allein durch
die Intrigen des Direktors, im Wettstreit mit der lieblichen, doch 75
weit geringeren „Cosa rara" einen unerwarteten, kläglichen Fall;
derselbe „Figaro", den gleich darauf die gebildetern oder unbefan-
genern Prager mit solchem Enthusiasmus aufnahmen, daß der Meister in dankbarer Rührung darüber seine nächste große Oper eigens
für sie zu schreiben beschloß. — Trotz der Ungunst der Zeit und 80
dem Einfluß der Feinde hätte Mozart mit etwas mehr Umsicht und
Klugheit noch immer einen sehr ansehnlichen Gewinn von seiner
Kunst gezogen: so aber kam er selbst bei jenen Unternehmungen
zu kurz, wo auch der große Haufen ihm Beifall zujauchzen mußte.
Genug, es wirkte eben alles, Schicksal und Naturell und eigene Schuld, 85
zusammen, den einzigen Mann nicht gedeihen zu lassen.

60 *Pfand* pledge; *Sicherheit* security
61 *an-stehen* be appropriate, suit
62 *Großmut* generosity
64 *ordentlich* regular; *Hausbedarf* domestic need
65 *erheischen* demand
66 *Verleger* publisher
70 *befremden* estrange; *gemeinhin* commonly
71 *faßlich* understandable; *Kost* fare
72 *Belmonte und Konstanze* alternative
  title for *Die Entführung aus dem
  Serail* (*The Abduction from the
  Seraglio*) produced in Vienna in 1782
74 *The Marriage of Figaro*, produced in

Vienna in 1786, could not compete
with *Una cosa rara* by the popular
Spanish composer Vincente Martin
y Soler. It is believed that Mozart's enemies intrigued to bring
about the failure of *Figaro. tat einen
Fall* was a flop
75 *Wettstreit* competition
77 *unbefangen* uninhibited
79 *eigens* especially
81 *Umsicht* circumspectness
82 *ansehnlich* respectable
84 *Haufen* crowd; *zu-jauchzen* shout
85 *Naturell* temperament
86 *einzig* unique; *gedeihen* prosper

36

DER FREIHERR VOM STEIN (1757–1831)

HEINRICH VON TREITSCHKE (1834–1896)

Heinrich Friedrich Karl, Freiherr vom und zum Stein, was one of the most farsighted German statesmen of the nineteenth century. He achieved a series of revolutionary reforms in the internal administration of Prussia after its defeat by Napoleon. He played a not unimportant role in rousing Europe against the French conqueror. Above all, after the Napoleonic wars he worked for a federal German State on modern, liberal lines. The following sketch is taken from *Deutsche Geschichte im 19. Jahrhundert* by the eminent historian.

    Einer aber stand in diesem Kreise nicht als Herrscher, doch als der erste unter gleichen: der Freiherr vom Stein, der Bahnbrecher des Zeitalters der Reformen. Das Schloß seiner Ahnen lag zu Nassau, mitten im buntesten Ländergemenge der Kleinstaaterei; von der
5 Lahnbrücke im nahen Ems konnte der Knabe in die Gebiete von acht deutschen Fürsten und Herren zugleich hineinschauen. Dort wuchs er auf, in der freien Luft, unter der strengen Zucht eines stolzen, frommen, ehrenfesten altritterlichen Hauses, das sich allen Fürsten des Reiches gleich dünkte. Standen doch die Stammburgen der
10 Häuser Stein und Nassau dicht beieinander auf demselben Felsen; warum sollte das alte Wappenschild mit den Rosen und den Balken

---

² *Freiherr* baron; *Bahnbrecher* pioneer
³ *Reformen* i.e. the opening years of the 19th century, when many reforms were introduced in Prussia; *Nassau* a region in western Germany
⁴ *bunt* motley; *Ländergemenge* conglomeration of states; *Kleinstaaterei* allusion to the hundreds of petty states that made up the Holy Roman Empire

⁵ *Lahnbrücke* high bridge over the Lahn river; *Ems* is a city nearby
⁷ *Zucht* discipline
⁸ *ehrenfest* with a strict code of honor
⁹ *dünken* think; *Stammburg* ancestral castle
¹¹ *Wappenschild* The coat of arms of the Stein family showed roses and bars; that of the ruling House of Saxony, leaves and rue bars; that of Württemberg, stags' antlers and bars.

weniger gelten als der sächsische Rautenkranz oder die württem-
bergischen Hirschgeweihe? Der Gedanke der deutschen Einheit,
zu dem die geborenen Untertanen erst auf den weiten Umwegen der
historischen Bildung gelangten, war diesem stolzen reichsfreien Herrn 15
in die Wiege gebunden. Er wußte es gar nicht anders: „ich habe
nur ein Vaterland, das heißt Deutschland, und da ich nach alter
Verfassung nur ihm und keinem besonderen Teile desselben angehöre,
so bin ich auch nur ihm und nicht einem Teile desselben von ganzem
Herzen ergeben." 20

Wenig berührt von der ästhetischen Begeisterung der Zeitgenossen,
versenkte sich sein tatkräftiger, auf das Wirkliche gerichteter Geist
früh in die historischen Dinge. Alle die Wunder der vaterländischen
Geschichte, von den Kohortenstürmern des Teutoburger Waldes
bis herab zu Friedrichs Grenadieren, standen lebendig vor seinen 25
Blicken. Dem ganzen großen Deutschland, soweit die deutsche
Zunge klingt, galt seine feurige Liebe. Keinen, der nur jemals von
der Kraft und Großheit deutschen Wesens Kunde gegeben, schloß
er von seinem Herzen aus; als er im Alter in seinem Nassau einen
Turm erbaute zur Erinnerung an Deutschlands ruhmvolle Taten, 30
hing er die Bilder von Friedrich dem Großen und Maria Theresia,
von Scharnhorst und Wallenstein friedlich nebeneinander. Sein
Ideal war das gewaltige deutsche Königtum der Sachsenkaiser;
die neuen Teilstaaten, die sich seitdem über den Trümmern der

---

14 *Untertan* subject; *Umweg* roundabout way
15 *reichsfrei* i.e. owing allegiance to the
  Emperor only
16 *gebunden* given
18 *Verfassung* constitution
20 *ergeben* devoted
21 *ästhetisch* The age of Goethe was
  much concerned with developing
  a beautiful personality and a
  beautiful way of life. Cf. Schiller's *Über die ästhetische Erziehung
  des Menschen.* The basic idea of
  "aesthetic" education was its ideal
  impracticality.
22 *sich versenken* become absorbed;
  tatkräftig dynamic
24 *Teutoburg* allusion to the battle in
  the Teutoburg Forest (A.D. 9),
  in which the Germanic chieftain

Hermann defeated the Romans
25 *Friedrich* i.e. Frederick the Great
28 *Kunde* evidence
31 *hing* One would expect *hängte.*
  The Empress *Maria Theresia*
  (reigned 1740–80) was a bitter
  enemy of Frederick the Great.
  Gerhard von Scharnhorst (1755–
  1813) was a Prussian general and
  one of the principal figures in the
  War of Liberation against Napoleon. *Albrecht von Wallenstein*
  (1583–1634) was the generalissimo
  of the imperial armies during the
  Thirty Years' War.
33 The Saxon emperors Henry I, Otto
  the Great, and Henry II did much
  to unify Germany during the
  Middle Ages.
34 *Trümmer* ruins

35 Monarchie erhoben hatten, erschienen ihm samt und sonders nur
als Gebilde der Willkür, heimischen Verrates, ausländischer Ränke,
reif zur Vernichtung, sobald irgendwo und irgendwie die Majestät
des alten rechtmäßigen Königtums wieder erstünde. Sein scho-
nungsloser Freimut gegen die gekrönten Häupter entsprang nicht
40 bloß der angeborenen Tapferkeit eines heldenhaften Gemütes, sondern
auch dem Stolze des Reichsritters, der in allen diesen fürstlichen
Herren nur pflichtvergessene, auf Kosten des Kaisertums bereicherte
Standesgenossen sah und nicht begreifen wollte, warum man mit
solchen Zaunkönigen so viel Umstände mache.

45 Er hatte die rheinischen Feldzüge in der Nähe beobachtet und
die Überzeugung gewonnen, die er einmal der Kaiserin von Rußland
vor versammeltem Hofe aussprach: das Volk sei treu und tüchtig,
nur die Erbärmlichkeit seiner Fürsten verschulde Deutschlands Verderben. Er haßte die Fremdherrschaft mit der ganzen dämonischen
50 Macht seiner naturwüchsigen Leidenschaft, die einmal ausbrechend
unbändig wie ein Bergstrom dahinbrauste; doch nicht von der
Wiederaufrichtung der verlebten alten Staatsgewalten noch von
den künstlichen Gleichgewichtslehren der alten Diplomatie erwartete
er das Heil Europas. Sein freier großer Sinn drang überall gradaus
55 in den sittlichen Kern der Dinge. Mit dem Blick des Sehers, erkannte
er jetzt schon, wie Gneisenau, die Grundzüge eines dauerhaften Neu-
baus der Staatengesellschaft. Stein war der erste Staatsmann, der
die treibende Kraft des neuen Jahrhunderts, den Drang nach na-
tionaler Staatenbildung ahnend erkannte; erst zwei Menschenalter
60 später sollte der Gang der Geschichte die Weissagungen des

35 *samt und sonders* one and all
36 *Gebilde . . . Ränke* products of arbi-
    trariness, of native treason, foreign
    wiles
38 *rechtmäßig* legitimate; *schonungs-
    loser Freimut* unsparing frankness
40 *angeboren* native
43 *Standesgenossen* peers (lit. members
    of his own class)
44 *Zaunkönig* wren (a small, extremely
    mobile, and timorous bird); *Um-
    stände* fuss
45 *Feldzüge* campaigns; during the
    French Revolutionary wars Stein
    spent some years in the service of
    the Czar of Russia.

48 *erbärmlich* wretched; *verschulden* be
    responsible
50 *naturwüchsig* natural
51 *unbändig* uncontrollably; *dahin-
    brausen* rage
52 *Wiederaufrichtung* revival; *verlebt*
    outlived
53 *künstliche Gleichgewichtslehren* arti-
    ficial theories of balance of power
54 *Heil* salvation
55 *Kern* core; *Seher* seer
56 *Neidhardt von Gneisenau* (1760–1831)
    Prussian general in the Wars of
    Liberation; *Grundzug* foundation
59 *ahnend* prophetically; *Menschenalter*
    generation
60 *Weissagung* prophecy

Genius rechtfertigen. Noch war sein Traum vom einigen Deutschland mehr eine hochherzige Schwärmerei als ein klarer politischer
Gedanke; er wußte noch nicht, wie fremd Österreich dem modernen
Leben der Nation geworden war, wollte in den Kämpfen um Schlesien
nichts sehen als einen beklagenswerten Bürgerkrieg.   65
    Niemand war wie er für die Aufgaben des politischen Reformators
geboren. Der zerrütteten Monarchie wieder die Richtung auf hohe
sittliche Ziele zu geben, ihre schlummernden herrlichen Kräfte durch
den Weckruf eines feurigen Willens zu beleben — das vermochte nur
Stein, denn keiner besaß wie er die fortreißende, überwältigende   70
Macht der großen Persönlichkeit. Jedes unedle Wort verstummte,
keine Beschönigung der Schwäche und der Selbstsucht wagte sich
mehr heraus, wenn er seine schwerwiegenden Gedanken in markigem,
altväterischem Deutsch aussprach, ganz kunstlos, volkstümlich derb,
in jener wuchtigen Kürze, die dem Gedankenreichtum, der ver-   75
haltenen Leidenschaft des echten Germanen natürlich ist. Die
Gemeinheit zitterte vor der Unbarmherzigkeit seines stachligen
Spottes, vor den zermalmenden Schlägen seines Zornes. Wer aber
ein Mann war, ging immer leuchtenden Blicks und gehobenen Mutes
von dem Glaubensstarken hinweg. Unauslöschlich prägte sich das   80
Bild des Reichsfreiherrn in die Herzen der besten Männer Deutschlands: die gedrungene Gestalt mit dem breiten Nacken, den starken,
wie für den Panzer geschaffenen Schultern; tiefe, funkelnde braune
Augen unter dem mächtigen Gehäuse der Stirn, eine Eulennase
über den schmalen, ausdrucksvoll belebten Lippen; jede Bewegung   85
der großen Hände jäh, eckig, gebieterisch: ein Charakter wie aus
dem hochgemuten sechzehnten Jahrhundert, der unwillkürlich an
Dürers Bild vom Ritter Franz von Sickingen erinnerte — so geistvoll

---

[61] *rechtfertigen* justify
[62] *Schwärmerei* dream
[64] *Schlesien* the war between Frederick
the Great and Maria Theresia
[65] *beklagenswert* deplorable
[67] *zerrüttet* shattered
[70] *fortreißend, überwältigend* compel-
ling, overpowering
[72] *Beschönigung* palliation
[73] *markig* pithy
[74] *altväterisch* old-fashioned; *volkstümlich derb* with earthy vigor
[75] *wuchtig* weighty; *verhalten* sup-
pressed

[77] *Gemeinheit* baseness; *stachlig* stinging
[78] *zermalmen* crush
[80] *unauslöschlich* inextinguishably;
sich prägen stamp itself
[82] *gedrungen* thick-set
[83] *Panzer* armor
[84] *Gehäuse* frame
[86] *jäh, eckig, gebieterisch* abrupt, angular, commanding
[87] *hochgemut* high spirited
[88] *Franz von Sickingen* (1481–1523) a
leading figure in the German Reformation; *geistvoll* intellectual

und so einfach, so tapfer unter den Menschen und so demütig vor Gott
90 — der ganze Mann wie eine wunderbare Verbindung von Naturkraft
und Bildung, Freisinn und Gerechtigkeit, von glühender Leidenschaft
und billiger Erwägung — eine Natur, die mit ihrer Unfähigkeit zu
jeder selbstischen Berechnung für Napoleon und die Genossen
seines Glücks immer ein unbegreifliches Rätsel blieb.

37

SCHUBERT UND BEETHOVEN

RUDOLF HANS BARTSCH (1873–1952)

This delightful sketch by the Austrian novelist is based on the well-known
fact that the young Schubert was too timid ever to approach his older famous contemporary.   It was only when Beethoven was on his deathbed
that Schubert visited him.   Then the dying composer expressed his generous admiration for the younger man's genius.   Schubert carried a torch at
Beethoven's funeral in 1827.   Next year Schubert was buried beside the
great master.

Das Linzer Postschiff hatte Schubert aus seinem lieben und lustigen
Oberösterreich nach Wien gebracht.   Am anderen Tage ordnete er
einen Plan.   Er wollte von seinen Vormittagen, trotzdem die ihm
zur Arbeit so heilig waren, dann und wann einen abbrechen und
5 manchmal zur Belehrung und Vermehrung seines Wissens einen
Gang tun.   Sonntags natürlich in irgendeine der vielen Kirchen,
dorthin, wo die schönste Messe zu hören war.   Da liebte er am meisten
die ganz alten Meister, die strengen, heilig ernsten. — An Wochen-
tagen war es dann weihevoll still in den Museen, von denen er die

---

91 *Freisinn* intellectual freedom
92 *billige Erwägung* proper prudence

Franz Schubert 1797–1828;   Ludwig
    van Beethoven 1770–1827

1 *Postschiff* the mailboat carrying mail
    to and from Linz (capital of Upper
    Austria)
2 *ander* following
9 *weihevoll* i.e. religiously

Belvederegalerie über alles schätzte. Auch die mußte er wiedersehen. 10
Und dann, vor allem jener Gang, der ihm einer der geheimsten
und liebsten war: um den zu sehen, den, der ihm schon durch seinen
bloßen Anblick das Herz zu leidenschaftlicher Arbeit erregte. Wie
oft hatte er in Oberösterreich gewünscht, das wilde, herbe, leidvolle
Antlitz Beethovens zu sehen, wenn die satten Bürgergesichter ihm 15
gar zu viel geworden waren!

Dazu nun bot sich bald nach seinem Eintreffen in Wien Gelegenheit. Die Tag- und Nachtgleiche war vorbei, und durchs Donautal
fegte der wilde, ganz verrückte und teufelsvolle Wiener Wind. Er
stürzte sich über alle Höhen erstürmend gegen die Stadt, daß die 20
Basteien erbebten und die Nadel des Stephansturmes leise zu schwingen begann. Ein nur einigermaßen gutgekleideter Spaziergänger
hätte sich schon wegen des Zylinderhutes nicht ins Freie gewagt,
abgesehen davon, daß man vom Schottentor bis zum roten Turm
an die Bauwerke angeschleudert, von da aber in den Graben geblasen 25
werden konnte, wenn Nordwest im Kalender stand. Zu solchen Zeiten
ging nur ein einziger Mensch in Wien aus, der aber mit Vorliebe.
Denn erstens fand er da keinen seiner Mitmenschen, und dann ist
der Sturmwind um Wien die Symphonie aller Symphonien: grandios,
voll gottesüberraschender Launen, polyphon und hinreißend, zornig, 30
brüllend, schmetternd und dann wieder voll peinlich stiller Piani.
Kurz, der Allergrößte wurde nie müde, sich das herrliche Opus Gottes
immer wieder von neuem vorspielen zu lassen. Beethoven rannte,
das war sicher, bei Unwetter zweimal, bei Orkan mindestens dreimal
um die Stadt. Hier war der Empfangssalon, in dem man ihn sehen 35
konnte.

An einem der ersten Oktobertage war es. Die Basteien brausten
und heulten, in den Schießscharten pfiff es, und aus den alten Bäu-

---

[10] *Belvedere* in the Belvedere Castle in
Vienna
[14] *herb* austere
[17] *ein-treffen* arrive
[18] *Tag- und Nachtgleiche* equinox
[19] *verrückt* mad
[21] *Bastei* bastion; *erbeben* tremble;
Nadel spire; St. Stephen's cathedral in Vienna
[23] *schon* if only; *Zylinderhut* top hat
[24] *abgesehen davon* apart from the fact;

Schottentor Scottish gate
[25] *Bauwerk* building
[27] *Vorliebe* preference
[30] *Laune* mood; *hinreißend* overpowering
[31] *schmettern* crash; *Piani* soft pas
sages
[34] *Unwetter* bad weather; *Orkan* hurricane
[37] *brausen* roar
[38] *Schießscharte* loophole

men der Glacis kam es wie ferner Trompetenton. Ein Staubwolken-
40 mantel hetzte um die ganze Stadt und hüllte sie, beständig im Kreise
wirbelnd, ein; es war rücksichtslos großartig, ganz gegen alle übrigen
Wünsche der Menschheit und ganz dem einen zulieb, ihm allein
erfreulich und genehm.

Schubert war kaum durch das Kärntnertor auf die Bastei getreten,
45 da kam auch schon die ersehnte Begegnung, unerwartet, wie auf
der Jagd. In einer aufbrausenden Staubwolke, die ihm Sand in die
Augen und Tränen aus den Augen trieb, sah Schubert seinen Gott
daherfahren wie einen wilden Eber. Beethoven, den kürzesten, ge-
sträubtesten und zerbeultesten Zylinder Wiens derb und schief über
50 den Gewaltschädel gerissen, mit flatterndem Frack und wehenden
Hosenbeinen, die Absätze in die Erde bohrend, daß die Fußspitzen
hochauf ragten, Arme am Rücken, Stock querüber, flutschte über
die Bastei und vorüber, als hübe ihn hinterlangs der Sturmwind.

Das Kinn war wie ein Fausthieb zwischen den Kragenspitzen auf
55 der mächtigen Krawatte gesessen, als wollte der klotzige Geist mit
seiner Stirne die Gedanken einholen und wie Kriegsschiffe rammen.
Vorbei war er, ehe Schubert in überraschter Ehrfurcht den Sand
aus den Augen zu wischen vermochte. Nun sah er ihm nach, wie er
dahinbrauste gleich einem zerfetzten Segel bei Meeressturm.

60 „Prächtig. Göttlich und dämonisch!——— Übrigens, wenn er so
flitzt, habe ich ihn in einer Viertelstunde auf der anderen Seite der
Stadt, so zwischen Salzgries und Schottentor." Und Schubert machte
sich eilig und aufgeregt über die Burg- und Mölkerbastei zum Gegen-
marsche auf, erreichte die Schottenbastei, wurde dort von dem da-
65 herbrausenden Boreas einige Schritte leewärts abgetriftet, kämpfte

---

³⁹ *Glacis* a sloping bank leading to the
entrance of a fortification
⁴⁰ *hetzen* race, tear
⁴¹ *wirbeln* whirl; *rücksichtslos großartig*
daring and grandiose
⁴² *zulieb* for the sake of
⁴³ *genehm* agreeable
⁴⁴ *Kärntnertor* named after the region
of Kärnten or Carinthia
⁴⁵ *ersehnt* longed for
⁴⁶ *auf-brausen* roar
⁴⁸ *Eber* boar; *gesträubt* ruffled
⁴⁹ *zerbeult* battered; *derb* determinedly;
schief askew

⁵⁰ *Frack* dress coat; *wehend* blowing
(in the wind)
⁵² *querüber* across his back; *flutschen*
race
⁵³ *hübe* (imperf. subj. of *heben*) lifted;
hinterlangs from behind
⁵⁴ *Fausthieb* blow
⁵⁵ *klotzig* heavy
⁵⁶ *ein-holen* overtake
⁵⁹ *zerfetzt* tattered
⁶¹ *flitzen* flit
⁶² *sich auf-machen* set out
⁶⁵ *Boreas* north wind; *ab-triften* drive

schräge aufkreuzend von neuem gegen die scharfe Ecke, auf der der
Teufel los zu sein schien, und bekam ein in das scharfe Heulen und
Brausen dumpf einstimmendes Kopfweh, weil er den Hut allzu fest
angetrieben hatte. Trotzdem erreichte er, vielmals beiseite und
zurück taumelnd, den Donaukanal. Er wußte, daß Beethoven längs 70
des ganzen Wassers mit Gegenwind zu arbeiten haben würde und
daß er ihn hier in langsamerem Tempo zu erwarten hätte. Aber
da war der Titan auch schon in der Ferne zu sehen; wild und ungeschlacht stampfte er gegen die Windsbraut an, den Schädel gesenkt
wie ein stürmender Stier. Schubert wußte, daß man ihn nicht ken- 75
nen, vor allem nicht grüßen durfte. Erstens tat er, vornehmlich bei
solchem Wetter, den Hut gar nicht erst zum Gegengruß herunter,
und dann machte es ihn schon wild, daß er, irgend jemand zuliebe,
seinen Gedanken so viel Kräfte abspenstig machen sollte, als nötig
war, um die Hand andeutungsweise an die Zylinderkrempe zu er- 80
heben. Schubert also verkroch sich gerade hinter einem Kandelaber,
dessen Lampengläser wahnwitzig klirrten und dennoch nicht das
tiefe, nur halbgedämpfte Brüllen zu übertönen vermochten, das von
dem daherkommenden Beethoven ausging. ,,Hahoo, hum, hum,
drimm, drumm, drumm", sang er in voller Wucht und Furia in sich 85
hinein, daß es den Sturmwind übertönte. Und wie eine gereizte
Riesenhummel fuhr er an Schubert vorbei.

---

66 *schräge aufkreuzend* scudding ob-
   liquely
68 *einstimmend* harmonizing
69 *an-treiben* press down
70 *taumeln* stagger
73 *ungeschlacht* clumsy
74 *an-stampfen* stamp along; *Winds-*
   braut gale
76 *vornehmlich* especially
77 *herunter-tun* doff
78 *schon* i.e. this fact alone

79 *abspenstig machen* divert, estrange
80 *andeutungsweise* i.e. perfunctorily;
   Krempe brim
81 *Kandelaber* lamp post
82 *wahnwitzig* crazily
83 *halbgedämpft* half subdued; *über-*
   tönen drown out
85 *Wucht und Furia* power and fury
86 *gereizte Riesenhummel* irritated giant
   bumble bee

Höchst subjektive (Musik); bleibt
aber den klassischen Regeln
treue. Introspektiv.
Mozart - hatte sehr selten seine
in seiner musik seine
Gefühlen gezeigt.

38

WERNER VON SIEMENS (1816–1892)

Oskar Loerke (1884–1941)

Loerke was a poet, novelist, and essayist of stature. The following biographical sketch is from the anthology *Deutscher Geist* (1940) which he
edited. Each essay in it is preceded by a similar sketch of the subject
whose work is represented in the book.

Nicht selten vermehren äußere Verhältnisse eines Mannes Größe,
und das nicht etwa, indem Umstände ihm Glück und Macht bringen,
sondern die Umrisse der Persönlichkeit werden erweitert, dem Wesen
werden sozusagen neue Territorien einverleibt. In Werner von Sie-
5 mens' Leben wirkten derart die Familie und die allgemeinen Zeit-
verhältnisse.

Werner von Siemens war das vierte von vierzehn Kindern und
wurde am 13. Dezember 1816 geboren. Sein Vater war Pächter des
Gutes Lenthe bei Hannover. Die Mutter starb 1839, im Januar 1840
10 auch der Vater; und da die ältesten Geschwister früher gestorben
waren und kein Vermögen da war, fiel alle Sorge auf Werner als
Familienältesten. Werner war seit dem Sommer 1838 Sekonde-
leutnant bei der Artillerie in Magdeburg, im Herbst 1840 wurde er
nach Wittenberg versetzt. In der Muße der kleinen Garnison gelang
15 ihm eine Vervollkommnung der Galvanoplastik, er erfand ein Verfahren, Gegenstände nicht nur zu verkupfern, sondern auch zu ver-
silbern und zu vergolden. 1843 schickte er seinen Bruder Wilhelm
zur Verwertung dieser Erfindung nach England. Es wurde auch

---

[1] *Verhältnis* condition
[3] *Umriß* outline
[4] *ein-verleiben* incorporate
[8] *Pächter* tenant farmer

[14] *Muße* spare time; *Garnison* garrison
[15] *Galvanoplastik*   electro-metallurgy;
     Verfahren process
[16] *verkupfern* copper plate
[18] *Verwertung* exploitation

wirklich ein Preis von 1500 Pfund Sterling dafür erzielt. Wilhelm
blieb seitdem in England; er wurde der Begründer des englischen 20
Zweiggeschäftes der Weltfirma Siemens. Inzwischen war Werner
als Luftfeuerwerker nach Spandau und 1844 in die Artilleriewerkstatt
nach Berlin abkommandiert. Im Frühjahr 1845 zog er auch seinen
Bruder Friedrich nach Berlin, um ihn auf der Seemannsschule zum
Eintritt als Kadett auf der ersten preußischen Kriegsschule ausbilden 25
zu lassen; daneben erteilte er ihm Unterricht in Statik und Mechanik. Friedrich ging später auch nach England, um dort Werners
Telegraphenapparate einzuführen; er ist der Erfinder eines Schmelz-
ofens. Als Karl Siemens 1846 seine Schulstudien in Berlin abgeschlossen hatte und nach vergeblichen Versuchen in Chemie und der 30
Zementfabrikation sich der Telegraphie zuwenden wollte, brachte
ihn Werner als Telegrapheningenieur zunächst im preußischen Staats-
dienst unter. Karl wurde später Werners Stellvertreter im Tele-
graphenbau in Rußland, und aus dem Baubüro in Petersburg wurde
das russische Zweigesschäft der Weltfirma. 35
Ostern 1834 war Werner Siemens als achtzehnjähriger Wander-
bursche mit dem Ränzel auf dem Rücken nach Berlin gekommen,
um ins Ingenieurkorps einzutreten. Am 1. Januar 1834 waren die
Grenzen zwischen achtzehn deutschen Staaten gefallen; ein erster
Erfolg des deutschen Zollvereins. Am 15. Dezember 1835 wurde 40
die erste Eisenbahnstrecke in Deutschland zwischen Nürnberg und
Fürth eröffnet. Diese Gleichzeitigkeit hat etwas Symbolisches. Der
Artillerieoffizier Werner Siemens benutzte jede freie Zeit seines Kom-
mandos bei der Artilleriewerkstatt, um sich eine gründliche wissenschaftliche Ausbildung zu verschaffen. Er besuchte Vorlesungen an 45
der Berliner Universität und stand mit jungen Naturforschern wie
Du Bois-Reymond und Helmholtz in Verkehr. Im Januar 1846 hörte
er zufällig von der Einführung des Zeigertelegraphen an Stelle des

---

19 *erzielen* obtain
22 *Luftfeuerwerker* artificier, an old-
fashioned military rank used for a
member of the artillery corps
24 *Seemannsschule* naval school
28 *Schmelzofen* furnace
31 *unter-bringen* place
33 *Stellvertreter* representative
37 *Ränzel* knapsack

40 *Zollverein* (customs union) which
helped greatly in the subsequent
unification of Germany
42 *Gleichzeitigkeit* simultaneity
47 *Emil Du Bois-Reymond* (1818-96)
German physiologist; *Hermann
Helmholtz* (1821-94) eminent
physicist; *Verkehr* association
48 *Zeigertelegraph* needle telegraph

optischen, und er beschäftigte sich daraufhin mit dem System und
50 schuf einen elektrischen Zeigertelegraphen mit Selbstunterbrechung.
Dabei lernte er den Mechaniker Halske kennen. Im Herbst 1847
gründete er mit diesem zusammen in der Schöneberger Straße eine
Telegraphenbauanstalt, deren Leiter zunächst Halske war. Im
Juni 1849 nahm Werner Siemens seinen Abschied aus dem Militär-
55 dienst.
   Die junge Firma hatte bald ernste Schwierigkeiten zu bestehen.
Infolge einer Differenz brach die preußische Telegraphenverwaltung
die Verbindung mit der Firma Siemens & Halske auf viele Jahre ab.
Da eröffnete Werner auf Reisen in Rußland neue Arbeitsgebiete.
60 Die nächsten Jahre waren an Erfindungen außerordentlich reich.
Diese bezogen sich durchweg auf Telegraphen und ihre Leitungen,
bis hin zu Tiefseekabeln und deren Legung. Ins Jahr 1866 fällt
dann eine wesentliche Entdeckung, die den Ausgangspunkt für die
Entwicklung der Starkstromtechnik bildete: das dynamo-elektrische
65 Prinzip; im Dezember führte Werner seinen wissenschaftlichen
Freunden die Dynamomaschine vor. Im selben Jahre faßte er die
Idee einer elektrischen Hochbahn. Neben der Hoch-Zeit in den
Erfindungen lief eine Krise in der Firma her. Halske hatte die Auf-
lösung des Londoner Geschäfts verlangt; Werner wollte die Sache
70 seines Bruders Wilhelm nicht preisgeben, und das Geschäft wurde
von der Hauptfirma losgelöst und als „Siemens Brothers" fortgeführt.
1868 gelang es Werner, zwischen den selbständigen drei Firmen in
Berlin, London und Petersburg Verträge abzuschließen, welche die
geschäftliche Einheit sicherten. Der Krieg von 1870/71 brachte
75 einen außerordentlichen wirtschaftlichen Aufschwung, der der Firma
zugute kam.
   Im Jahre 1874 berief die Akademie der Wissenschaften in Berlin
Werner Siemens zum ordentlichen Mitglied. Die technische Entwicklung hatte damals ein derartiges Tempo, daß sie der Wissen-
80 schaft vorauseilte, so daß die Erfinder den Vortrupp für die Wissenschaft stellten, darin stand Werner Siemens in erster Linie. 1881

---

50 *Selbstunterbrechung* automatic break
   in circuit
51 *Johann Georg Halske* (1814–90) part-
   ner in the firm Siemens und Halske
61 *Leitung* wire network
64 *Starkstromtechnik* high voltage tech-
   nology

67 *Hochbahn* overhead railway
70 *preis-geben* sacrifice
73 *Vertrag* agreement
75 *Aufschwung* boom
78 *ordentlich* regular
80 *Vortrupp* vanguard

führte Werner in Schöneberg die erste elektrische Straßenbahn vor.
1885 erhielt er den Orden „Pour le mérite" für Kunst und Wissenschaft. 1888 erhob ihn Kaiser Friedrich in den erblichen Adelsstand.
Mit Beginn des Jahres 1890 trat Werner von Siemens von der Ge- 85
schäftsleitung der Firma Siemens & Halske zurück und übergab
dieselbe seinem Bruder Karl und seinen ältesten Söhnen. Am 6.
Dezember 1892 erlag er einer Lungenentzündung.

39

OTTO VON BISMARCK (1815–1898)

GEORG KAUFMANN (1842–1929)

From *Geschichte Deutschlands im 19. Jahrhundert* (1912).

Wer Bismarck verstehen will, der darf nie versuchen, ihn von den
harten und scharfen Zügen seines Wesens zu lösen und von all den
Gaben des Erdgeistes, die ihm zugleich mitgegeben waren neben
den im idealen Glanze leuchtenden Gaben, deren Zauber sich auch
die Gegner nicht leicht zu entziehen vermochten.   5

Flectere si nequeo superos, Acheronta movebo!

das ist der Spruch, der über seinem Leben steht: „Wenn mir der
Himmel seine Legionen weigert, so biete ich die Hölle auf." Er hat
die Reptile bis in ihre Höhlen verfolgt, wie er einmal von der welfischen
Presse und Agitation sagte, aber er hat sie auch dressiert für seinen 10
Dienst und gelegentlich „die ganze Meute" losgelassen; er hat gegen

---

83 The decoration *Pour le mérite* is the
  highest in Germany.
88 *erliegen* succumb; *Lungenentzündung*
  pneumonia

---

3 *Erdgeist* (a term used by Goethe in
  Faust) here: his unpleasant traits
5 *sich entziehen* escape

6 *Flectere* ...   This line from Virgil's *Aeneid* (VII, 312) is translated
  in the next line of the text.
9 *welfisch* i.e. opposition. The Guelphs
  were the opposition party in medieval Germany.
10 *dressieren* train
11 *Meute* pack

Österreich wie gegen Frankreich die Revolution aufbieten wollen, sobald es nötig schien; er hat mit Lassalle sicher nicht bloß um seiner geistreichen Unterhaltung willen Beziehungen gepflogen und 15 bei der Entscheidung für das allgemeine Wahlrecht gewiß auch dem Gefühle Einfluß gestattet, daß es gelte den Teufel durch Beelzebub auszutreiben. Ungenierter noch nutzte er die Mittel und Werkzeuge der reaktionären Abteilung der politischen Unterwelt aus. Auch die Leidenschaftlichkeit seines Hasses, die schonungslose Art, 20 mit der er jeden abschüttelte, der ihm nicht länger nützen konnte, und mit der er die Dinge immer nur so sah, wie es ihm nützlich war, erinnern an die Nachtseite des Lebens. Aber das alles ist nichts als Schlacken und Beiwerk, wie es die Erde fordert mit ihrem Staube — der Kern seines Wesens war Licht und Kraft. Er ist durch das 25 Leben gegangen mit hellem Auge und reichem Herzen, mit dem gewaltigen Willen, der die Berge versetzte, vor denen alle andern Halt machten, und Ströme des Hasses und des Zweifels wandelte in Ströme der Liebe und tatkräftiger Hoffnung, und endlich mit jenem Ahnungsvermögen des Genius, der im Dickicht den Weg 30 findet. Wir alle gingen in die Irre, voll Sehnsucht nach einer Einigung des deutschen Vaterlandes, wir waren mit dieser Sehnsucht und mit unserer Arbeit die Träger der großen Entwicklung, wußten aber nicht viel anderes zu tun, als in festlichen Stunden unsere Gesinnung zu pflegen und einander dann zu versichern, daß wir die 35 Verwirklichung unseres Traumes nicht mehr erleben würden. Da befreite Bismarck Schleswig-Holstein, wies Österreich aus dem Bunde und erbaute auf der Basis des Zollvereins und mit den Gedanken der Frankfurter Kaiserpartei das deutsche Reich.

---

12 *Revolution* i.e. radical subversive movements
13 *Ferdinand Lassalle* (1825–64) socialist thinker and organizer
14 *geistreich* clever, intellectual; *pflegen* cultivate
15 *allgemeines Wahlrecht* universal suffrage
16 *den Teufel durch Beelzebub austreiben* i.e. to defeat the radicals by using their own means
17 *ungeniert* freely; *aus-nutzen* exploit
19 *schonungslos* unsparing
23 *Schlacken und Beiwerk* dross and incidental

26 *versetzen* move
28 *tatkräftig* energetic
29 *Ahnungsvermögen* intuitive power; *Dickicht* thicket
33 *Gesinnung* i.e. ideals
35 *erleben* live to see, realize
36 *Schleswig-Holstein* in the war of 1864; *wies* expelled, in the short war of 1866
37 *Zollverein* See § 38, note 40.
38 *Frankfurter Kaiserpartei* the imperial party in the Frankfurt parliament of 1848–49

40

ALBERT EINSTEIN (1879–1955)

WERNER BLOCH (1890–   )

From the collection of essays *Helden ohne Waffen*, edited by Günther Birkenfeld. The author of this essay is a secondary school teacher and writer. The essay was written in 1947 while Einstein was still living.

Das Jahr 1905 ist ein Jahr von so außerordentlicher Bedeutung in der Entwicklung des europäischen Geisteslebens gewesen, daß wir erst rückschauend voll begreifen, was damals geschehen ist. Für die Zeitgenossen geschah zunächst nichts anderes, als daß ein junger Physiker, der in einer bescheidenen Stellung am Patentamt in Bern 5 beschäftigt war und weder in Fachkreisen noch gar in einer größeren Öffentlichkeit einen bekannten Namen hatte, in einem physikalischen Fachblatt, den „Annalen der Physik", einen Aufsatz von 25 Seiten Länge veröffentlichte mit dem unscheinbaren Titel: „Zur Elektrodynamik bewegter Körper". 10

Dieser Physiker war Albert Einstein, und dieser Aufsatz enthielt die Grundgedanken vollständig, die das Weltbild der Physik, das bis zu seinen Tagen allgemeine Geltung hatte, außer Kraft setzen sollten. Später schien kein anderer Mann mehr zum Vergleich für die geistige Bedeutung dieses Mannes zur Verfügung zu stehen als 15 Newton selbst, der Schöpfer eben dieses Weltbildes, das durch Einstein in wesentlichen Punkten verändert, ja, man könnte sagen,

---

6 *Fachkreis* professional circle
8 *Fachblatt* professional journal
9 *unscheinbar* unpretentious

13 *Geltung* validity
15 *zur Verfügung stehen* be available

aufgehoben wurde. Heute freilich, da wir einer viel tiefer gehenden Umgestaltung dieses Weltbildes durch die Quantentheorie gegen-
20 überstehen, betrachten viele Physiker die Relativitätstheorie nicht als die Aufhebung der klassischen Physik, sondern als ihre letzte Konsequenz und höchste Krönung.

Der Mann, der diese bedeutsame Leistung vollbracht hat und ein Jahrzehnt lang der berühmteste Mensch auf der Welt gewesen ist,
25 wurde von jüdischen Eltern am 14. März 1879 in Ulm in Württemberg geboren. Sein Vater besaß eine kleine elektrochemische Fabrik, mit der er bereits zwei Jahre nach der Geburt seines Sohnes nach München übersiedelte. Hier verbrachte Einstein glückliche Jahre im Hause seiner Eltern, machte aber die ersten unfreundlichen Er-
30 fahrungen mit seiner Umwelt in dem Luitpold-Gymnasium, das eine Schule von „altem Schrot und Korn" war, in der Drill und Zwang herrschte und deren streng katholischer Charakter den jungen Juden in Konflikte mit seinen Mitschülern brachte. Von frühester Jugend an empfand der Knabe einen heftigen Widerwillen gegen
35 alles Militärische und drängte seine Eltern dazu, nach der Schweiz auszuwandern, um ihn vor dem Militärdienst zu bewahren. Die Eltern verließen München, um sich in Italien anzusiedeln, Albert dagegen ging kurze Zeit später nach Zürich und gab seine deutsche Staatsangehörigkeit auf.

40 Schon in München hatten sich seine außerordentlichen mathematischen Fähigkeiten gezeigt. Mit vierzehn Jahren bereits beherrscht er die gesamte höhere Mathematik in einer Weise, daß seine Lehrer ihm auf diesem Gebiet nichts mehr zu bieten haben. Seine Zulassung an der Polytechnischen Akademie in Zürich aber scheitert
45 daran, daß er keine abgeschlossene Schulbildung hat, und so entschließt er sich, in der Schweiz noch einmal in die Schule zu gehen, und erlebt nun beglückt, im Gegensatz zu seinen Münchener Schuljahren, die freie Lehrweise und Atmosphäre einer Schweizer Schule. Nach einem Jahr besteht er die Reifeprüfung und wird zum Studium
50 zugelassen. Er studiert unter der Leitung von Minkowski, des

---

[18] *auf-heben* cancel, invalidate
[19] *Quantentheorie* quantum theory in physics, formulated by Max Planck (1858–1947)
[31] *von altem Schrot und Korn* of the old stamp
[37] *sich an-siedeln* settle
[44] *Zulassung* admittance; *scheitern* be frustrated
[49] *Reifeprüfung* school-leaving examination; *Studium* i.e. at the university

Mannes, der später der Relativitätstheorie ihre vierdimensionale Ausgestaltung gegeben hat. In diesem ersten Jahre schon beschäftigen
ihn die Fragen, die später in der Arbeit von 1905 ihren Niederschlag
gefunden haben. Er liest alles, was zu jener Zeit von Wichtigkeit
für einen angehenden Physiker mit theoretischen und mathematischen 55
Interessen sein konnte: Hertz, Helmholtz und Kirchhoff, Darwin
und Mach, Hume und Schopenhauer.

Er verlobte sich mit einer Studienkollegin, Mileva Meric, und
befreundete sich schon in diesen Jahren mit sozialistischen Politikern
wie Friedrich Adler. Auch die Musik war bereits damals seine 60
Leidenschaft. Aber Geldsorgen zwangen den jungen Mann, sich
nach Broterwerb umzusehen. Einige Versuche, sein Leben durch
Unterricht zu verdienen, scheiterten an seiner Unbedingtheit, die
sich nicht auf Kompromisse einlassen wollte. Am Patentamt in
Bern fand er schließlich eine Anstellung, deren Aufgaben allerdings 65
weitab lagen von den Gedanken, die ihn beschäftigten. Dafür aber
bot sie ihm die sichere wirtschaftliche Grundlage, deren er benötigte,
um seine Gedanken durchdenken und entwickeln zu können. Schließlich brauchte Einstein ja für seine Überlegungen keine Laboratorien,
er brauchte nur Papier und Bleistift, und die standen ihm überall 70
zur Verfügung; und manche Stunde im Patentamt wird der neuen
Physik eher zugute gekommen sein als den Erfindern, die ein Patent
nachsuchten.

Im Jahre 1903 konnte Einstein seine Braut heiraten, und er ver-
lebte einige ruhige Jahre mit viel freundschaftlichem Verkehr in 75
seinem Hause. In diesen zwei Jahren hat er fünf grundlegende
physikalische Arbeiten geschrieben: außer der oben genannten
noch eine über die Brown'sche Bewegung, eine über die Lichtquanten,
eine über den Zusammenhang von Masse und Energie und eine über

---

53 *Niederschlag* result
55 *angehend* young
56 *Heinrich Hertz* (1857–94) discoverer
of electromagnetic waves; *Her-
mann Helmholtz* (1821–94) eminent
physicist; *Robert Kirchhoff* (1824–
87) co-founder of spectral analysis;
Ernst Mach (1838–1916) physicist
and philosopher
60 *Friedrich Adler* (1879–) Austrian
socialist and revolutionary
62 *Broterwerb* livelihood

63 *Unbedingtheit* unbending nature
64 *sich ein-lassen* enter
72 *zugute kommen* benefit
76 *grundlegend* fundamental
78 *Brown'sche Bewegung* Brownian
movement (first demonstrated by
Robert Brown, 1773–1858), the
constant zigzag movement of col-
loidal dispersions in a liquid
medium, caused by collision with
molecules of the liquid

80 eine neue Bestimmung der Molekül-Dimensionen. Auf Grund dieser
Arbeiten wurden die führenden Physiker auf ihn aufmerksam. Es
gelang ihm nunmehr, eine Privatdozentur an der Züricher Universität
zu erhalten, und Männer wie Planck und von Laue führen ihn dem
Kreis der Physiker von Weltruf zu. Er erhält nunmehr von mehreren
85 bedeutenden Universitäten Professuren angeboten: von Leyden,
Utrecht und Prag. Er entschließt sich, diesen letzten Ruf anzunehmen, und hier entwickelt er nunmehr die zweite Stufe seiner
grundlegenden Lehre: die allgemeine Relativitätstheorie. Klärte
die erste die Grundbegriffe der Physik überhaupt: Raum und Zeit,
90 so brachte diese neue Theorie eine überraschende Erklärung für die
Erscheinungen der Gravitation. Einstein konnte auf Grund seiner
Überlegungen nicht nur eine Lösung für das seit einem Jahrhundert
ungelöst gebliebene Problem der Merkurbahn geben, er machte
vielmehr auch Voraussagen über eine Krümmung der Lichtstrahlen
95 in Gravitationsfeldern, die wenige Jahre später durch eigens zu
diesem Zweck ausgerüstete Expeditionen zur Beobachtung einer
totalen Sonnenfinsternis bestätigt werden konnten.

Als im Jahre 1914 durch den Tod van't Hoffs ein Lehrstuhl in
Berlin frei wurde, war es vor allen Dingen Planck, der sich mit aller
100 Kraft dafür einsetzte, Einstein nach Berlin zu ziehen. Einstein
wurde nicht Professor an der Universität mit Lehrverpflichtung,
sondern Professor an der Berliner Akademie der Wissenschaften,
mit dem Recht, aber ohne die Pflicht, Vorlesungen an der Universität
zu halten, und gleichzeitig Direktor des Kaiser-Wilhelm-Instituts für
105 theoretische Physik.

Kurz ehe er nach Berlin kam, hatte er sich von seiner ersten Frau
getrennt und heiratete in Berlin eine entfernte Kusine, Elsa Einstein, die er noch aus den Münchener Tagen kannte. Sie ist ihm
eine treue Lebensgefährtin bis an ihren Tod gewesen und hat dem
110 in einer eigenen Welt lebenden Gelehrten viele Zusammenstöße mit

82 The *Privatdozent* is the beginner at a German university, who teaches without regular fees.

83 *Max von Laue* (1879–) demonstrated the wave nature of X-rays.

93 *Merkurbahn* orbit of the planet Mercury

94 *Krümmung* bending

95 *eigens* especially

96 *aus-rüsten* equip

97 *Sonnenfinsternis* eclipse of the sun

98 *Jacobus Henricus van't Hoff* (1852–1911) Dutch chemist, one of the pioneers in the field of physical chemistry. He was awarded the first Nobel prize in chemistry in 1901.

100 *sich ein-setzen* make efforts

der harten realen Welt erspart. Während der Jahre des ersten Weltkrieges war Einstein ständig mit den Folgerungen aus der allgemeinen Relativitätstheorie beschäftigt, die ebensoviele begeisterte Anhänger wie erbitterte Gegner gefunden hatte.

Sein letztes öffentliches Kolleg im Jahre 1920 verlegte er alsbald [115] aus der Universität in die Singakademie, da die Studentenschaft, die damals schon wieder sehr nationalistisch war, sich in antisemitischen Pöbeleien gegen den Gelehrten von Weltruf gefiel, der menschliche Größe genug besaß, es ruhig zuzugeben, wenn er sich an der Tafel einmal verrechnet hatte und dann auch wohl einen der Hörer [120] zu seiner Hilfe nach vorn bat.

Im Jahre 1929 erhielt Einstein den Nobelpreis für Physik und damit die äußere Bestätigung, wenn es deren noch bedurfte, dafür, daß er der Spitzenreihe der Physiker angehörte. Den Geldbetrag überwies er vollständig einer wohltätigen Stiftung. [125]

Mehr und mehr wird es Einstein nun möglich, seinen Weltruhm auch in den Dienst einer Verständigungspolitik zu stellen, was ihm Feindschaft und Drohungen der Nationalisten aller Staaten einträgt, und langsam wird ihm auch klar, daß er nicht nur Europäer, sondern auch Jude ist. Er fängt an, sich für die Not und das Schicksal des [130] jüdischen Volkes zu interessieren, wird mit Chaim Weizmann, dem führenden Kopf des Zionismus, bekannt. Politisches spielt fortan eine Rolle in seinem Leben. Er vermittelt die Bekanntschaft zwischen Briand und Stresemann, er sitzt als deutscher Vertreter in der Kommission für intellektuelle Zusammenarbeit des Völkerbundes, dessen [135] Vorsitz der Franzose Bergson führt und in dem sein alter Freund Lorentz aus Holland mit ihm zusammen arbeitet. Sein Leben ist

---

[115] *Kolleg* lecture; *verlegen* transfer
[118] *Pöbelei* mob demonstration; *sich gefallen* indulge
[120] *sich verrechnen* miscalculate
[124] *Spitzenreihe* top echelon; *Geldbetrag* sum of money (from the Nobel Prize), about $40,000
[125] *wohltätige Stiftung* benevolent institution
[127] *Verständigungspolitik* politics of reconciliation
[131] *Chaim Weizmann* (1874–1952) prominent chemist and Zionist politician; first president of Israel

[133] *vermitteln* mediate
[134] *Aristide Briand* (1862–1932) French statesman, and *Gustav Stresemann* (1878–1929) German statesman, worked for a Franco-German rapprochement.
[135] *Völkerbund* League of Nations, established after World War I, forerunner of the United Nations
[136] *Vorsitz* chairmanship; *Henri Bergson* (1859–1941) French philosopher
[137] *Hendrik Lorentz* (1853–1929) Dutch physicist

unruhig geworden. Weltruhm hat seine Schattenseiten. Stapelweise laufen die Briefe bei ihm ein, Besucher überlaufen ihn, und
140 es gibt nichts — vom Liebesschmerz bis zur letzten technischen
Neuerung —, worüber nicht sein Rat erbeten wird. Es war deshalb
kein schlechter Gedanke der Berliner Stadtväter, daß sie ihm zu
seinem fünfzigsten Geburtstag ein Haus am Wannsee schenken
wollten, wo er Ruhe von der anstrengenden wissenschaftlichen und
145 sonstigen Tätigkeit auf seinem Segelboot finden sollte. Aber dieses
Projekt wurde zu einer beschämenden Komödie, weil sich bei einem
Vorschlag nach dem anderen, mit dem die Stadtverordnetenver-
sammlung an die Öffentlichkeit trat, herausstellte, daß er nicht
durchführbar war, und so wurde nichts aus diesem Geschenk, zumal
150 zum Schluß die Nationalisten gegen diese Ehrung des berühmtesten
Berliner Bürgers Einspruch erhoben.

Einstein kaufte sich dann selbst das Haus, das man ihm hatte
schenken wollen. Aber freilich, lange sollte er sich dieses Besitzes
nicht erfreuen. Er war jetzt viel auf Reisen, er besuchte nicht nur
155 die europäischen Nachbarländer, er fuhr nach Japan, er hielt Vorlesungen in Amerika, er besuchte Palästina, um sich selbst vom
Zustande dieses Landes zu überzeugen, und er war wieder einmal
gerade in Amerika, als ihn die Nachricht vom Brande des Reichs-
tags erreichte. Einstein wußte sofort, was die Glocke geschlagen
160 hatte, und dachte nicht eine Sekunde daran, in ein Deutschland
zurückzukehren, in dem jede Freiheit des Denkens und Handelns
durch eine Diktatur erstickt wurde. Er fuhr zunächst nach Belgien,
um hier die weitere Entwicklung abzuwarten, und er trat aus der
Preußischen Akademie der Wissenschaften aus, als er erkannte,
165 wie wenig er dort noch hingehörte. In einem Schreiben, das ihr
wenig Ehre gemacht hat, teilte die Akademie der Welt mit, daß sie
den Austritt Einsteins nicht bedaure, und erhob gegen ihn Anklagen
nationalistischer Art, die jeder Grundlage entbehrten und die Einstein deutlich zurückwies. Natürlich beschäftigte sich auch die SA

---

138 *Stapel* pile
143 *Wannsee* a suburb in the western
   section of Berlin
146 *beschämend* disgraceful
147 *Stadtverordnete* city father
148 *sich heraus-stellen* turn out
158 *Brand* In 1933 the German Reichstag building went up in a fire set
by the Nazis as a propaganda
move to discredit the Communists,
whom they blamed for the act of
arson.
168 *entbehren* lack
169 *SA* the storm troops of the Nazi
   movement

mit seinem Sommersitz in Caputh und war höchlichst erstaunt, 170 keine Waffenlager und keine Weltverschwörungspapiere dort zu finden.

Die bedeutendsten Universitäten der Welt bemühten sich, einen Mann wie Einstein für sich zu gewinnen. Er hatte die Auswahl, nach Glasgow, Brüssel, Madrid oder Paris zu gehen. Einstein aber 175 entschloß sich, nach Amerika zurückzukehren und dort eine Professur am Institute for Advanced Study in Princeton anzunehmen und amerikanischer Bürger zu werden. Dort also lebt heute als amerikanischer Gelehrter der Mann, der einmal eine Zierde der deutschen Wissenschaft gewesen ist. Und unermüdlich denkt und 180 sorgt er nicht nur für das Judentum in der Welt, sondern für die Menschheit, indem er, der überzeugte Pazifist, zu Vernunft und Besonnenheit aufruft und erst kürzlich vor den furchtbaren Folgen warnte, die die Atombombe in sich birgt.

171 *Waffenlager* stocks of ammunition; *Weltverschwörungspapiere* documents preparing a world conspiracy

179 *Zierde* ornament
183 *Besonnenheit* sobriety

V AUTOBIOGRAPHISCHES

41

KINDERSPIELE

JOHANN WOLFGANG VON GOETHE (1749–1832)

From Goethe's autobiography *Dichtung und Wahrheit* (1811 f.). This passage gives us an insight into the intellectual atmosphere in Goethe's home, as well as into the level of culture attained by the patrician families of his native Frankfurt. It also shows the transition from the literary taste of the *Aufklärung* to that of the *Sturm und Drang* movement.

Aus der Ferne machte der Name Klopstock auch schon auf uns eine große Wirkung. Im Anfang wunderte man sich, wie ein so vortrefflicher Mann so wunderlich heißen konnte; doch gewöhnte man sich bald daran und dachte nicht mehr an die Bedeutung dieser Silben. In meines Vaters Bibliothek hatte ich bisher nur die früheren, 5 besonders die zu seiner Zeit nach und nach heraufgekommenen und gerühmten Dichter gefunden. Alle diese hatten gereimt, und mein Vater hielt den Reim für poetische Werke unerläßlich. Ich hatte diese sämtlichen Bände von Kindheit auf fleißig durchgelesen und teilweise memoriert, weshalb ich denn zur Unterhaltung der Gesell- 10 schaft öfters aufgerufen wurde. Eine verdrießliche Epoche im Gegenteil eröffnete sich für meinen Vater, als durch Klopstocks „Messias" Verse, die ihm keine Verse schienen, ein Gegenstand der öffentlichen Bewunderung wurden. Er selbst hatte sich wohl gehütet, dieses Werk anzuschaffen; aber unser Hausfreund, Rat Schneider, schwärzte 15 es ein und steckte es der Mutter und den Kindern zu.

---

[1] *Friedrich Gottlieb Klopstock* (1724–1803) was a forerunner of the *Sturm und Drang* movement. His epic poem *Der Messias* (1748–83) is the first great outburst of "feeling" in German literature. It was inspired by Milton's *Paradise Lost* and composed in unrhymed hexameters, instead of the rhymed Alexandrines which were widely used in Germany in imitation of French models.

[3] *wunderlich* strangely; *Klopstock* = bat or beating stick

[6] *heraufgekommen* risen to prominence

[8] *unerläßlich* indispensable

[16] *ein-schwärzen* smuggle in; *zu-stecken* give secretly

Auf diesen geschäftstätigen Mann, welcher wenig las, hatte der
„Messias" gleich bei seiner Erscheinung einen mächtigen Eindruck
gemacht. Diese so natürlich ausgedrückten und doch so schön ver-
20 edelten frommen Gefühle, diese gefällige Sprache, wenn man sie auch
nur für harmonische Prosa gelten ließ, hatten den übrigens trocknen
Geschäftsmann so gewonnen, daß er die zehn ersten Gesänge, denn
von diesen ist eigentlich die Rede, als das herrlichste Erbauungs-
buch betrachtete und solches alle Jahre einmal in der Karwoche,
25 in welcher er sich von allen Geschäften zu entbinden wußte, für
sich im stillen durchlas und sich daran fürs ganze Jahr erquickte.
Anfangs dachte er seine Empfindungen seinem alten Freunde mitzuteilen; allein er fand sich sehr bestürzt, als er eine unheilbare
Abneigung vor einem Werke von so köstlichem Gehalt, wegen einer,
30 wie es ihm schien, gleichgültigen äußeren Form, gewahr werden
mußte. Es fehlte, wie sich leicht denken läßt, nicht an Wieder-
holung des Gesprächs über diesen Gegenstand; aber beide Teile
entfernten sich immer weiter von einander, es gab heftige Szenen,
und der nachgiebige Mann ließ sich endlich gefallen, von seinem
35 Lieblingswerke zu schweigen, damit er nicht zugleich einen Jugend-
freund und eine gute Sonntagssuppe verlöre.

Proselyten zu machen, ist der natürlichste Wunsch eines jeden
Menschen, und wie sehr fand sich unser Freund im stillen belohnt,
als er in der übrigen Familie für seinen Heiligen so offen gesinnte
40 Gemüter entdeckte. Das Exemplar, das er jährlich nur eine Woche
brauchte, war uns für die übrige Zeit gewidmet. Die Mutter hielt
es heimlich, und wir Geschwister bemächtigten uns desselben, wann
wir konnten, um in Freistunden, in irgend einem Winkel verborgen,
die auffallendsten Stellen auswendig zu lernen und besonders die
45 zartesten und heftigsten so geschwind als möglich ins Gedächtnis
zu fassen.

---

20 *gefällig* pleasing
22 *Gesang* canto.   The first ten can-
   tos were published in 1755.
23 *Erbauung* edification
24 *Karwoche* Easter week
25 *sich entbinden* free oneself
26 *sich erquicken* refresh oneself
28 *bestürzt* dismayed
29 *Abneigung* antipathy

30 *gewahr* aware
32 *Gegenstand* subject
34 *nachgiebig* pliant; *sich gefallen lassen*
   agree
37 *Proselyt* convert
40 *Exemplar* copy
41 *widmen* dedicate
42 *sich bemächtigen* take possession
44 *auffallend* striking

Portias Traum rezitierten wir um die Wette, und in das wilde, verzweifelnde Gespräch zwischen Satan und Adramelech, welche ins Rote Meer gestürzt wurden, hatten wir uns geteilt. Die erste Rolle, als die gewaltsamste, war auf mein Teil gekommen, die andere, 50 um ein wenig kläglicher, übernahm meine Schwester. Die wechselseitigen, zwar gräßlichen aber doch wohlklingenden Verwünschungen flossen nur so vom Munde, und wir ergriffen jede Gelegenheit, uns mit diesen höllischen Redensarten zu begrüßen.

Es war ein Samstag im Winter — der Vater ließ sich immer bei 55 Licht rasieren, um sonntags früh sich zur Kirche bequemlich anziehen zu können — wir saßen auf einem Schemel hinter dem Ofen und murmelten, während der Barbier einseifte, unsere herkömmlichen Flüche ziemlich leise. Nun hatte aber Adramelech den Satan mit eisernen Händen zu fassen; meine Schwester packte mich ge- 60 waltig an und rezitierte, zwar leise genug, aber doch mit steigender Leidenschaft:

Hilf mir! ich flehe dich an, ich bete, wenn du es forderst,
Ungeheuer, dich an! Verworfner, schwarzer Verbrecher,
Hilf mir! ich leide die Pein des rächenden ewigen Todes!... 65
Vormals konnt' ich mit heißem, mit grimmigem Hasse dich hassen!
Jetzt vermag ich's nicht mehr! Auch dies ist stechender Jammer!

Bisher war alles leidlich gegangen; aber laut, mit fürchterlicher Stimme, rief sie die folgenden Worte:

O wie bin ich zermalmt!... 70

Der gute Chirurgus erschrak und goß dem Vater das Seifenbecken in die Brust. Da gab es einen großen Aufstand, und eine strenge Untersuchung ward gehalten, besonders in Betracht des Unglücks, das hätte entstehen können, wenn man schon im Rasieren begriffen

---

[47] *Portia* the wife of Pontius Pilate; *um die Wette* in competition
[48] *Adramelech* one of the fallen angels
[49] *Rote Meer* They were really hurled into the Dead Sea.
[51] *kläglich* weak; *wechselseitig* mutual
[52] *gräßlich* horrible; *wohlklingend* sonorous; *Verwünschung* curse
[53] *nur so* fairly
[54] *Redensart* phrase
[58] *ein-seifen* lather; *herkömmlich* i.e. usual

[63] *an-flehen* beseech; *an-beten* implore
[64] *Ungeheuer* monster; *Verworfener* reprobate; *schwarz* i.e. vile
[67] *stechend* piercing
[68] *leidlich* tolerably
[70] *zermalmen* crush
[71] *Chirurgus* barber
[72] *Aufstand* commotion
[73] *Betracht* consideration
[74] *begriffen* occupied

75 gewesen wäre. Um allen Verdacht des Mutwillens von uns abzu-
lehnen, bekannten wir uns zu unsern teuflischen Rollen, und das
Unglück, das die Hexameter angerichtet hatten, war zu offenbar,
als daß man sie nicht aufs neue hätte verrufen und verbannen sollen.

So pflegen Kinder und Volk das Große, das Erhabene in ein Spiel,
80 ja in eine Posse zu verwandeln; und wie sollten sie auch sonst imstande sein, es auszuhalten und zu ertragen!

42

AUS DEM BRIEFWECHSEL GOETHE – SCHILLER

The friendship between Goethe and Schiller is one of the most remarkable
in the history of literature. The two minds were in many respects anti-
thetical, but complementary enough to be of benefit to each other. The
relationship was given its first real impetus by a scientific lecture which
both men attended in Jena. The lecture was followed by an exchange of
ideas and then by a correspondence that lasted over the eleven years that
were left to Schiller. The letters reprinted here mark the opening of the
correspondence.

Three letters precede the first one reprinted here. They antedate the
historic meeting between the two poets in Jena.

Schiller an Goethe

Jena, den 23. August 1794

Man brachte mir gestern die angenehme Nachricht, daß Sie von
Ihrer Reise wieder zurückgekommen seien. Wir haben also wieder
Hoffnung, Sie vielleicht bald einmal bei uns zu sehen, welches ich
an meinem Teil herzlich wünsche. Die neulichen Unterhaltungen

---

75 *Verdacht des Mutwillens ablehnen*
   avert suspicion of mischief
76 *sich bekennen* confess
77 *an-richten* cause
78 *verrufen* condemn

80 *Posse* farce

2 *Reise* to Dessau with the Duke of
   Weimar
4 *an* for

mit Ihnen haben meine ganze Ideenmasse in Bewegung gebracht, 5
denn sie betrafen einen Gegenstand, der mich seit etlichen Jahren
lebhaft beschäftigt. Über so manches, worüber ich mit mir selbst
nicht recht einig werden konnte, hat die Anschauung Ihres Geistes
(denn so muß ich den Totaleindruck Ihrer Ideen auf mich nennen)
ein unerwartetes Licht in mir angesteckt. Mir fehlte das Objekt, 10
der Körper, zu mehreren spekulativischen Ideen, und Sie brachten
mich auf die Spur davon. Ihr beobachtender Blick, der so still
und rein auf den Dingen ruht, setzt Sie nie in Gefahr, auf den Abweg zu geraten, in den sowohl die Spekulation als die willkürliche
und bloß sich selbst gehorchende Einbildungskraft sich so leicht 15
verirrt. In Ihrer richtigen Intuition liegt alles und weit vollstän-
diger, was die Analyse mühsam sucht, und nur weil es als ein Ganzes
in Ihnen liegt, ist Ihnen Ihr eigener Reichtum verborgen; denn
leider wissen wir nur das, was wir scheiden. Geister Ihrer Art
wissen daher selten, wie weit sie gedrungen sind und wie wenig 20
Ursache sie haben, von der Philosophie zu borgen, die nur von
ihnen lernen kann. Diese kann bloß zergliedern, was ihr gegeben
wird, aber das Geben selbst ist nicht die Sache des Analytikers,
sondern des Genies, welches unter dem dunkeln, aber sichern Einfluß reiner Vernunft nach objektiven Gesetzen verbindet. 25

Lange schon habe ich, obgleich aus ziemlicher Ferne, dem Gang
Ihres Geistes zugesehen und den Weg, den Sie sich vorgezeichnet
haben, mit immer erneuter Bewunderung bemerkt. Sie suchen
das Notwendige der Natur, aber Sie suchen es auf dem schwersten
Wege, vor welchem jede schwächere Kraft sich wohl hüten wird. 30
Sie nehmen die ganze Natur zusammen, um über das Einzelne Licht
zu bekommen; in der Allheit ihrer Erscheinungsarten suchen Sie
den Erklärungsgrund für das Individuum auf. Von der einfachen
Organisation steigen Sie, Schritt vor Schritt, zu den mehr ver-

---

[6] *Gegenstand* subject; *etliche = einige*
[8] *einig werden* come to terms; *An-schauung* viewing — a term in Kant's philosophy indicating an intuitive perception, as opposed to reasoning
[13] *Abweg* wrong road
[14] *willkürlich* arbitrary
[19] *scheiden* analyze
[22] *zergliedern* analyze

[25] *reine Vernunft* Kant's term for a higher species of insightful reasoning than mere logic; *verbinden* combine, synthesize
[27] *vor-zeichnen* map out
[29] *Notwendige* allusion to Goethe's search for basic forms (*Urformen*) in plant and animal life
[32] *Allheit* totality

35 wickelten hinauf, um endlich die verwickeltste von allen, den Menschen, genetisch aus den Materialien des ganzen Naturgebäudes zu
erbauen. Dadurch, daß Sie ihn der Natur gleichsam nacherschaffen,
suchen Sie in seine verborgene Technik einzudringen. Eine große
und wahrhaft heldenmäßige Idee, die zur Genüge zeigt, wie sehr
40 Ihr Geist das reiche Ganze seiner Vorstellungen in einer schönen
Einheit zusammenhält. Sie können niemals gehofft haben, daß
Ihr Leben zu einem solchen Ziele zureichen werde, aber einen solchen
Weg auch nur einzuschlagen, ist mehr wert, als jeden anderen zu
endigen — und Sie haben gewählt, wie Achill in der Ilias zwischen
45 Phthia und der Unsterblichkeit. Wären Sie als ein Grieche, ja nur
als ein Italiener geboren worden, und hätte schon von der Wiege
an eine auserlesene Natur und eine idealisierende Kunst Sie umgeben, so wäre Ihr Weg unendlich verkürzt, vielleicht ganz überflüssig gemacht worden. Schon in die erste Anschauung der Dinge
50 hätten Sie dann die Form des Notwendigen aufgenommen, und
mit Ihren ersten Erfahrungen hätte sich der große Stil in Ihnen
entwickelt. Nun, da Sie ein Deutscher geboren sind, da Ihr griechischer Geist in diese nordische Schöpfung geworfen wurde, so
blieb Ihnen keine andere Wahl, als entweder selbst zum nordischen
55 Künstler zu werden, oder Ihrer Imagination das, was ihr die Wirklichkeit vorenthielt, durch Nachhilfe der Denkkraft zu ersetzen
und so gleichsam von innen heraus und auf einem rationalen Wege
ein Griechenland zu gebären. In derjenigen Lebensepoche, wo
die Seele sich aus der äußern Welt ihre innere bildet, von mangel-
60 haften Gestalten umringt, hatten Sie schon eine wilde und nordische

37 *gleichsam* as it were; *nach-erschaffen*
   recreate
39 *heldenmäßig* heroic; *zur Genüge*
   adequately
42 *zu-reichen* be adequate
43 *ein-schlagen* start on
45 In the *Iliad* Achilles is given the
   choice between a happy but obscure
   life in his native Phthia or a heroic
   life ending in an early death and
   immortality. He chooses the latter.
47 *aus-erlesen* choice; *idealisierend* According to Winckelmann's formulation of the classical canon,
   classical art creates ideal, not realistic, forms.

50 *die Form des Notwendigen* the Platonic idea which is the basis of
   classical art
51 *der große Stil* the grand or noble
   style of classical art
52 *Deutscher* Schiller assumes here, as
   in his other writings, that the German genius is essentially a romantic
   one, not classical.
53 *nordisch* i.e. embracing all the Germanic peoples, as opposed to the
   Latin races
56 *vor-enthalten* withhold
58 *gebären* give birth to
60 *wild* i.e. rebellious to rules and good
   taste; allusion to Goethe's early
   Sturm und Drang affiliations

Natur in sich aufgenommen, als Ihr siegendes, seinem Material
überlegenes Genie diesen Mangel von innen entdeckte, und von
außen her durch die Bekanntschaft mit der griechischen Natur
davon vergewissert wurde. Jetzt mußten Sie die alte, Ihrer Einbildungskraft schon aufgedrungene schlechtere Natur nach dem 65
besseren Muster, das Ihr bildender Geist sich erschuf, korrigieren,
und das kann nun freilich nicht anders als nach leitenden Begriffen
vonstatten gehen. Aber diese logische Richtung, welche der Geist
bei der Reflexion zu nehmen genötigt ist, verträgt sich nicht wohl
mit der ästhetischen, durch welche allein er bildet. Sie hatten also 70
eine Arbeit mehr, denn so wie Sie von der Anschauung zur Ab-
straktion übergingen, so mußten Sie nun rückwärts Begriffe wieder
in Intuitionen umsetzen und Gedanken in Gefühle verwandeln,
weil nur durch diese das Genie hervorbringen kann.

So ungefähr beurteile ich den Gang Ihres Geistes, und ob ich 75
recht habe, werden Sie selbst am besten wissen. Was Sie aber
schwerlich wissen können (weil das Genie sich immer selbst das
größte Geheimnis ist), ist die schöne Übereinstimmung Ihres philo-
sophischen Instinktes mit den reinsten Resultaten der spekulierenden
Vernunft. Beim ersten Anblicke zwar scheint es, als könnte es 80
keine größere Opposita geben, als den spekulativen Geist, der von
der Einheit, und den intuitiven, der von der Mannigfaltigkeit ausgeht. Sucht aber der erste mit keuschem und treuem Sinn die Erfahrung, und sucht der letzte mit selbsttätiger freier Denkkraft
das Gesetz, so kann es gar nicht fehlen, daß nicht beide einander 85
auf halbem Wege begegnen werden. Zwar hat der intuitive Geist
nur mit Individuen und der spekulative nur mit Gattungen zu tun.
Ist aber der intuitive genialisch, und sucht er in dem Empirischen
den Charakter der Notwendigkeit auf, so wird er zwar immer Individuen, aber mit dem Charakter der Gattung erzeugen; und ist 90

---

61 *Material* your (classical) genius was
 superior to your material, i.e. to
 your romantic environment and
 traditional upbringing
64 *vergewissern* confirm
65 *aufgedrungen* forced on
66 *bildend* creative
67 *leitende Begriffe* leading concepts or
 ideas
68 *vonstatten gehen* proceed

69 *sich vertragen* be compatible
70 *bilden* cultivate
73 *um-setzen* transpose
75 *Gang* course, i.e. nature
81 *Opposita* opposites
82 *aus-gehen* proceed
85 *nicht beide* ... The idea is that the
 two do meet.
88 *genialisch* i.e. that of a great mind

der spekulative Geist genialisch, und verliert er, indem er sich
darüber erhebt, die Erfahrung nicht, so wird er zwar immer nur
Gattungen, aber mit der Möglichkeit des Lebens und mit gegründeter
Beziehung auf wirkliche Objekte erzeugen.

95   Aber ich bemerke, daß ich anstatt eines Briefes eine Abhandlung
zu schreiben im Begriff bin — verzeihen Sie es dem lebhaften
Interesse, womit dieser Gegenstand mich erfüllt hat; und sollten Sie
Ihr Bild in diesem Spiegel nicht erkennen, so bitte ich sehr, fliehen
Sie ihn darum nicht.

Goethe an Schiller

Ettersburg, den 27. August 1794

100   Zu meinem Geburtstage, der mir diese Woche erscheint, hätte
mir kein angenehmer Geschenk werden können als Ihr Brief, in
welchem Sie mit freundlicher Hand die Summe meiner Existenz
ziehen und mich durch Ihre Teilnahme zu einem emsigeren und
lebhafteren Gebrauch meiner Kräfte aufmuntern.

105   Reiner Genuß und wahrer Nutzen kann nur wechselseitig sein;
und ich freue mich, Ihnen gelegentlich zu entwickeln, was mir Ihre
Unterhaltung gewährt hat, wie ich von jenen Tagen an auch eine
Epoche rechne, und wie zufrieden ich bin, ohne sonderliche Auf-
munterung, auf meinem Wege fortgegangen zu sein, da es nun
110 scheint, als wenn wir, nach einem so unvermuteten Begegnen,
miteinander fortwandern müßten. Ich habe den redlichen und
so seltenen Ernst, der in allem erscheint, was Sie geschrieben und
getan haben, immer zu schätzen gewußt, und ich darf nunmehr
Anspruch machen, durch Sie selbst mit dem Gange Ihres Geistes,
115 besonders in den letzten Jahren, bekannt zu werden. Haben wir
uns wechselseitig die Punkte klar gemacht, wohin wir gegenwärtig
gelangt sind, so werden wir desto ununterbrochener gemeinschaftlich arbeiten können.

Alles, was an und in mir ist, werde ich mit Freuden mitteilen.
120 Denn da ich sehr lebhaft fühle, daß mein Unternehmen das Maß

---

93 *Lebens* i.e. of concrete life
96 *Abhandlung* treatise
99 *ihn* refers to *Spiegel*
101 *angenehmer = angenehmeres*

103 *emsig* diligent
105 *wechselseitig* mutual
106 *gelegentlich* on this occasion
119 *an* about

der menschlichen Kräfte und ihre irdische Dauer weit übersteigt,
so möchte ich manches bei Ihnen deponieren und dadurch nicht
allein erhalten, sondern auch beleben.

Wie groß der Vorteil Ihrer Teilnehmung für mich sein wird,
werden Sie bald selbst sehen, wenn Sie, bei näherer Bekanntschaft, 125
eine Art Dunkelheit und Zaudern bei mir entdecken werden, über
die ich nicht Herr werden kann, wenn ich mich ihrer gleich sehr
deutlich bewußt bin. Doch dergleichen Phänomene finden sich
mehr in unserer Natur, von der wir uns denn doch gerne regieren
lassen, wenn sie nur nicht gar zu tyrannisch ist. 130

Schiller an Goethe

Jena, den 31. August 1794

Bei meiner Zurückkunft aus Weißenfels, wo ich mit meinem
Freunde Körner aus Dresden eine Zusammenkunft gehabt, erhielt
ich Ihren vorletzten Brief, dessen Inhalt mir doppelt erfreulich
war. Denn ich ersehe daraus, daß ich in meiner Ansicht Ihres
Wesens Ihrem eigenen Gefühl begegnete, und daß Ihnen die Auf- 135
richtigkeit, mit der ich mein Herz darin sprechen ließ, nicht mißfiel.
Unsre späte, aber mir manche schöne Hoffnung erweckende Bekanntschaft ist mir abermals ein Beweis, wie viel besser man oft
tut, den Zufall machen zu lassen, als ihm durch zu viele Geschäftigkeit vorzugreifen. Wie lebhaft auch immer mein Verlangen war, 140
in ein näheres Verhältnis zu Ihnen zu treten, als zwischen dem
Geist des Schriftstellers und seinem aufmerksamsten Leser möglich
ist, so begreife ich doch nunmehr vollkommen, daß die so sehr verschiedenen Bahnen, auf denen Sie und ich wandelten, uns nicht wohl
früher als gerade jetzt, mit Nutzen zusammenführen konnten. Nun 145
kann ich aber hoffen, daß wir, soviel von dem Wege noch übrig

---

[122] *deponieren* deposit (for safekeeping, so to speak)
[124] *Teilnehmung* participation
[126] *zaudern* hesitate
[127] *wenn* and *gleich* belong together; *mich* modern usage: *mir*
[132] *Christian Gottfried Körner* (1756–1831), father of the poet Theodor, rescued the young Schiller from despair by offering him shelter in his home for two years, although Schiller and he were total strangers. A deep friendship developed between the two men.
[134] *ersehen* perceive
[135] *aufrichtig* sincere
[138] *abermals* again
[139] *Geschäftigkeit* officiousness
[140] *vor-greifen* anticipate; *wie auch* however

sein mag, in Gemeinschaft durchwandeln werden, und mit um so
größerem Gewinn, da die letzten Gefährten auf einer langen Reise
sich immer am meisten zu sagen haben.

150 Erwarten Sie bei mir keinen großen materialen Reichtum von
Ideen; dies ist es, was ich bei Ihnen finden werde. Mein Bedürfnis
und Streben ist, aus wenigem viel zu machen, und wenn Sie meine
Armut an allem, was man erworbene Erkenntnis nennt, einmal
näher kennen sollten, so finden Sie vielleicht, daß es mir in manchen
155 Stücken damit mag gelungen sein. Weil mein Gedankenkreis
kleiner ist, so durchlaufe ich ihn eben darum schneller und öfter,
und kann eben darum meine kleine Barschaft besser nutzen, und
eine Mannigfaltigkeit, die dem Inhalte fehlt, durch die Form erzeugen. Sie bestreben sich, Ihre große Ideenwelt zu simplifizieren,
160 ich suche Varietät für meine kleinen Besitzungen. Sie haben ein
Königreich zu regieren, ich nur eine etwas zahlreiche Familie von
Begriffen, die ich herzlich gern zu einer kleinen Welt erweitern
möchte. Ihr Geist wirkt in einem außerordentlichen Grunde in-
tuitiv, und alle Ihre denkenden Kräfte scheinen auf die Imagina-
165 tion, als ihre gemeinschaftliche Repräsentation, gleichsam kompro-
mittiert zu haben. Im Grund ist dies das Höchste, was der Mensch
aus sich machen kann, sobald es ihm gelingt, seine Anschauung zu
generalisieren und seine Empfindung gesetzgebend zu machen.
Darnach streben Sie, und in wie hohem Grade haben Sie es schon
170 erreicht! *Mein* Verstand wirkt eigentlich mehr symbolisierend,
und so schwebe ich, als eine Zwitter-Art, zwischen dem Begriff und
der Anschauung, zwischen der Regel und der Empfindung, zwischen
dem technischen Kopf und dem Genie. Dies ist es, was mir, besonders in früheren Jahren, sowohl auf dem Felde der Spekulation
175 als der Dichtkunst ein ziemlich linkisches Ansehen gegeben; denn
gewöhnlich übereilte mich der Poet, wo ich philosophieren sollte,
und der philosophische Geist, wo ich dichten wollte. Noch jetzt
begegnet es mir häufig genug, daß die Einbildungskraft meine

---

155 *Stücke* respects
157 *Barschaft* capital
158 *Mannigfaltigkeit* variety, complexity
165 *kompromittieren* compromise
168 *gesetzgebend* i.e. possessing the value
of law
170 *symbolisierend* i.e. abstracting from

concrete reality
171 *Zwitter* hybrid
172 *Empfindung* sensation
175 *linkisch* awkward
176 *übereilen* overtake
178 *begegnen* happen

Abstraktionen, und der kalte Verstand meine Dichtung stört. Kann ich dieser beiden Kräfte insoweit Meister werden, daß ich einer 180 jeden durch meine Freiheit ihre Grenzen bestimmen kann, so erwartet mich noch ein schönes Los; leider aber, nachdem ich meine moralischen Kräfte recht zu kennen und zu gebrauchen angefangen, droht eine Krankheit meine physischen zu untergraben. Eine große und allgemeine Geistesrevolution werde ich schwerlich Zeit 185 haben in mir zu vollenden, aber ich werde tun, was ich kann, und wenn endlich das Gebäude zusammenfällt, so habe ich doch vielleicht das Erhaltungswerte aus dem Brande geflüchtet.

Sie wollten, daß ich von mir selbst reden sollte, und ich machte von dieser Erlaubnis Gebrauch. Mit Vertrauen lege ich Ihnen diese 190 Geständnisse hin, und ich darf hoffen, daß Sie sie mit Liebe aufnehmen.

43

DAS HEILIGENSTÄDTER TESTAMENT

LUDWIG VAN BEETHOVEN (1770–1827)

The year 1802 marks a crisis in Beethoven's life; he realized that his deafness was permanent and that the world of sound was forever closed to him. In a mood of despair he wrote the moving letter which has come to be known as his *Heiligenstädter Testament*, after the suburb of Vienna in which he lived at this time.

Für meine Brüder Karl und Johann van Beethoven!

O ihr Menschen, die ihr mich für feindselig, störrisch oder misanthropisch haltet oder erkläret, wie unrecht tut ihr mir! Ihr wißt nicht die geheime Ursache von dem, was euch so scheinet. Mein

---

[181] *durch meine Freiheit* i.e. at will
[188] *Erhaltungswerte* what is worth preserving; *flüchten* rescue

[2] *feindselig* hostile; *störrisch* stubborn

5 Herz und mein Sinn waren von Kindheit an für das zarte Gefühl
des Wohlwollens; selbst große Handlungen zu verrichten, dazu war
ich immer aufgelegt, aber bedenkt nur, daß seit sechs Jahren ein
heilloser Zustand mich befallen, durch unvernünftige Ärzte ver-
schlimmert. Von Jahr zu Jahr in der Hoffnung, gebessert zu werden,
10 betrogen, endlich zu dem Überblick eines dauernden Übels (dessen
Heilung vielleicht Jahre dauern wird oder gar unmöglich ist) gezwungen, mit einem feurigen, lebhaften Temperamente geboren,
selbst empfänglich für die Zerstreuungen der Gesellschaft, mußte
ich früh mich absondern, einsam mein Leben zubringen. Wollte
15 ich auch zuweilen mich einmal über alles das hinaussetzen, o wie
hart wurde ich durch die verdoppelte traurige Erfahrung meines
schlechten Gehörs dann zurückgestoßen, und doch war's mir noch
nicht möglich, den Menschen zu sagen: Sprecht lauter, schreit,
denn ich bin taub. Ach, wie wär' es möglich, daß ich die Schwäche
20 eines Sinnes zugeben sollte, der bei mir in einem vollkommeneren
Grade als bei anderen sein sollte, eines Sinnes, den ich einst in der
größten Vollkommenheit besaß, in einer Vollkommenheit, wie ihn
wenige von meinem Fache gewiß haben noch gehabt haben — o,
ich kann es nicht. Drum verzeiht, wenn ihr mich da zurückweichen
25 sehen werdet, wo ich mich gerne unter euch mischte. Doppelt
wehe tut mir mein Unglück, indem ich dabei verkannt werden muß.
Für mich darf Erholung in menschlicher Gestalt, feinere Unterredungen, wechselseitige Ergießungen nicht statthaben. Ganz
allein, fast nur soviel, als es die höchste Notwendigkeit fordert,
30 darf ich mich in Gesellschaft einlassen. Wie ein Verbannter muß
ich leben; nahe ich mich einer Gesellschaft, so überfällt mich eine
heiße Ängstlichkeit, indem ich befürchte, in Gefahr gesetzt zu
werden, meinen Zustand merken zu lassen. — So war es denn auch
dieses halbe Jahr, das ich auf dem Lande zubrachte. Von meinem
35 vernünftigen Arzte aufgefordert, soviel als möglich mein Gehör zu
schonen, kam er fast meiner jetzigen natürlichen Disposition ent-

---

6 *verrichten* carry out
7 *aufgelegt* inclined
8 *heillos* incurable
10 *Überblick* prospect
13 *Zerstreuung* amusement
14 *ab-sondern* isolate
15 *sich hinaus-setzen* put oneself beyond reach

24 *zurück-weichen* withdraw
26 *verkannt* misunderstood
27 *feinere Unterredungen* cultivated conversation (*feinere* is an absolute
comparative)
28 *wechselseitige Ergießungen* mutual
exchange of confidences

gegen, obschon, vom Triebe zur Gesellschaft manchmal hingerissen,[37] ich mich dazu verleiten[38] ließ. Aber welche Demütigung wenn jemand neben mir stand und von weitem eine Flöte hörte und ich nichts hörte oder jemand den Hirten singen hörte und ich auch nichts hörte! Solche Ereignisse brachten mich nahe an Verzweiflung, es fehlte wenig, und ich endigte selbst mein Leben. — Nur sie, die Kunst, sie hielt mich zurück. Ach, es dünkte[43] mir unmöglich, die Welt eher zu verlassen, bis ich das alles hervorgebracht, wozu ich mich aufgelegt fühlte, und so fristete[45] ich dieses elende Leben — wahrhaft elend, einen so reizbaren[46] Körper, daß eine etwas schnelle Veränderung mich aus dem besten Zustande in den schlechtesten versetzen kann. — Geduld — so heißt es.[48] Sie muß ich nun zur Führerin wählen, ich habe es. — Dauernd, hoffe ich, soll mein Entschluß sein, auszuharren,[50] bis es den unerbittlichen Parzen gefällt, den Faden zu brechen. Vielleicht geht's besser, vielleicht nicht, ich bin gefaßt.[52] — Schon in meinem achtundzwanzigsten Jahre gezwungen, Philosoph[53] zu werden; es ist nicht leicht, für den Künstler schwerer als für irgend jemand. — Gottheit, du siehst herab auf mein Inneres,[55] du kennst es, du weißt, daß Menschenliebe und Neigung zum Wohltun drin hausen. O Menschen, wenn ihr einst dieses leset, so denkt, daß ihr mir unrecht getan, und der Unglückliche, er tröste sich, einen seinesgleichen zu finden, der trotz allen Hindernissen der Natur doch noch alles getan, was in seinem Vermögen[59] stand, um in die Reihe würdiger Künstler und Menschen aufgenommen zu werden. — Ihr, meine Brüder Karl und Johann, sobald ich tot bin, und Professor Schmidt[62] lebt noch, so bittet ihn in meinem Namen, daß er meine Krankheit beschreibe, und dieses hier geschriebene Blatt fügt[64] Ihr dieser meiner Krankengeschichte bei, damit wenigstens soviel als möglich die Welt nach meinem Tode mit mir versöhnt werde. — Zugleich erkläre ich Euch beide hier für die Erben des kleinen Vermögens[67] (wenn man es so nennen

---

[37] *hingerissen* carried away
[38] *verleiten* to be tempted; *Demütigung* humiliation
[43] *dünken* seem
[45] *fristen* prolong
[46] *reizbar* sensitive
[48] *heißt es* they say
[50] *aus-harren* persevere; *unerbittliche Parzen* inexorable Fates (who cut the thread of human life with their shears)
[52] *gefaßt* prepared
[53] *Philosoph* i.e. to take life stoically
[55] *Inneres* i.e. mind or heart
[59] *Vermögen* power
[62] *Schmidt* Beethoven's physician
[64] *bei-fügen* add
[67] *Vermögen* property

kann) von mir. Teilt es redlich und vertragt und helft Euch einander. Was Ihr mir zuwider getan, das, wißt Ihr, war Euch schon
70 längst verziehen. Dir, Bruder Karl, danke ich noch insbesondere
für deine in dieser letztern, spätern Zeit mir bewiesene Anhänglichkeit. Mein Wunsch ist, daß Euch ein besseres, sorgenloseres
Leben als mir werde. Empfehlt Euren Kindern Tugend: sie nur
allein kann glücklich machen, nicht Geld; ich spreche aus Erfah-
75 rung; sie war es, die mich selbst im Elende gehoben, ihr danke ich
nebst meiner Kunst, daß ich durch keinen Selbstmord mein Leben
endigte. Lebt wohl und liebt Euch! — Allen Freunden danke ich,
besonders Fürst Lichnowsky und Professor Schmidt. — Die Instru-
mente von Fürst Lichnowsky wünsche ich, daß sie doch mögen
80 aufbewahrt werden bei einem von Euch; doch entstehe deswegen
kein Streit unter Euch. Sobald sie Euch aber zu Nützlicherem
dienen können, so verkauft sie nur. Wie froh bin ich, wenn ich
auch noch unter meinem Grabe Euch nützen kann! —

So wär's geschehen. — Mit Freuden eil' ich dem Tode entgegen.
85 — Kommt er früher, als ich Gelegenheit gehabt habe, noch alle
meine Kunstfähigkeiten zu entfalten, so wird er mir trotz meinem
harten Schicksal doch noch zu früh kommen, und ich würde ihn
wohl später wünschen. — Doch auch dann bin ich zufrieden: befreit er mich nicht von einem endlosen leidenden Zustande? —
90 Komm, wann du willst: ich gehe dir mutig entgegen. — Lebt wohl
und vergeßt mich nicht ganz im Tode. Ich habe es um Euch verdient, indem ich in meinem Leben oft an Euch gedacht, Euch glücklich zu machen; seid es!

Heiligenstadt, am 6. Oktober 1802.

Ludwig van Beethoven

---

68 *redlich* honestly; *sich vertragen* get along
69 *zuwider tun* offend
71 *Anhänglichkeit* attachment
72 *Euch...werde* may fall to your lot
76 *nebst* beside
78 *Prince Lichnowsky*, himself a musician, was one of Beethoven's patrons.
84 *So wär's geschehen* And now it's done.

44

ÜBER MEINE ENTLASSUNG

JACOB GRIMM (1785–1863)

In 1829 Jacob Grimm was appointed professor and librarian at the University of Göttingen, his younger brother Wilhelm serving under him as sub-librarian. When, in 1837, the King of Hanover scrapped the constitution which his predecessor William IV had granted the kingdom in 1833, seven Göttingen professors protested against this flagrant violation of the royal promise; among them were the two brothers Grimm. All seven were dismissed from the University and several of them, including Jacob Grimm, were banished from the kingdom. The Grimm brothers returned to their native Cassel, where they lived until 1840, when they were offered posts at the University of Berlin. The memorable defense of his conduct which Jacob Grimm published is here reprinted in abridged form. It is an important document in the history of moral courage and academic freedom and of special interest to us who live in the middle twentieth century.

Der Wetterstrahl, von dem mein stilles Haus getroffen wurde, bewegte die Herzen in weiten Kreisen. Ist es bloß menschliches Mitgefühl, oder hat sich der Schlag elektrisch fort verbreitet, und ist es zugleich Furcht, daß ein eigener Besitz gefährdet werde? Nicht der Arm der Gerechtigkeit, die Gewalt nötigte mich, ein 5 Land zu räumen, in das man mich berufen, wo ich acht Jahre in treuem, ehrenvollem Dienst zugebracht hatte. „Gib dem Herrn eine Hand, er ist ein Flüchtling", sagte eine Großmutter zu ihrem Enkel, als ich am 16. Dezember die Grenze überschritten hatte. Und wo ward ich so genannt? In meinem Geburtslande, das an 10 dem Abend desselben Tages ungern mich wieder aufnahm, meine Gefährten sogar von sich stieß.

Was ist es denn für ein Ereignis, das an die abgelegene Kammer

---

Entlassung dismissal
[1] *Wetterstrahl* bolt of lightning
[4] *gefährden* endanger

[6] *räumen* move out of
[13] *abgelegen* remote

meiner einförmigen und harmlosen Beschäftigungen schlägt, ein-
15 dringt und mich herauswirft? Wer, vor einem Jahre noch, hätte
mir die Möglichk eiteingeredet, daß eine zurückgezogene, unbe-
leidigende Existenz beeinträchtigt, beleidigt und verletzt werden
könnte? Der Grund ist, weil ich eine vom Land, in das ich aufgenommen worden war, ohne alles mein Zutun, mir auferlegte
20 Pflicht nicht brechen wollte, und als die drohende Anforderung
an mich trat, das zu tun, was ich ohne Meineid nicht tun konnte,
nicht zauderte, der Stimme meines Gewissens zu folgen. Mich
hat das, was weder mein Herz noch die Gedanken meiner Seele
erfüllte, plötzlich mit unabwendbarer Notwendigkeit ergriffen und
25 fortgezogen. Wie ein ruhig wandelnder Mann in ein Handgemenge
gerät, aus dem ein Ruf erschallt, dem er auf der Stelle gehorchen
muß, sehe ich mich· in eine öffentliche Angelegenheit verflochten,
der ich keinen Fußbreit ausweichen darf, nicht erst lange umblicken,
was Hunderttausende tun oder nicht tun, die gleich mit zu ihrer
30 Aufrechterhaltung verbunden sind.

Kein anderer Bestandteil des ganzen Königreichs könnte von
dieser Begebenheit lebhafter und tiefer ergriffen werden als die
Universität. Die deutschen Hohen Schulen, solange ihre bewährte
und treffliche Einrichtung stehenbleiben wird, sind nicht bloß der
35 zu- und abströmenden Menge der Jünglinge, sondern auch der
genau darauf berechneten Eigenheiten der Lehrer wegen höchst
reizbar und empfindlich für alles, was im Lande Gutes oder Böses
geschieht. Wäre dem anders, sie würden aufhören, ihren Zweck
so wie bisher zu erfüllen. Der offne, unverdorbne Sinn der Jugend
40 fordert, daß auch die Lehrenden bei aller Gelegenheit jede Frage
über wichtige Lebens- und Staatsverhältnisse auf ihren reinsten
und sittlichsten Gehalt zurückführen und mit redlicher Wahrheit
beantworten. Da gilt kein Heucheln, und so stark ist die Gewalt

---

16 *ein-reden* persuade of
17 *beeinträchtigen* wrong
19 *Zutun* complicity; *auf-erlegen* impose
21 *Meineid* perjury
22 *zaudern* hesitate
24 *unabwendbar* inevitable
25 *Handgemenge* brawl
29 *gleich mit* equally
30 *Aufrechterhaltung* preservation
31 *Bestandteil* (component) part

33 *bewährt* tried
34 *Einrichtung* organization; *der* genitive with *wegen* in l. 36
36 *darauf berechnet* calculated to meet
this situation
37 *reizbar* sensitive
38 *wäre* ... if it were otherwise
39 *unverdorben* uncorrupted
42 *zurück-führen* trace back
43 *Heucheln* hypocrisy

des Rechts und der Tugend auf das noch uneingenommene Gemüt
der Zuhörer, daß sie sich ihm von selbst zuwenden und über jede 45
Entstellung Widerwillen empfinden. Da kann auch nicht hinterm
Berge gehalten werden mit freier, nur durch die innere Überzeugung
gefesselter Lehre über das Wesen, die Bedingungen und die Folgen
einer beglückenden Regierung. Lehrer des öffentlichen Rechts
und der Politik sind, kraft ihres Amtes, angewiesen, die Grund- 50
sätze des öffentlichen Lebens aus dem lautersten Quell ihrer Einsichten und Forschungen zu schöpfen; Lehrer der Geschichte
können keinen Augenblick verschweigen, welchen Einfluß Verfassung
und Regierung auf das Wohl oder Wehe der Völker übten; Lehrer
der Philologie stoßen allerwärts auf ergreifende Stellen der Klassiker 55
über die Regierungen des Altertums, oder sie haben den lebendigen
Einfluß freier oder gestörter Volksentwicklung auf den Gang der
Poesie und sogar den innersten Haushalt der Sprachen unmittelbar
darzulegen. Alle diese Ergebnisse rühren aneinander und tragen
sich wechselseitig. Es bedarf kaum gesagt zu werden, daß auch 60
das ganze Gebiet der Theologie und selbst der Medizin, indem sie
die Geheimnisse der Religion und Natur zu enthüllen streben, dazu
beitragen müssen, den Sinn und das Bedürfnis der Jugend für das
Heilige, Einfache und Wahre zu stimmen und zu stärken. Wie
allseitig muß also die Universität von der Kunde ergriffen werden, 65
daß die Verfassung des Landes dem Umsturz ausgesetzt sei. Eine
Menge junger Leute nehmen Anteil an der veränderten Lage ihrer
Eltern, Brüder, Freunde und Lehrer, an der Verrückung ihrer eignen
Stellung; alle bewegt ein allgemeines Gefühl der schwebenden Ge-
walttätigkeit, und es braucht nicht erst gesagt zu werden, auf welcher 70
Seite sie stehen.

Unter den Professoren taten sich bald verschiedenartige Gruppen
hervor; die Charaktere, wie mein Bruder treffend bemerkte, fingen

---

44 *uneingenommen* unprejudiced
46 *Entstellung* distortion; *hinterm Berge*
    halten mit conceal
48 *fesseln* check
49 *beglückend* beneficent
50 *angewiesen* bound
55 *allerwärts* = *überall; ergreifend* strik-
    ing
58 *innerster Haushalt* the most intimate

economy, i.e. basic structure
59 *dar-legen* expound
63 *bei-tragen* contribute
64 *stimmen* attune, i.e. prepare
66 *ausgesetzt* exposed
68 *Verrückung* change
69 *schwebend* i.e. impending
72 *sich hervor-tun* emerge
73 *treffend* aptly

an, sich zu entblättern gleich den Bäumen des Herbstes bei einem
75 Nachtfrost; da sah man viele in nackten Reisern, des Laubes be-
raubt, womit sie sich in dem Umgang des gewöhnlichen Lebens
verhüllten.

Der größten Zahl der Professoren mußte einleuchten, daß das
königliche Machtgebot die wichtigste Angelegenheit des Landes
80 betreffe und daß es nun auch der Universität gelte, sich ihm entweder mutlos zu ergeben oder ein gegründetes Recht des Wider-
spruchs auszuüben. Wiederum aber zerfielen die, welche es für
ratsam hielten, unterwürfig zu schweigen, in zwei sehr verschiedene
Parteien. Zu einer gehörten die Männer, welche, sonst vorlaut und
85 stolz genug, vor aller Gewalt verstummten und jede Ungnade in
den Augen des Herrschers als das unerträglichste Unglück betrachten; sie waren auf Kosten ihrer selbsteignen Denkungsart
zur Nachgiebigkeit bereit und schnell erfinderisch, Scheingründe
für ihre Abtrünnigkeit nicht bloß hervorzusuchen, sondern sie auch
90 anders Gesinnten auf alle Weise anzuempfehlen. Andere, allerdings
achtungswerter, bedauerten zwar den Untergang der beschworenen
Verfassung, hingen aber über alles an der Aufrechthaltung der
Universität, deren Gefahr, wenn sie den Unwillen des Königs auf
sich ziehen sollte, ihrem Herzen weit näher lag als das Heil des
95 ganzen Reichs, welcher daher die angelobte Pflicht unbedenklich
aufgeopfert werden müsse. Verkennend, daß auch die edelsten
und berühmtesten Einrichtungen darunter am meisten leiden, wenn
die Gerechtigkeit von ihren Verwaltern versäumt wird, sind sie
Beamten ähnlich, die aus mißverstandner Liebe zu ihrem Amt
100 dessen ganze Würde in die Schanze schlagen und das ihnen rein
vertraute Gut fleckig werden lassen, um ihren Nachfolgern wegen
der zu ziehenden Diäten nichts zu vergeben. Die Wissenschaft

---

74 *sich entblättern* shed leaves, i.e. disclose themselves
75 *Reiser* twig
78 *ein-leuchten* be clear
79 *Machtgebot* arbitrary order
81 *gegründet* reasoned
83 *unterwürfig* submissively
84 *vorlaut* forward
85 *Ungnade* disfavor, disgrace
87 *selbsteigen* independent
88 *Nachgiebigkeit* submission; *Scheingrund* spurious reason

89 *Abtrünnigkeit* defection
90 *anders Gesinnte* those of other mind
91 *beschworen* granted under oath
92 *hangen* cling to
95 *angelobt* avowed; *unbedenklich* unhesitatingly
96 *verkennen* fail to recognize
98 *versäumen* neglect
100 *in die Schanze schlagen* risk
101 *wegen . . . Diäten* because of the living they may derive from it
102 *vergeben* i.e. deprive. The sense is:

bewahrt die edelsten Erwerbungen des Menschen, die höchsten
irdischen Güter, aber was ist sie gegen die Grundlage des Daseins
wert, ich meine gegen die ungebeugte Ehrfurcht vor göttlichen 105
Geboten? Sie wird, von dieser abgetrennt, wie jene italienischen,
von Marmor täuschend nachgeahmten Früchte, ein eitles Schaugericht, das niemand sättigt und nährt. Auf diesem Wege verstehe
ich es nicht, den Glanz der Georgia Augusta zu erhalten, für den
ich freudig und mit treuer Anhänglichkeit meine besten Kräfte 110
hingegeben, keine Störung der liebsten Arbeiten gescheut habe.
Hier mögen meine Kollegen, selbst die anders gehandelt haben,
hier mag Kuratorium Zeugnis ablegen.

In so peinlicher, vielberatener und hingehaltener Lage entschied
sich endlich eine geringe Zahl Beherztgebliebener, das Eis des Schwei- 115
gens zu brechen, dessen Rinde hart und schmählich das ganze Land
überzogen hatte. Unsere Erklärung an das Kuratorium war den
17. November abends entworfen worden; noch wußten wir nicht,
ob sie am folgenden Tage von fünf, oder von sieben, oder von drei-
zehn unterschrieben abgehen sollte. Sieben Namen standen am 120
Schluß der am 18. November entsandten Ausfertigung. Jeder war
auf seinem Wege mit völliger Unabhängigkeit des Geistes zu der
Überzeugung gelangt, welche die Protestation aussprach.

Die Geschichte zeigt uns edle und freie Männer, welche es wagten,
vor dem Angesicht der Könige die volle Wahrheit zu sagen; das 125
Befugtsein gehört denen, die den Mut dazu haben. Oft hat ihr
Bekenntnis gefruchtet, zuweilen hat es sie verderbt, nicht ihren
Namen. Auch die Poesie, der Geschichte Widerschein, unterläßt

They were like officials who, out of
devotion to their office, are willing
to risk the dignity of that office
and to allow the benefit which was
given to them pure to become
soiled, in order not to deprive their
successors of the living they may
derive from it.
103 *Erwerbung* acquisition
104 *Grundlage* basis
105 *ungebeugte Ehrfurcht* unyielding
reverence
107 *täuschend* i.e. creating a perfect illusion; *eitles Schaugericht* mere
display dish
109 *Georgia Augusta* the official name of
the University of Göttingen

110 *Anhänglichkeit* devotion
113 *Kuratorium* the administrative
board of the university, composed
of rector and deans; *Zeugnis ab-
legen* testify
114 *vielberaten und hingehalten* marked
by much consultation and suspense
115 *beherztgeblieben* who remained cou-
rageous
116 *Rinde* crust; *schmählich* shamefully
118 *entwerfen* draw up (as a first draft)
121 *Ausfertigung* final draft
126 *Befugtsein* authority (to do so)
127 *Bekenntnis* avowal; *verderben* destroy
128 *Widerschein* reflection; *unterlassen*
fail

es nicht, Handlungen der Fürsten nach der Gerechtigkeit zu wägen.
130 Solche Beispiele lösen dem Untertanen seine Zunge, da wo die Not
drängt, und trösten über jeden Ausgang.

Der Regierung stand es zu, Lehrer, deren offen dargelegte Grundsätze ihr nicht gefielen, vom Amte zu suspendieren: darauf gefaßt
sein mußte man. Es gab jedoch eine doppelte Art und Weise, die
135 Suspension bis zu dem Augenblick, wo die Ungewißheit über die
Verfassung durch den Zusammentritt einer Ständeversammlung
nach dem Gesetz von 1819 entschieden sein würde, aufzuschieben
oder alsogleich zu verhängen. Selbst der zweite, härtere Weg schien
noch allzu gelind. Der König verfügte, nachdem ein kurzes inqui-
140 sitorisches Verfahren über die Verbreitung (wobei ich das erstemal
in meinem Leben vor irgendeinem Gericht erschien) vorausge-
gangen war, unterm 11. Dezember nicht Suspension, sondern
förmliche Entlassung der sieben Professoren aus seinem Dienst.
Dreien darunter, welche Exemplare des Protestes anderwärts mit-
145 geteilt hatten, wurde binnen dreien Tagen Frist das Land zu räumen
auferlegt, widrigenfalls sie gefänglich eingezogen werden sollten.
Wer möchte aber schuldlos im Kerker schmachten!

Es war vorauszusehen und ist allgemein bekannt, welche bewegten
und schmerzhaften Eindrücke unsere Entsetzung in Lande, unter
150 allen Mitgliedern der Universität, die ein Gefühl von Recht hatten,
vorzüglich aber unter der studierenden Jugend, erzeugen mußte.
Ich verzichte darauf, sie zu beschreiben: sie bleiben in meiner Brust
begraben.

Nun liegen meine Gedanken, Entschlüsse, Handlungen offen und
155 ohne Rückhalt vor der Welt. Ob es mir fruchte oder schade, daß
ich sie aufgedeckt habe, berechne ich nicht; gelangen diese Blätter
auf ein kommendes Geschlecht, so lese es in meinem längst schon
stillgestandenen Herzen. Solange ich aber den Atem ziehe, will ich

---

131 *Ausgang* issue, result
132 *zu-stehen* suit; *dar-legen* declare
133 *gefaßt* prepared
136 *Zusammentritt einer Ständeversammlung* convening of an assembly of
the estates
137 *auf-schieben* postpone
138 *verhängen* proclaim
139 *gelinde* gentle; *verfügen* decree
140 *Verfahren* procedure

144 *anderwärts* elsewhere
145 *Frist* period
146 *auf-erlegen* order; *widrigenfalls* in
the contrary case; *gefänglich* as
prisoners
147 *schmachten* languish
149 *Entsetzung* dismissal
151 *vorzüglich* especially
155 *Rückhalt* reservation
157 *es* i.e. *das Geschlecht*

froh sein, getan zu haben, was ich tat, und da fühle ich getrost,
was von meinen Arbeiten mich selbst überdauern kann, daß es 160
dadurch nicht verlieren, sondern gewinnen werde.

45

DIE SOKRATISCHE METHODE

THEODOR FONTANE (1819–1898)

Fontane was a novelist and journalist of stature. His father was an apoth-
ecary and the son followed this profession until he began to write. His later
novels of manners deserve to be better known in the non-German world.
They describe Prussian society with deep understanding, detachment, and
irony. The following selection is from Chapter 13 of *Meine Kinderjahre*
(1894).

Als wir in dem Hause mit dem Riesendach und der hölzernen
Dachrinne glücklich untergebracht waren, meldete sich alsbald die
Frage: „Was wird nun aus den Kindern? In welche Schule schicken
wir sie?" Da sich, bei der Kürze der Zeit, noch keine Beziehungen
zu den guten Familien der Stadt ermöglicht hatten, so wurde be-   5
schlossen, mich vorläufig wild aufwachsen zu lassen und ruhig zu
warten, bis sich etwas fände. Um mich aber vor Rückfall in dun-
kelste Nacht zu bewahren, sollte ich täglich eine Stunde bei meiner
Mutter lesen und bei meinem Vater einige lateinische und französische Vokabeln lernen, dazu Geographie und Geschichte.   10
„Wirst du das auch können, Louis?" hatte meine Mutter gefragt.
„Können? Was heißt können! Natürlich kann ich es. Immer
das alte Mißtrauen."
„Es ist noch keine vierundzwanzig Stunden, daß du selber voller
Zweifel warst."   15

---

159 *getrost* confidently

2 *Dachrinne* eavestrough

4 *Beziehung* connection
7 *Rückfall* regression
10 *Vokabel* word

„Da werd' ich wohl keine Lust gehabt haben. Aber, wenn es darauf ankommt, ich verstehe die *Pharmacopoea borussica* so gut wie jeder andere, und in meiner Eltern Haus wurde französisch gesprochen. Und das andere, davon zu sprechen, wäre lächerlich.

20 Du weißt, daß ich da zehn Studierte in den Sack stecke."

Und wirklich, es kam zu solchen Stunden, die sich, wie schon hier erwähnt werden mag, auch noch fortsetzten, als eine Benötigung dazu nicht mehr vorlag, und so sonderbar diese Stunden waren, so hab' ich doch mehr dabei gelernt als bei manchem berühmten

25 Lehrer. Mein Vater griff ganz willkürlich Dinge heraus, die er von lange her auswendig wußte oder vielleicht auch erst am selben Tage gelesen hatte, dabei das Geographische mit dem Historischen verquickend, natürlich immer so, daß seine bevorzugten Themata schließlich dabei zu ihrem Rechte kamen. Etwa so.

30   „Du kennst Ost- und Westpreußen?"

„Ja, Papa; das ist das Land, wonach Preußen Preußen heißt und wonach wir alle Preußen heißen."

„Sehr gut, sehr gut; ein bißchen viel Preußen, aber das schadet nichts. Und du kennst auch die Hauptstädte beider Provinzen?"

35   „Ja, Papa; Königsberg und Danzig."

„Sehr gut. In Danzig bin ich selber gewesen und beinahe auch in Königsberg — bloß es kam was dazwischen. Und hast du mal gehört, wer Danzig nach tapferer Verteidigung durch unsern General Kalkreuth doch schließlich eroberte?"

40   „Nein, Papa."

„Nun, es ist auch nicht zu verlangen; es wissen es nur wenige, und die sogenannten höher Gebildeten wissen es nie. Das war nämlich der General Lefèvre, ein Mann von besonderer Bravour, den Napoleon dann auch zum Duc de Dantzic ernannte, mit einem c hinten.

45 Darin unterscheiden sich die Sprachen. Das alles war im Jahre 1807."

„Also nach der Schlacht bei Jena?"

„Ja, so kann man sagen; aber doch nur in dem Sinne, wie man sagen kann, es war nach dem Siebenjährigen Krieg."

---

16 *werd'* = the future perfect expressing high probability in the past: I must have; *wenn es darauf ankommt* if need be

17 *borussica* Prussian

18 *französisch* The Fontanes were of Huguenot stock.

20 *Studierte* graduates, professionals; *in den Sack stecken* i.e. outdo

25 *heraus-greifen* pick out

27 *verquicken* mingle

28 *bevorzugt* favorite

37 *was* = *etwas*

43 *Bravour* bravery

46 *Jena* fought in 1805

48 *Seven Years' War* from 1756–63

„Versteh' ich nicht, Papa."

„Tut auch nichts. Es soll heißen, Jena lag schon zu weit zu- 50
rück; es würde sich aber sagen lassen: es war nach der Schlacht
bei Preußisch-Eylau, eine furchtbar blutige Schlacht, wo die russische Garde beinahe vernichtet wurde, und wo Napoleon, ehe er
sich niederlegte, zu seinem Liebling Duroc sagte: „Duroc, heute
habe ich die sechste europäische Großmacht kennengelernt, *la* 55
boue."

„Was heißt das?"

„*La boue* heißt der Schmutz. Aber man kann auch noch einen
stärkeren deutschen Ausdruck nehmen, und ich glaube fast, daß
Napoleon, der, wenn er wollte, etwas Zynisches hatte, diesen stär- 60
keren Ausdruck eigentlich gemeint hat."

„Was ist zynisch?"

„Zynisch . . . ja, zynisch . . . es ist ein oft gebrauchtes Wort, und
ich möchte sagen, zynisch ist soviel wie roh und brutal. Es wird
aber wohl noch genauer zu bestimmen sein. Wir wollen nachher 65
im Konversationslexikon nachschlagen. Es ist gut, über dergleichen
unterrichtet zu sein, aber man braucht nicht alles gleich auf der
Stelle zu wissen."

So verliefen die Geographiestunden, immer mit geschichtlichen
Anekdoten abschließend. Es kam vor, daß meine Mutter diesen 70
eigenartigen Unterrichtsstunden beiwohnte und bei der Gelegenheit
durch ihr Mienenspiel zu verstehen gab, daß sie diese ganze Form
des Unterrichts, die mein Vater mit einem unnachahmlichen Gesichtsausdruck seine „sokratische Methode" nannte, höchst zweifelhaft finde. Sie hatte aber in ihrer ganz konventionellen Natur 75
total unrecht, denn um es noch einmal zus agen, ich verdanke diesen
Unterrichtsstunden eigentlich alles Beste, jedenfalls alles Brauch-
barste, was ich weiß. Von dem, was mir mein Vater beizubringen
verstand, ist mir nichts verloren gegangen und auch nichts unnütz
für mich gewesen, und wenn ich gefragt würde, welchem Lehrer 80
ich mich so recht eigentlich zu Dank verpflichtet fühle, so würde
ich antworten müssen: meinem Vater.

---

⁵⁰ *es soll heißen* I mean
⁵² *Preußisch-Eylau* fought in 1807
⁵⁹ *Ausdruck* i.e. *Dreck*
⁶⁶ *Konversationslexikon* encyclopedia
⁷² *Mienenspiel* pantomime

⁷⁴ *sokratische Methode* the question and
answer method used by Socrates in
the Platonic dialogues
⁷⁸ *bei-bringen* teach
⁸¹ *recht eigentlich* i.e. really deeply

VI   DICHTUNG

46

GEDENKET DES TODES

The four basic themes that pervade medieval literature are the heroic, the chivalrous, the religious-ascetic, and the erotic. The last two are represented in this anthology: the religious-ascetic by an anonymous poem from the eleventh century, written in Alemmanic dialect. It is the first German statement of medieval asceticism that we have. The theme is the transitory nature of all things earthly, man's folly in clinging to this life and forgetting eternity, and death the leveler. Since each stanza of the poem is self-contained, the poem is offered here in abridged form. The modern version is by Karl Wolfskehl and Friedrich von der Leyen.

Nun denket alle, Weib und Mann,
Was aus euch soll werden dann.
Ihr minnet der Welt Gebrechlichkeit
Und wähnet stets hienieden zu sein.
Dünkt sie euch noch so minnenswert,   5
Nur kurze Frist wird euch gewährt;
Lebtet ihr noch so gerne manche Zeit,
Ihr müßt verwandeln diesen Leib.

*   *   *

Zum Paradies ist's weit hinan;
Gar selten kommt dahin ein Mann,   10
Der sich wieder her wende
Und uns die Märe spende
Oder euch das melde,
Wes Leibes sie dort leben.
Solltet ihr je dort genesen,   15
Müßt ihr selbst euch die Boten werden.

The title is German for *memento mori*, a medieval catchword which appeared in much Latin literature.
3 *minnen* love; *Gebrechlichkeit* frailty
4 *stets* for ever
5 *dünken* seem
8 *verwandeln* i.e. into spirit
11 *sich wieder her wende* i.e. who returns to earth
14 *wes Leibes* i.e. in what way
15 *genesen* i.e. thrive

Mit dieser Welt ist's so getan;
Wer nach ihr beginnt zu fahn,
Dem macht sie es so wunderlieb,
20 Los von ihr kommen mag er nie.
Ergreifet er sie sehr,
So hätt' er gerne mehr.
Das tut er bis an sein Ende
Und dann hält er noch fest.

* * *

25 Der Mann ist nimmer weise
Der auf einer Reise
Einen schönen Baum sieht
Und darunter ruhn geht;
Dann drücket ihn der Schlaf,
30 Das er sein Ziel vergaß,
Wenn er dann aufspringt,
Wie sehr ihn dann Reu durchdringt.

Ja du sehr böser Mundus,
Wie betrügst du uns zum Schluß!
35 Hast dich wider uns gerichtet,
Nun sind wir alle vernichtet.
Verlassen wir nicht dich bei gewisser Zeit,
Dann müssen verlieren wir Seel' und Leib.
Solange wir hier leben
40 Hat Gott uns Selbstwahl gegeben.

Gebieter, König hehre,
Nobis miserere!
Du müssest uns geben den rechten Sinn
Die kurze Zeit, die wir hier sind,
45 Daß wir die Seele bewahren,
Wenn aus Not wir von hinnen fahren.

---

[17] *getan* = *bestellt* arranged   [41] *hehre* sublime
[18] *fahn* = *fangen* grasp   [42] have pity on us
[33] *Mundus* (Latin) = *Welt*   [46] *von hinnen* from here

47

UNTER DER LINDEN

WALTHER VON DER VOGELWEIDE   (c. 1170-c. 1230)

Walther was an Austrian poet, a wandering knight and minstrel, in the service of various sovereigns. He was deeply involved in the political turmoil
of his age, champion of a strong Reich and therefore a staunch adversary
of Papal power. He is the great lyric poet of his age and has left a body of
verse which includes political and wisdom poetry, courtly *Minnesang*, narrative verse, rustic poetry glorifying nature and earthly love, and, written
toward the end of his life, poetry of asceticism and resignation. The modern version printed here is adapted from Karl Simrock's translation. There
is a musical setting for the poem by Grieg.

> Unter der Linden,
> An der Heide,
> Wo ich mit meinem Liebsten saß,
> Da mögt ihr finden
> Wie wir beide   5
> Die Blumen brachen und das Gras.
> Vor dem Wald in einem Tal,
> Tandaradei,
> Sang so schön die Nachtigall.
>
> Ich kam gegangen   10
> Zu der Aue,
> Mein Liebster war schon vor mir dort.
> Da ward ich empfangen
> Hehre Fraue!
> Daß ich bin selig immerfort.   15
> Hat er mich wohl oft geküßt?
> Tandaradei,
> Seht, wie rot mein Mund noch ist.

---

⁸ *Tandaradei* tralala
¹⁴ *hehre Fraue* sublime Lady; either an
invocation to the Virgin Mary, or

(as some think): I was received by
him like a sublime lady of the
Court

Er hatte gemacht
20   Uns ein Bette
Aus süßen Blumen mancherlei.
Des wird gelacht
Herzlich, ich wette,
Wenn jemand geht am Pfad vorbei.
25   An den Rosen er wohl mag
Tandaradei,
Merken, wo das Haupt mir lag.

Wie wir da lagen,
Wenn's wer wüßte,
30   Behüte Gott, ich schämte mich.
Was er durft' wagen,
Wie er küßte,
Erfahre niemand als er und ich,
Und ein kleines Vögelein,
35   Tandaradei,
Das wird wohl verläßlich sein.

48

DER XLVI. PSALM

MARTIN LUTHER (1483–1546)

For an estimate of Luther see §28. This famous hymn was written in 1529.
The meter is complicated. The first four lines of each stanza alternate four
and three iambs; the rest combine dactyls and spondees. The poem is sung
to a musical setting composed by Luther himself.

Deus noster refugiam et virtus

Ein' feste Burg ist unser Gott,
Ein' gute Wehr und Waffen.
Er hilft uns frei aus aller Not,
Die uns jetzt hat betroffen.

---

[29] *wer* anyone
[36] *verläßlich* trustworthy

Deus noster refugiam et virtus God is
our refuge and strength (the opening verse of the psalm).

Der alt böse Feind, 5
Mit Ernst er's jetzt meint;
Groß' Macht und viel List
Sein' grausam Rüstung ist.
Auf Erd ist nicht seins gleichen.

Mit unsrer Macht ist nichts getan, 10
Wir sind gar bald verloren.
Es streit für uns der rechte Mann,
Den Gott hat selbst erkoren.
Fragst du, wer der ist,
Er heißt Jesus Christ, 15
Der Herr Zebaoth,
Und ist kein ander Gott,
Das Feld muß er behalten.

Und wenn die Welt voll Teufel wär'
Und wollt' uns gar verschlingen, 20
So fürchten wir uns nicht zu sehr,
Es soll uns doch gelingen.
Der Fürst dieser Welt,
Wie sauer er sich stellt,
Tut er uns doch nicht. 25
Das macht, er ist gericht,
Ein Wörtlein kann ihn fällen.

Das Wort sie sollen lassen stahn
Und kein Dank dazu haben.
Er ist bei uns wohl auf dem Plan 30
Mit seinem Geist und Gaben.
Nehmen sie den Leib,
Gut, Ehr, Kind und Weib:
Laß fahren dahin,
Sie haben kein Gewinn, 35
Das Reich muß uns doch bleiben.

---

[5] *Feind* i.e. the Devil
[8] *Rüstung* armor
[12] *streit = streitet*
[13] *erkoren* from *kiesen kor erkoren* choose
[16] *Zebaoth* (Hebrew) hosts
[18] *Feld* i.e. battlefield; *behalten* i.e. win
[23] *Fürst dieser Welt* i.e. the Devil
[24] *sauer* i.e. grimly; *sich stellen* act
[25] *nicht = nichts*
[26] That is because he is judged.
[28] *Wort* i.e. of God; *stahn = stehen*
[30] *Er* Jesus; *Plan* battlefield
[34] Let them all go
[36] *Reich* i.e. *Gottes*

[handwritten annotation: antithesis : blunt effect of black rust. inclusive — everything is primitive resting. rhyme : simple.]

49

ABENDLIED

PAUL GERHARDT (1607–1676)

Paul Gerhardt was the foremost writer of church songs of the German baroque. He composed 120, of which thirty-four have gone into the Protestant hymnal. Of his nonecclesiastical verse the best known poem is his *Abendlied*. The meter is iambic trimeter. This poem, composed in 1647, is sung
to the famous air, *Innsbruck, ich muß dich lassen*, which goes back to the
fifteenth century.

<blockquote>

Nun ruhen alle Wälder,
Vieh, Menschen, Städt' und Felder;
Es schläft die ganze Welt:
Ihr aber, meine Sinnen,
Auf! Auf! ihr sollt beginnen
Was eurem Schöpfer wohlgefällt.

Wo bist du, Sonne, blieben?
Die Nacht hat dich vertrieben,
Die Nacht, des Tages Feind:
Fahr hin, ein' andre Sonne,
Mein Jesus, meine Wonne,
Gar hell in meinem Herzen scheint.

Der Tag ist nun vergangen,
Die güldnen Sternlein prangen
Am blauen Himmels-Saal:

</blockquote>

5

10

15

---

⁴ *Sinnen = Sinne*
⁷ *blieben = geblieben*

¹⁴ *gülden = golden; prangen* glitter

Also werd' ich auch stehen,
Wenn mich wird heißen gehen
Mein Gott aus diesem Jammertal. *pessimiss*

Todesgedanke

Der Leib eilt nun zur Ruhe,
Legt ab das Kleid und Schuhe,   20
Das Bild der Sterblichkeit,
Die ich zieh aus: dagegen
Wird Christus mir anlegen
Den Rock der Ehr und Herrlichkeit.

naive
concrete
visualized

Das Haupt, die Füß und Hände   25
Sind froh, daß nun zum Ende
Die Arbeit kommen sei:
Herz, freu dich, du sollst werden
Vom Elend dieser Erden
Und von der Sünden Arbeit frei.   30

Nun geht, ihr matten Glieder,
Geht hin und legt euch nieder,
Der Betten ihr begehrt:
Es kommen Stund' und Zeiten,
Da man euch wird bereiten   35
Zur Ruh ein Bettlein in der Erd.

Mein' Augen stehn verdrossen,
Im Hui sind sie geschlossen,
Wo bleibt denn Leib und Seel?
Nimm sie zu deinen Gnaden,   40
Sei gut für allen Schaden,
Du Aug und Wächter Israel.

Luther's
bluntness

Breit aus die Flügel beide,
O Jesu! meine Freude,
Und nimm dein Küchlein ein: 45
Will Satan mich verschlingen,

---

[18] *Jammertal* vale of tears, i.e. the earth
[37] *verdrossen* tired
[38] *Hui* instant
[41] *sei gut* i.e. protect against
[42] *Wächter Israel* a Biblical epithet for God
[45] *Küchlein* chick

So laß die Engel singen:
Dies Kind soll unverletzet sein.

Auch euch, ihr meine Lieben,
50   Soll heute nicht betrüben
Ein Unfall noch Gefahr.
Gott laß euch selig schlafen,
Stell euch die güldnen Waffen
Ums Bett und seiner Engel Schar.

Gottfried Keller — Abendlied.

50

ES IST ALLES EITEL

ANDREAS GRYPHIUS (1616–1664)

Gryphius was the leading poet of the German baroque; the author of trag-
edies, comedies, and lyric poetry. His basic attitude to life is expressed in
the sonnet reprinted here, which was written in 1637, that is, during the
Thirty Years' War. The sonnet is Alexandrian in form: employing the six-
(rather than the five-) foot iambic line, with caesura.

Du siehst, wohin du siehst, nur Eitelkeit auf Erden.
Was dieser heute baut, reißt jener morgen ein;
Wo jetzund Städte stehn, wird eine Wiese sein,
Auf der ein Schäferskind wird spielen mit den Herden;

5   Was jetzund prächtig blüht, soll bald zertreten werden;
Was jetzt so pocht und trotzt, ist morgen Asch und Bein;
Nichts ist, das ewig sei, kein Erz, kein Marmorstein.
Jetzt lacht das Glück uns an, bald donnern die Beschwerden.

---

48 *unverletzt* unharmed

---
eitel vain
3 *jetzund = jetzt*

6 *pocht und trotzt* is noisily defiant;
  Bein bone
8 *Beschwerde* difficulty

Der hohen Taten Ruhm muß wie ein Traum vergehn.
Soll denn das Spiel der Zeit, der <u>leichte</u> Mensch, bestehn?   10
Ach, was ist alles dies, was wir für köstlich achten,

Als schlechte Nichtigkeit, als Schatten, Staub und Wind,
Als eine Wiesenblum', die man nicht wieder findt!
Noch will, was ewig ist, kein einig Mensch betrachten.

51

AUS DEM „CHERUBINISCHEN WANDERSMANN"

ANGELUS SILESIUS (1624–1677)

"The Silesian Angel" is the name Johannes Scheffler took upon his conversion to Roman Catholicism, after the saint Johannes ab Angelis.   He was a
physician by profession but ended his life as a priest in a monastery.   He
owed much to Jacob Böhme and other German and Spanish mystics.   In
1674 he published his various collections of rhymed Alexandrines under the
title *Der cherubinische Wandersmann*, because he thought of the book as an
angel accompanying men on the course of life.

Der Himmel ist in dir
Halt an, wo läufst du hin, der Himmel ist in dir:
Suchst du Gott anderswo, du fehlst Ihn für und für.

Die Rose
Die Rose, welche hier dein äuß'res Auge sieht,
Die hat von Ewigkeit in Gott also geblüht.

Die Schuld ist deine
Daß dir im Sonnesehn vergehet das Gesicht,   5
Sind deine Augen schuld, und nicht das große Licht.

---

[10] *Spiel* plaything; *leicht* insignificant
[14] *noch* nor yet; *einig* single

[2] *fehlen* miss; *für und für* for ever and
   ever

[3] *äußer* i.e. physical
[5] *vergehet das Gesicht* your vision fails
   you

Die gelassene Schönheit
Ihr Menschen lernet doch von Wiesenblümelein,
Wie ihr könnt Gott gefalln, und gleichwohl schöne sein.

Erheb dich über dich
Der Mensch, der seinen Geist nicht über sich erhebt,
10 Der ist nicht wert, daß er im Menschenstande lebt.

Zufall und Wesen
Mensch werde wesentlich; denn wenn die Welt vergeht,
So fällt der Zufall weg, das Wesen das besteht.

Jetzt mußt du blühn
Blüh auf, gefrorener Christ, der Mai ist vor der Tür;
Du bleibest ewig tot, blühst du nicht jetzt und hier.

Der Leib ist ehrenwert
15 Halt deinen Leib in Ehren, er ist ein edler Schrein,
In dem das Bildnis Gotts soll aufbehalten sein.

Das edelste Gebet
Das edelste Gebet ist wenn der Beter sich
In das, vor dem er kniet, verwandelt inniglich.

Dem Weisen gilt alles gleich
Alles gilt dem Weisen gleich; er sitzt in Ruh und Stille;
20 Geht es nach seinem nicht, so geht's nach Gottes Wille.

Gott sind alle Werke gleich
Gott sind die Werke gleich, der Heil'ge wenn er trinkt,
Gefallet ihm sowohl, als wenn er bet' und singt.

Was man liebt, in das verwandelt man sich, aus St. Augustino
Mensch, was du liebst, in das wirst du verwandelt werden,
Gott wirst du, liebst du Gott, und Erde, liebst du Erden.

Die Liebe ist Gott gemeiner als Weisheit
25 Die Liebe geht zu Gott unangesagt hinein;
Verstand und hoher Witz muß lang im Vorhof sein.

7 *gelassen* calm, serene
11 *wesentlich* essential, authentic
14 *blühst* a conditional clause
15 *Schrein* both cupboard and shrine
18 *inniglich* inwardly, fervently

19 *gleich gelten* be indifferent
22 *gefallet* = *gefällt; bet'* = *betet*
25 *unangesagt* unannounced
26 *Witz* intelligence; *Vorhof* ante-
chamber

    Ein Wurm beschämet uns
O Spott! ein seiden Wurm, der wirkt, bis er kann fliegen;
Und du bleibst, wie du bist, nur auf der Erde liegen!

      Beschluß
Freund, es ist auch genug. Im Fall du mehr willst lesen,
So geh und werde selbst die Schrift und selbst das Wesen.   30

52

DIE DREI RINGE

GOTTHOLD EPHRAIM LESSING (1729–1781)

The following extract forms the core of *Nathan der Weise* (1779), a poem in dramatic form on the theme of religious toleration. It is one of the noblest documents of the *Aufklärung*. In the third act of the drama the Sultan Saladin asks his friend, the Jew Nathan, which of the three great religions— Christianity, Judaism, or Mohammedanism—is the "true" faith. Nathan replies with the following parable, which Lessing expanded and deepened from his source, the *Decameron* of Boccaccio. The meter is Shakespearean blank verse. There is a biographical sketch of Lessing in § 33.

Vor grauen Jahren lebt' ein Mann im Osten,
Der einen Ring von unschätzbarem Wert
Aus lieber Hand besaß. Der Stein war ein
Opal, der hundert schöne Farben spielte,
Und hatte die geheime Kraft, vor Gott   5
Und Menschen angenehm zu machen, wer
In dieser Zuversicht ihn trug. Was Wunder,
Daß ihn der Mann im Osten darum nie
Vom Finger ließ und die Verfügung traf,
Auf ewig ihn bei seinem Hause zu   10

---

[29] *Beschluß* conclusion

---

[1] *grau* i.e. long ago

[4] *spielen* i.e. reflect
[7] *Zuversicht* trust
[9] *Verfügung traf* gave orders

Erhalten? Nämlich so. Er ließ den Ring
Von seinen Söhnen dem geliebtesten;
Und setzte fest, daß dieser wiederum
Den Ring von seinen Söhnen dem vermache,
15 Der ihm der liebste sei, und stets der liebste,
Ohn' Ansehn der Geburt, in Kraft allein
Des Rings, das Haupt, der Fürst des Hauses werde.

So kam nun dieser Ring, von Sohn zu Sohn,
Auf einen Vater endlich von drei Söhnen,
20 Die alle drei ihm gleich gehorsam waren,
Die alle drei er folglich gleich zu lieben
Sich nicht entbrechen konnte. Nur von Zeit
Zu Zeit schien ihm bald der, bald dieser, bald
Der dritte — so wie jeder sich mit ihm
25 Allein befand, und sein ergießend Herz
Die andern zwei nicht teilten — würdiger
Des Ringes, den er denn auch einem jeden
Die fromme Schwachheit hatte zu versprechen.
Das ging nun so, solang es ging. Allein
30 Es kam zum Sterben, und der gute Vater
Kommt in Verlegenheit. Es schmerzt ihn, zwei
Von seinen Söhnen, die sich auf sein Wort
Verlassen, so zu kränken. — Was zu tun? —
Er sendet in geheim zu einem Künstler,
35 Bei dem er, nach dem Muster seines Ringes,
Zwei andere bestellt und weder Kosten
Noch Mühe sparen heißt, sie jenem gleich,
Vollkommen gleich zu machen. Das gelingt
Dem Künstler. Da er ihm die Ringe bringt,
40 Kann selbst der Vater seinen Musterring
Nicht unterscheiden. Froh und freudig ruft
Er seine Söhne, jeden insbesondre;
Gibt jedem insbesondre seinen Segen —
Und seinen Ring — und stirbt.

13 *fest-setzen* ordain
14 *vermachen* bequeath
16 *Ansehen* consideration
22 *sich entbrechen* restrain oneself

25 *ergießend* effusive
28 *fromm* i.e. innocent
34 *Künstler* craftsman
37 *jenem* i.e. the original ring

Kaum war der Vater tot, so kommt ein jeder   45
Mit seinem Ring, und jeder will der Fürst
Des Hauses sein. Man untersucht, man zankt,
Man klagt. Umsonst; der rechte Ring war nicht
Erweislich.

       Die Söhne
Verklagen sich, und jeder schwur dem Richter,   50
Unmittelbar aus seines Vaters Hand
Den Ring zu haben, wie auch wahr, nachdem
Er von ihm lange das Versprechen schon
Gehabt, des Ringes Vorrecht einmal zu
Genießen, wie nicht minder wahr. Der Vater,   55
Beteu'rte jeder, könne gegen ihn
Nicht falsch gewesen sein; und eh' er dieses
Von ihm, von einem solchen lieben Vater,
Argwohnen lass', eh' müss' er seine Brüder,
So gern er sonst von ihnen nur das Beste   60
Bereit zu glauben sei, des falschen Spiels
Bezeihen, und er wolle die Verräter
Schon aufzufinden wissen, sich schon rächen.

Der Richter sprach: „Wenn ihr mir nun den Vater
Nicht bald zur Stelle schafft, so weis' ich euch   65
Von meinem Stuhle. Denkt ihr, daß ich Rätsel
Zu lösen da bin? Oder harret ihr,
Bis daß der rechte Ring den Mund eröffne? —
Doch halt! Ich höre ja, der rechte Ring
Besitzt die Wunderkraft, beliebt zu machen,   70
Vor Gott und Menschen angenehm. Das muß
Entscheiden! Denn die falschen Ringe werden
Doch das nicht können! — Nun, wen lieben zwei
Von euch am meisten? Macht, sagt an! Ihr schweigt?

[46] *will* claims	[62] *bezeihen* accuse
[47] *zanken* quarrel	[63] *schon* certainly
[48] *klagen* sue	[65] *zur Stelle schaffen* produce; *weisen*
[49] *erweislich* demonstrable	dismiss
[50] *verklagen sich* sue each other	[66] *Stuhl* (judge's) bench
[54] *Vorrecht* privilege	[67] *harren* wait
[56] *beteuern* protest	[74] *macht* come
[59] *argwohnen* be suspected	

75   Die Ringe wirken nur zurück? und nicht
    Nach außen? Jeder liebt sich selber nur
    Am meisten? O, so seid ihr alle drei
    Betrogene Betrüger! Eure Ringe
    Sind alle drei nicht echt. Der echte Ring
80   Vermutlich ging verloren. Den Verlust
    Zu bergen, zu ersetzen, ließ der Vater
    Die drei für einen machen."

    „Und also", fuhr der Richter fort, „wenn ihr
    Nicht meinen Rat, statt meines Spruches, wollt:
85   Geht nur! Mein Rat ist aber der: ihr nehmt
    Die Sache völlig, wie sie liegt. Hat von
    Euch jeder seinen Ring von seinem Vater,
    So glaube jeder sicher seinen Ring
    Den echten. Möglich, daß der Vater nun
90   Die Tyrannei des einen Rings nicht länger
    In seinem Hause dulden wollen! Und gewiß,
    Daß er euch alle drei geliebt und gleich
    Geliebt: indem er zwei nicht drücken mögen,
    Um einen zu begünstigen. Wohlan!
95   Es eifre jeder seiner unbestochnen,
    Von Vorurteilen freien Liebe nach!
    Es strebe von euch jeder um die Wette,
    Die Kraft des Steins in seinem Ring an Tag
    Zu legen, komme dieser Kraft mit Sanftmut,
100   Mit herzlicher Verträglichkeit, mit Wohltun,
    Mit innigster Ergebenheit in Gott
    Zu Hilf'! Und wenn sich dann der Steine Kräfte
    Bei euern Kindes-Kindeskindern äußern,
    So lad' ich über tausend tausend Jahre

80 *vermutlich* presumably
84 *Spruch* sentence
86 *liegen* be
91 read: *hat dulden wollen*
93 *drücken* i.e. slight
94 *begünstigen* favor
95 *nach-eifern* pursue zealously; *un-bestochen* uncorrupted
96 *Vorurteil* prejudice

97 let each of you vie in **striving**
98 *an Tag legen* reveal
99 *Sanftmut* gentleness
100 *herzliche Verträglichkeit* cordial toler-ance
101 *innigste Ergebenheit* most sincere devotion
102 *zu Hilfe kommen* come to the aid
103 *äußern* express, reveal

Sie wiederum vor diesen Stuhl. Da wird 105
Ein weis'rer Mann auf diesem Stuhle sitzen
Als ich und sprechen. Geht!" — So sagte der
Bescheidne Richter.

53

MAILIED

JOHANN WOLFGANG VON GOETHE (1749–1832)

Written in May 1771, while Goethe was a student at the University of Strass-
burg. He attended a May festival at the nearby village of Sesenheim, the
home of Friederike Brion, with whom he was in love at the time. It is perhaps the earliest of the great lyrics that make him one of the world's foremost lyric poets. The meter is two iambs. Music by Beethoven and Loewe.

Wie herrlich leuchtet
Mir die Natur!
Wie glänzt die Sonne!
Wie lacht die Flur!

Es dringen Blüten 5
Aus jedem Zweig
Und tausend Stimmen
Aus dem Gesträuch.

Und Freud' und Wonne
Aus jeder Brust. 10
O Erd', o Sonne!
O Glück, o Lust!

O Lieb', o Liebe!
So golden schön,
Wie Morgenwolken 15
Auf jenen Höh'n!

⁴ *die Flur* field

Du segnest herrlich
Das frische Feld,
Im Blütendampfe
20   Die volle Welt.

O Mädchen, Mädchen,
Wie lieb' ich dich!
Wie blinkt dein Auge!
Wie liebst du mich!

25   So liebt die Lerche
Gesang und Luft,
Und Morgenblumen
Den Himmelsduft,

Wie ich dich liebe
30   Mit warmem Blut,
Die du mir Jugend
Und Freud' und Mut

Zu neuen Liedern
Und Tänzen gibst.
35   Sei ewig glücklich,
Wie du mich liebst!

54

HEIDENRÖSLEIN

This ballad was written in 1771 and published by Herder two years later as
an anonymous folksong. There is some mystery about the original author-
ship of the poem. In its present form it depicts the tragic history of Goethe's
relationship to Friederike Brion. It is unsurpassed in dramatic terseness,
unsentimental tragic feeling and atmosphere. There are many musical settings; the best known is that by Werner.

[19] *Blütendampf* haze of blossoms   [23] *blinken* gleam

Sah ein Knab' ein Röslein stehn,
Röslein auf der Heiden,
War so jung und morgenschön,
Lief er schnell, es nah zu sehn,
Sah's mit vielen Freuden.   5
Röslein, Röslein, Röslein rot,
Röslein auf der Heiden.

Knabe sprach: ,,Ich breche dich,
Röslein auf der Heiden!"
Röslein sprach: ,,Ich steche dich,   10
Daß du ewig denkst an mich,
Und ich will's nicht leiden."
Röslein, Röslein, Röslein rot,
Röslein auf der Heiden.

Und der wilde Knabe brach   15
's Röslein auf der Heiden;
Röslein wehrte sich und stach,
Half ihm doch kein Weh und Ach,
Mußt' es eben leiden.
Röslein, Röslein, Röslein rot,   20
Röslein auf der Heiden.

55

PROMETHEUS

Written in 1774 as an introduction to the third act of the dramatic fragment *Prometheus*. This ode in free rhythms is one of the strongest expressions of rebellion in world literature. Prometheus is a symbol of the genius who rebels against stultifying authority out of a desire to serve humanity. According to one tradition Prometheus created a new race of men by breathing the spark of life into clay images which he had fashioned. Under the influence of the Earl of Shaftesbury Prometheus became the symbol of the

---

[1] *sah* The inversion is rustic speech.   [18] *Weh und Ach* (cries of) woe and alas
[16] *'s = das*

artist who creates, like God, according to laws that he finds in his own mind.
There are musical settings by Schubert and Wolf.

Bedecke deinen Himmel, Zeus,
Mit Wolkendunst,
Und übe, dem Knaben gleich,
Der Disteln köpft,
5   An Eichen dich und Bergeshöh'n;
Mußt mir meine Erde
Doch lassen stehn,
Und meine Hütte, die du nicht gebaut,
Und meinen Herd,
10   Um dessen Glut
Du mich beneidest.

Ich kenne nichts Ärmeres
Unter der Sonn', als euch, Götter!
Ihr nähret kümmerlich
15   Von Opfersteuern
Und Gebetshauch
Eure Majestät,
Und darbtet, wären
Nicht Kinder und Bettler
20   Hoffnungsvolle Toren.

Da ich ein Kind war,
Nicht wußte, wo aus noch ein,
Kehrt' ich mein verirrtes Auge
Zur Sonne, als wenn drüber wär'
25   Ein Ohr, zu hören meine Klage,
Ein Herz wie meins,
Sich des Bedrängten zu erbarmen.

[1] *Zeus* the father of the Olympian gods against whom Prometheus rebelled by stealing fire for the benefit of mankind
[2] *Wolkendunst* cloud vapor
[3] *übe dich* practice your arts
[4] *köpfen* behead
[8] *Hütte* hut (a favorite word of the young Goethe and the *Sturm und Drang*, used as a symbol of rustic simplicity)
[15] *Opfersteuern* taxes in the form of sacrifices
[16] *Gebetshauch* breath of prayer
[18] *darbtet* would starve
[22] *wo aus noch ein* my way about the world
[23] *verirrtes* i.e. mistaken
[27] *der Bedrängte* the oppressed one

Wer half mir
Wider der Titanen Übermut?
Wer rettete vom Tode mich,   30
Von Sklaverei?
Hast du nicht alles selbst vollendet,
Heilig glühend Herz?
Und glühtest jung und gut,
Betrogen, Rettungsdank   35
Dem Schlafenden da droben?

Ich dich ehren? Wofür?
Hast du die Schmerzen gelindert
Je des Beladenen?
Hast du die Tränen gestillet   40
Je des Geängsteten?
Hat nicht mich zum Manne geschmiedet
Die allmächtige Zeit
Und das ewige Schicksal,
Meine Herren und deine?   45

Wähntest du etwa,
Ich sollte das Leben hassen,
In Wüsten fliehen,
Weil nicht alle
Blütenträume reiften?   50

Hier sitz' ich, forme Menschen
Nach meinem Bilde,
Ein Geschlecht, das mir gleich sei,
Zu leiden, zu weinen,
Zu genießen und zu freuen sich,   55
Und dein nicht zu achten,
Wie ich!

[29] *Übermut* arrogance. The Titans, a mythical race of giants, were overthrown by the Olympian gods. That Prometheus fought against the Titans seems to be Goethe's invention.
[33] *glühend* = *glühendes*
[36] *Schlafende* i.e. Zeus
[42] *schmieden* forge

[46] *wähnen* foolishly believe
[50] *Blütentraum* i.e. unripe dream (of youth)
[54]f. the ideal of total experience embraced by the *Sturm und Drang* movement. Cf. *Faust I*, lines 1770 ff.
[56] *dein* genitive with *achten*

Balanced form

56

AN DEN MOND

This ode is one of the most hauntingly beautiful in German literature; yet
its composition was patchy. The first version was written in 1777 and sent
to Frau von Stein, Goethe's friend in Weimar, to whom it was addressed.
When Goethe was in Italy in 1786, Frau von Stein sent him a parody, from
which Goethe incorporated some lines when he revised the poem the following year. The final version represents a third revision. The poem is split
in theme, part of it addressed to the moon and part to the river. It is not
clear whether the poem is spoken by a man or woman. Yet mood, imagery,
and sound are wonderfully fused. The meter is trochaic; the alternation
of four- and three-foot lines is a characteristic of the folksong. There are
various musical settings, including two by Schubert.

personal poem

Füllest wieder Busch und Tal
Still mit Nebelglanz,
Lösest endlich auch einmal
Meine Seele ganz;

5   Breitest über mein Gefild
Lindernd deinen Blick,
Wie des Freundes Auge mild
Über mein Geschick.

     Jeden Nachklang fühlt mein Herz
10   Froh- und trüber Zeit,
Wandle zwischen Freud und Schmerz
In der Einsamkeit.

---

5 *Gefild* meadow   9 *Nachklang* echo
6 *lindernd* soothingly   10 *froh = froher*
8 *Geschick* destiny

Fließe, fließe, lieber Fluß!
Nimmer werd ich froh,
So verrauschte Scherz und Kuß,   15
Und die Treue so.

Ich besaß es doch einmal,
Was so köstlich ist!
Daß man doch zu seiner Qual
Nimmer es vergißt!   20

Rausche, Fluß, das Tal entlang,
Ohne Rast und Ruh,
Rausche, flüstre meinem Sang
Melodien zu,

Wenn du in der Winternacht   25
Wütend überschwillst,
Oder um die Frühlingspracht
Junger Knospen quillst.

Selig, wer sich vor der Welt
Ohne Haß verschließt,   30
Einen Freund am Busen hält
Und mit dem genießt,

Was, von Menschen nicht gewußt,
Oder nicht bedacht,
Durch das Labyrinth der Brust   35
Wandelt in der Nacht.

---

13 *Fluß* the Ilm, near Weimar   34 *bedacht* considered
15 *verrauschen* slip by

57

GRENZEN DER MENSCHHEIT

Written before 1780, this ode in free rhythms is the answer of the more mature Goethe to his former rebellious self as revealed in *Prometheus*. Music by Brahms.

Wenn der uralte
Heilige Vater
Mit gelassener Hand
Aus rollenden Wolken
5   Segnende Blitze
Über die Erde sät,
Küss' ich den letzten
Saum seines Kleides,
Kindliche Schauer
10 Treu in der Brust.

Denn mit Göttern
Soll sich nicht messen
Irgend ein Mensch.
Hebt er sich aufwärts
15 Und berührt
Mit dem Scheitel die Sterne,
Nirgends haften dann
Die unsichern Sohlen,
Und mit ihm spielen
20 Wolken und Winde.

² *Vater* i.e. Zeus
³ *gelassen* calm
⁵ *segnend* i.e. beneficent
⁷ *letzt* i.e. lowest
⁸ *Saum* hem

⁹ *Schauer* thrills
¹⁰ = *in der treuen Brust*
¹⁶ *Scheitel* crown.   Lines 15–16 echo
     an ode of Horace.
¹⁷ *haften* cling

Steht er mit festen,
Markigen Knochen
Auf der wohlgegründeten
Dauernden Erde;
Reicht er nicht auf,   25
Nur mit der Eiche
Oder der Rebe
Sich zu vergleichen.

Was unterscheidet
Götter von Menschen?   30
Daß viele Wellen
Vor jenen wandeln,
Ein ewiger Strom:
Uns hebt die Welle,
Verschlingt die Welle,   35
Und wir versinken.

Ein kleiner Ring
Begrenzt unser Leben,
Und viele Geschlechter
Reihen sich dauernd   40
An ihres Daseins
Unendliche Kette.

58

DAS GÖTTLICHE

This ode was written in 1783 and should be read in conjunction with *Grenzen der Menschheit* (§ 57). It is a noble statement of the ideals that inspired German *Klassik*, from Lessing to Hölderlin. George Meredith called it "the noblest psalm in existence."

[22] *markig* sinewy

[26] *nur = auch nur*

[40] *reihen sich dauernd* take a permanent place

Edel sei der Mensch,
Hilfreich und gut!
Denn das allein
Unterscheidet ihn
5 Von allen Wesen,
Die wir kennen.

Heil den unbekannten
Höhern Wesen,
Die wir ahnen!
10 Ihnen gleiche der Mensch;
Sein Beispiel lehr' uns
Jene glauben.

Denn unfühlend
Ist die Natur:
15 Es leuchtet die Sonne
Über Bös' und Gute,
Und dem Verbrecher
Glänzen, wie dem Besten,
Der Mond und die Sterne.

20 Wind und Ströme,
Donner und Hagel
Rauschen ihren Weg
Und ergreifen,
Vorüber eilend,
25 Einen um den andern.

Auch das Glück
Tappt unter die Menge,
Faßt bald des Knaben
Lockige Unschuld,
30 Bald auch den kahlen
Schuldigen Scheitel.

Nach ewigen, ehrnen,
Großen Gesetzen
Müssen wir alle
35 Unseres Daseins
Kreise vollenden.

Nur allein der Mensch
Vermag das Unmögliche:
Er unterscheidet,
40 Wählet und richtet;
Er kann dem Augenblick
Dauer verleihen.

Er allein darf
Den Guten lohnen,
45 Den Bösen strafen,
Heilen und retten,
Alles Irrende, Schweifende
Nützlich verbinden.

Und wir verehren
50 Die Unsterblichen,
Als wären sie Menschen,
Täten im großen,
Was der Beste im kleinen
Tut oder möchte.

55 Der edle Mensch
Sei hilfreich und gut!
Unermüdet schaff' er
Das Nützliche, Rechte,
Sei uns ein Vorbild
60 Jener geahneten Wesen!

---

2 *hilfreich* helpful
9 *ahnen* have a presentiment of
12 *jene = an jene*
25 *um* after
27 *tappen* grope

28–9 i.e. *die Unschuld des lockigen Knaben* (a transferred epithet)
31 *Scheitel* crown, i.e. head
32 *ehern* brazen, i.e. hard, immutable
47 *Irrende, Schweifende* erring, straying
52 *im großen* on a large scale

59

MIGNON

Written in 1783 or 1784, this poem has become a favorite in German literature because it expresses the German longing for the classical south. It
forms part of the novel *Wilhelm Meister*, where it is supposedly a rough
German translation made by Meister of an Italian song sung by Mignon.
This child had been abducted from her Italian home and brought to Germany; the song expresses her memories of her early surroundings and her
yearning to return to them. The meter is iambic pentameter. There are
many musical settings, including versions by Beethoven, Schubert, Schumann, Liszt, Ambroise Thomas, and Wolf.

> Kennst du das Land, wo die Zitronen blühn,
> Im dunkeln Laub die Goldorangen glühn,
> Ein sanfter Wind vom blauen Himmel weht,
> Die Myrte still und hoch der Lorbeer steht?
> Kennst du es wohl?   5
>   Dahin! Dahin
> Möcht' ich mit dir, o mein Geliebter, ziehn.
>
> Kennst du das Haus? Auf Säulen ruht sein Dach,
> Es glänzt der Saal, es schimmert das Gemach,
> Und Marmorbilder stehn und sehn mich an:
> Was hat man dir, du armes Kind, getan?   10
> Kennst du es wohl?
>   Dahin! Dahin
> Möcht' ich mit dir, o mein Beschützer, ziehn.
>
> Kennst du den Berg und seinen Wolkensteg?
> Das Maultier sucht im Nebel seinen Weg;

---

[1] *Land* i.e. Italy
[4] *Myrte, Lorbeer* myrtle, laurel
[7] *Säule* column
[8] *Gemach* chamber
[9] *Marmorbild* marble statue

[10] i.e. as if to say —
[12] *Beschützer* protector
[13] *Wolkensteg* path in the clouds
[14] *Maultier* mule

15   In Höhlen wohnt der Drachen alte Brut;
      Es stürzt der Fels und über ihn die Flut.
      Kennst du ihn wohl?
                        Dahin! Dahin
      Geht unser Weg! o Vater, laß uns ziehn!

60

MEERESSTILLE

This and the following poem belong together and are often printed as one.
They were published in 1796 but probably recall memories of Goethe's
Italian journey of 1786–88. They offer a magnificent objective picture of
nature in two moods: the first shows nature in calm, the second in movement.
There are musical settings by Beethoven, Schubert, and Mendelssohn.
   The meter of the first poem is iambic tetrameter, that of the second, two
amphibrachs.

Meeresstille

      Tiefe Stille herrscht im Wasser,
      Ohne Regung ruht das Meer,
      Und bekümmert sieht der Schiffer
      Glatte Fläche rings umher.
5   Keine Luft von keiner Seite!
      Todesstille fürchterlich!
      In der ungeheuern Weite
      Reget keine Welle sich.

Glückliche Fahrt

      Die Nebel zerreißen,
10   Der Himmel ist helle,

---

15 *Drachen* genitive after *Brut:* brood of dragons

5 The double negative intensifies the statement.
9 *zerreißen* be rent

> Und Äolus löset
> Das ängstliche Band.
> Es säuseln die Winde,
> Es rührt sich der Schiffer.
> Geschwinde! Geschwinde!   15
> Es teilt sich die Welle,
> Es naht sich die Ferne,
> Schon seh' ich das Land!

61

SELIGE SEHNSUCHT

This poem was written in 1814 and included in the *West-östlicher Divan* (1819), a collection of poems in the Persian manner. For the theme and imagery Goethe was indebted to the Persian poets Hafiz and Saadi. The poem is a superb expression of the idea of self-sacrifice for a higher goal that transcends man's narrow existence. Bernard Shaw has called Goethe's *Stirb und werde* the "evolutionary appetite" and made it a central theme in his work (*Man and Superman, Back to Methuselah, Saint Joan*). Goethe would have liked the Shavian phrase. The last stanza was originally independent of the poem; it has one trochee less in each line than the other four.

> Sagt es niemand, nur den Weisen,
> Weil die Menge gleich verhöhnet,
> Das Lebend'ge will ich preisen,
> Das nach Flammentod sich sehnet.

> In der Liebesnächte Kühlung,   5
> Die dich zeugte, wo du zeugtest,
> Überfällt dich fremde Fühlung,
> Wenn die stille Kerze leuchtet.

---

[11] *Äolus* god of the winds in Greek mythology. In Homer he is represented as keeping the winds tied up in a leather pouch.

[12] *ängstlich* i.e. causing anxiety (to travelers)

[13] *säuseln* rustle

[2] *verhöhnen* mock
[3] *Lebendige* living thing
[5] *Kühlung* coolness
[6] *zeugen* procreate
[8] *Kerze* i.e. the light of the spirit

10
Nicht mehr bleibest du umfangen
In der Finsternis Beschattung,
Und dich reißet neu Verlangen
Auf zu höherer Begattung.

Keine Ferne macht dich schwierig,
Kommst geflogen und gebannt,
15
Und zuletzt, des Lichts begierig,
Bist du, Schmetterling, verbrannt.

Und solang du das nicht hast,
Dieses: Stirb und werde!
Bist du nur ein trüber Gast
20
Auf der dunklen Erde.

62

PROOEMION

This is a composite poem. The first two stanzas were written in 1816 and
published the following year. The last two stanzas date from 1812 and were
originally two independent *Sprüche*. Goethe put the three items together
under the present title in 1827. Prooemion means "introduction"; the poem
was placed by Goethe at the head of a section entitled *Gott und Welt*. It is
a superb expression of Goethe's pantheism and his definition of God. The
meter is iambic pentameter.

Im Namen dessen, der sich selbst erschuf!
Von Ewigkeit in schaffendem Beruf;
In seinem Namen, der den Glauben schafft,
Vertrauen, Liebe, Tätigkeit und Kraft;
5
In jenes Namen, der, so oft genannt,
Dem Wesen nach blieb immer unbekannt:

[9] *umfangen* caught, held fast
[12] *Begattung* procreation
[13] *schwierig* discontented
[14] *gebannt* held captive, spellbound
[15] *begierig* desirous

[17] *stirb und werde* die and come into
being (in a new form)

[6] *dem Wesen nach* in His essence

Soweit das Ohr, soweit das Auge reicht,
Du findest nur Bekanntes, das ihm gleicht,
Und deines Geistes höchster Feuerflug
Hat schon am Gleichnis, hat am Bild genug;   10
Es zieht dich an, er reißt dich heiter fort,
Und wo du wandelst, schmückt sich Weg und Ort:
Du zählst nicht mehr, berechnest keine Zeit,
Und jeder Schritt ist Unermeßlichkeit.

*

Was wär' ein Gott, der nur von außen stieße,   15
Im Kreis das All am Finger laufen ließe!
Ihm ziemt's, die Welt im Innern zu bewegen,
Natur in sich, sich in Natur zu hegen,
So daß, was in ihm lebt und webt und ist,
Nie seine Kraft, nie seinen Geist vermißt.   20

*

Im Innern ist ein Universum auch;
Daher der Völker löblicher Gebrauch,
Daß jeglicher das Beste, was er kennt,
Er Gott, ja seinen Gott benennt,
Ihm Himmel und Erden übergibt,   25
Ihn fürchtet und womöglich liebt.

63

EPIRRHEMA

Written in 1819; published the following year. This poem should be read
in conjunction with *Antepirrhema* and *Parabase*. The Greek word *Epirrhema* (a term used in Greek comedy) means "after-speech," that is, sum-
ming up. In this poem Goethe formulates his conviction, expressed repeat-

[11] *fort-reißen* carry away
[12] *schmückt sich* i.e. grows beautiful
[14] *Unermeßlichkeit* i.e. infinity
[15] *stieße* thrust, impelled
[16] *All* universe; *am Finger*...like a boy spinning a top on his finger
[17] *ziemen* befit
[18] *hegen* cherish
[19] *weben* stir
[22] *löblich* laudable
[23] *jeglicher = jeder*

edly in his scientific work, that the multiplicity of phenomena must be accepted at face value as a reality, not judged inferior to some underlying or transcendental substance or essence. The meter is trochaic tetrameter.

> Müsset im Naturbetrachten
> Immer eins wie alles achten;
> Nichts ist drinnen, nichts ist draußen;
> Denn was innen, das ist außen.
> 5 So ergreifet ohne Säumnis
> Heilig öffentlich Geheimnis.
>
> Freuet euch des wahren Scheins,
> Euch des ernsten Spieles;
> Kein Lebendiges ist Eins,
> 10 Immer ist's ein Vieles.

64

DÄMMRUNG SENKTE SICH VON OBEN

No. 8 of a cycle of lyrics entitled *Chinesisch-deutsche Jahres- und Tageszeiten* (1827). This simple, objective nature lyric is one of the most beautiful Goethe ever wrote. He was reading Chinese literature at this time and was impressed by its wonderful simplicity. In this spirit he composed the cycle, of which this is the crowning achievement.

> Dämmrung senkte sich von oben,
> Schon ist alle Nähe fern;
> Doch zuerst emporgehoben
> Holden Lichts der Abendstern!

5 *Säumnis* delay
6 *öffentlich* public, i.e. what is not really a mystery
7 *Schein* appearance (in philosophy usually contrasted with reality and truth); *Wahrer Schein* and *ernstes Spiel* are deliberate paradoxes.

1 *sich senken* drop down
4 *holden Lichts* with lovely light

Alles schwankt ins Ungewisse,   5
Nebel schleichen in die Höh';
Schwarzvertiefte Finsternisse
Widerspiegelnd ruht der See.

Nun am östlichen Bereiche
Ahn' ich Mondenglanz und -glut,   10
Schlanker Weiden Haargezweige
Scherzen auf der nächsten Flut.
Durch bewegter Schatten Spiele
Zittert Lunas Zauberschein,
Und durchs Auge schleicht die Kühle   15
Sänftigend ins Herz hinein.

65

LIED DES LYNKEUS

From *Faust II*, the scene *Tiefe Nacht* in Act 5. The song is sung by Lynceus, the watchman of the tower on Faust's castle. Lynceus, one of the Argonauts, was so keensighted that he could see through the earth. The poem is a marvelous expression of serene contentment with life, which is the wisdom of the aged Goethe. The meter is one dactyl, followed by a trochee (minus the second syllable in the even lines), with anacrusis.

Zum Sehen geboren,
Zum Schauen bestellt,
Dem Turme geschworen
Gefällt mir die Welt.

[7] *schwarzvertieft* The darkness seems   [14] *Luna* the moon
   blacker than it is.   [16] *sänftigend* soothingly
[9] *Bereich* realm, sphere   _____
[11] *Haargezweige* hairlike branches   [2] *bestellt* appointed
[12] *scherzen* play   [3] *geschworen* sworn, i.e. dedicated

5
Ich blick' in die Ferne,
Ich seh' in der Näh'
Den Mond und die Sterne,
Den Wald und das Reh.
So seh' ich in allen

10
Die ewige Zier,
Und wie mir's gefallen,
Gefall' ich auch mir.
Ihr glücklichen Augen,
Was je ihr gesehn,

15
Es sei wie es wolle,
Es war doch so schön!

66

AUS „FAUST"

It is unthinkable that an anthology of this sort should ignore Goethe's
Faust. Yet it is obvious that no selection from the great dramatic poem can
even indicate the rich character of the work. The following scenes illustrate at least one basic theme which runs through the poem: the conquest of
anxiety. Faust's triumph over *Sorge* represents his crowning achievement
over the "destructive element" in life, symbolized by Mephistopheles. He
has now earned his salvation. *Faust* was begun by Goethe in the early 1770's
and finished some sixty years later in the last year of his life. "It is no
trifle," he wrote to a friend in June 1831, "to externalize in one's eighty-
second year something that was conceived when one was twenty and to
clothe such an ever-living skeleton with sinews, flesh and skin, and even to
throw a few mantle-folds over the figure one has erected, so that, all in all,
it may remain an open riddle, delight people on and on and keep them busy."
Lines 1-109 are from the opening scene of Part I; the rest from the fifth act
of Part II. The meter in the first is *Knittelvers:* rhymed couplets with four
irregular stresses to the line.

---

⁸ *Reh* deer   ¹² *gefalle* i.e. accept myself
¹⁰ *Zier* ornament, i.e. beauty or harmony

NACHT

(In einem hochgewölbten gotischen Zimmer. Faust unruhig auf seinem Sessel am Pulte.)

FAUST.

Habe nun, ach! Philosophie,
Juristerei und Medizin,
Und, leider! auch Theologie
Durchaus studiert, mit heißem Bemühn.
Da steh' ich nun, ich armer Tor!   5
Und bin so klug als wie zuvor;
Heiße Magister, heiße Doktor gar,
Und ziehe schon an die zehen Jahr,
Herauf, herab und quer und krumm,
Meine Schüler an der Nase herum —   10
Und sehe, daß wir nichts wissen können!
Das will mir schier das Herz verbrennen.
Zwar bin ich gescheiter als alle die Laffen,
Doktoren, Magister, Schreiber und Pfaffen;
Mich plagen keine Skrupel noch Zweifel,   15
Fürchte mich weder vor Hölle noch Teufel —
Dafür ist mir auch alle Freud' entrissen,
Bilde mir nicht ein, was Rechtes zu wissen,
Bilde mir nicht ein, ich könnte was lehren,
Die Menschen zu bessern und zu bekehren.   20
Auch hab' ich weder Gut noch Geld,
Noch Ehr' und Herrlichkeit der Welt;
Es möchte kein Hund so länger leben!
Drum hab' ich mich der Magie ergeben,

---

hochgewölbt high vaulted; *gotisch* in Gothic style; perhaps also in the pejorative sense of old-fashioned and tasteless
1 *habe = ich habe*
2 *Juristerei* jurisprudence
4 *durchaus* thoroughly
6 *als wie = wie*
7 *Magister* master

8 *an die* close to
9 up, down, criss and cross
13 *Laffe* fop
14 *Schreiber* clerk, i.e. civil servant; *Pfaffe* priest
17 *dafür* to offset that
18 *was Rechtes* something real
20 *bekehren* convert (from their errors)
23 *möchte = könnte*

25   Ob mir durch Geistes Kraft und Mund
     Nicht manch Geheimnis würde kund;
     Daß ich nicht mehr, mit saurem Schweiß,
     Zu sagen brauche, was ich nicht weiß;
     Daß ich erkenne, was die Welt
30   Im Innersten zusammenhält,
     Schau' alle Wirkenskraft und Samen,
     Und tu nicht mehr in Worten kramen.

                    *   *   *

     O sähst du, voller Mondenschein,
     Zum letztenmal auf meine Pein,
35   Den ich so manche Mitternacht
     An diesem Pult herangewacht:
     Dann über Büchern und Papier,
     Trübsel'ger Freund, erschienst du mir!
     Ach! könnt' ich doch auf Bergeshöh'n
40   In deinem lieben Lichte gehn,
     Um Bergeshöhle mit Geistern schweben,
     Auf Wiesen in deinem Dämmer weben,
     Von allem Wissensqualm entladen,
     In deinem Tau gesund mich baden!

45   Weh! steck' ich in dem Kerker noch?
     Verfluchtes dumpfes Mauerloch,
     Wo selbst das liebe Himmelslicht
     Trüb durch gemalte Scheiben bricht!
     Beschränkt von diesem Bücherhauf,
50   Den Würme nagen, Staub bedeckt,
     Den, bis ans hohe Gewölb' hinauf,
     Ein angeraucht Papier umsteckt;
     Mit Gläsern, Büchsen rings umstellt,

---

25 *ob* to see whether
26 *kund* known
30 *im Innersten* at its core
31 *Wirkenskraft* the force which gener-
   ates life; explained by *Samen*
32 *kramen* deal in, rummage about
35 *den* refers to *Mondenschein*
36 *herangewacht* observed in my waking
   state
38 *trübselig* melancholy

42 *Dämmer* half-light; *weben* hover
43 *Wissensqualm* fog of knowledge
45 *Kerker* prison
46 *dumpf* musty, dull; *Mauerloch* bare
   room, hole in the wall
50 *Würme = Würmer*
52 *angeraucht Papier* a mass of smoke-
   browned papers; *umstecken* surround

Mit Instrumenten vollgepfropft,
Urväter-Hausrat drein gestopft — 55
Das ist deine Welt! das heißt eine Welt!

Und fragst du noch, warum dein Herz
Sich bang in deinem Busen klemmt?
Warum ein unerklärter Schmerz
Dir alle Lebensregung hemmt? 60
Statt der lebendigen Natur,
Da Gott die Menschen schuf hinein,
Umgibt in Rauch und Moder nur
Dich Tiergeripp' und Totenbein.

Flieh! auf! hinaus ins weite Land! 65
Und dies geheimnisvolle Buch,
Von Nostradamus' eigner Hand,
Ist dir es nicht Geleit genug?
Erkennest dann der Sterne Lauf,
Und wenn Natur dich unterweist, 70
Dann geht die Seelenkraft dir auf,
Wie spricht ein Geist zum andern Geist.
Umsonst, daß trocknes Sinnen hier
Die heil'gen Zeichen dir erklärt:
Ihr schwebt, ihr Geister, neben mir; 75
Antwortet mir, wenn ihr mich hört!

* * *

Nicht darf ich dir zu gleichen mich vermessen!
Hab' ich die Kraft dich anzuziehn besessen,
So hatt' ich dich zu halten keine Kraft.

---

⁵⁴ *propfen* stuff
⁵⁵ *Urväter-Hausrat* ancestral rubbish
⁵⁸ *sich klemmen* be constricted
⁶⁰ *Lebensregung* energy, vital impulse
⁶² *da hinein* into which
⁶³ *Moder* must, mold
⁶⁴ *Tiergerippe* animal skeleton; *Bein* bones
⁶⁷ *Michel de Nostredame* (1503–66) French astrologer and magician, a contemporary of Faust
⁶⁸ *Geleit* guidance
⁷⁰ *unterweisen* instruct

⁷¹ *Seelenkraft* power of the spirit; *aufgehen* be revealed, arise
⁷³ *trocknes Sinnen* arid thinking
⁷⁷ Faust first attempts to conjure up the *Weltgeist* but fails to make it materialize. He then invokes the *Erdgeist*, a lesser spirit; this time he succeeds but is rebuffed by the spirit, which tells him: *Du gleichst dem Geist, den du begreifst, nicht mir.*
⁷⁷ *gleichen = mich gleichen* compare myself; *mich vermessen* presume

80   In jenem sel'gen Augenblicke
        Ich fühlte mich so klein, so groß;
        Du stießest grausam mich zurücke,
        Ins ungewisse Menschenlos.
        Wer lehret mich? was soll ich meiden?
85   Soll ich gehorchen jenem Drang?
        Ach! unsre Taten selbst, so gut als unsre Leiden,
        Sie hemmen unsres Lebens Gang.

        Dem Herrlichsten, was auch der Geist empfangen,
        Drängt immer fremd und fremder Stoff sich an;
90   Wenn wir zum Guten dieser Welt gelangen,
        Dann heißt das Beß're Trug und Wahn.
        Die uns das Leben gaben, herrliche Gefühle,
        Erstarren in dem irdischen Gewühle.

        Wenn Phantasie sich sonst mit kühnem Flug
95   Und hoffnungsvoll zum Ewigen erweitert,
        So ist ein kleiner Raum ihr nun genug,
        Wenn Glück auf Glück im Zeitenstrudel scheitert.
        Die Sorge nistet gleich im tiefen Herzen,
        Dort wirket sie geheime Schmerzen,
100   Unruhig wiegt sie sich und störet Lust und Ruh;
        Sie deckt sich stets mit neuen Masken zu,
        Sie mag als Haus und Hof, als Weib und Kind erscheinen,
        Als Feuer, Wasser, Dolch und Gift;
        Du bebst vor allem, was nicht trifft,
105   Und was du nie verlierst, das mußt du stets beweinen.

        Den Göttern gleich' ich nicht! Zu tief ist es gefühlt;
        Dem Wurme gleich' ich, der den Staub durchwühlt,

83 *Menschenlos* human destiny
88 *auch* goes with *dem Herrlichsten*
89 *fremd und fremder* more and more foreign
92 *die* relative pronoun referring to *Gefühle*
93 *erstarren* become petrified; *Gewühl* turmoil, confusion
94 *sonst* formerly, i.e. before the present state of frustration and disillusionment came upon me
97 *Glück* happiness, i.e. the contented state of mind; *Zeitenstrudel* whirlpool of the times; *scheitern* suffer shipwreck
98 *nisten* nest; *gleich* at once
106 allusion to his rejection by the *Erdgeist*

Den, wie er sich im Staube nährend lebt,
Des Wandrers Tritt vernichtet und begräbt.

*   *   *

MITTERNACHT

Faust is now an old man, a rich man, a powerful man. He has undergone a
variety of experiences, which range from the most private search for happiness to the direction of empires and the manipulation of whole societies.
Of the four basic destructive elements that combine to paralyze the minds
of men, three have no access to him; they are *Mangel, Schuld* (debt? guilt
for specific crimes?), *Not*. But the fourth — *Sorge* (care, anxiety) — still
has power over him, now at the end of his career, as she did at its beginning.
But *Sorge* too can be overcome; not wholly, but sufficiently to permit us
to carry through the tasks of life. This is the sense of the following scene,
perhaps the most profoundly moving in the whole drama. The meter is:
ll. 1–14 — each half-line has a dactyl and a trochee, with anacrusis. From
l. 15 on, Faust speaks in iambic pentameter, *Sorge* in trochaic tetrameter.

ERSTE

Ich heiße der Mangel.

ZWEITE

Ich heiße die Schuld.

DRITTE

Ich heiße die Sorge.

VIERTE

Ich heiße die Not.

ZU DREI

Die Tür ist verschlossen, wir können nicht ein;
Drin wohnet ein Reicher, wir mögen nicht 'nein.

MANGEL

Da werd' ich zum Schatten.   5

SCHULD

Da werd' ich zunicht'.

NOT

Man wendet von mir das verwöhnte Gesicht.

---

108 *sich* goes with *nährend*

5 *zunichte werden* lose all meaning
6 *verwöhnt* pampered

SORGE

Ihr Schwestern, ihr könnt nicht und dürft nicht hinein.

Die Sorge, sie schleicht sich durchs Schlüsselloch ein.   (*Sorge ver-*
schwindet.)

MANGEL

Ihr, graue Geschwister, entfernt euch von hier.

SCHULD

10 Ganz nah an der Seite verbind' ich mich dir.

NOT

Ganz nah an der Ferse begleitet die Not.

ZU DREI

Es ziehen die Wolken, es schwinden die Sterne!

Dahinten, dahinten! von ferne, von ferne,

Da kommt er, der Bruder, da kommt er, der — Tod.   (*Ab.*)

FAUST (*im Palast*)

15 Vier sah ich kommen, drei nur gehn;

Den Sinn der Rede konnt' ich nicht verstehn.

Es klang so nach, als hieß' es — Not,

Ein düstres Reimwort folgte — Tod.

Es tönte hohl, gespensterhaft gedämpft.

20 Noch hab' ich mich ins Freie nicht gekämpft.

Könnt' ich Magie von meinem Pfad entfernen,

Die Zaubersprüche ganz und gar verlernen,

Stünd' ich, Natur, vor dir ein Mann allein,

Da wär's der Mühe wert ein Mensch zu sein.

25 Das war ich sonst, eh' ich's im Düstern suchte,

Mit Frevelwort mich und die Welt verfluchte.

Nun ist die Luft von solchem Spuk so voll,

Daß niemand weiß, wie er ihn meiden soll.

Wenn auch ein Tag uns klar vernünftig lacht,

---

15 There is a change of scene at this
point.

17 *nach-klingen* echo

19 *gespensterhaft gedämpft* spectrally
hollow

21 *Magie* Magic is the symbol for an
attempt to force nature. This has
been Faust's major sin or error.
His early attempts at communion
with supernatural spirits (described

above) and his association with
Mephistopheles are examples of
this unnatural way of life. This
Faust must overcome; only then
can he call his soul his own.

25 *sonst* before his attempts to commune
with the supernatural

26 In an early scene Faust, in a mood of
despair, cursed life (Part I, 11.
1583–1606).

In Traumgespinst verwickelt uns die Nacht;   30
Wir kehren froh von junger Flur zurück,
Ein Vogel krächzt; was krächzt er? Mißgeschick.
Von Aberglauben früh und spat umgarnt:
Es eignet sich, es zeigt sich an, es warnt.
Und so verschüchtert, stehen wir allein.   35
Die Pforte knarrt, und niemand kommt herein. (*Erschüttert*)
Ist jemand hier?

SORGE

Die Frage fordert Ja!

FAUST

Und du, wer bist denn du?

SORGE

Bin einmal da.

FAUST

Entferne dich!

SORGE

Ich bin am rechten Ort.

FAUST (*erst ergrimmt, dann besänftigt, für sich*).

Nimm dich in acht und sprich kein Zauberwort.   40

SORGE

Würde mich kein Ohr vernehmen,
Müßt' es doch im Herzen dröhnen;
In verwandelter Gestalt
Üb' ich grimmige Gewalt.
Auf den Pfaden, auf der Welle,   45
Ewig ängstlicher Geselle,
Stets gefunden, nie gesucht,
So geschmeichelt wie verflucht. —
Hast du die Sorge nie gekannt?

FAUST

Ich bin nur durch die Welt gerannt;   50

---

[30] *Traumgespinst* web of dreams
[31] *junger Flur* i.e. from the fields in spring
[32] *krächzen* croak
[33] *spat* = *spät; umgarnen* ensnare
[34] *sich eignen* occur; *sich an-zeigen* be indicated
[38] *einmal* simply
[40] *ergrimmt* angry; *besänftigt* soothed
[42] *dröhnen* echo
[46] *ängstlich* here: creating anxiety, frightening

Ein jed' Gelüst ergriff ich bei den Haaren,
Was nicht genügte, ließ ich fahren,
Was mir entwischte, ließ ich ziehn.
Ich habe nur begehrt und nur vollbracht
55   Und abermals gewünscht und so mit Macht
Mein Leben durchgestürmt; erst groß und mächtig,
Nun aber geht es weise, geht bedächtig.
Der Erdenkreis ist mir genug bekannt,
Nach drüben ist die Aussicht uns verrannt;
60   Tor! wer dorthin die Augen blinzelnd richtet,
Sich über Wolken seinesgleichen dichtet!
Er stehe fest und sehe hier sich um;
Dem Tüchtigen ist diese Welt nicht stumm.
Was braucht er in die Ewigkeit zu schweifen!
65   Was er erkennt, läßt sich ergreifen.
Er wandle so den Erdentag entlang;
Wenn Geister spuken, geh' er seinen Gang,
Im Weiterschreiten find' er Qual und Glück,
Er, unbefriedigt jeden Augenblick!

SORGE

70   Wen ich einmal mir besitze,
Dem ist alle Welt nichts nütze;
Ewiges Düstre steigt herunter,
Sonne geht nicht auf noch unter,
Bei vollkommen äußern Sinnen
75   Wohnen Finsternisse drinnen,
Und er weiß von allen Schätzen
Sich nicht in Besitz zu setzen.
Glück und Unglück wird zur Grille,
Er verhungert in der Fülle;
80   Sei es Wonne, sei es Plage,
Schiebt er's zu dem andern Tage,

---

51 *Gelüst* pleasure, desire
53 *entwischen* slip away, elude
55 *abermals = wieder*
57 *bedächtig* deliberate
59 *drüben* beyond (the natural realm); *verrannt* blocked
60 *blinzelnd* blinking (because he cannot look at it steadily)
61 creates a God in his own image
63 *tüchtig* active, energetic
64 *schweifen* roam
74 *äußere* i.e. physical
78 *Grille* whim
81 *ander* following

Ist der Zukunft nur gewärtig,
Und so wird er niemals fertig.

FAUST

Hör auf! so kommst du mir nicht bei!
Ich mag nicht solchen Unsinn hören.   85
Fahr hin! die schlechte Litanei,
Sie könnte selbst den klügsten Mann betören.

SORGE

Soll er gehen, soll er kommen?
Der Entschluß ist ihm genommen;
Auf geahnten Weges Mitte   90
Wankt er tastend halbe Schritte.
Er verliert sich immer tiefer,
Siehet alle Dinge schiefer,
Sich und andre lästig drückend,
Atemholend und erstickend;   95
Nicht erstickt und ohne Leben,
Nicht verzweifelnd, nicht ergeben.
So ein unaufhaltsam Rollen,
Schmerzlich Lassen, widrig Sollen,
Bald Befreien, bald Erdrücken,   100
Halber Schlaf und schlecht Erquicken
Heftet ihn an seine Stelle
Und bereitet ihn zur Hölle.

FAUST

Unselige Gespenster! so behandelt ihr
Das menschliche Geschlecht zu tausend Malen;   105
Gleichgültige Tage selbst verwandelt ihr
In garstigen Wirrwar netzumstrickter Qualen.
Dämonen, weiß ich, wird man schwerlich los,
Das geistig-strenge Band ist nicht zu trennen;

---

[82] *gewärtig* expecting
[84] *bei-kommen* get at
[86] *Litanei* litany, i.e. spiel
[87] *betören* befuddle
[90] *geahnt* surmised
[91] *tastend* gropingly
[94] *lästig* burdensomely, annoyingly
[97] *ergeben* submitting
[98] *unaufhaltsam* uncontrollable

[99] *Lassen* letting (things) go; *widrig* repulsive
[100] *Erdrücken* crushing
[101] *Erquicken* refreshment (after sleep)
[102] *heften* keep fixed
[107] *garstiger Wirrwar* horrid confusion; *netzumstrickt* caught in a net
[109] *geistig-streng* i.e. the bond which holds the mind in a tight grip

110   Doch deine Macht, o Sorge, schleichend groß,
        Ich werde sie nicht anerkennen.

SORGE

        Erfahre sie, wie ich geschwind
        Mich mit Verwünschung von dir wende!
        Die Menschen sind im ganzen Leben blind,
115   Nun, Fauste, werde du's am Ende! (*Sie haucht ihn an.*)

FAUST (*erblindet*)

        Die Nacht scheint tiefer tief hereinzudringen,
        Allein im Innern leuchtet helles Licht;
        Was ich gedacht, ich eil' es zu vollbringen;
        Des Herren Wort, es gibt allein Gewicht.
120   Vom Lager auf, ihr Knechte! Mann für Mann!
        Laßt glücklich schauen, was ich kühn ersann.
        Ergreift das Werkzeug, Schaufel rührt und Spaten!
        Das Abgesteckte muß sogleich geraten.
        Auf strenges Ordnen, raschen Fleiß
125   Erfolgt der allerschönste Preis;
        Daß sich das größte Werk vollende,
        Genügt *ein* Geist für tausend Hände.

67

AUS „DON CARLOS"

FRIEDRICH SCHILLER (1759–1805)

This tragedy, written between 1783 and 1787, marks the transition between Schiller's early *Sturm und Drang* manner and his later classicism. It is one of his most striking blows in the cause of intellectual freedom, represented through the dramatic conflict between the tyrannical Philip II of Spain and

---

[113] *Verwünschung* curse
[116] *tiefer tief* deeper and deeper
[119] *Herrn* master, i.e. Faust himself
[120] *für* upon

[121] *schauen* be seen; *ersinnen a o* think out
[123] *abgesteckt* staked off; *geraten* come to pass
[124] *Ordnen* planning

his liberty-loving son Don Carlos. Carlos is guided by his friend the
Marquis Posa who, in this climactic scene (Act 3, Scene 10), appears before
the King to plead for political freedom for the oppressed Netherlands. The
philosophical nature of the dialogue is characteristic of Schiller. The meter
is blank verse.

MARQUIS

Ich höre, Sire, wie klein,
Wie niedrig Sie von Menschenwürde denken,
Selbst in des freien Mannes Sprache nur
Den Kunstgriff eines Schmeichlers sehen, und
Mir deucht, ich weiß, wer Sie dazu berechtigt.   5
Die Menschen zwangen Sie dazu; *die* haben
Freiwillig ihres Adels sich begeben,
Freiwillig sich auf diese niedre Stufe
Herabgestellt. Erschrocken fliehen sie
Vor dem Gespenste ihrer innern Größe,   10
Gefallen sich in ihrer Armut, schmücken
Mit feiger Weisheit ihre Ketten aus,
Und Tugend nennt man, sie mit Anstand tragen.
So überkamen Sie die Welt. So ward
Sie Ihrem großen Vater überliefert.   15
Wie könnten Sie in dieser traurigen
Verstümmlung — Menschen ehren?

KÖNIG

Etwas Wahres
Find' ich in diesen Worten.

MARQUIS

Aber schade!
Da Sie den Menschen aus des Schöpfers Hand
In Ihrer Hände Werk verwandelten   20
Und dieser neugegoßnen Kreatur

[4] *Kunstgriff* trick. Posa has been
speaking frankly to the King about
human dignity. The King accuses
him of using a subtler kind of flattery than that usually practiced by
courtiers. To this charge Posa now
replies.

[5] *mir deucht* it seems to me

[7] *sich begeben* renounce
[13] *sie = Ketten*
[14] *überkommen* conquer
[15] *sie = Welt; Vater* the Emperor
Charles V
[17] *Verstümmelung* mutilation
[21] *neugegossen* newly molded

Zum Gott sich gaben — da versahen Sie's
In etwas nur: Sie blieben selbst noch Mensch —
Mensch aus des Schöpfers Hand. *Sie* fuhren fort,
25 Als Sterblicher zu leiden, zu begehren;
Sie brauchen Mitgefühl — und einem Gott
Kann man nur opfern — zittern — zu ihm beten!
Bereuenswerter Tausch! Unselige
Verdrehung der Natur! — Da Sie den Menschen
30 Zu Ihrem Saitenspiel herunterstürzten,
Wer teilt mit Ihnen Harmonie?

KÖNIG

(Bei Gott,
Er greift in meine Seele!)

MARQUIS

Aber Ihnen
Bedeutet dieses Opfer nichts. Dafür
Sind Sie auch einzig — Ihre eigne Gattung —
35 Um diesen Preis sind Sie ein Gott. — Und schrecklich,
Wenn das *nicht* wäre — wenn für diesen Preis,
Für das zertretne Glück von Millionen,
Sie nichts gewonnen hätten! wenn die Freiheit,
Die Sie vernichteten, das Einz'ge wäre,
40 Das Ihre Wünsche reifen kann? — Ich bitte,
Mich zu entlassen, Sire. Mein Gegenstand
Reißt mich dahin. Mein Herz ist voll — der Reiz
Zu mächtig, vor dem Einzigen zu stehen,
Dem ich es öffnen möchte.

KÖNIG

Redet aus!

MARQUIS (*nach einigem Stillschweigen*)

Ich fühle, Sire — den ganzen Wert —

KÖNIG

Vollendet!
45

---

22 *sich gaben* announced yourself; *ver-*
  sehen err
28 *bereuenswert* regrettable
29 *Verdrehung* perversion
30 *Saitenspiel* instrument; *herunter-*
  stürzen i.e. debase

33 *dafür* to make up for it
34 *Gattung* species
36 *wäre* if it were not so
41–2 My subject is running away with
  me.
44 *aus-reden* finish talking

Ihr hattet mir noch mehr zu sagen.

MARQUIS

Sire!

Jüngst kam ich an von Flandern und Brabant —
So viele reiche, blühende Provinzen!
Ein kräftiges, ein großes Volk — und auch
Ein gutes Volk — und Vater dieses Volkes,   50
Das, dacht' ich, das muß göttlich sein! — Da stieß
Ich auf verbrannte menschliche Gebeine —

*(Hier schweigt er still; seine Augen ruhen auf dem König, der es ver-
sucht, diesen Blick zu erwidern, aber betroffen und verwirrt zur Erde
sieht.)*

Sie haben Recht. *Sie* müssen. Daß Sie *können,*
Was Sie zu müssen eingesehn, hat mich
Mit schauernder Bewunderung durchdrungen.   55
O schade, daß, in seinem Blut gewälzt,
Das Opfer wenig dazu taugt, dem Geist
Des Opferers ein Loblied anzustimmen!
Daß Menschen nur — nicht Wesen höh'rer Art —
Die Weltgeschichte schreiben! — Sanftere   60
Jahrhunderte verdrängen Philipps Zeiten;
Die bringen mildre Weisheit; Bürgerglück
Wird dann versöhnt mit Fürstengröße wandeln,
Der karge Staat mit seinen Kindern geizen,
Und die Notwendigkeit wird menschlich sein.   65

KÖNIG

Wann, denkt Ihr, würden diese menschlichen
Jahrhunderte erscheinen, hätt' ich vor
Dem Fluch des jetzigen gezittert? Sehet
In meinem Spanien Euch um. Hier blüht

---

[47] Flanders and Brabant were two of the oppressed Dutch provinces.
[52] *Gebeine* the bones of Protestants burned by the Inquisition
Stage directions: *betroffen* taken aback
[53-4] The sense is: the fact that you can carry out what you realize you must carry out

[55] *schauernd* awesome
[58] *an-stimmen* start singing
[59] *daß* i.e. *schade daß*
[64] *karg* stingy; *geizen* be greedy, i.e. human life and happiness will be more precious to the state than they now are
[65] *Notwendigkeit* i.e. inhumanity will not be excused by pleas of necessity

70   Des Bürgers Glück in nie bewölktem Frieden;
        Und *diese Ruhe* gönn' ich den Flamändern.
                        MARQUIS (*schnell*)
        Die Ruhe eines Kirchhofs! Und Sie hoffen,
        Zu endigen, was Sie begannen? hoffen,
        Der Christenheit gezeitigte Verwandlung,
75   Den allgemeinen Frühling aufzuhalten,
        Der die Gestalt der Welt verjüngt? *Sie* wollen —
        Allein in ganz Europa — sich dem Rade
        Des Weltverhängnisses, das unaufhaltsam
        In vollem Laufe rollt, entgegenwerfen?
80   Mit Menschenarm in seine Speichen fallen?
        Sie werden nicht! Schon flohen Tausende
        Aus Ihren Ländern froh und arm. Der Bürger,
        Den Sie verloren für den Glauben, war
        Ihr edelster. Mit offnen Mutterarmen
85   Empfängt die Fliehenden Elisabeth,
        Und furchtbar blüht durch Künste unsres Landes
        Britannien. Verlassen von dem Fleiß
        Der neuen Christen, liegt Grenada öde,
        Und jauchzend sieht Europa seinen Feind
90   An selbstgeschlagnen Wunden sich verbluten.
(*Der König ist bewegt, der Marquis bemerkt es und tritt einige Schritte
näher.*)
        Sie wollen pflanzen für die Ewigkeit,
        Und säen Tod? Ein so erzwungnes Werk
        Wird seines Schöpfers Geist nicht überdauern.
        Dem Undank haben Sie gebaut — umsonst
95   Den harten Kampf mit der Natur gerungen,
        Umsonst ein großes, königliches Leben
        Zerstörenden Entwürfen hingeopfert.
        Der Mensch ist mehr, als Sie von ihm gehalten.

[71] *gönn' ich den Flamändern* I am willing to grant the Flemings
[74] *gezeitigt* matured
[78] *Weltverhängnis* world destiny
[80] *Speiche* spoke
[85] Elizabeth I of England (reigned 1558–1603)
[86] *furchtbar* i.e. for us
[88] The new Christians were the Moors, who were forcibly converted to Christianity in the reign of Ferdinand and Isabella. *Grenada* = Granada, a province of Spain
[90] *sich verbluten* bleed to death
[97] *Entwurf* plan

Des langen Schlummers Bande wird er brechen
Und wieder fordern sein geheiligt Recht.   100
Zu einem Nero und Busiris wirft
Er Ihren Namen, und — das schmerzt mich, denn
Sie waren gut.

KÖNIG

Wer hat Euch dessen so

Gewiß gemacht?

MARQUIS

Ja, beim Allmächtigen!

Ja — ja — Ich wiederhol' es. Geben Sie,   105
Was Sie uns nahmen, wieder. Lassen Sie,
Großmütig, wie der Starke, Menschenglück
Aus Ihrem Füllhorn strömen — Geister reifen
In Ihrem Weltgebäude. Geben Sie,
Was Sie uns nahmen, wieder. Werden Sie   110
Von Millionen Königen ein König.

*(Er nähert sich ihm kühn, indem er feste und feurige Blicke auf ihn
richtet.)*

O könnte die Beredsamkeit von allen
Den Tausenden, die dieser großen Stunde
Teilhaftig sind, auf meinen Lippen schweben,
Den Strahl, den ich in diesen Augen merke,   115
Zur Flamme zu erheben! — Geben Sie
Die unnatürliche Vergött'rung auf,
Die uns vernichtet. Werden Sie uns Muster
Des Ewigen und Wahren. Niemals — niemals
Besaß ein Sterblicher so viel, so göttlich   120
Es zu gebrauchen. Alle Könige
Europens huldigen dem span'schen Namen.
Gehn Sie Europens Königen voran.
Ein Federzug von dieser Hand, und neu
Erschaffen wird die Erde. Geben Sie   125

---

101 *Busiris* a mythical Egyptian king,
    noted for his cruelty; *werfen zu*
    i.e. couple with
108 *Füllhorn* horn of plenty; read:
    lassen Sie Geister reifen
111 i.e. each of your millions of subjects
    would be a king

112 *Beredsamkeit* eloquence
114 *teilhaftig sind* share (because I speak
    for them)
117 *Vergötterung* idolization
122 *huldigen* respect
124 *Federzug* i.e. your signature

Gedankenfreiheit — (*Sich ihm zu Füßen werfend.*)

KÖNIG

(*überrascht, das Gesicht weggewandt und dann wieder auf den Marquis
geheftet*)

Sonderbarer Schwärmer!

Doch — stehet auf — ich —

MARQUIS

Sehen Sie sich um
In seiner herrlichen Natur! Auf Freiheit
Ist sie gegründet — und wie reich ist sie

130 Durch Freiheit! Er, der große Schöpfer, wirft
In einen Tropfen Tau den Wurm und läßt
Noch in den toten Räumen der Verwesung
Die Willkür sich ergötzen — *Ihre* Schöpfung,
Wie eng und arm! Das Rauschen eines Blattes

135 Erschreckt den Herrn der Christenheit — *Sie* müssen
Vor jeder Tugend zittern. *Er* — der Freiheit
Entzückende Erscheinung nicht zu stören —
Er läßt des Übels grauenvolles Heer
In seinem Weltall lieber toben — ihn,

140 Den Künstler, wird man nicht gewahr, bescheiden
Verhüllt er sich in ewige Gesetze;
Die sieht der Freigeist, doch nicht *ihn.* Wozu
Ein Gott? sagt er; die Welt ist sich genug.
Und keines Christen Andacht hat ihn mehr,

145 Als dieses Freigeists Lästerung, gepriesen.

KÖNIG

Und wolltet Ihr es unternehmen, dies
Erhab'ne Muster in der Sterblichkeit
In meinen Staaten nachzubilden?

---

126 *Schwärmer* dreamer, enthusiast
128 *seiner* i.e. God's
130*ff* The sense is: even the worthless
    worm is fed (*Tau*) by God.
132 *Verwesung* decay
133 *Willkür* free will
135 *Herrn* i.e. Philip
136*f* God permits evil in this world be-
    cause free will demands it.

139 *toben* rage
140 *gewahr* aware
142 *Freigeist* freethinker or skeptic
144 *Andacht* devotion
145 *Lästerung* blasphemy. By acknowl-
    edging the perfection of the uni-
    verse, the skeptic praises the
    invisible God who created it.
147 *Sterblichkeit* the mortal world

MARQUIS

Sie,

Sie können es. Wer anders? Weihen Sie
Dem Glück der Völker die Regentenkraft,   150
Die — ach so lang' — des Thrones Größe nur
Gewuchert hatte — stellen Sie der Menschheit
Verlornen Adel wieder her. Der Bürger
Sei wiederum, was er zuvor gewesen,
Der Krone Zweck — ihn binde keine Pflicht   155
Als seiner Brüder gleich ehrwürd'ge Rechte.
Wenn nun der Mensch, sich selbst zurückgegeben,
Zu seines Werts Gefühl erwacht — der Freiheit
Erhabne, stolze Tugenden gedeihen —
Dann, Sire, wenn Sie zum glücklichsten der Welt   160
Ihr eignes Königreich gemacht — dann ist
Es Ihre Pflicht, die Welt zu unterwerfen.

68

DER HANDSCHUH

This ballad was composed in June 1797, Schiller's (and Goethe's) *Balladen-jahr*, and published the following year. Schiller himself indicated his source as the *Essais historiques* of Saint Foix, but the anecdote goes back to the Renaissance. The theme has also been treated by Leigh Hunt (*The Glove and the Lions*) and by Robert Browning (*The Glove*). The meter and rhyme patterns are extremely free.

Vor seinem Löwengarten,
Das Kampfspiel zu erwarten,
Saß König Franz,

---

[149] *weihen* consecrate
[150] *Regentenkraft* power of the throne
[151] *Größe* object of *gewuchert* = brought gain
[158] read: *wenn der Freiheit*

[159] *gedeihen* thrive

---

[1] *Löwengarten* arena or lion court
[2] *Kampfspiel* contest
[3] Francis I of France (reigned 1515–47)

Und um ihn die Großen der Krone,
5   Und rings auf hohem Balkone
Die Damen in schönem Kranz.

Und wie er winkt mit dem Finger
Auftut sich der weite Zwinger;
Und hinein mit bedächtigem Schritt
10   Ein Löwe tritt
Und sieht sich stumm
Rings um,
Mit langem Gähnen,
Und schüttelt die Mähnen
15   Und streckt die Glieder,
Und legt sich nieder.

Und der König winkt wieder;
Da öffnet sich behend
Ein zweites Tor,
20   Daraus rennt
Mit wildem Sprunge
Ein Tiger hervor.
Wie er den Löwen erschaut,
Brüllt er laut,
25   Schlägt mit dem Schweif
Einen furchtbaren Reif,
Und recket die Zunge,
Und im Kreise scheu
Umgeht er den Leu,
30   Grimmig schnurrend;
Drauf streckt er sich murrend
Zur Seite nieder.

---

4 *und* The frequent repetition of the
conjunction is a rhetorical device
known as polysyndeton.
6 *Kranz* i.e. circle
8 *auftut = tut sich auf* opens; *Zwinger*
cage or pit
9 *bedächtig* measured
18 *behend* swiftly

24 *brüllt* roars
25 *Schweif* tail
26 *Reif* circle
28 *scheu* cautiously
29 *umgehen* circle; *Leu* poetical for
Löwe
30 *grimmig schnurrend* growling sav-
agely
31 *murrend* grumbling

Und der König winkt wieder;
Da speit das doppelt geöffnete Haus
Zwei Leoparden auf einmal aus,
Die stürzen mit mutiger Kampfbegier 35
Auf das Tigertier;
Das packt sie mit seinen grimmigen Tatzen,
Und der Leu mit Gebrüll
Richtet sich auf, da wird's still; 40
Und herum im Kreis,
Von Mordsucht heiß,
Lagern sich die greulichen Katzen.

Da fällt von des Altans Rand
Ein Handschuh von schöner Hand
Zwischen den Tiger und den Leun 45
Mitten hinein.

Und zu Ritter Delorges, spottender Weis',
Wendet sich Fräulein Kunigund:
„Herr Ritter, ist Eure Lieb' so heiß,
Wie Ihr mir's schwört zu jeder Stund', 50
Ei so hebt mir den Handschuh auf."

Und der Ritter in schnellem Lauf,
Steigt hinab in den furchtbaren Zwinger
Mit festem Schritte,
Und aus der Ungeheuer Mitte 55
Nimmt er den Handschuh mit keckem Finger.

Und mit Erstaunen und mit Grauen
Sehen's die Ritter und Edelfrauen,
Und gelassen bringt er den Handschuh zurück.
Da schallt ihm sein Lob aus jedem Munde; 60
Aber mit zärtlichem Liebesblick —
Er verheißt ihm sein nahes Glück —

---

[34] *doppelt geöffnetes Haus* i.e. a cage with two doors
[36] *Kampfbegier* battle lust
[38] *Tatzen* paws
[42] *Mordsucht* lust to kill
[43] *sich lagern* lie down
[44] *Altans Rand* balcony's edge

[48] *Delorges* pronounced dɛlɔrʒəs; *spottender Weis'* in a mocking tone
[54] *Zwinger* arena
[56] *Ungeheuer* monster, beast
[57] *keck* bold
[58] *Grauen* horror
[63] *verheißen* promise

Empfängt ihn Fräulein Kunigunde.
65 Und er wirft ihr den Handschuh ins Gesicht:
„Den Dank, Dame, begehr' ich nicht!"
Und verläßt sie zur selben Stunde.

69

DIE WORTE DES GLAUBENS

Written in 1797; published the following year. This is one of Schiller's
philosophical poems: a hymn to freedom, to the small inner voice of conscience, to the permanence of spirit which transcends all earthly insta-
bility. The meter is a mixture of dactyls and trochees, with anacrusis.
Music by Reichardt and others.

Drei Worte nenn' ich euch, inhaltschwer,
Sie gehen von Munde zu Munde;
Doch stammen sie nicht von außen her,
Das Herz nur gibt davon Kunde.
5 Dem Menschen ist aller Wert geraubt,
Wenn er nicht mehr an die drei Worte glaubt.

Der Mensch ist frei geschaffen, ist frei,
Und würd' er in Ketten geboren.
Laßt euch nicht irren des Pöbels Geschrei,
10 Nicht den Mißbrauch rasender Toren!
Vor dem Sklaven, wenn er die Kette bricht,
Vor dem freien Menschen erzittert nicht!

1 *inhaltschwer* fraught with content
8 *und würde er* though he were
9 *irren* be misled by; *Pöbel* mob
10 *rasend* raging
11-12 The sense is: *Erzittert vor dem Sklaven, wenn er die Kette bricht,* *aber nicht vor dem freien Menschen.* The whole stanza is an allusion to the excesses committed during the French Revolution, which turned many contemporaries against the revolutionary ideals.

Und die Tugend, sie ist kein leerer Schall,
Der Mensch kann sie üben im Leben,
Und sollt' er auch straucheln überall,   15
Er kann nach der göttlichen streben,
Und was kein Verstand der Verständigen sieht,
Das übet in Einfalt ein kindlich Gemüt.

Und ein Gott ist, ein heiliger Wille lebt,
Wie auch der menschliche wanke;   20
Hoch über der Zeit und dem Raume webt
Lebendig der höchste Gedanke.
Und ob alles in ewigem Wechsel kreist,
Es beharret im Wechsel ein ruhiger Geist.

Die drei Worte bewahret euch, inhaltschwer,   25
Sie pflanzet von Munde zu Munde,
Und stammen sie gleich nicht von außen her,
Euer Innres gibt davon Kunde.
Dem Menschen ist nimmer sein Wert geraubt,
So lang' er noch an die drei Worte glaubt.   30

70

SOKRATES UND ALKIBIADES

FRIEDRICH HÖLDERLIN (1770–1843)

Written in 1798; published the following year. The source is Plato's
Symposium, which Hölderlin read repeatedly. He conceives Alcibiades as
the symbol of life in all its vigor and beauty, to which even the deepest wisdom bows. The meter is that of the Asclepiadean stanza.

[15] *straucheln* stumble
[17] *Verstand* ... allusion to Matthew
 11:25
[20] *wanken* waver
[21] *weben* stir, move
[22] *höchster Gedanke* Supreme Intelligence
[23] *ob = obgleich*

[24] *beharren* remain firm
[26] *sie* object of *pflanzet*
[27] *gleich = obgleich*
[28] *Innres* i.e. the heart or mind

The Asclepiadean stanza has the
following structure: lines 1 and 2:
ıʊ|ıʊʊ|ı‖ıʊʊ|ıʊ|ı

    „Warum huldigest du, heiliger Sokrates,
      Diesem Jünglinge stets? kennest du Größer's nicht?
      Warum siehet mit Liebe,
        Wie auf Götter, dein Aug' auf ihn?"

5   Wer das Tiefste gedacht, liebt das Lebendigste,
      Hohe Tugend versteht, wer in die Welt geblickt,
      Und es neigen die Weisen
        Oft am Ende zu Schönem sich.

71

HYPERIONS SCHICKSALSLIED

Written in 1798; included in the novel *Hyperion*. The theme is the Greek
(and modern) sense of man's helplessness before inexorable fate. The poem
is composed in free rhythms but is predominantly dactyllic.

      Ihr wandelt droben im Licht
      Auf weichem Boden, selige Genien!
       Glänzende Götterlüfte
        Rühren euch leicht,
5   Wie die Finger der Künstlerin
          Heilige Saiten.

      Schicksallos, wie der schlafende
       Säugling, atmen die Himmlischen;
       Keusch bewahrt
10   In bescheidener Knospe,
        Blühet ewig
        Ihnen der Geist,

lines 3 and 4: ॱᴜ|ıᴜᴜ|ıᴜ   [1] *droben* up above
Line 4 has an extra syllable.   [2] *Genien* spirits
[1] *huldigen* pay homage   [6] *Saite* string (of a harp)
                      [9] *keusch bewahrt* chastely preserved

Und die seligen Augen
Blicken in stiller
Ewiger Klarheit. 15

Doch uns ist gegeben
Auf keiner Stätte zu ruhn,
Es schwinden, es fallen
Die leidenden Menschen
Blindlings von einer 20
Stunde zur andern,
Wie Wasser von Klippe
Zu Klippe geworfen,
Jahrlang ins Ungewisse hinab.

72

DIE HEIMAT

Written in 1798 and published the following year. The present revised version appeared in 1806. The occasion was Hölderlin's decision to leave Frankfurt, where he was involved in a hopeless love for Susette Gontard, and return to his home in southern Germany. The meter is that of the Alcaic stanza.

Froh kehrt der Schiffer heim an den stillen Strom,
Von Inseln fernher, wenn er geerntet hat;
So käm' auch ich zur Heimat, hätt' ich
Güter so viele, wie Leid, geerntet.

Ihr teuern Ufer, die mich erzogen einst, 5
Stillt ihr der Liebe Leiden, versprecht ihr mir,
Ihr Wälder meiner Jugend, wenn ich
Komme, die Ruhe noch einmal wieder?

The Alcaic stanza has the following structure: lines 1 and 2:
ᴗ|ıᴗ|ıᴗ|ıᴗᴗ|ıᴗ|ı

line 3: ᴗ|ıᴗ|ıᴗ|ıᴗ|ıᴗ
line 4: ıᴗᴗ|ıᴗᴗ|ıᴗ|ıᴗ

Am kühlen Bache, wo ich der Wellen Spiel,
10   Am Strome, wo ich gleiten die Schiffe sah,
            Dort bin ich bald; euch, traute Berge,
                Die mich behüteten einst, der Heimat

Verehrte sichre Grenzen, der Mutter Haus
        Und liebender Geschwister Umarmungen
15   Begrüß' ich bald, und ihr umschließt mich,
                Daß, wie in Banden, das Herz mir heile,

Ihr treu geblieb'nen! aber ich weiß, ich weiß,
        Der Liebe Leid, dies heilet so bald mir nicht,
            Dies singt kein Wiegensang, den tröstend
20   Sterbliche singen, mir aus dem Busen.

Denn sie, die uns das himmlische Feuer leihn,
        Die Götter, schenken heiliges Leid uns auch.
            Drum bleibe dies. Ein Sohn der Erde
                Schein' ich; zu lieben gemacht, zu leiden.

73

AN DIE PARZEN

Written and published in 1799. In classical mythology the Parcae were the
Fates, three sisters who control human destiny. The poet begs them to
grant him the creation of one successful poem before he dies. The meter is
that of the Alcaic stanza.

Nur einen Sommer gönnt, ihr Gewaltigen!
        Und einen Herbst zu reifem Gesange mir,
            Daß williger mein Herz, vom süßen
                Spiele gesättiget, dann mir sterbe.

16 *Band* bandage   4 *mir* within me

> Die Seele, der im Leben ihr göttlich Recht   5
> Nicht ward, sie ruht auch drunten im Orkus nicht;
> Doch ist mir einst das Heil'ge, das am
> Herzen mir liegt, das Gedicht, gelungen,
>
> Willkommen dann, o Stille der Schattenwelt!
> Zufrieden bin ich, wenn auch mein Saitenspiel   10
> Mich nicht hinabgeleitet; einmal
> Lebt' ich wie Götter, und mehr bedarf's nicht.

74

HÄLFTE DES LEBENS

Published in 1805 when Hölderlin was thirty-five years old. The poem is unsurpassed for tragic feeling. The meter is a mixture of dactyls and trochees with anacrusis.

> Mit gelben Birnen hänget
> Und voll mit wilden Rosen
> Das Land in den See,
> Ihr holden Schwäne,
> Und trunken von Küssen   5
> Tunkt ihr das Haupt
> Ins heilignüchterne Wasser.

---

[5] *der...nicht ward* which did not receive; *Orkus* the underworld, the realm of the dead
[8] *Gedicht* probably the tragedy *Empedokles*, on which Hölderlin was working at that time
[10] *Saitenspiel* i.e. my poetic work
[11] *hinabgeleitet* as it did Orpheus, who was permitted to take his lyre with him on his visit to Eurydice in the underworld
[12] *bedarf* is needed

---

[1] *hänget* i.e. the tree and bush hang over the water and are reflected in it
[7] *heilignüchtern* sacred-sober. The cool water counteracts the *Trunkenheit* of the swans.

Weh mir, wo nehm ich, wenn
Es Winter ist, die Blumen, und wo
10   Den Sonnenschein
Und Schatten der Erde?
Die Mauern stehn
Sprachlos und kalt, im Winde
Klirren die Fahnen.

75

DAS BETTELWEIB VON LOCARNO

HEINRICH VON KLEIST (1777–1811)

In his short creative life Kleist produced a body of writing of the first rank
both in the field of drama and novella. Even this briefest of his works of
fiction, published shortly before his death in 1811, conveys something of the
dramatic intensity of his art. There is a fine literary analysis of it in Emil
Staiger's *Meisterwerke deutscher Sprache*.

Am Fuße der Alpen, bei Locarno im oberen Italien, befand sich
ein altes, einem Marchese gehöriges Schloß, das man jetzt, wenn
man vom St. Gotthard kommt, in Schutt und Trümmern liegen
sieht: ein Schloß mit hohen und weitläufigen Zimmern, in deren
5   einem einst auf Stroh, das man ihr unterschüttete, eine alte kranke
Frau, die sich bettelnd vor der Tür eingefunden hatte, von der Hausfrau aus Mitleiden gebettet worden war. Der Marchese, der bei
der Rückkehr von der Jagd zufällig in das Zimmer trat, wo er seine
Büchse abzusetzen pflegte, befahl der Frau unwillig, aus dem Winkel,

---

11 *Schatten* Both sunshine and shadow
   are needed to provide fruition.
14 the weathervanes clatter

---

1 *Locarno* a town on Lake Maggiore
  in the Italian part of Switzerland
2 *Marchese* marquis

3 *St. Gotthard* a mountain pass in the
  Alps; *in Schutt und Trümmern* in
  ashes and ruins
4 *weitläufig* spacious
5 *unter-schütten* spread under
9 *unwillig* ungraciously

in welchem sie lag, aufzustehen und sich hinter den Ofen zu ver- 10
fügen. Die Frau, da sie sich erhob, glitschte mit der Krücke auf
dem glatten Boden aus und beschädigte sich auf eine gefährliche
Weise das Kreuz; dergestalt daß sie zwar noch mit unsäglicher
Mühe aufstand und quer, wie es ihr vorgeschrieben war, über das
Zimmer ging, hinter dem Ofen aber, unter Stöhnen und Ächzen, 15
niedersank und verschied.

Mehrere Jahre nachher, da der Marchese durch Krieg und Mißwuchs in bedenkliche Vermögensumstände geraten war, fand sich
ein florentinischer Ritter bei ihm ein, der das Schloß seiner schönen
Lage wegen von ihm kaufen wollte. Der Marchese, dem viel an 20
dem Handel gelegen war, gab seiner Frau auf, den Fremden in dem
obenerwähnten, leerstehenden Zimmer, das sehr schön und prächtig
eingerichtet war, unterzubringen. Aber wie betreten war das Ehepaar, als der Ritter mitten in der Nacht, verstört und bleich, zu
ihnen herunter kam, hoch und teuer versichernd, daß es in dem 25
Zimmer spuke, indem etwas, das dem Blick unsichtbar gewesen,
mit einem Geräusch, als ob es auf Stroh gelegen, im Zimmerwinkel
aufgestanden, mit vernehmlichen Schritten, langsam und gebrechlich, quer über das Zimmer gegangen und hinter dem Ofen, unter
Stöhnen und Ächzen, niedergesunken sei.   30

Der Marchese, erschrocken, er wußte selber nicht recht warum,
lachte den Ritter mit erkünstelter Heiterkeit aus und sagte, er
wolle sogleich aufstehen und die Nacht zu seiner Beruhigung mit
ihm in dem Zimmer zubringen. Doch der Ritter bat um die Gefälligkeit ihm zu erlauben, daß er auf einem Lehnstuhl in seinem 35
Schlafzimmer übernachte, und als der Morgen kam, ließ er anspannen, empfahl sich und reiste ab.

Dieser Vorfall, der außerordentliches Aufsehen machte, schreckte,

---

10 *sich verfügen* betake oneself
11 *aus-glitschen* slip
13 *Kreuz* back
15 *unter Stöhnen und Ächzen* with groaning and moaning
16 *verscheiden* die
17 *Mißwuchs* bad crops
18 *in bedenkliche Vermögensumstände* into difficult financial circumstances
20 *dem...* to whom the deal meant much

21 *auf-geben* instruct
23 *unter-bringen* lodge; *betreten* astonished
24 *verstört* agitated
25 *hoch und teuer* solemnly; *es in dem Zimmer spuke* there is a ghost in the room
28 *gebrechlich* weakly, frailly
32 *erkünstelt* artificial
36 *ließ anspannen* had his horses harnessed
37 *sich empfehlen* take leave

auf eine dem Marchese höchst unangenehme Weise, mehrere Käufer
40 ab; und da sich unter seinem eignen Hausgesinde, befremdend und
unbegreiflich, das Gerücht erhob, daß es in dem Zimmer zur Mitter-
nachtstunde umgehe, beschloß er, um es mit einem entscheidenden
Verfahren niederzuschlagen, die Sache in der nächsten Nacht selbst
zu untersuchen. Demnach ließ er beim Einbruch der Dämmerung
45 sein Bett in dem besagten Zimmer aufschlagen und erharrte, ohne
zu schlafen, die Mitternacht. Aber wie erschüttert war er, als er
in der Tat, mit dem Schlage der Geisterstunde, das unbegreifliche
Geräusch wahrnahm; es war, als ob ein Mensch sich von Stroh,
das unter ihm knisterte, erhob, quer über das Zimmer ging und
50 hinter dem Ofen unter Geseufz und Geröchel niedersank. Die Marquise am andern Morgen, da er herunter kam, fragte ihn, wie die
Untersuchung abgelaufen; und da er sich mit scheuen und un-
gewissen Blicken umsah, und nachdem er die Tür verriegelt, ver-
sicherte, daß es mit dem Spuk seine Richtigkeit habe: so erschrak
55 sie, wie sie in ihrem Leben nicht getan, und bat ihn, bevor er die
Sache verlauten ließe, sie noch einmal in ihrer Gesellschaft einer
kaltblütigen Prüfung zu unterwerfen. Sie hörten aber samt einem
treuen Bedienten, den sie mitgenommen hatten, in der Tat in der
nächsten Nacht, dasselbe unbegreifliche, gespensterartige Geräusch;
60 und nur der dringende Wunsch, das Schloß, es koste was es wolle,
los zu werden, vermochte sie, das Entsetzen, das sie ergriff, in Gegenwart ihres Dieners zu unterdrücken und dem Vorfall irgend eine
gleichgültige und zufällige Ursache, die sich entdecken lassen müsse,
unterzuschieben. Am Abend des dritten Tages, da beide, um der
65 Sache auf den Grund zu kommen, mit Herzklopfen wieder die Treppe
zu dem Fremdenzimmer bestiegen, fand sich zufällig der Haushund,
den man von der Kette losgelassen hatte, vor der Tür desselben
ein; dergestalt daß beide, ohne sich bestimmt zu erklären, vielleicht
in der unwillkürlichen Absicht, außer sich selbst noch etwas Drittes,

40 *Hausgesinde* servants; *befremdend*
   strange
41 *Gerücht* rumor
42 *es geht um* a ghost walks
43 *Verfahren* i.e. in one go; *nieder-
   schlagen* scotch the rumor
45 *auf-schlagen* set up; *erharren* wait for
46 *erschüttert* shaken
47 *Geisterstunde* i.e. midnight

49 *knistern* crackle
50 *Geröchel* croaking
51 *andern* next
53 *verriegeln* bolt
54 *seine Richtigkeit habe* it was true
56 *verlauten* be known
57 *samt* together with
61 *vermochte* enabled; *Entsetzen* horror
64 *unter-schieben* substitute

Lebendiges, bei sich zu haben, den Hund mit sich in das Zimmer 70
nahmen. Das Ehepaar, zwei Lichter auf dem Tisch, die Marquise
unausgezogen, der Marchese Degen und Pistolen, die er aus dem
Schrank genommen, neben sich, setzen sich gegen elf Uhr jeder
auf sein Bett; und während sie sich mit Gesprächen, so gut sie
vermögen, zu unterhalten suchen, legt sich der Hund, Kopf und 75
Beine zusammengekauert, in der Mitte des Zimmers nieder und
schläft ein. Drauf, in dem Augenblick der Mitternacht, läßt sich
das entsetzliche Geräusch wieder hören; jemand, den kein Mensch
mit Augen sehen kann, hebt sich auf Krücken im Zimmerwinkel
empor; man hört das Stroh, das unter ihm rauscht; und mit dem 80
ersten Schritt: tapp! tapp! erwacht der Hund, hebt sich plötzlich,
die Ohren spitzend, vom Boden empor, und knurrend und bellend,
grad' als ob ein Mensch auf ihn eingeschritten käme, rückwärts
gegen den Ofen weicht er aus. Bei diesem Anblick stürzt die Marquise mit sträubenden Haaren aus dem Zimmer; und während der 85
Marchese, der den Degen ergriffen: „wer da?" ruft, und, da ihm
niemand antwortet, gleich einem Rasenden, nach allen Richtungen
die Luft durchhaut, läßt sie anspannen, entschlossen augenblicklich
nach der Stadt abzufahren. Aber ehe sie noch nach Zusammenraffung einiger Sachen aus dem Tore herausgerasselt, sieht sie schon 90
das Schloß ringsum in Flammen aufgehen. Der Marchese, von
Entsetzen überreizt, hatte eine Kerze genommen und dasselbe,
überall mit Holz getäfelt wie es war, an allen vier Ecken, müde
seines Lebens, angesteckt. Vergebens schickte sie Leute hinein,
den Unglücklichen zu retten. Er war auf die elendiglichste Weise 95
bereits umgekommen, und noch jetzt liegen, von den Landleuten
zusammengetragen, seine weißen Gebeine in dem Winkel des Zimmers, von welchem er das Bettelweib von Locarno hatte aufstehen
heißen.

---

[76] *zusammen-kauern* double up
[82] *knurrend und bellend* growling and
  barking
[84] *aus-weichen* retreat
[85] *mit sträubenden Haaren* her hair on
  end
[87] *rasen* rave
[88] *durchhauen* strike through

[89] *zusammen-raffen* snatch together
[90] *rasseln* rattle, i.e. in her coach
[92] *überreizt* excessively excited; *dasselbe* i.e. the castle
[93] *täfeln* panel
[95] *elendiglich* wretched
[96] *um-kommen* perish
[97] *Gebein* bones

76

DAS MÄRCHEN VON HYAZINTH UND ROSENBLÜTCHEN

NOVALIS (1772–1801)

The romantics set great store by the *Märchen;* Novalis (Friedrich von Hardenberg) regarded it as the primal form of all literary creation. The following fairy tale (or is it an allegory?) was invented by Novalis and inserted into his romance *Die Lehrlinge zu Sais* (1798). It represents the essence of his *Weltanschauung,* indeed the essence of romanticism, expressing its doctrines of primitivism, love, subjective imagination, the cult of the infinite. The clichés and wooden descriptions are deliberate attempts to capture the spirit of the folk *Märchen.*

„Vor langen Zeiten lebte weit gegen Abend ein blutjunger Mensch. Er war sehr gut, aber auch über die Maßen wunderlich. Er grämte sich unaufhörlich um nichts und wieder nichts, ging immer still für sich hin, setzte sich einsam, wenn die andern spielten und fröhlich waren, und hing seltsamen Dingen nach. Höhlen und Wälder waren sein liebster Aufenthalt, und dann sprach er immerfort mit Tieren und Vögeln, mit Bäumen und Felsen, natürlich kein vernünftiges Wort, lauter närrisches Zeug zum Totlachen. Er blieb aber immer mürrisch und ernsthaft, ungeachtet sich das Eichhörnchen, die Meerkatze, der Papagei und der Gimpel alle Mühe gaben, ihn zu zerstreuen, und ihn auf den richtigen Weg zu weisen. Die Gans erzählte Märchen, der Bach klimperte eine Ballade dazwischen, ein großer dicker Stein machte lächerliche Bockssprünge, die Rose schlich sich freundlich hinter ihm herum, kroch durch seine Locken,

---

[1] *Abend* West; *blutjung* extremely young
[2] *wunderlich* strange; *sich grämen* grieve
[3] *für sich hin* along by himself
[9] *mürrisch* morose; *ungeachtet* notwithstanding; *Eichhörnchen, Meer-*

katze, Papagei, Gimpel squirrel, long-tailed monkey, parrot, bullfinch
[11] *zerstreuen* amuse
[12] *klimpern* strum
[13] *Bockssprung* caper

und der Efeu streichelte ihm die sorgenvolle Stirn. Allein der Miß- 15
mut und Ernst waren hartnäckig. Seine Eltern waren sehr betrübt,
sie wußten nicht, was sie anfangen sollten. Er war gesund und aß,
nie hatten sie ihn beleidigt, er war auch bis vor wenig Jahren fröhlich und lustig gewesen wie keiner; bei allen Spielen voran, von
allen Mädchen gern gesehn. Er war recht bildschön, sah aus wie 20
gemalt, tanzte wie ein Schatz. Unter den Mädchen war eine, ein
köstliches, bildschönes Kind, sah aus wie Wachs, Haare wie goldne
Seide, kirschrote Lippen, wie ein Püppchen gewachsen, brandraben-
schwarze Augen. Wer sie sah, hätte mögen vergehn, so lieblich war
sie. Damals war Rosenblüte, so hieß sie, dem bildschönen Hyazinth, 25
so hieß er, von Herzen gut, und er hatte sie lieb zum Sterben. Die
andern Kinder wußten's nicht. Ein Veilchen hatte es ihnen zuerst
gesagt, die Hauskätzchen hatten es wohl gemerkt, die Häuser ihrer
Eltern lagen nahe beisammen. Wenn nun Hyazinth die Nacht an
seinem Fenster stand und Rosenblüte an ihrem, und die Kätzchen 30
auf den Mäusefang da vorbeiliefen, da sahen sie die beiden stehn
und lachten und kicherten oft so laut, daß sie es hörten und böse
wurden. Das Veilchen hatte es der Erdbeere im Vertrauen gesagt,
die sagte es ihrer Freundin der Stachelbeere, die ließ nun das Sticheln
nicht, wenn Hyazinth gegangen kam; so erfuhr's denn bald der 35
ganze Garten und der Wald, und wenn Hyazinth ausging, so rief's
von allen Seiten: ,Rosenblütchen ist mein Schätzchen!' Nun
ärgerte sich Hyazinth und mußte doch auch wieder aus Herzens-
grunde lachen, wenn das Eidechschen geschlüpft kam, sich auf
einen warmen Stein setzte, mit dem Schwänzchen wedelte und sang: 40

> Rosenblütchen, das gute Kind,
> Ist geworden auf einmal blind,
> Denkt, die Mutter sei Hyazinth,
> Fällt ihm um den Hals geschwind;

---

[15] *Mißmut* ill-humor
[17] *an-fangen* do
[22] *köstlich* delightful
[23] *brandrabenschwarz* coal raven black
[24] *hätte mögen vergehen* might have swooned
[26] *von Herzen gut* deeply devoted
[32] *kichern* giggle

[33] *im Vertrauen* in confidence
[34] *Stachelbeere* gooseberry; *ließ* ceased; *sticheln* tease
[35] *gegangen kam* came along
[39] *Eidechse* lizard; *schlüpfen* slide
[40] *mit dem Schwänzchen wedelte* wagged its tail

45   Merkt sie aber das fremde Gesicht,
        Denkt nur an, da erschrickt sie nicht,
        Fährt, als merkte sie kein Wort,
        Immer nur mit Küssen fort.

Ach! wie bald war die Herrlichkeit vorbei. Es kam ein Mann aus
50 fremden Landen gegangen, der war erstaunlich weit gereist, hatte
einen langen Bart, tiefe Augen, entsetzliche Augenbrauen, ein
wunderliches Kleid mit vielen Falten und seltsamen Figuren hin-
eingewebt. Er setzte sich vor das Haus, das Hyazinths Eltern
gehörte. Nun war Hyazinth sehr neugierig und setzte sich zu ihm
55 und holte ihm Brot und Wein. Da tat er seinen weißen Bart voneinander und erzählte bis tief in die Nacht, und Hyazinth wich und
wankte nicht und wurde auch nicht müde zuzuhören. Soviel man
nachher vernahm, so hat er viel von fremden Ländern, unbekannten
Gegenden, von erstaunlich wunderbaren Sachen erzählt und ist
60 drei Tage dageblieben, und mit Hyazinth in tiefe Schachten hinuntergekrochen. Rosenblütchen hat genug den alten Hexenmeister
verwünscht, denn Hyazinth ist ganz versessen auf seine Gespräche
gewesen und hat sich um nichts bekümmert; kaum daß er ein
wenig Speise zu sich genommen. Endlich hat jener sich fortgemacht,
65 doch dem Hyazinth ein Büchelchen dagelassen, das kein Mensch
lesen konnte. Dieser hat ihm noch Früchte, Brot und Wein mitgegeben und ihn weit weg begleitet. Und dann ist er tiefsinnig
zurückgekommen und hat einen ganz neuen Lebenswandel be-
gonnen. Rosenblütchen hat recht zum Erbarmen um ihn getan,
70 denn von der Zeit an hat er sich wenig aus ihr gemacht und ist
immer für sich geblieben. Nun begab sich's, daß er einmal nach
Hause kam und war wie neugeboren. Er fiel seinen Eltern um den
Hals und weinte. ,Ich muß fort in fremde Lande', sagte er, ,die
alte wunderliche Frau im Walde hat mir erzählt, wie ich gesund
75 werden müßte, das Buch hat sie ins Feuer geworfen und hat mich
getrieben, zu euch zu gehn und euch um euren Segen zu bitten.

---

46 *denkt an* reflects, ponders
51 *entsetzlich* terrifying
55 *tat voneinander* parted
58 *vernehmen* learn
60 *Schachten* modern usage: *Schächte*
62 *verwünschen* curse; *versessen* ob-
    sessed

67 *tiefsinnig* pensive
68 *Lebenswandel* way of life
69 *hat recht zum Erbarmen um ihn getan*
    was very wretched because of him
70 *sich machen* care
75 *müßte* i.e. could
76 *Segen* blessing

Vielleicht komme ich bald, vielleicht nie wieder. Grüßt Rosenblütchen. Ich hätte sie gern gesprochen, ich weiß nicht, wie mir
ist, es drängt mich fort; wenn ich an die alten Zeiten zurückdenken
will, so kommen gleich mächtigere Gedanken dazwischen, die Ruhe   80
ist fort, Herz und Liebe mit, ich muß sie suchen gehn. Ich wollt'
euch gern sagen, wohin, ich weiß selbst nicht, dahin wo die Mutter
der Dinge wohnt, die verschleierte Jungfrau. Nach der ist mein
Gemüt entzündet. Lebt wohl.' Er riß sich los und ging fort. Seine
Eltern wehklagten und vergossen Tränen, Rosenblütchen blieb in   85
ihrer Kammer und weinte bitterlich. Hyazinth lief nun, was er
konnte, durch Täler und Wildnisse, über Berge und Ströme, dem
geheimnisvollen Lande zu. Er fragte überall nach der heiligen
Göttin (Isis) Menschen und Tiere, Felsen und Bäume. Manche
lachten, manche schwiegen, nirgends erhielt er Bescheid. Im An-   90
fange kam er durch rauhes, wildes Land, Nebel und Wolken warfen
sich ihm in den Weg, es stürmte immerfort; dann fand er unab-
sehliche Sandwüsten, glühenden Staub, und wie er wandelte, so
veränderte sich auch sein Gemüt, die Zeit wurde ihm lang, und
die innre Unruhe legte sich, er wurde sanfter und das gewaltige   95
Treiben in ihm allgemach zu einem leisen, aber starken Zuge, in
den sein ganzes Gemüt sich auflöste. Es lag wie viele Jahre hinter
ihm. Nun wurde die Gegend auch wieder reicher und mannigfaltiger,
die Luft lau und blau, der Weg ebener, grüne Büsche lockten ihn
mit anmutigen Schatten, aber er verstand ihre Sprache nicht, sie   100
schienen auch nicht zu sprechen, und doch erfüllten sie auch sein
Herz mit grünen Farben und kühlem, stillem Wesen. Immer höher
wuchs jene süße Sehnsucht in ihm, und immer breiter und saftiger
wurden die Blätter, immer lauter und lustiger die Vögel und Tiere,
balsamischer die Früchte, dunkler der Himmel, wärmer die Luft,   105
und heißer seine Liebe, die Zeit ging immer schneller, als sähe sie
sich nahe am Ziele. Eines Tages begegnete er einem kristallnen
Quell und einer Menge Blumen, die kamen in ein Tal herunter

78 *wie mir ist* what I feel
83 *verschleiert* veiled
84 *Gemüt* soul, nature
85 *wehklagen* lament
86 *was* as much as
89 *Isis* Egyptian goddess of fertility;
    here: the goddess of nature

90 *Bescheid* information
92 *unabsehlich* endless
95 *sich legen* subside
96 *allgemach* gradually; *Zug* trait
97 *sich auf-lösen* dissolve
100 *anmutig* pleasant
102 *Wesen* essence

zwischen schwarzen himmelhohen Säulen. Sie grüßten ihn freund-
110 lich mit bekannten Worten. ‚Liebe Landsleute‘, sagte er, ‚wo find'
ich wohl den geheiligten Wohnsitz der Isis? Hier herum muß er
sein, und ihr seid vielleicht hier bekannter als ich.‘ — ‚Wir gehn
auch nur hier durch‘, antworteten die Blumen; ‚eine Geisterfamilie
ist auf der Reise, und wir bereiten ihr Weg und Quartier, indes sind
115 wir vor kurzem durch eine Gegend gekommen, da hörten wir ihren
Namen nennen. Gehe nur aufwärts, wo wir herkommen, so wirst
du schon mehr erfahren.‘ Die Blumen und die Quelle lächelten,
wie sie das sagten, boten ihm einen frischen Trunk und gingen
weiter. Hyazinth folgte ihrem Rat, frug und frug und kam end-
120 lich zu jener längst gesuchten Wohnung, die unter Palmen und
andern köstlichen Gewächsen versteckt lag. Sein Herz klopfte in
unendlicher Sehnsucht, und die süßeste Bangigkeit durchdrang ihn
in dieser Behausung der ewigen Jahreszeiten. Unter himmlischen
Wohlgedüften entschlummerte er, weil ihn nur der Traum in das
125 Allerheiligste führen durfte. Wunderlich führte ihn der Traum
durch unendliche Gemächer voll seltsamer Sachen auf lauter rei-
zenden Klängen und in abwechselnden Akkorden. Es dünkte ihm
alles so bekannt und doch in niegesehener Herrlichkeit, da schwand
auch der letzte irdische Anflug, wie in Luft verzehrt, und er stand
130 vor der himmlischen Jungfrau, da hob er den leichten, glänzenden
Schleier, und Rosenblütchen sank in seine Arme. Eine ferne Musik
umgab die Geheimnisse des liebenden Wiedersehns, die Ergießungen
der Sehnsucht, und schloß alles Fremde von diesem entzückenden
Orte aus. Hyazinth lebte nachher noch lange mit Rosenblütchen un-
135 ter seinen frohen Eltern und Gespielen, und unzählige Enkel dank-
ten der alten wunderlichen Frau für ihren Rat und ihr Feuer; denn
damals bekamen die Menschen so viel Kinder, als sie wollten.“ —

119 *frug = fragte*
122 *Bangigkeit* anxiety
123 *Behausung* abode
124 *Wohlgeduft* fragrance
126 *Gemach* chamber

127 *in abwechselnden Akkorden* into
    varied harmonies; *dünken* seem
129 *Anflug* trace; *verzehren* absorb
132 *Ergießungen* outpourings
133 *entzückend* enraptured

77

DAS ZERBROCHENE RINGLEIN

JOSEPH VON EICHENDORFF (1788–1857)

Eichendorff is the master lyricist of German romanticism. His poetry is unsurpassed for simplicity and purity in its feeling for nature. The following poem was written about 1810, and published in 1813. There are similar poems in the romantic collection of folksongs *Des Knaben Wunderhorn*. The meter is iambic trimeter. In the musical setting by Friedrich Glück the poem became a folksong even during Eichendorff's lifetime.

In einem kühlen Grunde,
Da geht ein Mühlenrad,
Mein' Liebste ist verschwunden,
Die dort gewohnet hat.

Sie hat mir Treu' versprochen,   5
Gab mir ein'n Ring dabei,
Sie hat die Treu' gebrochen,
Mein Ringlein sprang entzwei.

Ich möcht' als Spielmann reisen
Weit in die Welt hinaus,   10
Und singen meine Weisen
Und gehn von Haus zu Haus.

Ich möcht' als Reiter fliegen,
Wohl in die blut'ge Schlacht,
Um stille Feuer liegen   15
Im Feld bei dunkler Nacht.

Hör' ich das Mühlrad gehen,
Ich weiß nicht, was ich will —
Ich möcht' am liebsten sterben,
Da wär's auf einmal still.   20

---

¹ *Grund* valley
⁸ *sprang entzwei* a sign of broken troth in popular lore

⁹ *Spielmann* minstrel
¹⁴ *wohl* untranslatable; the 'filler' of folk poetry

78

DER FROHE WANDERSMANN

First published in the novella *Aus dem Leben eines Taugenichts* (1826),
though written some years earlier. The song is sung by the hero as he sets
out on his journey into nowhere. The meter is iambic tetrameter. Music
by Schumann and Mendelssohn, but usually sung to a melody by Theodor
Fröhlich.

> Wem Gott will rechte Gunst erweisen,
> Den schickt er in die weite Welt;
> Dem will er seine Wunder weisen
> In Berg und Wald und Strom und Feld.
>
> Die Trägen, die zu Hause liegen,
> Erquicket nicht das Morgenrot,
> Sie wissen nur von Kinderwiegen,
> Von Sorgen, Last und Not um Brot.
>
> Die Bächlein von den Bergen springen,
> Die Lerchen schwirren hoch vor Lust,
> Was sollt' ich nicht mit ihnen singen
> Aus voller Kehl' und frischer Brust?
>
> Den lieben Gott lass' ich nur walten;
> Der Bächlein, Lerchen, Wald und Feld
> Und Erd' und Himmel will erhalten,
> Hat auch mein' Sach' aufs best' bestellt!

5

10

15

---

⁵ *träge* slothful
⁶ *erquicken* refresh
¹⁰ *schwirren* whirl
¹¹ *was* why
¹² *frisch* strong

¹³ *walten* rule; the line echoes an old
hymn *Wer nur den lieben Gott läßt
walten.*
¹⁶ *bestellen* order, regulate

79

MONDNACHT

Written in the 1830's; published in *Gedichte* (1837). The image of heaven
embracing earth and fructifying her goes back to Greek mythology (compare the myth of Zeus and Danaë) and is connected with the fertility cults.
The meter is iambic trimeter.   There are over forty musical settings.

Es war, als hätt' der Himmel
Die Erde still geküßt,
Daß sie im Blütenschimmer
Von ihm nun träumen müßt'.

Die Luft ging durch die Felder,   5
Die Ähren wogten sacht,
Es rauschten leis die Wälder,
So sternklar war die Nacht.

Und meine Seele spannte
Weit ihre Flügel aus,   10
Flog durch die stillen Lande,
Als flöge sie nach Haus.

---

6 *wogen* billow, wave   12 *als flöge sie* as if it flew
11 *Lande* regions

80

DIE NACHTBLUME

Written in the early 1830's; published in 1834. The meter is trochaic tetrameter.

> Nacht ist wie ein stilles Meer,
> Lust und Leid und Liebesklagen
> Kommen so verworren her
> In dem linden Wellenschlagen.
>
> Wünsche wie die Wolken sind,
> Schiffen durch die stillen Räume,
> Wer erkennt im lauen Wind,
> Ob's Gedanken oder Träume? —
>
> Schließ' ich nun auch Herz und Mund,
> Die so gern den Sternen klagen:
> Leise doch im Herzensgrund
> Bleibt das linde Wellenschlagen.

5

10

81

BELSATZAR

HEINRICH HEINE (1797–1856)

Written in 1820; published two years later. This is one of Heine's famous ballads, memorable for the compressed, concentrated power with which it presents the Biblical story of Daniel 5. Heine himself referred to a hymn sung at the Hebrew Passover service with the refrain "And it was at midnight." In this hymn occurs the verse: "He (i.e. Belshazzar) who drank intoxication out of the sacred vessels was slain that same night." Byron wrote a poem *Belshazzar's Feast* which Heine may have known. The meter is iambic tetrameter with occasional amphibrachs. Music by Schumann.

⁶ *schiffen* sail
⁷ *lau* gentle

⁹ *auch* though

Die Mitternacht zog näher schon;
In stummer Ruh lag Babylon.

Nur oben in des Königs Schloß,
Da flackert's, da lärmt des Königs Troß.

Dort oben in dem Königssaal   5
Belsatzar hielt sein Königsmahl.

Die Knechte saßen in schimmernden Reihn
Und leerten die Becher mit funkelndem Wein.

Es klirrten die Becher, es jauchzten die Knecht';
So klang es dem störrigen Könige recht.   10

Des Königs Wangen leuchten Glut;
Im Wein erwuchs ihm kecker Mut.

Und blindlings reißt der Mut ihn fort;
Und er lästert die Gottheit mit sündigem Wort.

Und er brüstet sich frech und lästert wild;   15
Die Knechtenschar ihm Beifall brüllt.

Der König rief mit stolzem Blick;
Der Diener eilt und kehrt zurück.

Er trug viel gülden Gerät auf dem Haupt;
Das war aus dem Tempel Jehovahs geraubt.   20

Und der König ergriff mit frevler Hand
Einen heiligen Becher, gefüllt bis am Rand.

Und er leert ihn hastig bis auf den Grund
Und rufet laut mit schäumendem Mund:

„Jehovah! dir künd' ich auf ewig Hohn —   25
Ich bin der König von Babylon!"

---

[4] *flackert's* the torches blaze; *Troß* retinue
[7] *Knechte* The Bible says: *die Gewaltigen und Hauptleute.*
[9] *jauchzen* shout in exultation
[10] *störrig* headstrong
[12] *keck* bold
[14] *lästern* blaspheme
[15] *sich brüsten* boast
[19] *gülden = golden*
[20] *geraubt* by Belshazzar's father Nebuchadnezzar when he destroyed the Temple
[21] *frevel = frevelhaft* impious

Doch kaum das grause Wort verklang,
Dem König ward's heimlich im Busen bang.

Das gellende Lachen verstummte zumal;
30 Es wurde leichenstill im Saal.

Und sieh! und sieh! an weißer Wand,
Da kam's hervor wie Menschenhand;

Und schrieb, und schrieb an weißer Wand
Buchstaben von Feuer und schrieb und schwand.

35 Der König stieren Blicks da saß,
Mit schlotternden Knien und totenblaß.

Die Knechtenschar saß kalt durchgraut,
Und saß gar still, gab keinen Laut.

Die Magier kamen, doch keiner verstand
40 Zu deuten die Flammenschrift an der Wand.

Belsatzar ward aber in selbiger Nacht
Von seinen Knechten umgebracht.

82

DIE LOTOSBLUME

Published in 1823; included in *Buch der Lieder* (1827). Compare the passage from *Die Harzreise* on page 243, l. 58 ff. The meter is predominantly iambic, with a sprinkling of very effective amphibrachs. There are over forty musical settings.

Die Lotosblume ängstigt
Sich vor der Sonne Pracht,
Und mit gesenktem Haupte
Erwartet sie träumend die Nacht.

[27] *graus = grausam* frightful
[29] *gellen* shrill, loud; *zumal* forthwith
[35] *stier* fixed
[36] *schlottern* shake

[37] *durchgraut* filled with horror
[42] *um-bringen* slay

[1] *sich ängstigen* be afraid

Der Mond, der ist ihr Buhle,   5
Er weckt sie mit seinem Licht,
Und ihm entschleiert sie freundlich
Ihr frommes Blumengesicht.

Sie blüht und glüht und leuchtet
Und starret stumm in die Höh';   10
Sie duftet und weinet und zittert
Vor Liebe und Liebesweh.

83

ES WAR EIN ALTER KÖNIG

Written in 1830; published the following year; included in *Neue Gedichte* (1844). This is Heine's version of the Tristan and Isolde motif, marvelously compressed into three short stanzas. The meter is iambic trimeter, with the second line of each stanza breaking into two dimeters. There are about seventy musical settings.

Es war ein alter König,
Sein Herz war schwer, sein Haupt war grau;
Der arme alte König,
Er nahm eine junge Frau.

Es war ein schöner Page,   5
Blond war sein Haupt, leicht war sein Sinn;
Er trug die seid'ne Schleppe
Der jungen Königin.

Kennst du das alte Liedchen?
Es klingt so süß, es klingt so trüb'!   10
Sie mußten beide sterben,
Sie hatten sich viel zu lieb.

---

5 *Buhle* lover (archaic)
8 *fromm* gentle

6 *leicht war sein Sinn = er war leicht-sinnig* frivolous
7 *seid'ne Schleppe* silken train
12 *sich lieb haben* love each other

84

ES RAGT INS MEER DER RUNENSTEIN

From *Neue Gedichte* (1844). Nature's indifference to man's grief, her stability contrasted with man's ephemeral existence. The meter is four iambs with occasional amphibrachs. There are musical settings by Franz and Grieg.

> Es ragt ins Meer der Runenstein,
> Da sitz' ich mit meinen Träumen.
> Es pfeift der Wind, die Möwen schrein,
> Die Wellen, die wandern und schäumen.
>
> 5 Ich habe geliebt manch schönes Kind
> Und manchen guten Gesellen —
> Wo sind sie hin? Es pfeift der Wind,
> Es schäumen und wandern die Wellen.

85

PSYCHE

From *Neue Gedichte* (1844). This poem is a profound interpretation of the classical myth of Cupid and Psyche. Heine weaves into it a central theme from his thought: the conflict between pagan joy in life and Christian asceticism. The meter is four trochees.

> In der Hand die kleine Lampe,
> In der Brust die große Glut,
> Schleichet Psyche zu dem Lager,
> Wo der holde Schläfer ruht.

---

1 *Runenstein* a stone with runic inscriptions on it
3 *Möwe* seagull

4 *Schläfer* i.e. Cupid

Sie errötet und sie zittert   5
Wie sie seine Schönheit sieht —
Der enthüllte Gott der Liebe,
Er erwacht und er entflieht.

Achtzehnhundertjähr'ge Buße!
Und die Ärmste stirbt beinah!   10
Psyche fastet und kasteit sich,
Weil sie Amorn nackend sah.

86

DER ASRA

Published in 1846 and included in the *Romanzero* (1851). The source is
Stendhal's *De l'amour*, in which the chastity and intensity of the love are
stressed. The lover who dares not confess his love for the superior being he
worships is a common theme in Heine. The meter is the "Spanish trochee":
four unrhymed trochees. There are many musical settings.

Täglich ging die wunderschöne
Sultanstochter auf und nieder
Um die Abendzeit am Springbrunn,
Wo die weißen Wasser plätschern.

Täglich stand der junge Sklave   5
Um die Abendzeit am Springbrunn,
Wo die weißen Wasser plätschern;
Täglich ward er bleich und bleicher.

---

[7] *enthüllt* uncovered, revealed. According to the myth, Psyche was to live with Cupid as his wife without ever seeing his face.
[9] i.e. since the birth of Christianity
[11] *kasteien* scourge

[12] *Amor = Eros =* Cupid; *nackend = nackt* naked

[3] *Springbrunn[en]* fountain
[4] *plätschern* splash

Eines Abends trat die Fürstin
10   Auf ihn zu mit raschen Worten:
„Deinen Namen will ich wissen,
Deine Heimat, deine Sippschaft!"

Und der Sklave sprach: „Ich heiße
Mohammet, ich bin aus Yemen,
15   Und mein Stamm sind jene Asra,
Welche sterben, wenn sie lieben."

87

LASS DIE HEIL'GEN PARABOLEN

From *Vermischte Schriften* (1854). This is Heine's powerful formulation of
the problem of evil. The meter is four trochees.

Laß die heil'gen Parabolen,
Laß die frommen Hypothesen —
Suche die verdammten Fragen
Ohne Umschweif uns zu lösen.

5   Warum schleppt sich blutend, elend,
Unter Kreuzlast der Gerechte,
Während glücklich als ein Sieger
Trabt auf hohem Roß der Schlechte?

Woran liegt die Schuld? Ist etwa
10   Unser Herr nicht ganz allmächtig?
Oder treibt er selbst den Unfug?
Ach, das wäre niederträchtig.

---

¹² *Sippschaft* tribe   ⁴ *Umschweif* subterfuge
¹⁴ *Yemen* a province of southern Arabia   ⁸ *traben* trot
---   ¹¹ *Unfug treiben* do mischief
¹ *Parabolen = Parabeln*   ¹² *niederträchtig* base

Also fragen wir beständig,
Bis man uns mit einer Handvoll
Erde endlich stopft die Mäuler —   15
Aber ist das eine Antwort?

88

AUS DER „HARZREISE"

In 1824, while still a student at the University of Göttingen, Heine under-
took a journey on foot through the Harz Mountains. *Die Harzreise*, published in 1826, is ostensibly a descriptive account of this journey. But,
like Sterne's *Sentimental Journey*, it is a loose collection of impressions and
reflections, a mixture of sober description, romantic nature-worship, political allusion, personal satire, and criticism, presented with Heine's incomparable grace and wit. The three passages reprinted here should convey
some impression of the book's character.

Der Kirchhof in Goslar hat mich nicht sehr angesprochen. Desto
mehr aber jenes wunderschöne Lockenköpfchen, das bei meiner
Ankunft in der Stadt aus einem etwas hohen Parterrefenster lächelnd herausschaute. Nach Tische suchte ich wieder das liebe
Fenster, aber jetzt stand dort nur ein Wasserglas mit weißen   5
Glockenblümchen. Ich kletterte hinauf, nahm die artigen Blüm-
chen aus dem Glase, steckte sie ruhig auf meine Mütze, und kümmerte mich wenig um die aufgesperrten Mäuler, versteinerten
Nasen und Glotzaugen, womit die Leute auf der Straße, besonders
die alten Weiber, diesem qualifizierten Diebstahle zusahen. Als   10

15 *Mäuler* "traps"
16 *Antwort* The impure rhyme indicates the discord in the universe
   which is the theme of the poem.

———

1 *Goslar* an ancient, historic town in the
   Harz, a former residence of German
   emperors. In the preceding pages
   Heine had given a description of

the town and its sights. *an-
   sprechen* appeal to
3 *Parterre* ground floor
6 *Glockenblume* bellflower, bluebell
8 *Maul* mouth (properly of animals)
9 *glotzen* glare
10 *qualifiziert* with aggravating circumstances

ich eine Stunde später an demselben Hause vorbeiging, stand die
Holde am Fenster, und wie sie die Glockenblümchen auf meiner
Mütze gewahrte, wurde sie blutrot und stürzte zurück. Ich hatte
jetzt das schöne Antlitz noch genauer gesehen; es war eine süße,
durchsichtige Verkörperung von Sommerabendhauch, Mondschein,
Nachtigallenlaut und Rosenduft. — Später, als es ganz dunkel geworden, trat sie vor die Türe. Ich kam — ich näherte mich —
sie zieht sich langsam zurück in den dunkeln Hausflur — ich fasse
sie bei der Hand und sage: ich bin ein Liebhaber von schönen Blumen und Küssen, und was man mir nicht freiwillig gibt, das stehle
ich — und ich küßte sie rasch — und wie sie entfliehen will, flüstere
ich beschwichtigend: morgen reis ich fort und komme wohl nie
wieder — und ich fühle den geheimen Widerdruck der lieblichen
Lippen und der kleinen Hände — und lachend eile ich von hinnen.
Ja, ich muß lachen, wenn ich bedenke, daß ich unbewußt jene
Zauberformel ausgesprochen, wodurch unsere Rot- und Blauröcke,
öfter als durch ihre schnurrbärtige Liebenswürdigkeit, die Herzen
der Frauen bezwingen: „Ich reise morgen fort und komme wohl
nie wieder!"

Mein Logis gewährte eine herrliche Aussicht nach dem Rammelsberg. Es war ein schöner Abend. Die Nacht jagte auf ihrem
schwarzen Rosse, und die langen Mähnen flatterten im Winde.
Ich stand am Fenster und betrachtete den Mond. Gibt es wirklich einen Mann im Monde? Die Slawen sagen, er heiße Clotar,
und das Wachsen des Mondes bewirke er durch Wasseraufgießen.
Als ich noch klein war, hatte ich gehört: der Mond sei eine Frucht,
die, wenn sie reif geworden, vom lieben Gott abgepflückt, und zu
den übrigen Vollmonden, in den großen Schrank gelegt werde, der
am Ende der Welt steht, wo sie mit Brettern zugenagelt ist. Als
ich größer wurde, bemerkte ich, daß die Welt nicht so eng begrenzt
ist, und daß der menschliche Geist die hölzernen Schranken durch-
brochen, und mit einem riesigen Petri-Schlüssel, mit der Idee der
Unsterblichkeit, alle sieben Himmel aufgeschlossen hat. Unsterblichkeit! schöner Gedanke! wer hat dich zuerst erdacht? War es

---

23 *Widerdruck* return pressure
24 *von hinnen* from there
26 *Rot- und Blauröcke* i.e. soldiers
27 *schnurrbärtige Liebenswürdigkeit*
  mustachioed charm

30 *Logis* lodging; *Rammelsberg* near
  Goslar
38 *Schrank* both cupboard and barrier
42 *Petri-Schlüssel* St. Peter's key

ein Nürnberger Spießbürger, der, mit weißer Nachtmütze auf dem 45
Kopfe und weißer Tonpfeife im Maule, am lauen Sommerabend
vor seiner Haustüre saß, und recht behaglich meinte: es wäre doch
hübsch, wenn er nun so immer fort, ohne daß sein Pfeifchen und
sein Lebensatemchen ausgingen, in die liebe Ewigkeit hineinve-
getieren könnte! Oder war es ein junger Liebender, der in den 50
Armen seiner Geliebten jenen Unsterblichkeitsgedanken dachte, und
ihn dachte, weil er ihn fühlte, und weil er nicht anders fühlen und
denken konnte! — Liebe! Unsterblichkeit! — in meiner Brust ward
es plötzlich so heiß, daß ich glaubte, die Geographen hätten den
Äquator verlegt, und er laufe jetzt gerade durch mein Herz. Und 55
aus meinem Herzen ergossen sich die Gefühle der Liebe, ergossen
sich sehnsüchtig in die weite Nacht. Die Blumen im Garten unter
meinem Fenster dufteten stärker. Düfte sind die Gefühle der Blumen, und wie das Menschenherz in der Nacht, wo es sich einsam
und unbelauscht glaubt, stärker fühlt, so scheinen auch die Blumen, 60
sinnig verschämt, erst die umhüllende Dunkelheit zu erwarten,
um sich gänzlich ihren Gefühlen hinzugeben, und sie auszuhauchen
in süßen Düften. — Ergießt Euch, Ihr Düfte meines Herzens!
und sucht hinter jenen Bergen die Geliebte meiner Träume! Sie
liegt jetzt schon und schläft, zu ihren Füßen knien Engel, und 65
wenn sie im Schlafe lächelt, so ist es ein Gebet, das die Engel nach-
beten; in ihrer Brust liegt der Himmel mit allen seinen Seligkeiten,
und wenn sie atmet, so bebt mein Herz in der Ferne; hinter den
seidnen Wimpern ihrer Augen ist die Sonne untergegangen, und
wenn sie die Augen wieder aufschlägt, so ist es Tag, und die Vögel 70
singen, und die Herdenglöckchen läuten, und die Berge schimmern in ihren smaragdenen Kleidern, und ich schnüre den Ranzen
und wandre.

*   *   *

Von Goslar ging ich den andern Morgen weiter, halb auf Gerate-

---

45 *Spießbürger* philistine, babbitt
46 *Tonpfeife* clay pipe
49 *Lebensatemchen* The use of the diminutive produces a comical effect
  difficult to render in English.
55 *verlegen* shift
59 *wo* when
60 *unbelauscht* unobserved

61 *sinnig verschämt* pensive and bashful
64 *Geliebte* i.e. his cousin Therese, with
  whom Heine was in love at this
  time
72 *smaragden* emerald; *schnüre den
  Ranzen* tie up my knapsack
74 *ander* next; *auf Geratewohl* at random

75 wohl, halb in der Absicht, den Bruder des Klausthaler Bergmanns
aufzusuchen. Wieder schönes, liebes Sonntagswetter. Ich bestieg
Hügel und Berge, betrachtete, wie die Sonne den Nebel zu verscheuchen suchte, wanderte freudig durch die schauernden Wälder,
und um mein träumendes Haupt klingelten die Glockenblümchen
80 von Goslar. In ihren weißen Nachtmänteln standen die Berge,
die Tannen rüttelten sich den Schlaf aus den Gliedern, der frische
Morgenwind frisierte ihnen die herabhängenden, grünen Haare,
die Vöglein hielten Betstunde, das Wiesental blitzte wie eine dia-
mantenbesäete Golddecke, und der Hirt schritt darüber hin mit
85 seiner läutenden Herde. Ich mochte mich wohl eigentlich verirrt
haben. Man schlägt immer Seitenwege und Fußsteige ein, und
glaubt dadurch näher zum Ziele zu gelangen. Wie im Leben überhaupt, gehts uns auch auf dem Harze. Aber es gibt immer gute
Seelen, die uns wieder auf den rechten Weg bringen; sie tun es
90 gern, und finden noch obendrein ein besonderes Vergnügen daran,
wenn sie uns mit selbstgefälliger Miene und wohlwollend lauter
Stimme bedeuten: welche große Umwege wir gemacht, in welche
Abgründe und Sümpfe wir versinken konnten, und welch ein Glück
es sei, daß wir so wegkundige Leute, wie sie sind, noch zeitig an-
95 getroffen. Einen solchen Berichtiger fand ich unweit der Harzburg. Es war ein wohlgenährter Bürger von Goslar, ein glänzend
wampiges, dummkluges Gesicht; er sah aus, als habe er die Viehseuche erfunden. Wir gingen eine Strecke zusammen, und er erzählte
mir allerlei Spukgeschichten, die hübsch klingen konnten, wenn sie
100 nicht alle darauf hinausliefen, daß es doch kein wirklicher Spuk
gewesen, sondern daß die weiße Gestalt ein Wilddieb war, und daß

---

75 *Bergmann* In an earlier passage
  Heine describes his visit to Klaus-
  thal, where silver is mined, and
  where he talked to miners. One of
  these sent regards to his brother
  living near Goslar.
77 *verscheuchen* frighten away
78 *schauernd* trembling
79 *klingelten* a play on the literal meaning of *Glockenblume*. This literary
  device is known as *synaesthesia* and
  is a favorite with the romantic
  writers.
82 *frisieren* do, comb (the hair)

85 *läutend* tinkling; *mochte* may have
86 *Fußsteig* footpath
90 *noch obendrein* into the bargain
91 *selbstgefällig* self-satisfied
92 *bedeuten* show, explain
94 *wegkundig* knowing the road
95 *Berichtiger* corrector; *Harzburg* a
  castle ruin near the town of the
  same name
97 *wampig* bloated; *dummklug* with a
  foxy stupidity; *Viehseuche* mur-
  rain (cattle disease)
100 *hinauslaufen* end
101 *Wilddieb* poacher

die wimmernden Stimmen von den eben geworfenen Jungen einer
Bache ‚wilden Sau‘, und das Geräusch auf dem Boden von der
Hauskatze herrührte.   Nur wenn der Mensch krank ist, setzte er
hinzu, glaubt er Gespenster zu sehen; was aber seine Wenigkeit 105
anbelange, so sei er selten krank, nur zuweilen leide er an Haut-
übeln, und dann kuriere er sich jedesmal mit nüchternem Speichel.
Er machte mich auch aufmerksam auf die Zweckmäßigkeit und
Nützlichkeit in der Natur.   Die Bäume sind grün, weil Grün gut
für die Augen ist.   Ich gab ihm Recht und fügte hinzu, daß Gott 110
das Rindvieh erschaffen, weil Fleischsuppen den Menschen stärken,
daß er die Esel erschaffen, damit sie dem Menschen zu Verglei-
chungen dienen können, und daß er den Menschen selbst erschaffen,
damit er Fleischsuppen essen und kein Esel sein soll.   Mein Begleiter war entzückt, einen Gleichgestimmten gefunden zu haben, 115
sein Antlitz erglänzte noch freudiger, und bei dem Abschiede war
er gerührt.

So lange er neben mir ging, war gleichsam die ganze Natur entzaubert, sobald er aber fort war, fingen die Bäume wieder an zu
sprechen, und die Sonnenstrahlen erklangen und die Wiesenblüm- 120
chen tanzten, und der blaue Himmel umarmte die grüne Erde.
Ja, ich weiß es besser; Gott hat den Menschen erschaffen, damit
er die Herrlichkeit der Welt bewundere.   Jeder Autor, und sei er
noch so groß, wünscht, daß sein Werk gelobt werde.   Und in der
Bibel, den Memoiren Gottes, steht ausdrücklich: daß er die Men- 125
schen erschaffen zu seinem Ruhm und Preis.

*   *   *

Ein junger Burschenschafter, der kürzlich zur Purifikation in

---

102 *geworfen* dropped, whelped, i.e. born
104 *her-rühren* come from
105 *seine Wenigkeit* his humble self
106 *an-belangen* concern
107 *nüchterner Speichel* saliva secreted
   before breakfast
108 *Zweckmäßigkeit* teleology. Heine
   here satirizes a weakness of the
   Aufklärung for seeing purpose in
   every arrangement of nature. Vol-
   taire had satirized the same foible
   in *Candide*.
110 *Recht geben* agree
111 *Rindvieh* cattle

115 *Gleichgestimmte* a person with similar
   views
118 *gleichsam* as it were
120 *erklangen* another example of synaesthesia
124 *noch so* however
126 *Preis* Isaiah 43:7
127 The *Burschenschaft* was a political
   students’ organization, founded
   during the Wars of Liberation
   (1814–15) to champion German
   freedom.   During the period of
   reaction (1815–48) the *Burschen-
   schaften* were regarded as liberal

Berlin gewesen, sprach viel von dieser Stadt; aber sehr einseitig.
Er hatte Wisotzki und das Theater besucht; beide beurteilte er
130 falsch. „Schnell fertig ist die Jugend mit dem Wort" usw. Er
sprach von Garderobeaufwand, Schauspieler- und Schauspielerinnen-
skandal usw. Der junge Mensch wußte nicht, daß, da in Berlin
überhaupt der Schein der Dinge am meisten gilt, was schon die
allgemeine Redensart „man so duhn" hinlänglich andeutet, dieses
135 Scheinwesen auf den Brettern erst recht florieren muß, und daß
daher die Intendanz am meisten zu sorgen hat für die „Farbe des
Barts, womit eine Rolle gespielt wird", für die Treue der Kostüme,
die von beeidigten Historikern vorgezeichnet und von wissenschaft-
lich gebildeten Schneidern genäht werden. Und das ist notwendig.
140 Denn trüge mal Maria Stuart eine Schürze, die schon zum Zeitalter
der Königin Anna gehört, so würde gewiß der Bankier Christian
Gumpel sich mit Recht beklagen, daß ihm dadurch alle Illusion
verloren gehe, und hätte mal Lord Burleigh aus Versehen die Hosen
von Heinrich IV. angezogen, so würde gewiß die Kriegsrätin von
145 Steinzopf, geb. Lilientau, diesen Anachronismus den ganzen Abend
nicht aus den Augen lassen. Solche täuschende Sorgfalt der Generalintendanz erstreckt sich aber nicht bloß auf Schürzen und Hosen,
sondern auch auf die darin verwickelten Personen. So soll künftig
der Othello von einem wirklichen Mohren gespielt werden, den
150 Professor Lichtenstein schon zu diesem Behufe aus Afrika ver-

(127) centers of subversion and persecuted by the governments. The
young *Burschenschafter* has been
to Berlin to clear himself (= *Purifikation*) of subversive charges.
129 *Wisotzki* owner of a popular res-
taurant
130 *Schnell fertig* ... from Schiller's
Wallenstein
131 *Garderobeaufwand* expenditure on
clothes
133 *überhaupt* altogether; *Schein* appearance
134 *man so duhn* = *nur so tun* just pre-
tend; *hinlänglich* sufficiently
135 *Brettern* i.e. the stage; *erst recht*
even more; *florieren* flourish
136 *Intendanz* (theater) directorship
138 *beeidigt* under oath; *vor-zeichnen*
sketch

140 *Maria Stuart* the heroine of Schiller's play of the same title
141 Queen Anne reigned 1702–14
142 *Gumpel* a Jewish banker from Hamburg, whom Heine satirizes at
length in *Die Bäder von Lucca*
143 *Burleigh* character in *Maria Stuart;
aus Versehen* by mistake
144 Henry IV of England reigned 1399–
1413; *Kriegsrätin* wife of a coun-
cillor for war
145 *Steinzopf: Stein* suggests petrifaction;
Zopf obsolescence, backwardness;
geb. = *geborene, née; Lilientau* indicates her Jewish origin.
146 *täuschend* illusion-creating
148 *verwickelt* enveloped and involved
150 *Lichtenstein* professor of zoology at
the University of Berlin; *Behuf*
purpose; *verschreiben* sign up

schrieben hat; in „Menschenhaß und Reue" soll künftig die Eulalia von einem wirklich verlaufenen Weibsbilde, der Peter von
einem wirklich dummen Jungen, und der Unbekannte von einem
wirklich geheimen Hahnrei gespielt werden, die man alle drei nicht
erst aus Afrika zu verschreiben braucht. Hatte nun obenerwähnter 155
junger Mensch die Verhältnisse des Berliner Schauspiels schlecht
begriffen, so merkte er noch viel weniger, daß die Spontinische
Janitscharen-Oper, mit ihren Pauken, Elefanten, Trompeten und
Tamtams, ein heroisches Mittel ist, um unser erschlafftes Volk
kriegerisch zu stärken, ein Mittel, das schon Plato und Cicero staats- 160
pfiffig empfohlen haben. Am allerwenigsten begriff der junge
Mensch die diplomatische Bedeutung des Balletts. Mit Mühe
zeigte ich ihm, wie in Hoguets Füßen mehr Politik sitzt als in Buchholz' Kopf, wie alle seine Tanztouren diplomatische Verhandlungen
bedeuten, wie jede seiner Bewegungen eine politische Beziehung 165
habe, so z. B., daß er unser Kabinett meint, wenn er, sehnsüchtig
vorgebeugt, mit den Händen weit ausgreift, daß er den Bundestag
meint, wenn er sich hundertmal auf einem Fuße herumdreht, ohne
vom Fleck zu kommen; daß er die kleinen Fürsten im Sinne hat,
wenn er wie mit gebundenen Beinen herumtrippelt; daß er das 170
europäische Gleichgewicht bezeichnet, wenn er wie ein Trunkener
hin und her schwankt; daß er einen Kongreß andeutet, wenn er

151 *Menschenhaß und Reue* misanthropy
and remorse; the title of a popular
but worthless play by August von
Kotzebue; *Eulalia* a wayward but
repentant wife, heroine of Kotzebue's play
152 *verlaufen* straying
153 *Unbekannte* Eulalia's disguised husband
154 *Hahnrei* cuckold
156 *Verhältnisse* situation
157 *Gaspare Spontini* (1774–1851), the
Italian composer, was for a time a
director of the Berlin opera. His
music was noisy. In his opera
Olympia he brought elephants on
the stage.
158 *Janitscharen-Oper* Turkish military
music, very noisy in character
159 *erschlafft* weakened, enervated
160 Plato, in the *Republic*, and Cicero, in
De Legibus, recommended the use
of music in education to instill

courage. *staatspfiffig* with states-
manlike cunning
163 *Hoguet* dancer in the royal ballet at
Berlin; *Buchholz* author of a work
on Napoleon
164 *Tanztour* dance step
165 *Beziehung* allusion
167 *Bundestag* the parliament of the
German *Bund*, founded after the
Congress of Vienna (1815)
169 *Fürsten* allusion to the curse of
German particularism. The petty
princes, independent in the 18th
century, had had their powers cur-
tailed since the Napoleonic era but
were still behaving like petty des-
pots. Cf. § 44.
171 *europäisches Gleichgewicht* European
balance of power
172 *Kongreß* the Congress of Vienna
(1815), which attempted to settle the complicated problems of
Europe after the Napoleonic wars

die gebogenen Arme knäuelartig ineinander verschlingt, und endlich, daß er unsern allzugroßen Freund im Osten darstellt, wenn er
175 in allmählicher Entfaltung sich in die Höhe hebt, in dieser Stellung
lange ruht und plötzlich in die erschrecklichsten Sprünge ausbricht.
Dem jungen Manne fielen die Schuppen von den Augen, und jetzt
merkte er, warum Tänzer besser honoriert werden, als große Dichter, warum das Ballett beim diplomatischen Korps ein unerschöpf-
180 licher Gegenstand des Gesprächs ist, und warum oft eine schöne
Tänzerin noch privatim von dem Minister unterhalten wird, der
sich gewiß Tag und Nacht abmüht, sie für sein politisches System-
chen empfänglich zu machen. Beim Apis! wie groß ist die Zahl
der exoterischen, und wie klein die Zahl der esoterischen Theater-
185 besucher! Da steht das blöde Volk und gafft und bewundert Sprünge
und Wendungen, und studiert Anatomie in den Stellungen der
Lemiere, und applaudiert die Entrechats der Röhnisch, und schwatzt
von Grazie, Harmonie und Lenden — und keiner merkt, daß er in
getanzten Chiffern das Schicksal des deutschen Vaterlandes vor
190 Augen hat.

89

UM MITTERNACHT

EDUARD MÖRIKE (1804–1875)

Written in 1827. Midnight is conceived as the momentary resting point
between day and night. The central image is that of a scale with two pans
which move all the time except at this one moment. The meter is complex:
lines 1 and 2 of each stanza have four iambs; lines 3 and 4 have five; the
remaining lines are made up of dactyls and trochees with anacrusis.

173 *Arme knäuelartig ineinander ver-*
  schlingt ties his arms up in knots
174 *Freund* Russia, which had entered
  European politics late in the 18th
  century and was already feared by
  some Westerners, among them
  Heine
177 *Schuppen* scales
178 *honorieren* pay

181 *privatim* secretly
183 *Apis* sacred bull of the Egyptians
184 *exoterisch* uninitiated; *esoterisch* in-
  itiated
185 *blöde* stupid; *gaffen* gape
187 *Lemiere* and *Röhnisch* danseuses in
  the Berlin ballet; *Entrechat* a
  ballet-dancer's leap
189 *Chiffer* symbol

Gelassen stieg die Nacht ans Land,
Lehnt' träumend an der Berge Wand;
Ihr Auge sieht die goldne Wage nun
Der Zeit in gleichen Schalen stille ruhn.
    Und kecker rauschen die Quellen hervor,   5
    Sie singen der Mutter, der Nacht, ins Ohr
       Vom Tage,
Vom heute gewesenen Tage.

Das uralt alte Schlummerlied —
Sie achtet's nicht, sie ist es müd;   10
Ihr klingt des Himmels Bläue süßer noch,
Der flücht'gen Stunden gleichgeschwung'nes Joch.
    Doch immer behalten die Quellen das Wort,
    Es singen die Wasser im Schlafe noch fort
       Vom Tage,   15
Vom heute gewesenen Tage.

90

IN DER FRÜHE

Written in 1828. The theme is the will to face a new day after a sleepless night. Meter: lines 1–6 have four iambs; the remaining lines: four trochees (line 7 has two).

Kein Schlaf noch kühlt das Auge mir,
Dort gehet schon der Tag herfür
An meinem Kammerfenster.
Es wühlet mein verstörter Sinn
Noch zwischen Zweifeln her und hin   5
Und schaffet Nachtgespenster.

[1] *gelassen* calmly
[3] *Wage = Waage*
[5] *keck* bold
[8] *gewesen* that has been
[11] *klingt ... süßer* an example of synaesthesia. Cf. § 88, 79.

[12] *Joch* the beam of the scale
[13] *behalten das Wort* have their say

[2] *herfür = hervor*
[4] *wühlen* stir

— Ängste, quäle
Dich nicht länger, meine Seele!
Freu' dich! schon sind da und dorten
10   Morgenglocken wach geworden.

91

DAS VERLASSENE MÄGDLEIN

Written in 1829; included in the novel *Maler Nolten* (1832).   This poem
has become a folksong and is sung to a soldiers' air from Tübingen, although
there are over sixty musical settings.   The meter is predominantly dactyllic,
with a number of trochees.

Früh, wann die Hähne krähn,
Eh' die Sternlein verschwinden,
Muß ich am Herde stehn,
Muß Feuer zünden.

5   Schön ist der Flammen Schein,
Es springen die Funken;
Ich schaue so drein,
In Leid versunken.

Plötzlich, da kommt es mir,
10   Treuloser Knabe,
Daß ich die Nacht von dir
Geträumet habe.

Träne auf Träne dann
Stürzet hernieder;
15   So kommt der Tag heran —
O ging' er wieder!

---

⁹ *dorten = dort*

¹ *wann = wenn*
¹⁶ *ging' er* would that it went

92

AUF EINE LAMPE

Written in 1846, this poem is "classical" in tone, almost purely descriptive, like Goethe's *Meeresstille* (§ 60), but with subtle indications of mood and judgment. The last line recalls Keats's "A thing of beauty is a joy forever." Meter: six unrhymed iambs.

Noch unverrückt, o schöne Lampe, schmückest du,
An leichten Ketten zierlich aufgehangen hier,
Die Decke des nun fast vergeß'nen Lustgemachs.
Auf deiner weißen Marmorschale, deren Rand
Der Efeukranz von goldengrünem Erz umflicht,   5
Schlingt fröhlich eine Kinderschar den Ringelreihn.
Wie reizend alles! lachend, und ein sanfter Geist
Des Ernstes doch ergossen um die ganze Form —
Ein Kunstgebild der echten Art. Wer achtet sein?
Was aber schön ist, selig scheint es in ihm selbst.   10

93

DENK' ES, O SEELE

Written in 1852, this poem closes the beautiful novella *Mozart auf der Reise nach Prag* (1855) (see § 35), where it is described as a Bohemian folksong. Meter: lines of three and two iambs alternate.

[1] *unverrückt* undisturbed
[3] *Lustgemach* room in a pavilion
[5] *Efeukranz* ivy wreath; *goldengrün* i.e. turned green from weathering (verdigris); *umflechten* entwine about
[6] *Ringelreihn* round dance
[9] *Kunstgebild* work of art; *sein* genitive after *achten*
[10] *scheint* shines, seems

Ein Tännlein grünet wo,
Wer weiß, im Walde,
Ein Rosenstrauch, wer sagt,
In welchem Garten?
5   Sie sind erlesen schon,
Denk' es, o Seele!
Auf deinem Grab zu wurzeln
Und zu wachsen.

Zwei schwarze Rößlein weiden
10   Auf der Wiese,
Sie kehren heim zur Stadt
In muntern Sprüngen.
Sie werden schrittweis gehn
Mit deiner Leiche;
15   Vielleicht, vielleicht noch eh'
An ihren Hufen
Das Eisen los wird,
Das ich blitzen sehe.

94

AUS „BERGKRISTALL"

ADALBERT STIFTER (1805–1868)

From *Bergkristall* (Rock Crystal), Stifter's most famous novella. This tale of
two children who are lost in the Austrian Alps on Christmas Eve is moving
— through its artlessness, through the sheer power of narrative skill. The
story was first published in 1845 under the title *Der heilige Abend* (Christmas
Eve). In 1852 Stifter issued it in a revised version and gave it its present title,
because the glass-like clarity of rock crystal seemed to him a fitting symbol of
the spirit that pervades the tale. The two children have left their native
village Gschaid to visit their grandparents in Millsdorf. They are now on
their way home, lost in the mountains among the glaciers. The passage
has been abridged.

1 *wo* somewhere   13 *schrittweis* i.e. at a slow walk
5 *erlesen* chosen

Die Kinder gingen durch die Millsdorfer Felder und wendeten sich gegen die Wiesen hinan. Als sie auf den Anhöhen gingen, wo zerstreute Bäume und Gebüschgruppen standen, fielen äußerst langsam einzelne Schneeflocken.

Die Kinder gingen freudiger fort, und Sanna war recht froh, wenn sie mit dem dunkeln Ärmel ihres Röckchens eine der fallenden Flocken auffangen konnte, und wenn dieselbe recht lange nicht auf dem Ärmel zerfloß. Sie gingen nunmehr in den dicken Wald hinein, der den größten Teil ihrer noch bevorstehenden Wanderung einnahm.

Das erste, was die Kinder sahen, als sie die Waldung betraten, war, daß der gefrorene Boden sich grau zeigte, als ob er mit Mehl besät wäre, daß die Fahne manches dünnen Halmes des am Wege hin und zwischen den Bäumen stehenden dürren Grases mit Flocken beschwert war, und daß auf den verschiedenen grünen Zweigen der Tannen und Fichten, die sich wie Hände öffneten, schon weiße Flämmchen saßen.

„Schneit es denn jetzt beim Vater zu Hause auch?" fragte Sanna.

„Freilich", antwortete der Knabe, „es wird auch kälter, und du wirst sehen, daß morgen der ganze Teich gefroren ist."

"Ja, Konrad", sagte das Mädchen.

Es verdoppelte beinahe seine kleinen Schritte, um mit denen des dahinschreitenden Knaben gleich bleiben zu können.

Weil nur die bloßen Fußstapfen der Kinder hinter ihnen blieben, und weil vor ihnen der Schnee rein und unverletzt war, so war daraus zu erkennen, daß sie die einzigen waren, die heute über die Höhe gingen.

Ihre Freude wuchs noch immer. Denn die Flocken fielen stets dichter. Von der Härte des Weges oder gar von Furchen war nichts zu empfinden, der Weg war vom Schnee überall gleich weich und war überhaupt nur daran zu erkennen, daß er als ein gleichmäßiger weißer Streifen in dem Walde fort lief. Auf allen Zweigen lag schon die schöne weiße Hülle.

Der von der Großmutter vorausgesagte Wind war noch immer nicht gekommen; aber dafür wurde der Schneefall nach und nach

---

[13] *Fahne* beard
[24] *Fußstapfen* footprints
[25] *unverletzt* i.e. undisturbed

[29] *Furche* furrow
[31] *gleichmäßig* uniform
[35] *dafür* on the other hand

so dicht, daß auch nicht mehr die nächsten Bäume zu erkennen
waren, sondern daß sie wie neblige Säcke in der Luft standen.

Die hinter ihnen liegenden Fußstapfen waren jetzt nicht mehr
lange sichtbar; denn die ungemeine Fülle des herabfallenden Schnees
40 deckte sie bald zu, daß sie verschwanden. Sie gingen sehr schleunig,
und der Weg führte noch immer aufwärts.

Endlich kamen die Kinder in eine Gegend, in welcher keine Bäume
standen.

„Ich sehe keine Bäume mehr", sagte Sanna.

45 „Vielleicht ist nur der Weg so breit, daß wir sie wegen des Schneiens
nicht sehen können", antwortete der Knabe.

„Ja, Konrad", sagte das Mädchen.

„Warte ein wenig, ich will dich besser einrichten", erwiderte der
Knabe.

50 Er nahm seinen Hut ab, setzte ihn Sanna auf das Haupt und
befestigte ihn mit den beiden Händchen unter ihrem Kinn. Das
Tüchlein, welches sie um hatte, schützte sie zu wenig, während
auf seinem Haupte eine solche Menge dichter Locken waren, daß
noch lange Schnee darauf fallen konnte, ehe Nässe und Kälte durch-
55 zudringen vermochten. Dann zog er sein Pelzjäckchen aus und zog
dasselbe über die Ärmelein der Schwester. Um seine eigenen Schultern und Arme, die jetzt das bloße Hemd zeigten, band er das kleinere
Tüchlein, das Sanna über der Brust und das größere, das sie über
die Schultern gehabt hatte. Das sei für ihn genug, dachte er, wenn
60 er nur stark auftrete, werde ihn nicht frieren.

Er nahm das Mädchen bei der Hand, und so gingen sie jetzt fort.
Sie gingen nun mit der Unablässigkeit und Kraft, die Kinder und
Tiere haben, weil sie nicht wissen, wieviel ihnen beschieden ist, und
wann ihr Vorrat erschöpft ist.

65 „Wo sind wir denn, Konrad?" fragte das Mädchen.

„Ich weiß es nicht", antwortete er. „Wenn ich nur mit diesen
meinen Augen etwas zu erblicken imstande wäre, daß ich mich
danach richten könnte."

Aber es war rings um sie nichts als das blendende Weiß.

70 „Es tut auch nichts, Sanna", sagte der Knabe, „sei nur nicht

---

[52] *Tüchlein* little kerchief   [62] *Unablässigkeit* persistence
[60] *auftreten* walk   [63] *beschieden* in store

verzagt, folge mir, ich werde dich doch noch hinüber führen. —
Wenn nur das Schneien aufhörte!"

Sie war nicht verzagt, sondern hob die Füßchen, so gut es gehen
wollte, und folgte ihm. Er führte sie in dem weißen, lichten, reg-
samen, undurchsichtigen Raume fort.   75

Nach einer Weile sahen sie Felsen. Sie hoben sich dunkel und
undeutlich aus dem weißen und undurchsichtigen Lichte empor.
Sie stiegen wie eine Mauer hinauf und waren ganz gerade, sodaß
kaum ein Schnee an ihrer Seite haften konnte.

Die Kinder gingen weiter, sie mußten zwischen die Felsen hinein 80
und unter ihnen fort. Die Felsen ließen sie nicht rechts und nicht
links ausweichen und führten sie in einem engen Wege dahin. Nach
einiger Zeit verloren sie dieselben wieder und konnten sie nicht
mehr erblicken. Es war wieder nichts um sie als das Weiß. Es
schien eine große Lichtfülle zu sein, und doch konnte man nicht 85
drei Schritte vor sich sehen. Alles war, wenn man so sagen darf,
in eine einzige weiße Finsternis gehüllt.

„Mir tun die Augen weh", sagte Sanna.

„Schaue nicht auf den Schnee", antwortete der Knabe, „sondern
in die Wolken. Mir tun sie schon lange weh; aber es tut nichts, 90
ich muß doch auf den Schnee schauen, weil ich auf den Weg zu
achten habe. Fürchte dich nur nicht, ich führe dich doch hinunter
nach Gschaid."

„Ja, Konrad."

Endlich gelangten sie wieder zu Gegenständen.   95

Es waren riesenhaft große, sehr durcheinander liegende Trümmer,
die mit Schnee bedeckt waren. Sie gingen ganz hinzu, die Dinge
anzublicken.

Es war Eis — lauter Eis.

„Da muß recht viel Wasser gewesen sein, weil so viel Eis ist", 100
sagte Sanna.

„Nein, das ist von keinem Wasser", antwortete der Bruder,
„das ist das Eis des Berges, das immer oben ist."

„Ja, Konrad", sagte Sanna.

„Wir sind jetzt bis zu dem Eise gekommen", sagte der Knabe, 105

---

[71] *verzagt* faint-hearted   [85] *Lichtfülle* plenitude of light
[74] *regsam* stirring   [96] *durcheinander* in confusion; *Trüm-*
[82] *aus-weichen* escape   *mer* debris

„wir sind auf dem Berge, Sanna, weißt du, den man von unserm
Garten aus im Sonnenscheine so weiß sieht. Erinnerst du dich
noch, wie wir oft nachmittags in dem Garten saßen, wie es recht
schön war, wie die Bienen um uns summten, die Linden dufteten
110 und die Sonne von dem Himmel schien?"

„Ja, Konrad, ich erinnere mich."

„Da sahen wir auch den Berg. Wir sahen, wie er so blau war,
so blau wie das sanfte Firmament; wir sahen den Schnee, der oben
ist, wenn auch bei uns Sommer war, eine Hitze herrschte und die
115 Getreide reif wurden."

„Ja, Konrad."

„Und unten, wo der Schnee aufhört, da sieht man allerlei Farben,
wenn man genau schaut, grün, blau, weißlich — das ist das Eis,
das unten nur so klein ausschaut, weil man sehr weit entfernt ist,
120 und das, wie der Vater sagte, nicht weggeht bis an das Ende der
Welt. Und da habe ich oft gesehen, daß unterhalb des Eises die
blaue Farbe noch weiter geht, das werden Steine sein, dachte ich,
oder es wird Eis und Weidegrund sein, und dann fangen die Wälder
an, die gehen herab und immer weiter herab, man sieht auch allerlei
125 Felsen in ihnen, dann folgen die Wiesen, die schon grün sind, und
dann die grünen Laubwälder, und dann kommen unsere Wiesen
und Felder, die in dem Tale von Gschaid sind. Siehst du nun,
Sanna, weil wir jetzt bei dem Eise sind, so werden wir über die
blaue Farbe hinabgehen, dann durch die Wälder, in denen die Fel-
130 sen sind, dann über die Wiesen und dann durch die grünen Laubwälder, und dann werden wir in dem Tale von Gschaid sein und
leicht unser Dorf finden."

„Ja, Konrad", sagte das Mädchen.

Die Kinder gingen nun in das Eis hinein. Sie waren winzig kleine
135 wandelnde Punkte in diesen ungeheuren Stücken.

„Wir werden jetzt von dem Eise abwärts laufen", sagte Konrad.

„Ja", sagte Sanna und klammerte sich an ihn an.

Sie schlugen von dem Eise eine Richtung durch den Schnee abwärts ein, die in das Tal führen sollte. Mit dem Mute der Unwissen-

---

115 *Getreide* grain   134 *winzig* tiny
122 *werden...sein* must be   137 *sich klammern* cling
123 *Weidegrund* pasture land   138 *ein-schlagen* take
126 *Laubwald* deciduous forest

heit kletterten sie in das Eis hinein. Sie nahmen die Hände zu 140
Hilfe, krochen, wo sie nicht gehen konnten, und arbeiteten sich
mit ihren leichten Körpern hinauf, bis sie die Seite des Walles überwunden hatten und oben waren.

Jenseits wollten sie wieder hinabklettern.

Aber es gab kein Jenseits. 145

So weit die Augen der Kinder reichen konnten, war lauter Eis.

„Sanna, da können wir nicht gehen", sagte der Knabe.

„Nein", antwortete die Schwester.

„Da werden wir wieder umkehren und anderswo hinabzukommen
suchen." 150

„Ja, Konrad."

Die Kinder suchten nun von dem Eiswalle wieder da hinabzukommen, wo sie hinaufgeklettert waren, aber sie kamen nicht hinab.
Sie wandten sich hierhin und dorthin und konnten aus dem Eise
nicht herauskommen. Sie kletterten abwärts und kamen wieder 155
in Eis. Endlich, da der Knabe die Richtung immer verfolgte, in
der sie nach seiner Meinung gekommen waren, gelangten sie in zer-
streutere Trümmer, wie sie oft am Rande des Eises zu sein pflegen,
und gelangten kriechend und kletternd hinaus. An dem Eisessaume
waren ungeheure Steine, sie waren gehäuft, wie die Kinder ihr Leben 160
lang nicht gesehen hatten. Nicht weit von dem Standorte der
Kinder standen mehrere gegen einander gelehnt, und über ihnen
lagen breite Blöcke wie ein Dach. Es war ein Häuschen, das so
gebildet war, das gegen vorne offen, rückwärts und an den Seiten
aber geschützt war. Im Innern war es trocken, da der steile Schnee- 165
fall keine einzige Flocke hineingetragen hatte. Die Kinder waren
recht froh, daß sie nicht mehr in dem Eise waren und auf ihrer Erde
standen.

Aber es war auch endlich finster geworden.

„Sanna", sagte der Knabe, „wir können nicht mehr hinabgehen, 170
weil es Nacht geworden ist, und weil wir fallen oder gar in eine
Grube geraten könnten. Wir werden da unter die Steine hinein-
gehen, wo es so trocken und so warm ist, und da werden wir warten.
Die Sonne geht bald wieder auf, dann laufen wir hinunter. Weine
nicht, ich bitte dich recht schön, weine nicht, ich gebe dir alle Dinge 175
zu essen, welche uns die Großmutter mitgegeben hat."

---

[42] *Wall* embankment   [159] *Eisessaum* edge of the ice

Sie weinte auch nicht, sondern nachdem sie beide unter das
steinerne Überdach hinein gegangen waren, wo sie nicht nur bequem sitzen, sondern auch stehen und herumgehen konnten, setzte
180 sie sich recht dicht an ihn und war mäuschenstille.

„Die Mutter", sagte Konrad, „wird nicht böse sein, wir werden
ihr von dem vielen Schnee erzählen, der uns aufgehalten hat, und
sie wird nichts sagen; der Vater auch nicht. Wenn uns kalt wird —
weißt du — dann mußt du mit den Händen an deinen Leib schlagen,
185 wie die Holzhauer tun, und dann wird dir wärmer werden."

„Ja, Konrad", sagte das Mädchen.

Jetzt machte sich auch der Hunger geltend. Beide nahmen fast
zu gleicher Zeit ihre Brote aus den Taschen und aßen sie. Sie aßen
auch die kleinen Stückchen Kuchen, Mandeln und Nüsse und andere
190 Kleinigkeiten, die die Großmutter ihnen in die Tasche gesteckt hatte.

„Sanna, jetzt müssen wir aber auch den Schnee von unseren
Kleidern tun", sagte der Knabe, „daß wir nicht naß werden."

Sie gingen aus ihrem Häuschen, und zuerst reinigte Konrad das
Schwesterlein von Schnee. Dann entledigte er auch sich, so gut
195 es ging, des auf ihm liegenden Schnees.

Der Schneefall hatte zu dieser Stunde ganz aufgehört. Die Kinder
spürten keine Flocke.

Sie gingen wieder in die Steinhütte und setzten sich nieder. Das
Aufstehen hatte ihnen ihre Müdigkeit erst recht gezeigt, und sie
200 freuten sich auf das Sitzen.

So weit sie in die Dämmerung zu sehen vermochten, lag überall
der flimmernde Schnee. Bald war es ringsherum finster, nur der
Schnee fuhr fort, mit seinem bleichen Lichte zu leuchten.

Das war der Zeitpunkt, in welchem man in den Tälern die Lichter
205 anzuzünden pflegt. Es erhellen sich alle Fenster von bewohnten
Stuben und glänzen in die Schneenacht hinaus. Aber heute erst
— am heiligen Abend — da wurden viel mehr angezündet, um die
Gaben zu beleuchten, welche für die Kinder auf den Tischen lagen
oder an den Christbäumen hingen. Der Knabe hatte geglaubt,
210 daß man sehr bald von dem Berg hinabkommen könnte, und doch,
von den vielen Lichtern, die heute in dem Tale brannten, kam nicht

---

180 *mäuschenstill* quiet as a mouse   199 *erst recht* more than ever
185 *Holzhauer* woodcutter   202 *flimmern* glitter
187 *sich geltend machen* assert itself

ein einziges zu ihnen herauf. In allen Tälern bekamen die Kinder
in dieser Stunde die Geschenke des heiligen Christ: nur die zwei
saßen oben am Rande des Eises.

Als eine lange Zeit vergangen war, sagte der Knabe: „Sanna, 215
du mußt nicht schlafen; denn weißt du, wie der Vater gesagt hat,
wenn man im Gebirge schläft, muß man erfrieren, so wie der alte
Eschenjäger auch geschlafen hat und vier Monate tot auf dem
Steine gesessen ist, ohne daß jemand gewußt hatte, wo er sei.“

„Nein, ich werde nicht schlafen“, sagte das Mädchen matt.   220

Konrad hatte es an dem Zipfel des Kleides geschüttelt, um es zu
erwecken. Nun war es wieder stille.

„Sanna, schlafe nicht, ich bitte dich, schlafe nicht“, sagte er.

„Nein“, lallte sie schlaftrunken, „ich schlafe nicht.“

Er rückte weiter von ihr, um sie in Bewegung zu bringen, allein 225
sie sank um und hätte auf der Erde liegend fortgeschlafen. Er
nahm sie an der Schulter und rüttelte sie. Da er sich dabei selber
etwas stärker bewegte, merkte er, daß ihn friere. Er erschrak und
sprang auf. Er ergriff die Schwester, schüttelte sie stärker und
sagte: „Sanna, stehe ein wenig auf, wir wollen einige Zeit stehen, 230
daß es besser wird.“

„Mich friert nicht, Konrad“, antwortete sie.

„Ja, ja, es friert dich, Sanna, stehe auf“, rief er.

„Die Pelzjacke ist warm“, sagte sie.

„Ich werde dir emporhelfen“, sagte er.   235

„Nein“, erwiderte sie und war stille.

Es war nun Mitternacht gekommen. In diesem Augenblicke der
heutigen Nacht wurde nun mit allen Glocken geläutet, es läuteten
die Glocken in Millsdorf, es läuteten die Glocken in Gschaid, und
hinter dem Berge war noch ein Kirchlein mit drei hellen klingenden 240
Glocken, die läuteten. Von Dorf zu Dorf ging die Tonwelle, ja
man konnte wohl zuweilen von einem Dorf zum andern durch die
blätterlosen Zweige das Läuten hören: nur zu den Kindern herauf
kam kein Laut.

In der ungeheuern Stille, die herrschte, hörten sie dreimal das 245

[212] In German-speaking countries gifts   [218] *Eschenjäger* the hunter Eschen
are generally distributed on Christ-   [221] *Zipfel* corner, edge
mas Eve.   [224] *lallen* babble

Krachen des Eises. Was das starrste scheint und doch das regsamste
und lebendigste ist, der Gletscher hatte die Töne hervorgebracht.
Dreimal hörten sie hinter sich den Schall, der entsetzlich war, als
ob die Erde entzwei gesprungen wäre, der sich nach allen Richtungen
250 im Eise verbreitete und gleichsam durch alle Äderchen des Eises lief.
Die Kinder blieben mit offenen Augen sitzen und schauten in die
Sterne hinaus.

Auch für die Augen begann sich etwas zu entwickeln. Wie die
Kinder so saßen, erblühte am Himmel vor ihnen ein bleiches Licht
255 mitten unter den Sternen und spannte einen schwachen Bogen
durch dieselben. Es hatte einen grünlichen Schimmer. Der Bogen
wurde immer heller und heller, bis sich die Sterne vor ihm zurück-
zogen und erblaßten. Dann standen Garben verschiedenen Lichtes
auf der Höhe des Bogens wie Zacken einer Krone und brannten.
260 Hatte sich der Gewitterstoff des Himmels durch den unerhörten
Schneefall so gespannt, daß er in diesen stummen herrlichen Strömen des Lichtes ausfloß, oder war es eine andere Ursache der uner-
gründlichen Natur? — Nach und nach wurde der Bogen schwächer
und immer schwächer, die Garben erloschen zuerst, bis es allmäh-
265 lich immer geringer wurde und wieder nichts am Himmel war als
die tausend und tausend Sterne.

Die Kinder sagten keines zu dem andern ein Wort, sie schauten
mit offenen Augen in den Himmel.

Endlich, nachdem die Sterne lange geschienen hatten, fing der
270 Himmel an heller zu werden. Die bleichsten Sterne erloschen
und die andern standen nicht mehr so dicht. Endlich wichen auch
die stärkeren, und der Schnee vor den Höhen wurde deutlich sichtbar.

„Sanna, der Tag bricht an", sagte der Knabe.

„Ja, Konrad", antwortete das Mädchen.

275   „Jetzt gehen wir", sagte der Knabe.

Die Kinder standen auf und versuchten ihre erst heute recht
müden Glieder. Obwohl sie nicht geschlafen hatten, waren sie
doch durch den Morgen gestärkt, wie das immer so ist. Der Knabe
hing sich das Kalbfellränzchen um und machte das Pelzjäckchen
280 an Sanna fester zu. Dann führte er sie aus der Höhle.

---

246 *krachen* crack
247 *Gletscher* glacier
248 *entsetzlich* terrifying
254 *erblühen* begin to glow

258 *erblassen* grow pale; *Garbe* sheaf
259 *Zacke* spike
262 *unergründlich* unfathomable
279 *Kalbfellränzchen* calfskin knapsack

Weil sie nach ihrer Meinung nur über den Berg hinabzulaufen hatten, dachten sie an kein Essen und untersuchten das Ränzchen nicht, ob noch Weißbrote oder andere Eßwaren darin seien.

Von dem Berge wollte nun Konrad, weil der Himmel ganz heiter war, in die Täler hinabschauen, um das Gschaider Tal zu erkennen 285 und in dasselbe hinunter zu gehen. Aber er sah gar keine Täler. Sie sahen heute auch in größerer Entfernung furchtbare Felsen aus dem Schnee emporstehen, die sie gestern nicht gesehen hatten, sie sahen das Eis, oder es ragte die blaue Spitze eines sehr fernen Berges am Schneerande hervor.   290

„Sanna, wir werden jetzt da weiter vorwärts gehen, bis wir an den Rand des Berges kommen und hinuntersehen", sagte der Knabe.

Sie gingen nun in den Schnee hinaus. Allein sie kamen an keinen Rand und sahen nicht hinunter. Schneefeld entwickelte sich aus Schneefeld, und am Saume eines jeden stand allemal wieder der 295 Himmel.

Aber sie verfolgten doch ihre Richtung.

„Sanna", sagte der Knabe, „weil wir in unser Tal gar nicht hinabsehen können, so werden wir gerade über den Berg hinabgehen. Wir müssen in ein Tal kommen, dort werden wir den Leuten sagen, 300 daß wir aus Gschaid sind, die werden uns einen Wegweiser nach Hause mitgeben."

„Ja, Konrad", sagte das Mädchen.

Sie gingen immer fort und meinten es zu erringen. Sie wichen den steilen Abstürzen aus und kletterten keine steilen Anhöhen 305 hinauf.

Endlich war es dem Knaben, als sähe er auf einem fernen schiefen Schneefelde ein hüpfendes Feuer. Es tauchte auf, es tauchte nieder. Jetzt sahen sie es, jetzt sahen sie es nicht. Sie blieben stehen und blickten unverwandt auf jene Gegend hin. Das Feuer hüpfte im- 310 merfort, und es schien, als ob es näher käme; denn sie sahen es größer und sahen das Hüpfen deutlicher. Es verschwand nicht mehr so oft und nicht mehr auf so lange Zeit wie früher. Nach einer Weile vernahmen sie in der stillen blauen Luft schwach, sehr

---

301 *Wegweiser* guide
304 *erringen* achieve
305 *Absturz* precipice

307 *war* seemed
308 *hüpfen* skip, jump
310 *unverwandt* fixedly

315 schwach etwas wie einen lange anhaltenden Ton aus einem Hirtenhorn. Wie aus Instinkt schrieen beide Kinder laut. Nach einiger
Zeit hörten sie den Ton wieder. Sie schrieen wieder und blieben
auf der nämlichen Stelle stehen. Das Feuer näherte sich auch.
Der Ton wurde zum drittenmal vernommen und diesesmal deut-
320 licher. Die Kinder antworteten wieder durch lautes Schreien.

Nach einer geraumen Weile erkannten sie auch das Feuer. Es
war kein Feuer, es war eine rote Fahne, die geschwungen wurde.
Zugleich ertönte das Hirtenhorn näher, und die Kinder antworteten.

Nun sahen sie auch die Menschen, die bei der Fahne waren, kleine
325 schwarze Stellen, die sich zu bewegen schienen. Der Ruf des Hornes
wiederholte sich von Zeit zu Zeit und kam immer näher. Die Kinder
antworteten jedesmal.

Endlich sahen sie über den Schneeabhang gegen sich her mehrere
Männer mit ihren Stöcken herabfahren, die die Fahne in ihrer Mitte
330 hatten. Da sie näher kamen, erkannten sie dieselben. Es war der
Hirt Philipp mit dem Horne, seine zwei Söhne, dann der junge
Eschenjäger und mehrere Bewohner von Gschaid.

„Gebenedeit sei Gott", schrie Philipp, „da seid ihr ja."

95

AUS „AGNES BERNAUER"

FRIEDRICH HEBBEL (1813–1863)

From the historical tragedy *Agnes Bernauer*, written in 1851, produced in
1852, published in 1855. This drama deals philosophically (in Hegelian
terms) with the conflict between personal happiness and the needs of the
state. In it Hebbel depicts the tragic destruction of a perfectly innocent
person (Agnes) and justifies this ethically, because Agnes's death was necessary for the progress of society. Agnes, the daughter of a barber-surgeon

315 *anhaltend* sustained   321 *geraum* considerable
318 *nämlich* same   333 *gebenedeit* blessed

from Augsburg, is loved by Duke Albrecht. They marry against the wishes of Albrecht's father Ernst, the reigning duke. Because Albrecht is heir to the throne, he must either give up his plebeian wife or renounce the throne. His father feels that it is his duty to the state to give up his wife. Neither Albrecht nor Agnes is prepared to dissolve the happy marriage; so Agnes is condemned by the Supreme Court to death by drowning in the Danube. She is arrested while Albrecht is beyond reach. In the following crucial scenes, Chancellor Preising appears before her in her prison as an emissary from Duke Ernst and urges her to renounce her marriage or face death.

FÜNFTER AUFZUG

ZWEITER AUFTRITT

PREISING (*tritt ein*).

AGNES (*ihm entgegen*). Was bringt Ihr mir?

PREISING. Was Ihr selbst wollt!

AGNES. Was ich selbst will? Oh, spottet meiner nicht! Ihr werdet
   mir die düstre Pforte nicht wieder öffnen, die man so fest hinter   5
   mir verriegelt hat!

PREISING. Ich werde, wenn Ihr Euch fügt!

AGNES. Und was verlangt Ihr von mir?

PREISING. Ich stehe hier für den Herzog von Bayern.

AGNES (*macht eine zurückweichende Bewegung*).   10

PREISING. Aber ich meine es redlich mit Euch, und auch mein er-
   lauchter Gebieter ist nicht Euer Feind!

AGNES. Nicht mein Feind? Wie komm' ich denn hieher?

PREISING. Ihr wißt, wie's steht! Herzog Ernst ist alt, und sein
   Thron bleibt unbesetzt, wenn Gott ihn abruft, oder sein einziger   15
   Sohn muß ihn besteigen. Nun, Albrecht kann Euch nimmermehr
   mit hinaufnehmen, und da er sich von Euch nicht trennen will,
   so müßt Ihr Euch von ihm trennen!

AGNES. Ich mich von ihm! Eher von mir selbst!

PREISING. Ihr müßt! Glaubt's mir, glaubt's einem Mann, der   20
   Euer Schicksal schon kennt, wie Gott, und es gern noch wenden
   möchte! Ihr könnt kein Mißtrauen in mich setzen; warum wär'
   ich gekommen, wenn Euer Los mir nicht am Herzen läge? Meines

---

2 *Ihr* the older form of polite address

4 *meiner* genitive after *spotten*

6 *verriegeln* bolt

7 *sich fügen* submit

10 *zurückweichend* shrinking

11 *erlaucht* illustrious

23 *Los* lot

Arms bedurfte es doch gewiß nicht; Ihr habt's ja gesehen, wie
25 überflüssig ich war, und welchen Gebrauch ich von meinem
Schwert machte. Ich zog mit, weil Ihr mich erbarmtet; ich
suche Euch jetzt im Kerker, im Vorhof des Todes, auf, weil ich
allein noch helfen kann, doch ich wiederhol's Euch: Ihr müßt!

AGNES. Ihr habt den armen Menschen gerettet, der vorhin sein
30 Leben für mich wagte, ich muß glauben, daß Ihr's aufrichtig
meint, aber Ihr seid ein Mann und wißt nicht, was Ihr fordert!
Nein, nein! Das in Ewigkeit nicht!

PREISING. Nicht zu rasch, ich beschwör' Euch! Wohl mag's ein
schweres Opfer für Euch sein, doch wenn Ihr's verweigert, so
35 wird man — könnt Ihr noch zweifeln nach allem, was heute geschah? — aus Euch selbst ein Opfer machen! Ja, ich gehe vielleicht schon weiter, als ich darf, indem ich Euch überhaupt noch
eine Bedingung stelle, und tu's auf meine eigne Gefahr!

AGNES. Ihr wollt mich erschrecken, aber es wird Euch nicht ge-
40 lingen! (*Sie hält sich an einem Tisch.*) So leicht fürchte ich
mich nicht, dies Zittern meiner Knie kommt noch von dem Überfall! Mein Gott, erst die Trompeten, dann die blutigen Schwerter
und die Toten! Aber für mich besorg' ich nichts, ich bin ja nicht
in Räuberhänden, und Herzog Ernst ist ebenso gerecht als streng!
45 (*Sie setzt sich.*) Seht mich nicht so an, mir ward jetzt so wunderlich, weil der tote Törring mir auf einmal vor die Seele trat, es ist
schon wieder vorüber. (*Sie erhebt sich wieder.*) Was könnte mir
auch wohl widerfahren! Ist doch selbst ein Missetäter, solange
der Richter ihn noch nicht verurteilt hat, in seinem Kerker so
50 sicher, als ob die Engel Gottes ihn bewachten, und ich habe den
meinigen noch nicht einmal erblickt! Nein, nein, so hat mein
Gemahl nicht von seinem Vater gesprochen, daß ich dies glauben
dürfte! Doch wenn's auch so wäre, wenn der Tod — es ist unmöglich, ich weiß es, ganz unmöglich — aber wenn er wirklich
55 schon vor der Tür stände und meine Worte zählte: ich könnte
nimmermehr anders!

---

24 *Arm* i.e. help
26 *erbarmen* move to pity
27 *Vorhof* forecourt, vestibule
30 *aufrichtig* sincerely
41 *Überfall* attack, i.e. her arrest in the
last scene of Act 4

43 *besorgen* worry
45 *mir ward wunderlich* I felt strange
46 Count Törring was killed when he re-
sisted Agnes's arrest.
51 *meinigen* i.e. *Richter*

PREISING. Der Tod steht vor der Tür, er kommt, wenn ich gehe,
ja er wird anklopfen, wenn ich zu lange säume! Schaut einmal
durchs Gitter zur Brücke hinüber! Was seht Ihr?

AGNES. Das Volk drängt sich, einige heben die Hände zum Him- 60
mel empor, andere starren in die Donau hinab, es liegt doch
keiner darin?

PREISING (*mit einem Blick auf sie*). Noch nicht!

AGNES. Allmächtiger Gott! Versteh' ich Euch?

PREISING (*nickt*).   65

AGNES. Und was hab' ich verbrochen?

PREISING (*hebt das Todesurteil in die Höhe*). Die Ordnung der Welt
gestört, Vater und Sohn entzweit, dem Volk seinen Fürsten ent-
fremdet, einen Zustand herbeigeführt, in dem nicht mehr nach
Schuld und Unschuld, nur noch nach Ursach und Wirkung ge- 70
fragt werden kann! So sprechen Eure Richter, denn das Schicksal, das Euch bevorsteht, wurde schon vor Jahren von Männern
ohne Furcht und ohne Tadel über Euch verhängt, und Gott selbst
hat den harten Spruch bestätigt, da er den jungen Prinzen zu sich
rief, der die Vollziehung allein aufhielt. Ihr schaudert, sucht 75
Euch nicht länger zu täuschen, so ist's! Und wenn's einen Edelstein gäbe, kostbarer, wie sie alle zusammen, die in den Kronen
der Könige funkeln und in den Schächten der Berge ruhen, aber
eben darum auch ringsum die wildesten Leidenschaften ent-
zündend und Gute wie Böse zu Raub, Mord und Totschlag ver- 80
lockend: dürfte der einzige, der noch ungeblendet blieb, ihn nicht
mit fester Hand ergreifen und ins Meer hinunterschleudern, um
den allgemeinen Untergang abzuwenden? Das ist Euer Fall,
erwägt's und bedenkt Euch, ich frage zum letztenmal!

AGNES. Erwägt auch Ihr, ob Ihr nicht verlangt, was mehr als Tod 85
ist! Ich entsage meinem Gemahl nicht, ich kann's und darf's
nicht. Bin ich denn selbst noch, die ich war? Hab' ich bloß
empfangen? Hab' ich nicht auch gegeben? Sind wir nicht eins,
unzertrennlich eins durch Geben und Nehmen, wie Leib und
Seele? Aber ich verbürge mich für ihn, daß er dem Thron ent- 90

---

[66] *verbrechen* commit a crime
[68] *entzweien* estrange; *entfremden* alienate
[73] *verhängen* decree

[75] *Vollziehung* execution. The death of
  the young prince made Albrecht
  the sole heir to the throne.
[90] *sich verbürgen* vouch for

sagt! Fürchtet nicht, daß ich verspreche, was er nicht halten
wird! Ich hab's aus seinem eignen Munde, wie ein Zauberwort
für die höchste Gefahr! Zwar glaubte ich längst nicht mehr, daß
ich's noch brauchen würde, aber diese Stunde hat's mir entrissen,
95   und nun braucht's, wie Ihr wollt!
PREISING. Das rettet Euch nicht mehr! Herzog Albrecht kann die
angestammte Majestät so wenig ablegen, als Euch damit bekleiden,
sie ist unzertrennlich mit ihm verbunden, wie die Schönheit, die
ihn fesselt, mit Euch. Will er's nicht seinen Segen nennen, so
100   nenne er's seinen Fluch, aber er gehört seinem Volk und muß
auf den Thron steigen, wie Ihr ins Grab. Euch rettet's nur noch,
wenn Ihr Eure Ehe für eine sündliche erklärt und augenblicklich
den Schleier nehmt.
AGNES. Wie mild ist Herzog Ernst! Der will doch nur mein Leben!
105   Ihr wollt mehr! Ja, ja, das braucht' ich bloß zu tun, so wär' ich
für ihn wie nie dagewesen; ich selbst hätte mein Andenken in
seiner Seele ausgelöscht, und er müßte erröten, mich je geliebt
zu haben! Mein Albrecht, deine Agnes dich abschwören! O
Gott, wie reich komm' ich mir in meiner Armut jetzt auf einmal
110   wieder vor, wie stark in meiner Ohnmacht! Diesen Schmerz
kann ich doch noch von ihm abwenden! Das kann mir doch
kein Herzog gebieten! Nun zittre ich wirklich nicht mehr!
PREISING. Oh, daß Euer alter Vater neben mir stände und mich
unterstützte! Daß er spräche: Mein Kind, warum willst du
115   einen Platz nicht freiwillig wieder aufgeben, den du doch nur
gezwungen einnahmst? Denn ich weiß ja, daß dies Euer Fall
war!
AGNES. Gezwungen? So also wird meine Angst, mein Zittern und
Zagen ausgelegt? Oh, wenn Ihr mir Euer Mitleid geschenkt
120   habt, weil Ihr das glaubt, so nehmt's zurück und quält mich
nicht länger, ich habe keinen Anspruch darauf. Nein, nein, ich
wurde nicht gezwungen! So gewiß ich ihn eher erblickt habe,
als er mich, so gewiß habe ich ihn auch eher geliebt, und das war
gleich, als ob's immer gewesen wäre und in alle Ewigkeit nicht
125   wieder aufhören könne. Darum keine Anklage gegen ihn, ich

---

97 *angestammt* hereditary
103 *Schleier* veil, i.e. retire to a convent
for life

108 *abschwören* abjure
119 *zagen* hesitate; *aus-legen* interpret
121 *Anspruch* claim

war früher schuldig als er! Nie zwar hätt' ich's verraten, ich
hätte vielleicht nicht zum zweitenmal zu ihm hinübergeschaut,
sondern im stillen mein Herz zerdrückt und unter Lachen und
Weinen ein Gelübde getan. Ach, ich schämte mich vor Gott und
vor mir selbst, mir war, als ob mein eignes Blut mir über den Kopf 130
liefe, ich erwiderte ein Lächeln des armen Theobald, um mir recht
weh zu tun. Doch, als er nun am Abend zu mir herantrat, da
wandte ich mich zuerst freilich auch noch ab, aber nur wie ein
Mensch, der in den Himmel eintreten soll und weiß, daß er dem
Tode die Schuld noch nicht bezahlt hat! Wenn ein Engel den 135
mit sanfter Gewalt über die Schwelle nötigt: hat er ihn gezwungen?

PREISING. So ist es Euer letztes Wort?

DRITTER AUFTRITT

*Die Türe wird geöffnet, man erblickt Häscher und Reisige, die jedoch
draußen bleiben, es tritt ein: Emeran Nusperger zu Kalmperg und
bleibt am Eingang stehen.* 140

AGNES *(ihm entgegen)*. Herr Emeran, hätte mein Gemahl je erfahren, was ich von Euch wußte, Ihr lebtet nicht, um mich zu
verderben! Er haßte Euch schon ohne Grund wie keinen auf
der Welt, ich hätt' ihm wohl einen Grund angeben können, aber
ich tat's nicht! Sinnt nach, und wenn Ihr ein Mensch seid, so 145
muß sich in Eurer Brust jetzt etwas für mich regen!

EMERAN NUSPERGER ZU KALMPERG *(schweigt)*.

AGNES. Herr Emeran, bin ich auf ehrliche Weise in Eure Hand
gefallen? Bedenkt, wohin Ihr mich ohne Vorbereitung schickt,
laßt mir noch etwas Zeit, und Gott soll's Euch verzeihen, daß 150
Ihr einen Judas mehr gemacht habt, ich will selbst für Euch bitten!

EMERAN NUSPERGER ZU KALMPERG *(schweigt)*.

AGNES. Herr Emeran, wie ich in diesem Augenblick zu Euch, so

---

129 *Gelübde* vow, i.e. taken the veil
131 *liefe* i.e. from blushing; Theobald,
the assistant to her father the barber, loves Agnes.
132 *er* i.e. Albrecht
135 *den* such a person
136 *nötigen* compel
138 *Häscher und Reisige* sheriffs and
mounted men
139 Emeran Nusperger is a judge.

144 *Grund* Emeran had sneered at her
as an upstart who is pushing her
way into high society.
149 *Vorbereitung* i.e. religious preparation (confession) and other rites.
To take a human life without giving the victim an opportunity to
confess his sins and prepare himself
otherwise for death was considered
a grievous sin. Compare *Hamlet*.

werdet Ihr dereinst zu Gott um eine kurze Frist flehen, und er
155   wird Euch antworten, wie Ihr mir! Seht mich an, wie jung ich
noch bin, und gebt mir von jedem Jahr, das Ihr mir raubt, nur
eine Minute zurück! Könnt Ihr mir's weigern? Ich will ja nur
von mir selbst Abschied nehmen!

PREISING.   Ihr verlangt von ihm, was er nicht gewähren kann!
160   Er weiß von Eurem Knecht, daß Ihr gestern zur Nacht erst ge-
beichtet habt, und die Stunde drängt! Auch ist die eine ebenso
schwarz wie die andere, glaubt's mir! Aber willigt ein und —

AGNES.   Hebe dich von mir, Versucher!

EMERAN NUSPERGER ZU KALMPERG (*winkt einem Häscher*).

165   EIN HÄSCHER (*tritt herein und nähert sich Agnes*).

AGNES.   Fort, Mensch! Willst du deine Hand an die legen, die
noch keiner als dein Herzog berührt hat? Nur dem Totengräber
kann ich's nicht mehr wehren! (*Sie schreitet zur Tür, bleibt dann
aber stehen.*) Albrecht, Albrecht, was wirst du empfinden!

170 PREISING.   Ja! Ja! Und Ihr wollt diesen Stachel lieber in seine
Seele drücken, als — — Noch, ist's Zeit!

AGNES.   Fragt ihn, wenn ich dahin bin, ob er lieber eine Unwürdige
verfluchen als eine Tote beweinen möchte! Ich kenne seine Antwort! Nein, nein, Ihr bringt Euer Opfer nicht so weit, daß es
175   sich selbst befleckt. Rein war mein erster Hauch, rein soll auch
mein letzter sein! Tut mir, wie Ihr müßt und dürft, ich will's
leiden! Bald weiß ich, ob's mit Recht geschah! (*Sie schreitet
durch die Häscher hindurch, Preising und Emeran Nusperger zu
Kalmperg folgen.*)

---

154 *dereinst* some day; *Frist* respite   your claim on Albrecht
160 *beichten* confess   163 *Hebe dich...* get thee hence,
161 *die eine = Stunde*   tempter (after Matthew 4:10)
162 *schwarz* i.e. more time will not help   170 *Stachel* thorn
      you, unless you agree to renounce   172 *dahin* gone, dead

96

KLEIDER MACHEN LEUTE

GOTTFRIED KELLER (1818–1890)

Written in the late 1860's, this novella belongs to the cycle *Die Leute von Seldwyla*, which gives a picture of middle-class life in Switzerland at the time. The tone varies from story to story, ranging from farce to deep tragedy. *Kleider machen Leute* is one of the sunniest of the Seldwyla cycle; it is a study of bourgeois weakness in a delightfully humorous vein, but with a serious undercurrent of social criticism. The extract reprinted here is the opening of the novella.

An einem unfreundlichen Novembertage wanderte ein armes Schneiderlein auf der Landstraße nach Goldach, einer kleinen, reichen Stadt, die nur wenige Stunden von Seldwyla entfernt ist. Der Schneider trug in seiner Tasche nichts als einen Fingerhut, welchen er, in Ermangelung irgend einer Münze, unablässig zwischen 5 den Fingern drehte, wenn er der Kälte wegen die Hände in die Hosen steckte, und die Finger schmerzten ihm ordentlich von diesem Drehen und Reiben, denn er hatte wegen des Fallimentes irgend eines Seldwyler Schneidermeisters seinen Arbeitslohn mit der Arbeit zugleich verlieren und auswandern müssen. Er hatte noch 10 nichts gefrühstückt als einige Schneeflocken, die ihm in den Mund geflogen, und er sah noch weniger ab, wo das geringste Mittagsbrot herwachsen sollte. Das Fechten fiel ihm äußerst schwer, ja schien ihm gänzlich unmöglich, weil er über seinem schwarzen Sonntags-kleide, welches sein einziges war, einen weiten dunkelgrauen Rad- 15 mantel trug, mit schwarzem Sammet ausgeschlagen, der seinem

---

2 *Schneiderlein* The diminutive strikes a sympathetic note and reinforces *armes*. *Goldach* and *Seldwyla* are imaginary places.
5 *Ermangelung* lack
7 *ordentlich* properly

8 *Falliment* bankruptcy
12 *ab-sehen* foresee
13 *Fechten* begging (slang); *fiel* was
15 *Radmantel* cape
16 *aus-schlagen* face, line

Träger ein edles und romantisches Aussehen verlieh, zumal dessen
lange schwarze Haare und Schnurrbärtchen sorgfältig gepflegt
waren und er sich blasser aber regelmäßiger Gesichtszüge erfreute.

20   Solcher Habitus war ihm zum Bedürfnis geworden, ohne daß er
etwas Schlimmes oder Betrügerisches dabei im Schilde führte; vielmehr war er zufrieden, wenn man ihn nur gewähren und im Stillen
seine Arbeit verrichten ließ; aber lieber wäre er verhungert, als
daß er sich von seinem Radmantel und von seiner polnischen Pelz-
25   mütze getrennt hätte, die er ebenfalls mit großem Anstand zu
tragen wußte.

Er konnte deshalb nur in größeren Städten arbeiten, wo solches
nicht zu sehr auffiel; wenn er wanderte und keine Ersparnisse mit-
führte, geriet er in die größte Not.   Näherte er sich einem Hause,
30   so betrachteten ihn die Leute mit Verwunderung und Neugierde
und erwarteten eher alles andere, als daß er betteln würde; so
erstarben ihm, da er überdies nicht beredt war, die Worte im Munde,
also daß er der Märtyrer seines Mantels war und Hunger litt, so
schwarz wie des letzteren Sammetfutter.

35   Als er bekümmert und geschwächt eine Anhöhe hinauf ging,
stieß er auf einen neuen und bequemen Reisewagen, welchen ein
herrschaftlicher Kutscher in Basel abgeholt hatte und seinem Herrn
überbrachte, einem fremden Grafen, der irgendwo in der Ostschweiz
auf einem gemieteten oder angekauften alten Schlosse saß.   Der
40   Wagen war mit allerlei Vorrichtungen zur Aufnahme des Gepäcks
versehen und schien deswegen schwer bepackt zu sein, obgleich
alles leer war.   Der Kutscher ging wegen des steilen Weges neben
den Pferden, und als er, oben angekommen, den Bock wieder bestieg,
fragte er den Schneider, ob er sich nicht in den leeren Wagen setzen
45   wolle.   Denn es fing eben an zu regnen und er hatte mit einem Blicke
gesehen, daß der Fußgänger sich matt und kümmerlich durch die
Welt schlug.

Derselbe nahm das Anerbieten dankbar und bescheiden an, worauf

---

17 *zumal* especially as
20 *Habitus* dress
21 *im Schilde führen* intend
22 *gewähren lassen* leave alone
25 *Anstand* dignity
28 *wandern* be on the road
29 *geraten ie a* fall

32 *beredt* eloquent
34 *schwarz* i.e. dire
37 *herrschaftlich* in the service of a
    nobleman
40 *Vorrichtung* device
43 *Bock* coachman's box
46 *sich schlagen* make one's way

der Wagen rasch mit ihm von dannen rollte und in einer kleinen
Stunde stattlich und donnernd durch den Torbogen von Goldach 50
fuhr. Vor dem ersten Gasthofe, zur Waage genannt, hielt das vornehme Fuhrwerk plötzlich, und alsogleich zog der Hausknecht so
heftig an der Glocke, daß der Draht beinahe entzwei ging. Da
stürzten Wirt und Leute herunter und rissen den Schlag auf; Kinder
und Nachbarn umringten schon den prächtigen Wagen, neugierig, 55
welch ein Kern sich aus so unerhörter Schale enthülsen werde, und
als der verdutzte Schneider endlich hervorsprang in seinem Mantel,
blaß und schön und schwermütig zur Erde blickend, schien er ihnen
wenigstens ein geheimnisvoller Prinz oder Grafensohn zu sein.
Der Raum zwischen dem Reisewagen und der Pforte des Gast- 60
hauses war schmal und im übrigen der Weg durch die Zuschauer
ziemlich gesperrt. Mochte es nun der Mangel an Geistesgegenwart
oder an Mut sein, den Haufen zu durchbrechen und einfach seines
Weges zu gehen, — er tat dieses nicht, sondern ließ sich willenlos
in das Haus und die Treppe hinangeleiten und bemerkte seine neue 65
seltsame Lage erst recht, als er sich in einen wohnlichen Speisesaal
versetzt sah und ihm sein ehrwürdiger Mantel dienstfertig abgenommen wurde.

„Der Herr wünscht zu speisen?" hieß es, „gleich wird serviert
werden, es ist eben gekocht!" 70

Ohne eine Antwort abzuwarten, lief der Waagwirt in die Küche
und rief: „Ins drei Teufels Namen! Nun haben wir nichts als
Rindfleisch und die Hammelskeule! Die Rebhuhnpastete darf ich
nicht aufschneiden, da sie für die Abendherren bestimmt und versprochen ist. So geht es! Den einzigen Tag, wo wir keinen solchen 75
Gast erwarten und nichts da ist, muß ein solcher Herr kommen!
Und der Kutscher hat ein Wappen auf den Knöpfen und der Wagen
ist wie der eines Herzogs! und der junge Mann mag kaum den
Mund öffnen vor Vornehmheit!"

49 *von dannen* from there; *kleinen* i.e.
    less than
51 *Waage* at the *Sign of the Scales; vor-
    nehm* distinguished
52 *alsogleich* at once; *Hausknecht* bell
    boy
54 *Schlag* (carriage) door
56 *sich enthülsen* reveal itself
57 *verdutzt* puzzled, nonplussed
62 *mochte es sein* whether it was

66 *erst recht* really only
67 *ehrwürdig* dignified
69 *der Herr* indirect deferential address;
    hieß es he was asked
71 *Waagwirt* landlord of the *Scales*
72 *ins drei Teufels Namen* hang it all
73 *Rindfleisch* beef; *Hammelskeule* leg of
    lamb; *Rebhuhnpastete* partridge pie
75 *wo* when
77 *Wappen* coat of arms

80 Doch die ruhige Köchin sagte: „Nun, was ist denn da zu la-
mentieren, Herr? Die Pastete tragen Sie nur kühn auf, die wird
er doch nicht aufessen! Die Abendherren bekommen sie dann portionenweise, sechs Portionen wollen wir schon noch herausbringen!"

„Sechs Portionen? Ihr vergeßt wohl, daß die Herren sich satt
85 zu essen gewohnt sind!" meinte der Wirt, allein die Köchin fuhr
unerschüttert fort: „Das sollen sie auch! Man läßt noch schnell
ein halbes Dutzend Koteletts holen, die brauchen wir sowieso für
den Fremden, und was er übrig läßt, schneide ich in kleine Stückchen und menge sie unter die Pastete, da lassen Sir nur mich machen!"

90 Doch der wackere Wirt sagte ernsthaft: „Köchin, ich habe Euch
schon einmal gesagt, daß dergleichen in dieser Stadt und in diesem
Hause nicht angeht! Wir leben hier solid und ehrenfest und vermögen es!"

„Ei der Tausend, ja, ja!" rief die Köchin endlich etwas aufgeregt,
95 „wenn man sich dann nicht zu helfen weiß, so opfere man die Sache!
Hier sind zwei Schnepfen, die ich den Augenblick vom Jäger gekauft
habe, die kann man am Ende der Pastete zusetzen! Eine mit Schnepfen gefälschte Rebhuhnpastete werden die Leckermäuler nicht beanstanden! Sodann sind auch die Forellen da, die größte habe ich in
100 das siedende Wasser geworfen, wie der merkwürdige Wagen kam,
und da kocht auch schon die Brühe im Pfännchen, so haben wir
also einen Fisch, das Rindfleisch, das Gemüse mit den Koteletts,
den Hammelsbraten und die Pastete; geben Sie nur den Schlüssel,
daß man das Eingemachte und den Dessert herausnehmen kann!
105 Und den Schlüssel könnten Sie, Herr! mir mit Ehren und Zutrauen
übergeben, damit man Ihnen nicht allerorten nachspringen muß
und oft in die größte Verlegenheit gerät!"

„Liebe Köchin! Das braucht Ihr nicht übel zu nehmen, ich habe
meiner seligen Frau am Todbette versprechen müssen, die Schlüssel
110 immer in Händen zu behalten; sonach geschieht es grundsätzlich
und nicht aus Mißtrauen. Hier sind die Gurken und hier die Kir-

---

83 *portionenweise* in portions
84 *Ihr* older form of polite address
87 *sowieso* in any case
89 *mengen* mix
90 *wacker* good, gallant
92 *vermögen es* can afford to
94 *ei der Tausend* for Heaven's sake

95 *opfern* i.e. give up
96 *Schnepfe* snipe
97 *am Ende* after all
98 *Leckermäuler* gourmets; *beanstanden*
      object to
99 *Forelle* trout
104 *Eingemachtes* preserves

schen, hier die Birnen und hier die Aprikosen; aber das alte Konfekt
darf man nicht mehr aufstellen; geschwind soll die Lise zum Zuckerbeck laufen und frisches Backwerk holen, drei Teller, und wenn er
eine gute Torte hat, soll er sie auch gleich mitgeben!" 115
„Aber Herr! Sie können ja dem einzigen Gast das nicht alles
aufrechnen, das schlägt's beim besten Willen nicht heraus!"
„Tut nichts, es ist um die Ehre! Das bringt mich nicht um;
dafür soll ein großer Herr, wenn er durch unsere Stadt reist, sagen
können, er habe ein ordentliches Essen gefunden, obgleich er ganz 120
unerwartet und im Winter gekommen sei! Es soll nicht heißen,
wie von den Wirten zu Seldwyl, die alles Gute selber fressen und
den Fremden die Knochen vorsetzen! Also, frisch, munter, sputet
Euch allerseits!"
Während dieser umständlichen Zubereitungen befand sich der 125
Schneider in der peinlichsten Angst, da der Tisch mit glänzendem
Zeuge gedeckt wurde, und so heiß sich der ausgehungerte Mann
vor kurzem noch nach einiger Nahrung gesehnt hatte, so ängstlich
wünschte er jetzt, der drohenden Mahlzeit zu entfliehen. Endlich
faßte er sich einen Mut, nahm seinen Mantel um, setzte die Mütze 130
auf und begab sich hinaus, um den Ausweg zu gewinnen. Da er
aber in seiner Verwirrung und in dem weitläufigen Hause die Treppe
nicht gleich fand, so glaubte der Kellner, den der Teufel beständig
umhertrieb, jener suche eine gewisse Bequemlichkeit, rief: „Erlauben Sie gefälligst, mein Herr, ich werde Ihnen den Weg weisen!" 135
und führte ihn durch einen langen Gang, der nirgend anders endigte,
als vor einer schön lackierten Türe, auf welcher eine zierliche In-
schrift angebracht war.
Also ging der Mantelträger ohne Widerspruch, sanft wie ein
Lämmlein, dort hinein und schloß ordentlich hinter sich zu. Dort 140
lehnte er sich bitterlich seufzend an die Wand und wünschte der
goldenen Freiheit der Landstraße wieder teilhaftig zu sein, welche
ihm jetzt, so schlecht das Wetter war, als das höchste Glück erschien.

---

112 *Konfekt* pastry
113 *Zuckerbeck* confectioner and pastry
    baker
117 *heraus-schlagen* pay
118 *tut nichts* no matter
119 *dafür* i.e. as a result
121 *heißen* be said

123 *frisch, munter, sputet Euch allerseits*
    quick, lively, hurry, all of you
127 *Zeug* tableware; *so heiß* however
    passionately
138 *angebracht* affixed
142 *teilhaftig sein* share

Doch verwickelte er sich jetzt in die erste selbsttätige Lüge, weil
145 er in dem verschlossenen Raum ein wenig verweilte, und er betrat
hiermit den abschüssigen Weg des Bösen.

Unterdessen schrie der Wirt, der ihn gesehen hatte im Mantel
dahin gehen: „Der Herr friert! heizt mehr ein im Saal! Wo ist
die Lise, wo ist die Anne? Rasch einen Korb Holz in den Ofen und
150 einige Hände voll Späne, daß es brennt! Zum Teufel, sollen die
Leute in der Waage im Mantel zu Tisch sitzen?"

Und als der Schneider wieder aus dem langen Gange hervor-
gewandelt kam, melancholisch wie der umgehende Ahnherr eines
Stammschlosses, begleitete er ihn mit hundert Komplimenten und
155 Handreibungen wiederum in den verwünschten Saal hinein. Dort
wurde er ohne ferneres Verweilen an den Tisch gebeten, der Stuhl
zurechtgerückt, und da der Duft der kräftigen Suppe, dergleichen
er lange nicht gerochen, ihn vollends seines Willens beraubte, so
ließ er sich in Gottes Namen nieder und tauchte sofort den schweren
160 Löffel in die braungoldene Brühe. In tiefem Schweigen erfrischte
er seine matten Lebensgeister und wurde mit achtungsvoller Stille
und Ruhe bedient.

Als er den Teller geleert hatte und der Wirt sah, daß es ihm so
wohl schmeckte, munterte er ihn höflich auf, noch einen Löffel
165 voll zu nehmen, das sei gut bei dem rauhen Wetter. Nun wurde
die Forelle aufgetragen, mit Grünem bekränzt, und der Wirt legte
ein schönes Stück vor. Doch der Schneider, von Sorgen gequält,
wagte in seiner Blödigkeit nicht, das blanke Messer zu brauchen,
sondern hantierte schüchtern und zimperlich mit der silbernen
170 Gabel daran herum. Das bemerkte die Köchin, welche zur Tür
hineinguckte, den großen Herrn zu sehen, und sie sagte zu den
Umstehenden: „Gelobt sei Jesus Christ! Der weiß noch einen
feinen Fisch zu essen, wie es sich gehört, der sägt nicht mit dem
Messer in dem zarten Wesen herum, wie wenn er ein Kalb schlachten
175 wollte. Das ist ein Herr von großem Hause, darauf wollt' ich schwö-

---

144 *selbsttätig* of his own doing, deliber-
    ate
146 *abschüssig* precipitous
153 *umgehender Ahnherr eines Stamm-
    schlosses* wandering ancestral ghost
    of a family castle
155 *verwünscht* cursed
159 *in Gottes Namen* i.e. resignedly

161 *Lebensgeister* spirits
166 *Grünes* i.e. parsley
168 *Blödigkeit* shyness
169 *hantierte schüchtern und zimperlich*
    toyed shyly and fastidiously
172 *Gelobt sei Jesus Christ* Heaven be
    praised
173 *sich gehören* be fitting

ren, wenn es nicht verboten wäre! Und wie schön und traurig er
ist! Gewiß ist er in ein armes Fräulein verliebt, das man ihm nicht
lassen will! Ja, ja, die vornehmen Leute haben auch ihre Leiden!"

Inzwischen sah der Wirt, daß der Gast nicht trank, und sagte
ehrerbietig: „Der Herr mögen den Tischwein nicht, befehlen Sie 180
vielleicht ein Glas guten Bordeaux, den ich bestens empfehlen kann?"

Da beging der Schneider den zweiten selbsttätigen Fehler, indem
er aus Gehorsam ja statt nein sagte, und alsobald verfügte sich der
Waagwirt persönlich in den Keller, um eine ausgesuchte Flasche zu
holen; denn es lag ihm alles daran, daß man sagen könne, es sei et- 185
was Rechtes im Ort zu haben. Als der Gast von dem eingeschenkten
Wein wiederum aus bösem Gewissen ganz kleine Schlücklein nahm,
lief der Wirt voll Freuden in die Küche, schnalzte mit der Zunge
und rief: „Hol' mich der Teufel, der versteht's, der schlürft meinen
guten Wein auf die Zunge, wie man einen Dukaten auf die Gold- 190
waage legt!"

„Gelobt sei Jesus Christ!" sagte die Köchin, „ich hab's behauptet,
daß er's versteht!"

97

EINGELEGTE RUDER

CONRAD FERDINAND MEYER (1825–1898)

Meyer, like Keller, was Swiss and was equally distinguished as a lyric poet
and a writer of novellas. In all his writing there is a combination of great
power and delicate subtlety. His lyric poetry often makes use of symbols
in a very modern way, anticipating developments of the twentieth century.
This poem is an example of Meyer's use of a symbol. The boatman is drift-
ing through the water in a state of perfect equanimity, beyond pleasure and
pain. The meter is trochaic tetrameter.

[178] *lassen* i.e. give	[185] *daran liegen* be important
[181] *bestens* most highly	[187] *Schlücklein* little sip
[182] *begehen* commit	[188] *schnalzen* click
[183] *Gehorsam* obedience; *sich verfügen*	[189] *schlürfen* sip
proceed	

Meine eingelegten Ruder triefen,
Tropfen fallen langsam in die Tiefen.

Nichts, das mich verdroß! Nichts, das mich freute!
Niederrinnt ein schmerzenloses Heute.

5   Unter mir — ach, aus dem Licht verschwunden —
Träumen schon die schönern meiner Stunden.

Aus der blauen Tiefe ruft das Gestern:
Sind im Licht noch manche meiner Schwestern?

98

SCHNITTERLIED

Written in 1877. This is the seventh version of the poem. The harvesting
is being done in the face of an impending storm and the poem celebrates
the successful action but expresses awareness of death in the midst of triumphant life. The meter is four amphibrachs.

Wir schnitten die Saaten, wir Buben und Dirnen,
Mit nackenden Armen und triefenden Stirnen,
Von donnernden dunkeln Gewittern bedroht —
Gerettet das Korn! Und nicht einer, der darbe!
5   Von Garbe zu Garbe
Ist Raum für den Tod —
Wie schwellen die Lippen des Lebens so rot!

---

[1] *eingelegt* resting in the oarlocks;
    triefen drip
[3] *verdrießen* vex
[6] *Stunden* i.e. my past which has now
    become a memory

[1] *Saat* crop; *Dirne* lass
[2] *nackend = nackt*
[4] *darben* starve
[5] *Garbe* sheaf

Hoch thronet ihr Schönen auf güldenen Sitzen,
In strotzenden Garben, umflimmert von Blitzen —
Nicht eine, die darbe! Wir bringen das Brot! 10
Zum Reigen! Zum Tanze! Zur tosenden Runde!
Von Munde zu Munde
Ist Raum für den Tod —
Wie schwellen die Lippen des Lebens so rot!

99

NACH EINEM NIEDERLÄNDER

Published in 1882. One of Meyer's dramatic poems in the rugged manner
of Browning. The contrast between the crude *Bürger*, glowing with health
and vulgarity, and the delicate, suffering artist points back to German
romanticism and forward to Thomas Mann. The meter is blank verse.

Der Meister malt ein kleines zartes Bild.
Zurückgelehnt, beschaut er's liebevoll.
Es pocht. „Herein." Ein flämischer Junker ist's,
Mit einer drallen, aufgedonnerten Dirn',
Der vor Gesundheit fast die Wange birst. 5
Sie rauscht von Seide, flimmert von Geschmeid'.
„Wir haben's eilig, lieber Meister. Wißt,
Ein wackrer Schelm stiehlt mir das Töchterlein.
Morgen ist Hochzeit. Malet mir mein Kind!"
„Zur Stunde, Herr! Nur noch den Pinselstrich!" 10

8 *Schönen* The girls who helped with
the harvesting are seated on the
golden sheaves.
9 *strotzend* bursting; *umflimmert von
Blitzen* surrounded by glittering
lightning
11 *Reigen* round dance; *tosend* wild

nach in the manner of; *Niederländer*
Dutch master; an allusion to the
genre paintings by Dutch masters
of the 16th and 17th centuries
2 *beschauen* contemplate
4 with a strapping, loudly dressed
wench
5 *bersten a o* burst
6 *rauschen* rustle; *flimmern* glitter
8 *wackrer Schelm* gallant rogue
10 *zur Stunde* at once

Sie treten lustig vor die Staffelei:
Auf einem blanken Kissen schlummernd liegt
Ein feiner Mädchenkopf. Der Meister setzt
Des Blumenkranzes tiefste Knospe noch
15   Auf die verblichne Stirn mit leichter Hand.
   — „Nach der Natur?" — „Nach der Natur. Mein Kind.
Gestern beerdigt. Herr, ich bin zu Dienst."

100

DER RÖMISCHE BRUNNEN

Published in 1870, inspired by the fountain in front of the Villa Borghese
in Rome. The poem is symbolical; the fountain is perhaps the classical
work of art, in which each part has its own function but harmonizes with
all the other parts to form an organic whole. Or it may be a symbol of the
ideal life, in which there is a perfect balance between giving and taking.
The meter is iambic tetrameter.

Aufsteigt der Strahl und fallend gießt
Er voll der Marmorschale Rund,
Die, sich verschleiernd, überfließt
In einer zweiten Schale Grund;
5   Die zweite gibt, sie wird zu reich,
Der dritten wallend ihre Flut,
Und jede nimmt und gibt zugleich
Und strömt und ruht . . .

11 *Staffelei* easel
13 *setzt* i.e. paints
15 *verblichen* dead
16 *Natur* i.e. real life
17 *beerdigen* bury

1 *aufsteigt* Meyer often uses separable
   verbs in this way; *Strahl* stream of
   water
2 *Rund* circumference
3 *sich verschleiernd* veiled by the spray
6 *wallen* flow

101

IN DER SISTINA

The earliest version of this poem goes back to 1864; the present version
is from 1882. The ceiling of the Sistine Chapel in Rome was decorated by
Michelangelo with frescoes representing the story of the Creation and scenes
from the Old Testament. The artist is here presented as reading the Bible
for inspiration. The meter is iambic pentameter.

In der Sistine dämmerhohem Raum,
Das Bibelbuch in seiner nerv'gen Hand,
Sitzt Michelangelo in wachem Traum,
Umhellt von einer kleinen Ampel Brand.

Laut spricht hinein er in die Mitternacht,   5
Als lauscht' ein Gast ihm gegenüber hier,
Bald wie mit einer allgewalt'gen Macht,
Bald wieder wie mit seinesgleichen schier:

„Umfaßt, umgrenzt hab ich dich, ewig Sein,
Mit meinen großen Linien fünfmal dort!   10
Ich hüllte dich in lichte Mäntel ein
Und gab dir Leib, wie dieses Bibelwort.

Mit weh'nden Haaren stürmst du feurigwild
Von Sonnen immer neuen Sonnen zu,
Für deinen Menschen bist in meinem Bild   15
Entgegenschwebend und barmherzig du!

---

[1] *dämmerhohem* so high that the light
above is dim
[2] *nervig* sinewy
[4] *umhellt* illumined; *Ampel* lamp
[8] *schier* almost
[9] *umfassen* encompass; *umgrenzen*
limit; *ewig Sein* i.e. God
[10] *fünfmal* There are five frescoes on
the ceiling.
[13] *wehend* floating. Lines 13–14 allude
to the creation of the sun and
moon.
[15] *Menschen* i.e. Adam (awakening to
life)
[16] *entgegenschwebend* i.e. accommodat-
ing

So schuf ich dich mit meiner nicht'gen Kraft:
Damit ich nicht der größ're Künstler sei,
Schaff mich — ich bin ein Knecht der Leidenschaft —
20 Nach deinem Bilde schaff mich rein und frei!

Den ersten Menschen formtest du aus Ton,
Ich werde schon von härtrem Stoffe sein,
Da, Meister, brauchst du deinen Hammer schon.
Bildhauer Gott, schlag zu! Ich bin der Stein."

102

TOD IN ÄHREN

DETLEV VON LILIENCRON (1844–1909)

Liliencron is the impressionistic poet *par excellence*. He is at his best, and
unsurpassed, in recording momentary snapshots of life, in varying moods
which range from the comic to the deeply tragic. The following poem was
written in 1877 in memory of Lance-corporal Heinrich Schönborn, who was
killed in the Austro-German war of 1866. Revised in 1880 and published
in 1891. The meter is iambic tetrameter.

Im Weizenfeld, in Korn und Mohn,
Liegt ein Soldat, unaufgefunden,
Zwei Tage schon, zwei Nächte schon,
Mit schweren Wunden, unverbunden.

5 Durstüberquält und fieberwild,
Im Todeskampf den Kopf erhoben.
Ein letzter Traum, ein letztes Bild,
Sein brechend Auge schlägt nach oben.

---

17 *nichtig* insignificant
21 *Ton* clay
22 *schon* certainly
24 *Bildhauer* sculptor

1 *Korn und Mohn* grain and poppy
5 *durstüberquält* tortured by thirst
8 *brechend* dimmed, i.e. near death;
   schlägt i.e. looks

Die Sense sirrt im Ährenfeld,
Er sieht sein Dorf im Arbeitsfrieden,   10
Ade, Ade du Heimatwelt —
Und beugt das Haupt, und ist verschieden.

103

MÄRZTAG

Written in 1878; published in 1903. One of Liliencron's fine glimpses of life.
The meter is trochaic pentameter.

Wolkenschatten fliehen über Felder,
Blau umdunstet stehen ferne Wälder.

Kraniche, die hoch die Luft durchpflügen,
Kommen schreiend an in Wanderzügen.

Lerchen steigen schon in lauten Schwärmen,   5
Überall ein erstes Frühlingslärmen.

Lustig flattern, Mädchen, deine Bänder;
Kurzes Glück träumt durch die weiten Länder.

Kurzes Glück schwamm mit den Wolkenmassen;
Wollt' es halten, mußt' es schwimmen lassen.   10

---

[9] *Sense* scythe; *sirren* whir
[10] *sieht* i.e. with his mind's eye
[11] *Ade* colloquial for *Adieu*
[12] *beugt* Cf. John 19:30; *und neigte das Haupt und verschied* (died)

[2] *umdunstet* wrapped in haze
[3] *Kranich* crane
[4] *Wanderzüge* migratory processions (from the south)
[10] *wollt'* = *ich wollte*

104

SCHWALBENSIZILIANE

Written in 1880; published in 1891. A *Siziliane* is a poem of one stanza
with a single rhyme scheme. The refrain in the even numbered lines is an
innovation by Liliencron. The swallow symbolizes the endless movement
of life as a background for the four ages of man. The meter is iambic pentameter.

> Zwei Mutterarme, die das Kindchen wiegen,
> Es jagt die Schwalbe weglang auf und nieder.
> Maitage, trautes Aneinanderschmiegen,
> Es jagt die Schwalbe weglang auf und nieder.
> Des Mannes Kampf: Sieg oder Unterliegen,
> Es jagt die Schwalbe weglang auf und nieder.
> Ein Sarg, auf den drei Handvoll Erde fliegen,
> Es jagt die Schwalbe weglang auf und nieder.

5

105

WER WEISS WO

Written in 1880; published in 1891. This famous ballad tells of the death
of a soldier in the battle of Kolin (June 18, 1757) in the Seven Years' War.
The poem is unsurpassed for terse dramatic power. The meter is iambic
tetrameter, except for the short lines, which have two iambs.

> Auf Blut und Leichen, Schutt und Qualm,
> Auf roßzerstampften Sommerhalm

[2] *weglang* along the way
[3] *Aneinanderschmiegen* close intimacy,
   cuddling close
[5] *Unterliegen* defeat

[1] *Schutt und Qualm* rubble and smoke
[2] on straw trodden by horses

Die Sonne schien.
Es sank die Nacht.   Die Schlacht ist aus,
Und mancher kehrte nicht nach Haus   5
Einst von Kolin.

Ein Junker auch, ein Knabe noch,
Der heut' das erste Pulver roch,
Er mußte dahin.
Wie hoch er auch die Fahne schwang,   10
Der Tod in seinen Arm ihn zwang,
Er mußte dahin.

Ihm nahe lag ein frommes Buch,
Das stets der Junker bei sich trug,
Am Degenknauf.   15
Ein Grenadier von Bevern fand
Den kleinen erdbeschmutzten Band
Und hob ihn auf.

Und brachte heim mit schnellem Fuß
Dem Vater diesen letzten Gruß,   20
Der klang nicht froh.
Dann schrieb hinein die Zitterhand:
,,Kolin.   Mein Sohn verscharrt im Sand.
Wer weiß wo.''

Und der gesungen dieses Lied,   25
Und der es liest, im Leben zieht
Noch frisch und froh.
Doch einst bin ich, und bist auch du,
Verscharrt im Sand, zur ewigen Ruh,
Wer weiß wo.   30

---

[7] *Junker = Fahnenjunker* standard bearer
[9] *dahin* i.e. die
[15] *Degenknauf* pommel of the sword
[16] *Bevern* from the Duke of Bevern's regiment
[23] *verscharren* bury roughly
[25] *der = derjenige, der*

106

AUS „DIE WEBER"

GERHART HAUPTMANN (1862–1946)

Gerhart Hauptmann, one of the major figures in German literature, left distinguished work in drama, fiction and epic poetry. The following selection is from *Die Weber* (1892), one of the most powerful dramas of modern literature, based on the same revolt of the Silesian weavers that inspired Heine's poem in § 16. As a boy Hauptmann heard from his grandfather (who was a Silesian weaver) the story of the hardships endured by these people. The drama is a naturalistic picture of the revolt and the conditions that led to it. This selection is the close of the first act. Written in Silesian dialect, it is here given in a High German version.

(*Unter den dichtgedrängten Webern ist eine Bewegung entstanden. Jemand stößt einen langen, tiefen Seufzer aus. Darauf geschieht ein Fall. Alles Interesse wendet sich dem neuen Ereignis zu.*)

DREISSIGER. Was gibt's denn da?

5 VERSCHIEDENE WEBER UND WEBERINNEN. 's ist einer hingeschlagen.
— 's ist ein kleiner schwächlicher Junge. Ist's etwa die Krankheit oder was?!

DREISSIGER. Ja . . . wie denn? Hingeschlagen? (*Er geht näher.*)

ALTER WEBER. Er liegt halt da. (*Es wird Platz gemacht. Man*
10 *sieht einen achtjährigen Jungen wie tot an der Erde liegen.*)

DREISSIGER. Kennt jemand den Jungen?

ALTER WEBER. Aus unserm Dorf ist er nicht.

DER ALTE BAUMERT. Der sieht ja bald aus wie Heinrichens. (*Er*
betrachtet ihn genauer.) Ja, ja! Das ist Heinrichens Gustavl.

15 DREISSIGER. Wo wohnen denn die Leute?

---

¹ *dichtgedrängt* closely packed in
² *aus-stoßen* heave
⁵ *hin-schlagen* fall down
⁶ *Krankheit* perhaps epilepsy

⁹ *halt* just
¹³ *bald* I believe; *Heinrichens* one of Heinrich's boys
¹⁴ *Gustavl* little Gustave

DER ALTE BAUMERT. Nun, oben bei uns, in Kaschbach, Herr Dreißiger. Er geht Musik machen, und am Tage da liegt er überm
Stuhl. Sie haben neun Kinder, und 's zehnte ist unterwegs.

VERSCHIEDENE WEBER UND WEBERFRAUEN. Den Leuten geht's gar
sehr kümmerlich. — Denen regnet's in die Stube. — Das Weib 20
hat keine zwei Hemdlein für die neun Burschen.

DER ALTE BAUMERT (den Jungen anfassend). Nun, Jungl, was
hat's denn mit dir? Da wach auch auf!

DREISSIGER. Faßt mal mit an, wir wollen ihn mal aufheben. Ein
Unverstand ohnegleichen, so ein schwächliches Kind diesen 25
langen Weg machen zu lassen. Bringen Sie mal etwas Wasser,
Pfeifer!

WEBERFRAU (die ihn aufrichten hilft). Mach auch nicht etwa
Dinge und stirb, Junge!

DREISSIGER. Oder Kognak, Pfeifer. Kognak ist besser.   30

BÄCKER (hat, von allen vergessen, beobachtend gestanden. Nun, die
eine Hand an der Türklinke, ruft er laut und höhnisch herüber.)
Gebt ihm auch was zu fressen, da wird er schon zu sich kommen.
(Ab.)

DREISSIGER. Der Kerl nimmt kein gutes Ende. — Nehmen Sie ihn 35
unter'm Arm, Neumann. — Langsam ... langsam ... so ...
so ... wir wollen ihn in mein Zimmer bringen. Was wollen
Sie denn?

NEUMANN. Er hat was gesagt, Herr Dreißiger! Er bewegt die
Lippen.   40

DREISSIGER. Was — willst du denn, Jungl?

DER JUNGE (haucht). Mich h ... hungert!

DREISSIGER (wird bleich). Man versteht ihn nicht.

WEBERFRAU. Ich glaube, er meinte ...

DREISSIGER. Wir werden ja sehen. Nur ja nicht aufhalten. — Er 45
kann sich bei mir aufs Sofa legen. Wie werden ja hören, was
der Doktor sagt.

(Dreißiger, Neumann und die Weberfrau führen den Jungen ins

---

¹⁶ *Kaschbach* one of the three towns in
  the Eulengebirge in which the play
  is set
¹⁸ *Stuhl = Webstuhl* loom
²² *was hat's* what's wrong
²³ *auch* do

²⁴ *faßt mal mit an* just lend a hand
²⁵ *Unverstand* stupidity
²⁸ *Dinge machen* do foolish things
³¹ *Bäcker* is a revolutionary character
  who stirs the weavers to rebellion.
³³ *zu sich kommen* regain consciousness

Kontor. Unter den Webern entsteht eine Bewegung, wie bei Schul-
50 *kindern, wenn der Lehrer die Klasse verlassen hat. Man reckt*
und streckt sich, man flüstert, tritt von einem Fuß auf den andern,
und in einigen Sekunden ist das Reden laut und allgemein.)

DER ALTE BAUMERT. Ich glaub' immer, Bäcker hat recht.

MEHRERE WEBER UND WEBERFRAUEN. Er sagte ja auch so was.
55 — Das ist hier nichts Neues, daß einmal einen der Hunger
schmeißt. — Na, überhaupt, was da den Winter erst werden
soll, wenn das hier mit der Lohnzwackerei so fortgeht. — Und
mit den Kartoffeln wird's dieses Jahr gar schlecht. — Hier
wird's auch nicht anders, bis wir alle vollends auf dem Rücken
60 liegen.

DER ALTE BAUMERT. Am besten man macht's, wie der Rentwich
Weber, man legt sich ein Schleiflein um den Hals und knüpft
sich am Webstuhl auf. Da, nimm dir eine Prise, ich war in
Neurode, da arbeitet mein Schwager in der Fabrik, wo sie ihn
65 machen, den Schnupftabak. Der hat mir ein paar Körnlein
gegeben. Was trägst denn du Schönes in dem Tüchlein?

ALTER WEBER. 's ist bloß ein bißchen Perlgraupe. Der Wagen
vom Ullbrichmüller fuhr vor mir her. Da war ein Sack ein
bißchen aufgeschlitzt. Das kommt mir gar sehr zu passe,
70 kannst glauben.

DER ALTE BAUMERT. Zweiundzwanzig Mühlen sind in Peterswaldau,
und für unsereins fällt doch nichts ab.

ALTER WEBER. Man muß eben den Mut nicht sinken lassen. 's
kommt immer wieder was und hilft einem ein Stücklein weiter.
75 WEBER HEIBER. Man muß eben, wenn der Hunger kommt, zu den
vierzehn Nothelfern beten, und wenn man davon etwa nicht
satt wird, da muß man einen Stein ins Maul nehmen und dran
lutschen. Gelt, Baumert?
(*Dreißiger, Pfeifer und der Kassierer kommen zurück.*)

---

[50] *recken* stretch
[53] *glaub' immer* do believe
[56] *schmeißen* throw, get down
[57] *Lohnzwackerei* wage cutting
[61] *Rentwich Weber = Weber Rentwich*
[62] *Schleiflein* ribbon, i.e. rope; *sich auf-knüpfen* string oneself up
[63] *Prise* pinch of snuff
[65] *Körnlein* grain

[67] *Perlgraupe* pearl barley
[68] *Ullbrichmüller = Müller Ullbrich*
[69] *zu passe kommen* suit
[72] *ab-fallen* be left
[76] *Nothelfer* 14 Roman Catholic saints who help in difficulties of all sorts. Each saint has his own day in the calendar.
[78] *lutschen* suck; *gelt* what?

DREISSIGER. Es war nichts von Bedeutung. Der Junge ist schon 80
wieder ganz munter. (*Erregt und pustend umhergehend:*) Es
bleibt aber immer eine Gewissenlosigkeit. Das Kind ist ja nur
so'n Hälmchen zum Umblasen. Es ist rein unbegreiflich, wie
Menschen ... wie Eltern so unvernünftig sein können. Bürden
ihm zwei Schock Parchent auf, gute anderthalb Meilen Wegs. 85
Es ist wirklich kaum zu glauben. Ich werde einfach müssen
die Einrichtung treffen, daß Kindern überhaupt die Ware nicht
mehr abgenommen wird. (*Er geht wiederum eine Weile stumm
hin und her.*) Jedenfalls wünsche ich dringend, daß so etwas
nicht mehr vorkommt. — Auf wem bleibt's denn schließlich 90
sitzen? Natürlich doch auf uns Fabrikanten. Wir sind an
allem schuld. Wenn so'n armes Kerlchen zur Winterszeit im
Schnee stecken bleibt und einschläft, dann kommt so'n hergelaufener Skribent, und in zwei Tagen da haben wir die Schauergeschichte in allen Zeitungen. Der Vater, die Eltern, die so'n 95
Kind schicken .. i bewahre, wo werden die denn schuld sein!
Der Fabrikant muß 'ran, der Fabrikant ist der Sündenbock.
Der Weber wird immer gestreichelt, aber der Fabrikant wird
immer geprügelt: das ist 'n Mensch ohne Herz, 'n gefährlicher
Kerl, den jeder Preßhund in die Waden beißen darf. Der lebt 100
herrlich und in Freuden und gibt den armen Webern Hunger-
löhne. — Daß so'n Mann auch Sorgen hat und schlaflose
Nächte, daß er sein großes Risiko läuft, wovon der Arbeiter
sich nichts träumen läßt, daß er manchmal vor lauter dividieren,
addieren und multiplizieren, berechnen und wieder berechnen 105
nicht weiß, wo ihm der Kopf steht, daß er hunderterlei bedenken und überlegen muß und immerfort sozusagen auf Tod
und Leben kämpft und konkurriert, daß kein Tag vergeht ohne
Ärger und Verlust: darüber schweigt des Sängers Höflichkeit.

---

81 *pusten* puff
82 *Gewissenlosigkeit* unscrupulousness
83 *Halm* blade of grass
84 *auf-bürden* load
85 *Schock* threescore; *Parchent* fustian
87 *Einrichtung treffen* make a rule
93 *hergelaufener Skribent* a scribbler (i.e.
   journalist) from off the street
94 *Schauergeschichte* horror tale
96 *i bewahre* Heaven forbid!
97 *ran = heran* take the rap; *Sünden-*

bock scapegoat
98 *streicheln* stroke, i.e. coddle
100 *Preßhund* newspaper dog; *Wade*
   calf
103 *Risiko* risk
104 *lauter* sheer
108 *konkurrieren* compete
109 *Sänger* minstrel, i.e. newspaperman.
   There is a song with the refrain *Das*
   verschweigt des Sängers Höflichkeit.

110 Und was hängt nicht alles am Fabrikanten, was saugt nicht
alles an ihm und will von ihm leben! Nee, nee! Ihr solltet
nur manchmal in meiner Haut stecken, ihr würdet's bald genug
satt kriegen. (*Nach einiger Sammlung:*) Wie hat sich dieser
Kerl, dieser Bursche da, dieser Bäcker hier aufgeführt! Nun
115 wird er gehen und ausposaunen, ich wäre wer weiß wie unbarmherzig. Ich setzte die Weber bei jeder Kleinigkeit mir
nichts dir nichts vor die Tür. Ist das wahr? Bin ich so unbarmherzig?

VIELE STIMMEN. Nee, Herr Dreißiger!

120 DREISSIGER. Na, das scheint mir doch auch so. Und dabei ziehen
diese Lümmels umher und haben so viel übrig, um den Fusel
quartweise konsumieren zu können. Sie sollten mal die Nase
hübsch wo anders 'neinstecken und sehen, wie's bei den Lein-
wandwebern aussieht. Die können von Not reden. Aber ihr
125 hier, ihr Parchentweber, ihr steht noch so da, daß ihr Grund
habt, Gott im stillen zu danken. Und ich frage die alten,
fleißigen und tüchtigen Weber, die hier sind: kann ein Arbeiter, der seine Sachen zusammenhält, bei mir auskommen
oder nicht?

130 SEHR VIELE STIMMEN. Ja, Herr Dreißiger!

DREISSIGER. Na, seht ihr! — So'n Kerl wie der Bäcker natürlich
nicht. Aber ich rate euch, haltet diese Burschen im Zaume.
Wird mir's zu bunt, dann quittiere ich. Dann löse ich das
Geschäft auf, und dann könnt ihr sehen, wo ihr bleibt. Dann
135 könnt ihr sehen, wo ihr Arbeit bekommt. Bei Ehren-Bäcker
sicher nicht.

ERSTE WEBERFRAU (*hat sich an Dreißiger herangemacht, putzt mit*

---

110 *hängen* cling; *nicht* is not to be
translated.
111 *nee = nein*
112 *Haut* equivalent to: in my boots
113 *Sammlung* i.e. time to cool down
114 *sich auf-führen* behave
115 *aus-posaunen* trumpet forth; *wer
weiß* Heaven knows
116 *mir nichts dir nichts* for a trifle
117 *vor die Tür setzen* turn out, fire
120 *dabei* with it all
121 *Lümmel* lout; *Fusel* cheap liquor,
"booze"

123 *hübsch* equivalent to: if you please;
wo anders elsewhere
127 *tüchtig* decent
128 *Sachen zusammenhält* attends to
business; *aus-kommen* manage
132 *Zaum* bridle, i.e. in check
133 *bunt* i.e. too much to take
134 *bleiben* i.e. be
135 *Ehren-Bäcker* the honorable Herr
Bäcker
137 *sich heran-machen* make one's way

kriechender Demut Staub von seinem Rock). Sie haben sich ein
bißchen angestrichen, gnädiger Herr Dreißiger.

DREISSIGER. Die Geschäfte gehen hundsmiserabel, das wißt ihr ja 140
selbst. Ich setze zu, statt daß ich verdiene. Wenn ich trotzdem
dafür sorge, daß meine Weber immer Arbeit haben, so setze
ich voraus, daß das anerkannt wird. Die Ware liegt mir da
in tausenden von Schocken, und ich weiß heute noch nicht, ob
ich sie jemals verkaufen werde. — Nun hab' ich gehört, daß 145
sehr viele Weber hierum ganz ohne Arbeit sind und da . . . na,
Pfeifer mag euch das Weitere auseinandersetzen. — Die Sache
ist nämlich die: damit ihr den guten Willen seht . . . ich kann
natürlich keine Almosen austeilen, dazu bin ich nicht reich
genug, aber ich kann bis zu einem gewissen Grade den Arbeits- 150
losen Gelegenheit geben, wenigstens 'ne Kleinigkeit zu verdienen. Daß ich dabei ein immenses Risiko habe, ist ja meine
Sache. — Ich denke mir halt: wenn sich ein Mensch täglich
'ne Quarkschnitte erarbeiten kann, so ist doch das immer besser,
als wenn er überhaupt hungern muß. Hab' ich nicht recht?   155

VIELE STIMMEN. Ja, ja, Herr Dreißiger!

DREISSIGER. Ich bin also gern bereit, noch zweihundert Webern
Beschäftigung zu geben. Unter welchen Umständen, wird
Pfeifer euch auseinandersetzen. (*Er will gehen.*)

ERSTE WEBERFRAU (*vertritt ihm den Weg, spricht überhastet, flehend* 160
und dringlich). Gnädiger Herr Dreißiger, ich wollte Sie halt
recht freundlich gebeten haben, wenn Sie vielleicht . . . ich hab'
halt zweimal einen Übergang gehabt.

DREISSIGER (*eilig*). Sprecht mit Pfeifer, gute Frau, ich hab' mich
so schon verspätet. (*Er läßt sie stehen.*)   165

WEBER REIMANN (*vertritt ihm ebenfalls den Weg. Im Tone der*
Kränkung und Anklage). Herr Dreißiger, ich muß mich wirklich beklagen. Herr Pfeifer hat mir . . . Ich hab' doch für
mein Webe jetzt immer zwölfeinhalb Böhmen gekriegt . . .

---

138 *Demut* humility
139 *sich an-streichen* get dirt on oneself
141 *zu-setzen* lose (money)
142 *voraus-setzen* presuppose
147 *auseinander-setzen* explain
149 *Almosen* alms
154 *Quarkschnitte* slice of bread and cottage cheese; *sich erarbeiten* earn

160 *vertreten* block; *überhastet* precipi-
tately; *flehen* implore
163 *Übergang* miscarriage
165 *so* as it is
167 *Kränkung* offendedness; *Anklage*
accusation
169 *Webe* piece of linen; *Böhme* a silver
Groschen

170 DREISSIGER (*fällt ihm in die Rede*). Dort sitzt der Expedient.
Dorthin wendet euch; das ist die richtige Adresse.
WEBER HEIBER (*hält Dreißiger auf*). Gnädiger Herr Dreißiger —
(*stotternd und mit wirrer Hast*) ich wollte Sie vielmals gütigst
gebeten haben, ob mir vielleicht und er könnte mir . . . ob mir
175   der Herr Pfeifer vielleicht und er könnte . . . er könnte . . .
DREISSIGER. Was wollt ihr denn?
WEBER HEIBER. Der Vorschuß, den ich 's letzte Mal, ich meine, da
ich . . .
DREISSIGER. Ja, ich verstehe Euch wirklich nicht.
180 WEBER HEIBER. Ich war ein bißchen sehr in Not, weil . . .
DREISSIGER. Pfeifers Sache, Pfeifers Sache. Ich kann wirklich
nicht . . . macht das mit Pfeifer aus. (*Er entweicht ins Kontor.
Die Bittenden sehen sich hilflos an. Einer nach dem andern tritt
seufzend zurück.*)
185 PFEIFER (*die Untersuchung wieder aufnehmend*). Na, Annl, was
bringst du?
DER ALTE BAUMERT. Was soll's denn da setzen für das Webe, Herr
Pfeifer?
PFEIFER. Für das Webe zehn Silbergroschen.
190 DER ALTE BAUMERT. Nun das macht sich!
(*Bewegung unter den Webern, Flüstern und Murren. Der Vorhang
fällt.*)

---

170 *Expedient* manager
177 *Vorschuß* advance
182 *aus-machen* arrange
185 *Untersuchung* At the opening of
the act Pfeifer was examining the
woven material submitted by the
weavers for imperfections.
187 *setzen* yield
190 *das macht sich* that's nice
191 *murren* grumble

107

WAS WIRST DU TUN, GOTT, WENN ICH STERBE?

RAINER MARIA RILKE (1875–1926)

Rilke has an assured place among the great lyric poets of Germany and is held high in the esteem of the whole literary world. The incomparable music of his verse, the depth, subtlety, and originality of his imagery, his religious devotion to perfection in art, and his relevance to the concerns of modern man, combine to explain his impact on the twentieth century. The following poem is from *Das Stundenbuch*, the section entitled *Das Buch vom mönchischen Leben* (1899). The idea that God needs man as much as man needs God is found in mystical lore and dates back to the *Cabbala*. The piling up of metaphors and of rhymes is characteristic of the virtuosity of the early Rilke. The meter is iambic tetrameter.

Was wirst du tun, Gott, wenn ich sterbe?
Ich bin dein Krug (wenn ich zerscherbe?)
Ich bin dein Trank (wenn ich verderbe?)
Bin dein Gewand und dein Gewerbe,
mit mir verlierst du deinen Sinn.   5

Nach mir hast du kein Haus, darin
dich Worte, nah und warm, begrüßen.
Es fällt von deinen müden Füßen
die Samtsandale, die ich bin.
Dein großer Mantel läßt dich los.   10
Dein Blick, den ich mit meiner Wange
warm, wie mit einem Pfühl, empfange,
wird kommen, wird mich suchen, lange —
und legt beim Sonnenuntergange
sich fremden Steinen in den Schoß.   15

Was wirst du tun, Gott? Ich bin bange.

---

2 *Krug* jug; *zerscherben* break
4 *Gewand* garment; *Gewerbe* occupa-
   tion
6 *darin = worin*

11 *Blick* symbolized by the sun
12 *Pfühl* pillow
15 *Schoß* lap, i.e. center

108

DER PANTHER

Written in Paris in 1903; published that same year; included in *Neue Gedichte* (1907). One of Rilke's famous *Dinggedichte*, which purport to describe nature, animals, or artifacts with sober accuracy. But the symbolic value of the poem is obvious; the panther is modern man with his soul in captivity.

Im Jardin des Plantes, Paris

Sein Blick ist vom Vorübergehn der Stäbe
so müd geworden, daß er nichts mehr hält.
Ihm ist, als ob es tausend Stäbe gäbe
und hinter tausend Stäben keine Welt.

5   Der weiche Gang geschmeidig starker Schritte,
der sich im allerkleinsten Kreise dreht,
ist wie ein Tanz von Kraft um eine Mitte,
in der betäubt ein großer Wille steht.

Nur manchmal schiebt der Vorhang der Pupille
10   sich lautlos auf —. Dann geht ein Bild hinein,
geht durch der Glieder angespannte Stille —
und hört im Herzen auf zu sein.

Jardin des Plantes the botanical and
zoological garden in Paris
[1] *Stäbe* bars. Note that it is the bars
which (seem to) move.
[2] *halten* take in
[5] *geschmeidig* supple

[8] *betäubt* benumbed
[9] *Vorhang der Pupille* vertical membrane, called the nictitating membrane
[11] *angespannt* tense

109

SPANISCHE TÄNZERIN

Written in 1906; published the following year; included in *Neue Gedichte* (1907). Another *Dinggedicht:* the poem sketches the progress of a Spanish dance through the central image of fire. The meter is iambic pentameter.

Wie in der Hand ein Schwefelzündholz, weiß,
eh es zur Flamme kommt, nach allen Seiten
zuckende Zungen streckt —: beginnt im Kreis
naher Beschauer hastig, hell und heiß
ihr runder Tanz sich zuckend auszubreiten.   5

Und plötzlich ist er Flamme ganz und gar.

Mit ihrem Blick entzündet sie ihr Haar
und dreht auf einmal mit gewagter Kunst
ihr ganzes Kleid in diese Feuersbrunst,
aus welcher sich, wie Schlangen, die erschrecken,   10
die nackten Arme wach und klappernd strecken.

Und dann: als würde ihr das Feuer knapp,
nimmt sie es ganz zusamm und wirft es ab
sehr herrisch, mit hochmütiger Gebärde
und schaut: da liegt es rasend auf der Erde   15
und flammt noch immer und ergibt sich nicht —.
Doch sieghaft, sicher und mit einem süßen
grüßenden Lächeln hebt sie ihr Gesicht
und stampft es aus mit kleinen festen Füßen.

---

¹ *Schwefelzündholz* a sulphur-tipped match
³ *zuckend* darting
⁴ *Beschauer* spectator
¹¹ *klappernd* rattling (with castanets); *Klapperschlange* means rattlesnake.

¹² *knapp* scant
¹³ *zusamm* = *zusammen*
¹⁴ *herrisch* imperiously
¹⁵ *rasend* raging
¹⁶ *sich ergeben* surrender

110

ALLES ERWORB'NE BEDROHT DIE MASCHINE

From the *Sonette an Orpheus*, the cycle of sonnets which Rilke composed in
a burst of inspiration in 1922. The theme of this sonnet is the threat that
machines pose for modern man: the mechanization of his whole existence.

Alles Erworb'ne bedroht die Maschine, solange
sie sich erdreistet, im Geist, statt im Gehorchen, zu sein.
Daß nicht der herrlichen Hand schöneres Zögern mehr prange,
zu dem entschlossenern Bau schneidet sie steifer den Stein.

5   Nirgends bleibt sie zurück, daß wir ihr *ein* Mal entrönnen
und sie in stiller Fabrik ölend sich selber gehört.
Sie ist das Leben, — sie meint es am besten zu können,
die mit dem gleichen Entschluß ordnet und schafft und zerstört.

Aber noch ist uns das Dasein verzaubert; an hundert
10   Stellen ist es noch Ursprung. Ein Spielen von reinen
Kräften, die keiner berührt, der nicht kniet und bewundert.

Worte gehen noch zart am Unsäglichen aus — —
Und die Musik, immer neu, aus den bebendsten Steinen,
baut im unbrauchbaren Raum ihr vergöttlichtes Haus.

[1] *Erworbene* i.e. the traditional values
[2] *sich erdreisten* become emboldened;
    im Geist i.e. in control
[3] in order that the more beautiful hesi-
    tation of the splendid hand may no
    longer glitter
[4] *entschlossen* decisive
[5] *entrinnen* escape

[10] *Ursprung* origin, i.e. antedating the
    machine
[12] *aus-gehen* become extinguished (like
    a light)
[13] *bebend* quivering. In Greek my-
    thology Orpheus drew music from
    stones.

111

OH SAGE, DICHTER, WAS DU TUST?

From *Späte Gedichte* (1934); written at Muzot, December 20, 1921. A wonderful statement of a *religio poetae*. The single, recurring rhyme and the repetition of *ich rühme* produce an intensity of effect that is overwhelming. This glorious affirmation of life or *Rühmen* is all the more striking as it comes from a poet who doubted or lamented most of his life. The meter is iambic pentameter.

> Oh sage, Dichter, was du tust? — Ich rühme.
> Aber das Tödliche und Ungetüme,
> wie hältst du's aus, wie nimmst du's hin? — Ich rühme.
> Aber das Namenlose, Anonyme,
> wie rufst du's, Dichter, dennoch an? — Ich rühme.   5
> Woher dein Recht, in jeglichem Kostüme,
> in jeder Maske wahr zu sein? — Ich rühme.
> Und daß das Stille und das Ungestüme
> wie Stern und Sturm dich kennen?: — weil ich rühme.

² *ungetüm* monstrous
⁵ *an-rufen* invoke

⁶ *jeglichem = jedem*
⁸ *ungestüm* violent

112

TONIO KRÖGER

Thomas Mann (1875–1955)

This is the opening chapter of Thomas Mann's novella with the same title, published in 1903. Like so much of his work, it deals with the conflict between the artist and the bourgeois in our society. The bourgeois is conceived as the "normal" man, living by instinct and tradition, at one with society, whereas the artist-intellectual is uprooted, "different," stands aside from life, and envies the bourgeois his normalcy. Tonio Kröger is an artist with a bourgeois side to his character, while Hans Hansen is the pure bourgeois. It is this conflict in Tonio's psyche that gives the novella its dramatic power. This opening chapter is one of the most beautiful probings into the adolescent mind in literature. To hear Thomas Mann himself read it is a moving experience.

Die Wintersonne stand nur als armer Schein, milchig und matt hinter Wolkenschichten über der engen Stadt. Naß und zugig war's in den giebeligen Gassen, und manchmal fiel eine Art von weichem Hagel, nicht Eis, nicht Schnee.

5   Die Schule war aus. Über den gepflasterten Hof und heraus aus der Gatterpforte strömten die Scharen der Befreiten, teilten sich und enteilten nach rechts und links. Große Schüler hielten mit Würde ihr Bücherpäckchen hoch gegen die linke Schulter gedrückt, indem sie mit dem rechten Arm wider den Wind dem Mittag-

10   essen entgegen ruderten; kleines Volk setzte sich lustig in Trab, daß der Eisbrei umherspritzte und die Siebensachen der Wissenschaft in den Seehundsränzeln klapperten. Aber hie und da riß alles mit frommen Augen die Mützen herunter vor dem Wotanshut und dem Jupiterbart eines gemessen hinschreitenden Oberlehrers. . . .

---

2 *zugig* drafty
3 *giebelig* lined with gabled houses
6 *Gatterpforte* ironwork gate
10 *kleines Volk* small fry

11 *Siebensachen* paraphernalia, stuff
12 *Seehundsränzel* sealskin school bag
13 *Wotanshut* broad-brimmed hat
14 *Oberlehrer* master

„Kommst du endlich, Hans?" sagte Tonio Kröger, der lange auf   15
dem Fahrdamm gewartet hatte; lächelnd trat er dem Freunde entgegen, der im Gespräch mit anderen Kameraden aus der Pforte kam
und schon im Begriffe war, mit ihnen davon zu gehen. . . „Wieso?"
fragte er und sah Tonio an . . . „Ja, das ist wahr! Nun gehen wir
noch ein bißchen."   20
      Tonio verstummte, und seine Augen trübten sich. Hatte Hans
es vergessen, fiel es ihm erst jetzt wieder ein, daß sie heute mittag
ein wenig zusammen spazieren gehen wollten? Und er selbst hatte
sich seit der Verabredung beinahe unausgesetzt darauf gefreut!
      „Ja, adieu, ihr!" sagte Hans Hansen zu den Kameraden. „Dann   25
gehe ich noch ein bißchen mit Kröger." — Und die beiden wandten
sich nach links, indes die anderen nach rechts schlenderten.
      Hans und Tonio hatten Zeit, nach der Schule spazieren zu gehen,
weil sie beide Häusern angehörten, in denen erst um vier Uhr zu
Mittag gegessen wurde. Ihre Väter waren große Kaufleute, die   30
öffentliche Ämter bekleideten und mächtig waren in der Stadt.
Den Hansens gehörten schon seit manchem Menschenalter die
weitläufigen Holzlagerplätze drunten am Fluß, wo gewaltige Säge-
maschinen unter Fauchen und Zischen die Stämme zerlegten. Aber
Tonio war Konsul Krögers Sohn, dessen Getreidesäcke mit dem   35
breiten schwarzen Firmendruck man Tag für Tag durch die Straßen
kutschieren sah; und seiner Vorfahren großes altes Haus war das
herrschaftlichste der ganzen Stadt . . . Beständig mußten die
Freunde, der vielen Bekannten wegen, die Mützen herunternehmen,
ja, von manchen Leuten wurden die Vierzehnjährigen zuerst ge-   40
grüßt. . . .
      Beide hatten die Schulmappen über die Schultern gehängt, und
beide waren sie gut und warm gekleidet; Hans in eine kurze Seemanns-Überjacke, über welcher auf Schultern und Rücken der
breite, blaue Kragen seines Marineanzuges lag, und Tonio in einen   45
grauen Gurtpaletot. Hans trug eine dänische Matrosenmütze mit
schwarzen Bändern, unter der ein Schopf seines bastblonden Haares
hervorquoll. Er war außerordentlich hübsch und wohlgestaltet,

---

21 *sich trüben* cloud over
24 *unausgesetzt* constantly
34 *Fauchen und Zischen* roaring and
 hissing; *zerlegen* cut up
37 *kutschieren* be driven

38 *herrschaftlich* aristocratic
43 *Seemanns-Überjacke* reefer
46 *Gurtpaletot* overcoat with belt
47 *Schopf* shock

breit in den Schultern und schmal in den Hüften, mit freiliegenden
50 und scharf blickenden stahlblauen Augen. Aber unter Tonios
runder Pelzmütze blickten aus einem brünetten und ganz südlich
scharf geschnittenen Gesicht dunkle und zart umschattete Augen
mit zu schweren Lidern träumerisch und ein wenig zaghaft hervor ... Mund und Kinn waren ihm ungewöhnlich weich gebildet.
55 Er ging nachlässig und ungleichmäßig, während Hansens schlanke
Beine in den schwarzen Strümpfen so elastisch und taktfest ein-
herschritten ...
    Tonio sprach nicht. Er empfand Schmerz. Indem er seine etwas
schräg stehenden Brauen zusammenzog und die Lippen zum Pfeifen
60 gerundet hielt, blickte er seitwärts geneigten Kopfes ins Weite.
Diese Haltung und Miene war ihm eigentümlich.
    Plötzlich schob Hans seinen Arm unter den Tonios und sah ihn
dabei von der Seite an, denn er begriff sehr wohl, um was es sich
handelte. Und obgleich Tonio auch bei den nächsten Schritten
65 noch schwieg, so ward er doch auf einmal sehr weich gestimmt.
    „Ich hatte es nämlich nicht vergessen, Tonio", sagte Hans und
blickte vor sich nieder auf das Trottoir, „sondern ich dachte nur,
daß heute doch wohl nichts daraus werden könnte, weil es ja so
naß und windig ist. Aber mir macht das gar nichts, und ich finde
70 es famos, daß du trotzdem auf mich gewartet hast. Ich glaubte
schon, du seist nach Hause gegangen, und ärgerte mich ..."
    Alles in Tonio geriet in eine hüpfende und jubelnde Bewegung
bei diesen Worten.
    „Ja, wir gehen nun also über die Wälle!" sagte er mit bewegter
75 Stimme. „Über den Mühlenwall und den Holstenwall, und so
bringe ich dich nach Hause, Hans ... Bewahre, das schadet gar
nichts, daß ich dann meinen Heimweg allein mache; das nächste
Mal begleitest du mich."
    Im Grunde glaubte er nicht sehr fest an das, was Hans gesagt
80 hatte, und fühlte genau, daß jener nur halb so viel Gewicht auf
diesen Spaziergang zu zweien legte wie er. Aber er sah doch, daß
Hans seine Vergeßlichkeit bereute und es sich angelegen sein ließ,

---

⁴⁹ *freiliegend* i.e. wide-set   ⁷⁴ *Wall* rampart; usually a walk which
⁵⁶ *taktfest* rhythmically   replaces the old city wall
⁶⁵ *ward gestimmt* was put into a mood   ⁷⁶ *bewahre* Heavens!
⁶⁷ *Trottoir* sidewalk   ⁸² *es sich angelegen sein ließ* took pains
⁷⁰ *famos* great

ihn zu versöhnen. Und er war weit von der Absicht entfernt, die
Versöhnung hintanzuhalten. . .

Die Sache war die, daß Tonio Hans Hansen liebte und schon 85
vieles um ihn gelitten hatte. Wer am meisten liebt, ist der Unter-
legene und muß leiden, — diese schlichte und harte Lehre hatte
seine vierzehnjährige Seele bereits vom Leben entgegengenommen;
und er war so geartet, daß er solche Erfahrungen wohl vermerkte,
sie gleichsam innerlich aufschrieb und gewissermaßen seine Freude 90
daran hatte, ohne sich freilich für seine Person danach zu richten
und praktischen Nutzen daraus zu ziehen. Auch war es so mit
ihm bestellt, daß er solche Lehren weit wichtiger und interessanter
achtete als die Kenntnisse, die man ihm in der Schule aufnötigte,
ja, daß er sich während der Unterrichtsstunden in den gotischen 95
Klassengewölben meistens damit abgab, solche Einsichten bis auf
den Grund zu empfinden und völlig auszudenken. Und diese Beschäftigung bereitete ihm eine ganz ähnliche Genugtuung, wie wenn
er mit seiner Geige (denn er spielte die Geige) in seinem Zimmer
umherging und die Töne, so weich, wie er sie nur hervorzubringen 100
vermochte, in das Plätschern des Springstrahles hinein erklingen
ließ, der drunten im Garten unter den Zweigen des alten Walnuß-
baumes tänzelnd emporstieg . . .

Der Springbrunnen, der alte Walnußbaum, seine Geige und in
der Ferne das Meer, die Ostsee, deren sommerliche Träume er in 105
den Ferien belauschen durfte, diese Dinge waren es, die er liebte,
mit denen er sich gleichsam umstellte und zwischen denen sich sein
inneres Leben abspielte, Dinge, deren Namen mit guter Wirkung
in Versen zu verwenden sind und auch wirklich in den Versen, die
Tonio Kröger zuweilen verfertigte, immer wieder erklangen. 110

Dieses, daß er ein Heft mit selbstgeschriebenen Versen besaß,
war durch sein eigenes Verschulden bekannt geworden und schadete
ihm sehr, bei seinen Mitschülern sowohl wie bei den Lehrern. Dem
Sohne Konsul Krögers schien es einerseits, als sei es dumm und

---

84 *hintan-halten* discourage
86 *unterlegen* inferior
89 *geartet* by nature
92 *war es so mit ihm bestellt* his disposition was such
94 *auf-nötigen* force on

95 *gotisches Klassengewölbe* vaulted,
   Gothic classroom
96 *sich ab-geben* concern himself
101 *Springstrahl* fountain
103 *tänzelnd* with a dancing movement
105 *Ostsee* Baltic

115 gemein, daran Anstoß zu nehmen, und er verachtete dafür sowohl
die Mitschüler wie die Lehrer, deren schlechte Manieren ihn obendrein abstießen und deren persönliche Schwächen er seltsam eindringlich durchschaute. Andererseits aber empfand er selbst es als
ausschweifend und eigentlich ungehörig, Verse zu machen, und
120 mußte all denen gewissermaßen recht geben, die es für eine be-
fremdende Beschäftigung hielten. Allein das vermochte ihn nicht,
davon abzulassen . . .

Da er daheim seine Zeit vertat, beim Unterricht langsamen und
abgewandten Geistes war und bei den Lehrern schlecht angeschrieben
125 stand, so brachte er beständig die erbärmlichsten Zensuren nach
Hause, worüber sein Vater, ein langer, sorgfältig gekleideter Herr
mit sinnenden blauen Augen, der immer eine Feldblume im Knopfloch trug, sich sehr erzürnt und bekümmert zeigte. Der Mutter
Tonios jedoch, seiner schönen, schwarzhaarigen Mutter, die Con-
130 suelo mit Vornamen hieß und überhaupt so anders war als die
übrigen Damen der Stadt, weil der Vater sie sich einstmals von
ganz unten auf der Landkarte heraufgeholt hatte, — seiner Mutter
waren die Zeugnisse grundeinerlei . . .

Tonio liebte seine dunkle und feurige Mutter, die so wunderbar
135 den Flügel und die Mandoline spielte, und er war froh, daß sie sich
ob seiner zweifelhaften Stellung unter den Menschen nicht grämte.
Andererseits aber empfand er, daß der Zorn des Vaters weit würdiger und respektabler sei, und war, obgleich er von ihm gescholten
wurde, im Grunde ganz einverstanden mit ihm, während er die
140 heitere Gleichgültigkeit der Mutter ein wenig liederlich fand.
Manchmal dachte er ungefähr: Es ist gerade genug, daß ich bin,
wie ich bin, und mich nicht ändern will und kann, fahrlässig, widerspenstig und auf Dinge bedacht, an die sonst niemand denkt.
Wenigstens gehört es sich, daß man mich ernstlich schilt und straft
145 dafür, und nicht mit Küssen und Musik darüber hinweggeht. Wir

---

115 *Anstoß nehmen* object
117 *eindringlich* penetratingly
119 *ausschweifend* extravagant; *un-*
   gehörig improper
120 *befremdend* dubious
123 *vertun* squander
124 *abgewandt* absent; *schlecht ange-*
   schrieben i.e. in their black books

125 *erbärmlichste Zensuren* most wretched
   marks
127 *sinnend* pensive; *Feldblume* wild
   flower
133 *grundeinerlei* thoroughly indifferent
136 *ob* because of
140 *liederlich* dissolute
144 *sich gehören* be proper

sind doch keine Zigeuner im grünen Wagen, sondern anständige
Leute, Konsul Krögers, die Familie der Kröger ... Nicht selten
dachte er auch: Warum bin ich doch sonderlich und in Widerstreit
mit allem, zerfallen mit den Lehrern und fremd unter den anderen
Jungen? Siehe sie an, die guten Schüler und die von solider Mittel- 150
mäßigkeit. Sie finden die Lehrer nicht komisch, sie machen keine
Verse und denken nur Dinge, die man eben denkt und die man laut
aussprechen kann. Wie ordentlich und einverstanden mit allem
und jedermann sie sich fühlen müssen! Das muß gut sein ... Was
aber ist mit mir, und wie wird dies alles ablaufen? 155

Diese Art und Weise, sich selbst und sein Verhältnis zum Leben
zu betrachten, spielte eine wichtige Rolle in Tonios Liebe zu Hans
Hansen. Er liebte ihn zunächst, weil er schön war; dann aber, weil
er in allen Stücken als sein eigenes Widerspiel und Gegenteil erschien. Hans Hansen war ein vortrefflicher Schüler und außerdem 160
ein frischer Gesell, der ritt, turnte, schwamm wie ein Held und
sich der allgemeinen Beliebtheit erfreute. Die Lehrer waren ihm
beinahe mit Zärtlichkeit zugetan, nannten ihn mit Vornamen und
förderten ihn auf alle Weise, die Kameraden waren auf seine Gunst
bedacht, und auf der Straße hielten ihn Herren und Damen an, 165
faßten ihn an dem Schopfe bastblonden Haares, der unter seiner
dänischen Schiffermütze hervorquoll, und sagten: „Guten Tag,
Hans Hansen, mit deinem netten Schopf! Bist du noch Primus?
Grüß' Papa und Mama, mein prächtiger Junge ...“

So war Hans Hansen, und seit Tonio Kröger ihn kannte, empfand 170
er Sehnsucht, sobald er ihn erblickte, eine neidische Sehnsucht, die
oberhalb der Brust saß und brannte. Wer so blaue Augen hätte,
dachte er, und so in Ordnung und glücklicher Gemeinschaft mit
aller Welt lebte wie du! Stets bist du auf eine wohlanständige und
allgemein respektierte Weise beschäftigt. Wenn du die Schul- 175
aufgaben erledigt hast, so nimmst du Reitstunden oder arbeitest

---

146 *Zigeuner im grünen Wagen* gypsies
in their green wagon. This is a
leitmotiv in the story, symbolizing
the Bohemian, unbourgeois, uncon-
ventional, slovenly existence that
characterizes the artist-intellectual.
148 *sonderlich* apart
149 *zerfallen* at odds
153 *ordentlich* regular

159 *in allen Stücken* in every respect
161 *frisch* lively
163 *zugetan* devoted
168 *Primus* head boy in the class
172 *hätte ... lebte* The thought is not
completed: *wie glücklich würde er
sein!*
176 *erledigen* finish

mit der Laubsäge, und selbst in den Ferien, an der See, bist du
vom Rudern, Segeln und Schwimmen in Anspruch genommen,
indes ich müßiggängerisch und verloren im Sande liege und auf
180 die geheimnisvoll wechselnden Mienenspiele starre, die über des
Meeres Antlitz huschen. Aber darum sind deine Augen so klar.
Zu sein wie du . . .
        Er machte nicht den Versuch, zu werden wie Hans Hansen, und
vielleicht war es ihm nicht einmal sehr ernst mit diesem Wunsche.
185 Aber er begehrte schmerzlich, so, wie er war, von ihm geliebt zu
werden, und er warb um seine Liebe auf seine Art, eine langsame
und innige, hingebungsvolle, leidende und wehmütige Art, aber
von einer Wehmut, die tiefer und zehrender brennen kann als alle
jähe Leidenschaftlichkeit, die man von seinem fremden Äußern
190 hätte erwarten können.
        Und er warb nicht ganz vergebens, denn Hans, der übrigens eine
gewisse Überlegenheit an ihm achtete, eine Gewandtheit des Mundes,
die Tonio befähigte, schwierige Dinge auszusprechen, begriff ganz
wohl, daß hier eine ungewöhnlich starke und zarte Empfindung
195 für ihn lebendig sei, erwies sich dankbar und bereitete ihm manches
Glück durch sein Entgegenkommen — aber auch manche Pein der
Eifersucht, der Enttäuschung und der vergeblichen Mühe, eine
geistige Gemeinschaft herzustellen. Denn es war das Merkwürdige,
daß Tonio, der Hans Hansen doch um seine Daseinsart beneidete,
200 beständig trachtete, ihn zu seiner eigenen herüberzuziehen, was
höchstens auf Augenblicke und auch dann nur scheinbar gelingen
konnte . . .
        „Ich habe jetzt etwas Wundervolles gelesen, etwas Pracht-
volles . . .“ sagte er. Sie gingen und aßen gemeinsam aus einer
205 Tüte Fruchtbonbons, die sie beim Krämer Iwersen in der Mühlen-
straße für zehn Pfennige erstanden hatten. „Du mußt es lesen,

---

177 *Laubsäge* fret-saw
178 *in Anspruch nehmen* claim
179 *müßiggängerisch* idly
180 *Mienenspiel* expression
181 *huschen* flit
186 *werben um* court
187 *hingebungsvoll* self-sacrificing
188 *zehren* consume

189 *fremd* Tonio's southern, Mediter-
    ranean appearance would have led
    one to expect him to be passionate.
192 *Gewandtheit* dexterity, i.e. skill with
    words
196 *Entgegenkommen* response
200 *trachten* scheme
206 *erstehen* purchase

Hans, es ist nämlich ‚Don Carlos‘ von Schiller ... Ich leihe es dir,
wenn du willst ...“

„Ach nein“, sagte Hans Hansen, „das laß nur, Tonio, das paßt
nicht für mich. Ich bleibe bei meinen Pferdebüchern, weißt du. 210
Famose Abbildungen sind darin, sage ich dir. Wenn du mal bei
mir bist, zeige ich sie dir. Es sind Augenblicksphotographien, und
man sieht die Gäule im Trab und im Galopp und im Sprunge, in
allen Stellungen, die man in Wirklichkeit gar nicht zu sehen bekommt, weil es zu schnell geht...“   215

„In allen Stellungen?“ fragte Tonio höflich. „Ja, das ist fein.
Was aber ‚Don Carlos‘ betrifft, so geht das über alle Begriffe. Es
sind Stellen darin, du sollst sehen, die so schön sind, daß es einem
einen Ruck gibt, daß es gleichsam knallt...“

„Knallt es?“ fragte Hans Hansen. .... „Wieso?“   220

„Da ist zum Beispiel die Stelle, wo der König geweint hat, weil
er von dem Marquis betrogen ist ... aber der Marquis hat ihn nur
dem Prinzen zuliebe betrogen, verstehst du, für den er sich opfert.
Und nun kommt aus dem Kabinett in das Vorzimmer die Nachricht, daß der König geweint hat. ‚Geweint?‘ ‚Der König ge-   225
weint?‘ Alle Hofmänner sind fürchterlich betreten, und es geht
einem durch und durch, denn es ist ein schrecklich starrer und
strenger König. Aber man begreift es so gut, daß er geweint hat,
und mir tut er eigentlich mehr leid als der Prinz und der Marquis
zusammengenommen. Er ist immer so ganz allein und ohne Liebe, 230
und nun glaubt er einen Menschen gefunden zu haben, und der
verrät ihn...“

Hans Hansen sah von der Seite in Tonios Gesicht, und irgend
etwas in diesem Gesicht mußte ihn wohl dem Gegenstande gewinnen, denn er schob plötzlich wieder seinen Arm unter den Tonios 235
und fragte:

„Auf welche Weise verrät er ihn denn, Tonio?“

Tonio geriet in Bewegung.

„Ja, die Sache ist“, fing er an, „daß alle Briefe nach Brabant
und Flandern...“   240

207 *Don Carlos* (§ 67)   227 *starr* rigid
219 *Ruck* jolt; *knallen* bang 234 *Gegenstand* subject
221 *Stelle* Act 4, Scene 23   238 *in Bewegung geraten* become emo-
224 *Kabinett* inner room   tional
226 *betreten* upset

„Da kommt Erwin Jimmerthal", sagte Hans.

Tonio verstummte. Möchte ihn doch, dachte er, die Erde verschlingen, diesen Jimmerthal! Warum muß er kommen und uns stören! Wenn er nur nicht mit uns geht und den ganzen Weg von
245 der Reitstunde spricht... Denn Erwin Jimmerthal hatte ebenfalls Reitstunde. Er war der Sohn des Bankdirektors und wohnte hier draußen vorm Tore. Mit seinen krummen Beinen und Schlitzaugen kam er ihnen, schon ohne Schulmappe, durch die Allee entgegen.

250 „Tag, Jimmerthal", sagte Hans. „Ich gehe ein bißchen mit Kröger..."

„Ich muß zur Stadt", sagte Jimmerthal, „und etwas besorgen. Aber ich gehe noch ein Stück mit euch... Das sind wohl Fruchtbonbons, die ihr da habt? Ja, danke, ein paar esse ich. Morgen
255 haben wir wieder Stunde, Hans." — Es war die Reitstunde gemeint.

„Famos!" sagte Hans. „Ich bekomme jetzt die ledernen Gamaschen, du, weil ich neulich die Eins im Exerzitium hatte..."

„Du hast wohl keine Reitstunde, Kröger?" fragte Jimmerthal, und seine Augen waren nur ein Paar blanker Ritzen...

260 „Nein..." antwortete Tonio mit ganz ungewisser Betonung.

„Du solltest", bemerkte Hans Hansen, „deinen Vater bitten, daß du auch Stunde bekommst, Kröger."

„Ja..." sagte Tonio zugleich hastig und gleichgültig. Einen Augenblick schnürte sich ihm die Kehle zusammen, weil Hans ihn
265 mit Nachnamen angeredet hatte; und Hans schien dies zu fühlen, denn er sagte erläuternd:

„Ich nenne dich Kröger, weil dein Vorname so verrückt ist, du, entschuldige, aber ich mag ihn nicht leiden. Tonio... Das ist doch überhaupt kein Name. Übrigens kannst du ja nichts dafür,
270 bewahre!"

„Nein, du heißt wohl hauptsächlich so, weil es so ausländisch klingt und etwas Besonderes ist..." sagte Jimmerthal und tat, als ob er zum Guten reden wollte.

---

246 *Direktor* president
247 *Schlitz* slit
256 *Gamaschen* leggings
257 *du* old fellow; *Exerzitium* written work
259 *Ritze* crack (usually: *der Ritz −e*)

264 *sich zusammen-schnüren* become constricted
265 *Nachname* family name
267 *verrückt* crazy
269 *kannst du ja nichts dafür* you can't help it
273 *zum Guten* i.e. to make things good

Tonios Mund zuckte. Er nahm sich zusammen und sagte:

„Ja, es ist ein alberner Name, ich möchte, weiß Gott, lieber Hein- 275
rich oder Wilhelm heißen, das könnt ihr mir glauben. Aber es
kommt daher, daß ein Bruder meiner Mutter, nach dem ich getauft
worden bin, Antonio heißt; denn meine Mutter ist doch von drüben..."

Dann schwieg er und ließ die beiden von Pferden und Lederzeug 280
sprechen. Hans hatte Jimmerthal untergefaßt und redete mit
einer geläufigen Teilnahme, die für ‚Don Carlos‘ niemals in ihm zu
erwecken gewesen wäre... Von Zeit zu Zeit fühlte Tonio, wie der
Drang zu weinen ihm prickelnd in die Nase stieg; auch hatte er
Mühe, sein Kinn in der Gewalt zu behalten, das beständig ins Zittern 285
geriet...

Hans mochte seinen Namen nicht leiden, — was war dabei zu
tun? Er selbst hieß Hans, und Jimmerthal hieß Erwin, gut, das
waren allgemein anerkannte Namen, die niemand befremdeten.
Aber „Tonio" war etwas Ausländisches und Besonderes. Ja, es 290
war in allen Stücken etwas Besonderes mit ihm, ob er wollte oder
nicht, und er war allein und ausgeschlossen von den Ordentlichen
und Gewöhnlichen, obgleich er doch kein Zigeuner im grünen Wagen
war, sondern ein Sohn Konsul Krögers, aus der Familie der Kröger...
Aber warum nannte Hans ihn Tonio, solange sie allein waren, wenn 295
er, kam ein dritter hinzu, anfing, sich seiner zu schämen? Zuweilen
war er ihm nahe und gewonnen, ja. Auf welche Weise verrät er
ihn denn, Tonio? hatte er gefragt und ihn untergefaßt. Aber als
dann Jimmerthal gekommen war, hatte er dennoch erleichtert auf-
geatmet, hatte ihn verlassen und ihm ohne Not seinen fremden 300
Rufnamen vorgeworfen. Wie weh es tat, dies alles durchschauen
zu müssen!... Hans Hansen hatte ihn im Grunde ein wenig gern,
wenn sie unter sich waren, er wußte es. Aber kam ein dritter, so
schämte er sich dessen und opferte ihn auf. Und er war wieder
allein. Er dachte an König Philipp. Der König hat geweint... 305

„Gott bewahre", sagte Erwin Jimmerthal, „nun muß ich aber
wirklich zur Stadt! Adieu, ihr, und Dank für die Fruchtbonbons!"

---

²⁷⁵ *albern* silly
²⁸¹ *unter-fassen* take by the arm
²⁸² *geläufig* voluble
²⁸⁴ *prickeln* sting

²⁸⁹ *befremden* offend
²⁹⁹ *erleichtert auf-atmen* breathe a sigh
of relief
³⁰¹ *Rufname* first name

Darauf sprang er auf eine Bank, die am Wege stand, lief mit seinen
krummen Beinen darauf entlang und trabte davon.

310 „Jimmerthal mag ich leiden!" sagte Hans mit Nachdruck. Er
hatte eine verwöhnte und selbstbewußte Art, seine Sympathien
und Abneigungen kundzugeben, sie gleichsam gnädigst zu verteilen... Und dann fuhr er fort, von der Reitstunde zu sprechen,
weil er einmal im Zuge war. Es war auch nicht mehr so weit bis
315 zum Hansenschen Wohnhause; der Weg über die Wälle nahm
nicht so viel Zeit in Anspruch. Sie hielten ihre Mützen fest und
beugten die Köpfe vor dem starken, feuchten Wind, der in dem
kahlen Geäst der Bäume knarrte und stöhnte. Und Hans Hansen
sprach, während Tonio nur dann und wann ein künstliches Ach
320 und Jaja einfließen ließ, ohne Freude darüber, daß Hans ihn im
Eifer der Rede wieder untergefaßt hatte, denn das war nur eine
scheinbare Annäherung, ohne Bedeutung.

Dann verließen sie die Wallanlagen unfern des Bahnhofes, sahen
einen Zug mit plumper Eilfertigkeit vorüberpuffen, zählten zum
325 Zeitvertreib die Wagen und winkten dem Manne zu, der in seinen
Pelz vermummt zuhöchst auf dem allerletzten saß. Und am Lin-
denplatze, vor Großhändler Hansens Villa, blieben sie stehen, und
Hans zeigte ausführlich, wie amüsant es sei, sich unten auf die
Gartenpforte zu stellen und sich in den Angeln hin und her zu schlen-
330 kern, daß es nur so kreischte. Aber hierauf verabschiedete er sich.

„Ja, nun muß ich hinein", sagte er. „Adieu, Tonio. Das nächste
Mal begleite ich dich nach Hause, sei sicher."

„Adieu, Hans", sagte Tonio, „es war nett, spazieren zu gehen."

Ihre Hände, die sich drückten, waren ganz naß und rostig von
335 der Gartenpforte. Als aber Hans in Tonios Augen sah, entstand
etwas wie reuiges Besinnen in seinem hübschen Gesicht.

„Übrigens werde ich nächstens ,Don Carlos' lesen!" sagte er
rasch. „Das mit dem König im Kabinett muß famos sein!" Dann

---

309 *traben* trot
310 *Nachdruck* emphasis
311 *verwöhnt und selbstbewußt* pampered
     and arrogant
314 *im Zuge* in swing
318 *knarren und stöhnen* creak and groan
319 *künstlich* artificial

322 *Annäherung* intimacy
323 *Wallanlage* embankment garden
324 *plumpe Eilfertigkeit* heavy haste
327 *Großhändler* wholesaler
328 *ausführlich* in detail
329 *Angel* hinge; *sich schlenkern* swing
330 *nur so* fairly; *kreischen* screech

nahm er seine Mappe unter den Arm und lief durch den Vorgarten.
Bevor er im Hause verschwand, nickte er noch einmal zurück.   340
   Und Tonio Kröger ging ganz verklärt und beschwingt von dannen.
Der Wind trug ihn von hinten, aber es war nicht darum allein, daß
er so leicht von der Stelle kam.
   Hans würde ,Don Carlos' lesen, und dann würden sie etwas miteinander haben, worüber weder Jimmerthal noch irgend ein anderer 345
mitreden konnte! Wie gut sie einander verstanden! Wer wußte, —
vielleicht brachte er ihn noch dazu, ebenfalls Verse zu schreiben?..
Nein, nein, das wollte er nicht! Hans sollte nicht werden wie Tonio,
sondern bleiben, wie er war, so hell und stark, wie alle ihn liebten
und Tonio am meisten! Aber daß er ,Don Carlos' las, würde trotz- 350
dem nicht schaden... Und Tonio ging durch das alte, untersetzte
Tor, ging am Hafen entlang und die steile, zugige und nasse Giebel-
gasse hinauf zum Haus seiner Eltern. Damals lebte sein Herz;
Sehnsucht war darin und schwermütiger Neid und ein klein wenig
Verachtung und eine ganze keusche Seligkeit.   355

113

DER SCHWERE WEG

HERMANN HESSE (1877-)

Hermann Hesse has exerted a powerful influence on youth, both in Germany
and abroad, through his writings, which champion absolute honesty toward oneself, a life of strenuous exploration which ends only with life itself.
Both in his lyric poetry and in his prose writings he possesses the gift of
presenting the complexities of the modern psyche in the simplest and most
limpid diction.
   This philosophical *Märchen* is chosen from Hesse's varied writings as a
representative sample of his thought, sensibility, and style. It belongs to
the same *genre* as the tales by Novalis and the Brothers Grimm (§§ 7, 8, 76).
Its philosophy is Nietzschean: the cult of individualism and self-reliance
through facing hardships. It was written in 1916 and published in a collection of *Märchen* (1919).

[341] *verklärt und beschwingt* transfigured   [351] *untersetzt* heavy, stocky
       and buoyant

Am Eingang der Schlucht, bei dem dunkeln Felsentor, stand ich
zögernd und drehte mich zurückblickend um.

Sonne schien in dieser grünen wohligen Welt, über den Wiesen
flimmerte wehend die bräunliche Grasblüte. Dort war gut sein,
5 dort war Wärme und liebes Behagen, dort summte die Seele tief
und befriedigt wie eine wollige Hummel im satten Duft und Lichte.
Und vielleicht war ich ein Narr, daß ich das alles verlassen und ins
Gebirge hinaufsteigen wollte.

Der Führer berührte mich sanft am Arm. Ich riß meine Blicke
10 von der geliebten Landschaft los, wie man sich gewaltsam aus einem
lauen Bade losmacht. Nun sah ich die Schlucht in sonnenloser
Finsternis liegen, ein kleiner schwarzer Bach kroch aus der Spalte,
bleiches Gras wuchs in kleinen Büscheln an seinem Rande, auf
seinem Boden lag herabgespültes Gestein von allen Farben tot
15 und blaß wie Knochen von Wesen, welche einst lebendig waren.

„Wir wollen rasten", sagte ich zum Führer.

Er lächelte geduldig, und wir setzten uns nieder. Es war kühl,
und aus dem Felsentore kam ein leiser Strom von finsterer, steinig
kalter Luft geflossen.

20 Häßlich, häßlich, diesen Weg zu gehen! Häßlich, sich durch dies
unfrohe Felsentor zu quälen, über diesen kalten Bach zu schreiten,
diese schmale schroffe Kluft im Finstern hinanzuklettern!

„Der Weg sieht scheußlich aus", sagte ich zögernd.

In mir flatterte wie ein sterbendes Lichtlein die heftige, ungläubige,
25 unvernünftige Hoffnung, wir können vielleicht wieder umkehren, der
Führer möchte sich noch überreden lassen, es möchte uns dies alles
erspart bleiben. Ja, warum eigentlich nicht? War es dort, von
wo wir kamen, nicht tausendmal schöner? Floß nicht dort das
Leben reicher, wärmer, liebenswerter? Und war ich nicht ein
30 Mensch, ein kindliches und kurzlebiges Wesen mit dem Recht auf
ein bißchen Glück, auf ein Eckchen Sonne, auf ein Auge voll Blau
und Blumen?

Nein, ich wollte dableiben. Ich hatte keine Lust, den Helden und
Märtyrer zu spielen! Ich wollte mein Leben lang zufrieden sein,
35 wenn ich im Tal und an der Sonne bleiben durfte.

---

1 *Schlucht* gorge   6 *Hummel* bumble bee
3 *wohlig* comfortable   14 *herabgespült* washed down
4 *Grasblüte* daisy

Schon fing ich an zu frösteln; hier war kein langes Bleiben möglich.
„Du frierst", sagte der Führer, „es ist besser, wir gehen."
Damit stand er auf, reckte sich einen Augenblick zu seiner ganzen
Höhe aus und sah mich mit Lächeln an. Es war weder Spott noch
Mitleid in dem Lächeln, weder Härte noch Schonung. Es war 40
nichts darin als Verständnis, nichts als Wissen. Dies Lächeln sagte:
Ich kenne dich. Ich kenne deine Angst, die du fühlst, und habe
deine Großsprecherei von gestern und vorgestern keineswegs ver-
gessen. Jeder verzweifelte Hasensprung der Feigheit, den deine
Seele jetzt tut, und jedes Liebäugeln mit dem lieben Sonnenschein 45
da drüben ist mir bekannt und vertraut, noch ehe du's ausführst.

Mit diesem Lächeln sah mich der Führer an und tat den ersten
Schritt ins dunkle Felsental voraus, und ich haßte ihn und liebte
ihn, wie ein Verurteilter das Beil über seinem Nacken haßt und
liebt. Vor allem aber haßte und verachtete ich sein Wissen, seine 50
Führerschaft und Kühle, seinen Mangel an lieblichen Schwächen,
und haßte alles das in mir selber, was ihm rechtgab, was ihn billigte,
was seinesgleichen war und ihm folgen wollte.

Schon war er mehrere Schritte weit gegangen, auf Steinen durch
den schwarzen Bach, und war eben im Begriff, mir um die erste 55
Felsenecke zu entschwinden.

„Halt!" rief ich so voller Angst, daß ich zugleich denken mußte:
wenn das hier ein Traum wäre, dann würde ihn in diesem Augenblick mein Entsetzen zersprengen, und ich würde aufwachen.
„Halt!" rief ich, „ich kann nicht, ich bin noch nicht bereit." 60

Der Führer blieb stehen und blickte still herüber, ohne Vorwurf,
aber mit diesem seinem furchtbaren Verstehen, mit diesem schwer
zu ertragenden Wissen, Ahnen, Schon-im-voraus-verstanden-haben.

„Wollen wir lieber umkehren?" fragte er, und er hatte noch das
letzte Wort nicht ausgesprochen, da wußte ich schon voll Wider- 65
willen, daß ich nein sagen würde, nein sagen *müssen* würde.
Und zugleich rief alles Alte, Gewohnte, Liebe, Vertraute in mir
verzweiflungsvoll: „Sag' ja, sag' ja!", und es hängte sich die ganze
Welt und Heimat wie eine Kugel an meine Füße.

---

³⁶ *frösteln* feel cold
⁴⁰ *Schonung* indulgence
⁴³ *Großsprecherei* big talk, boasting
⁴⁴ *Hasensprung* hare-leap

⁴⁵ *liebäugeln* flirt
⁵⁹ *Entsetzen* horror; *zersprengen* ex-
plode

70 Ich wollte ja rufen, obschon ich genau wußte, daß ich es nicht
würde tun können.

Da wies der Führer mit der ausgestreckten Hand in das Tal zurück,
und ich wandte mich nochmals nach den geliebten Gegenden um.
Und jetzt sah ich das Peinvollste, was mir begegnen konnte: ich
75 sah die geliebten Täler und Ebenen unter einer weißen entkräfteten
Sonne fahl und lustlos liegen, die Farben klangen falsch und schrill
zusammen, die Schatten waren rußig schwarz und ohne Zauber,
und allem, allem war das Herz herausgeschnitten, war der Reiz und
Duft genommen — alles roch und schmeckte nach Dingen, an denen
80 man sich längst bis zum Ekel übergessen hat. Oh, wie ich das
kannte, wie ich das fürchtete und haßte, diese schreckliche Art des
Führers, mir das Geliebte und Angenehme zu entwerten, den Saft
und Geist daraus weglaufen zu lassen, Düfte zu verfälschen und
Farben leise zu vergiften! Ach, ich kannte das: was gestern noch
85 Wein gewesen war, war heut Essig. Und nie wieder wurde der
Essig zu Wein. Nie wieder.

Ich schwieg und folgte traurig dem Führer nach. Er hatte ja
recht, jetzt wie immer. Gut, wenn er wenigstens bei mir und sichtbar blieb, statt — wie so oft — im Augenblick einer Entscheidung
90 plötzlich zu verschwinden und mich allein zu lassen — allein mit
jener fremden Stimme in meiner Brust, in die er sich dann verwandelt hatte.

Ich schwieg, aber mein Herz rief inbrünstig: „Bleib nur, ich folge
ja!"
95 Die Steine im Bach waren von einer scheußlichen Schlüpfrigkeit,
es war ermüdend und schwindelerregend, so zu gehen, Fuß für Fuß
auf schmalem, nassem Stein, der sich unter der Sohle klein machte
und auswich. Dabei begann der Bachpfad rasch zu steigen, und
die finsteren Felsenwände traten näher zusammen, sie schwollen
100 mürrisch an, und jede ihrer Ecken zeigte die tückische Absicht,
uns einzuklemmen und für immer vom Rückweg abzuschneiden.
Über warzige gelbe Felsen rann zäh und schleimig eine Haut von
Wasser. Kein Himmel, nicht Wolke noch Blau mehr über uns.

---

76 *fahl* pale; *zusammen-klingen* harmonize
77 *rußig* sooty
82 *entwerten* devaluate

93 *inbrünstig* fervently
100 *mürrisch* sternly
101 *ein-klemmen* squeeze in
102 *warzig* wart-like

Ich ging und ging, dem Führer nach, und schloß oft vor Angst
und Widerwillen die Augen. Da stand eine dunkle Blume am Weg, 105
sammetschwarz mit traurigem Blick. Sie war schön und sprach
vertraut zu mir, aber der Führer ging rascher, und ich fühlte: Wenn
ich einen Augenblick verweilte, wenn ich noch einen einzigen Blick
in dies traurige Sammetauge senkte, dann würde die Betrübtheit
und hoffnungslose Schwermut allzu schwer und würde unerträglich, 110
und mein Geist würde alsdann immer in diesen höhnischen Bezirk
der Sinnlosigkeit und des Wahns gebannt bleiben.

Naß und schmutzig kroch ich weiter, und als die feuchten Wände
sich näher über uns zusammenklemmten, da fing der Führer sein
altes Trostlied an zu singen. Mit seiner hellen, festen Jünglings- 115
stimme sang er bei jedem Schritt im Takt die Worte: „Ich will,
ich will, ich will!‟ Ich wußte wohl, er wollte mich ermutigen und
anspornen, er wollte mich über die häßliche Mühsal und Trostlosigkeit dieser Höllenwanderung hinwegtäuschen. Ich wußte, er
wartete darauf, daß ich mit in seinen Singsang einstimme. Aber 120
dies wollte ich nicht, diesen Sieg wollte ich ihm nicht gönnen. War
mir denn zum Singen zumute? Und war ich nicht ein Mensch, ein
armer einfacher Kerl, der da wider sein Herz in Dinge und Taten
hineingezerrt wurde, die Gott nicht von ihm verlangen konnte?
Durfte nicht jede Nelke und jedes Vergißmeinnicht am Bach bleiben, 125
wo es war, und blühen und verwelken, wie es in seiner Art lag?

„Ich will, ich will, ich will‟, sang der Führer unentwegt. Oh,
wenn ich hätte umkehren können! Aber ich war, mit des Führers
wunderbarer Hilfe, längst über Wände und Abstürze geklettert,
über die es keinen, keinen Rückweg gab. Das Weinen würgte mich 130
von innen, aber weinen durfte ich nicht, dies am allerwenigsten.
Und so stimmte ich trotzig und laut in den Sang des Führers ein,
im gleichen Takt und Ton, aber ich sang nicht seine Worte mit,
sondern immerzu: „Ich muß, ich muß, ich muß!‟ Allein es war
nicht leicht, so im Steigen zu singen, ich verlor bald den Atem und 135
mußte keuchend schweigen. Er aber sang unermüdet fort: „Ich

---

[109] *Betrübtheit* sadness
[112] *Wahn* madness
[116] *im Takt* rhythmically
[118] *an-spornen* spur on
[120] *ein-stimmen* join in (singing)
[122] *zumute sein* feel like

[123] *Herz* i.e. will
[124] *hinein-zerren* pull in
[125] *Nelke* pink
[127] *unentwegt* unmoved
[129] *Absturz* precipice
[130] *würgen* choke

will, ich will, ich will", und mit der Zeit bezwang er mich doch,
daß auch ich seine Worte mitsang. Nun ging das Steigen besser,
und ich mußte nimmer, sondern wollte in der Tat, und von einer
140 Ermüdung durch das Singen war nichts mehr zu spüren.

Da wurde es heller in mir, und wie es heller in mir wurde, wich
auch der glatte Fels zurück, ward trockener, ward gütiger, half
oft dem gleitenden Fuß, und über uns trat mehr und mehr der
hellblaue Himmel hervor, wie ein kleiner blauer Bach zwischen den
145 Steinufern, und bald wie ein blauer kleiner See, der wuchs und
Breite gewann.

Ich versuchte es, stärker und inniger zu wollen, und der Himmels-
see wuchs weiter, und der Pfad wurde gangbarer, ja ich lief zuweilen
eine ganze Strecke leicht und beschwerdelos neben dem Führer her.
150 Und unerwartet sah ich den Gipfel nahe über uns, steil und gleißend
in durchglühter Sonnenluft.

Wenig unterhalb des Gipfels entkrochen wir dem engen Spalt,
Sonne drang in meine geblendeten Augen, und als ich sie wieder
öffnete, zitterten mir die Knie vor Beklemmung, denn ich sah mich
155 frei und ohne Halt an den steilen Grat gestellt, ringsum unendlichen
Himmelsraum und blaue bange Tiefe, nur der schmale Gipfel dünn
wie eine Leiter vor uns ragend. Aber es war wieder Himmel und
Sonne da, und so stiegen wir auch die letzte beklemmende Steile
empor, Fuß vor Fuß mit zusammengepreßten Lippen und gefalteten
160 Stirnen. Und standen oben, schmal auf durchglühtem Stein, in
einer strengen, spöttisch dünnen Luft.

Das war ein sonderbarer Berg und ein sonderbarer Gipfel! Auf
diesem Gipfel, den wir über so unendliche nackte Steinwände er-
klommen hatten, auf diesem Gipfel wuchs aus dem Steine ein Baum,
165 ein kleiner, gedrungener Baum mit einigen kurzen, kräftigen Ästen.
Da stand er, unausdenklich einsam und seltsam, hart und starr im
Fels, das kühle Himmelsblau zwischen seinen Ästen. Und zu oberst
im Baume saß ein schwarzer Vogel und sang ein rauhes Lied.

Stiller Traum einer kurzen Rast, hoch über der Welt: Sonne

---

147 *innig* fervently
148 *gangbar* passable
149 *beschwerdelos* without difficulty
150 *gleißend* slippery
154 *Beklemmung* oppression

155 *Halt* support; *Grat* crest
165 *gedrungen* stunted
166 *unausdenklich* inconceivably
167 *zu oberst* at the top

lohte, Fels glühte, Baum starrte streng, Vogel sang rauh. Sein 170
rauhes Lied hieß: Ewigkeit, Ewigkeit! Der schwarze Vogel sang,
und sein blankes hartes Auge sah uns an wie ein schwarzer Kristall.
Schwer zu ertragen war sein Blick, schwer zu ertragen war sein
Gesang, und furchtbar war vor allem die Einsamkeit und Leere
dieses Ortes, die schwindelnde Weite der öden Himmelsräume. 175
Sterben war unausdenkbare Wonne, Hierbleiben namenlose Pein.
Es mußte etwas geschehen, sofort, augenblicklich, sonst versteinerten wir und die Welt vor Grauen. Ich fühlte das Geschehnis
drückend und glühend einherhauchen wie den Windstoß vor einem
Gewitter. Ich fühlte es mir über Leib und Seele flattern wie ein 180
brennendes Fieber. Es drohte, es kam, es war da.

— — Es schwang sich der Vogel jäh vom Ast, warf sich stürzend
in den Weltraum.

Es tat mein Führer einen Sprung und Sturz ins Blaue, fiel in den
zuckenden Himmel, flog davon. 185

Jetzt war die Welle des Schicksals auf der Höhe, jetzt riß sie mein
Herz davon, jetzt brach sie lautlos auseinander.

Und ich fiel schon, ich stürzte, sprang, ich flog; in kalte Luftwirbel geschnürt schoß ich selig und vor Qual der Wonne zuckend
durchs Unendliche hinabwärts an die Brust der Mutter. 190

114

VOR DEM GESETZ

FRANZ KAFKA (1883–1924)

Kafka has become one of the most influential and fashionable men of letters
of the twentieth century because he anticipated the sensibility of contemporary man, the modern feeling that life and the universe are "absurd," with

[170] *lohen* burn. The omission of the
article is characteristic of writing
during the period of German expressionism (*c.* 1910–25).
[176] *unausdenkbar* inconceivable
[177] *versteinern* become petrified

[179] *Windstoß* gust of wind
[188] *Luftwirbel* cyclone
[189] *geschnürt* strapped
[190] *Mutter* i.e. the realm of earth, darkness, the unconscious

more insight than any other writer of the day. His macabre allegories and
parables of man in the guise of an animal or vermin fascinate the sophisti-
cated.

This brief, profound parable of man's search for acceptance forms part
of Kafka's novel *Der Prozeß* (1925), where it appears in the form of a sermon
delivered by a priest in a cathedral to K., the hero of the novel. The sermon
is followed by a lengthy, complicated and casuistic discussion between the
priest and K. as to its meaning. One possible reading of the message of the
parable is that man spends his life's energies in an attempt to gain entrance
into the "law," only to find his efforts frustrated by what seems to be a
malignant force which is especially intent upon his frustration. What is
the "Law"? *Gesetz* is the Yiddish translation of the Hebrew word *Torah*,
which, for an Orthodox Jew, includes the whole body of Orthodox Judaism.
The wish to enter the "Law" is therefore equivalent to the yearning for
acceptance or grace.

Vor dem Gesetz steht ein Türhüter. Zu diesem Türhüter kommt
ein Mann vom Lande und bittet um Eintritt in das Gesetz. Aber
der Türhüter sagt, daß er ihm jetzt den Eintritt nicht gewähren
könne. Der Mann überlegt und fragt dann, ob er also später werde
5 eintreten dürfen. „Es ist möglich", sagt der Türhüter, jetzt aber
nicht." Da das Tor zum Gesetz offensteht wie immer und der
Türhüter beiseitetritt, bückt sich der Mann, um durch das Tor in
das Innere zu sehen. Als der Türhüter das merkt, lacht er und
sagt: „Wenn es dich so lockt, versuche es doch, trotz meines Ver-
10 botes hineinzugehen. Merke aber: Ich bin mächtig. Und ich bin
nur der unterste Türhüter. Von Saal zu Saal stehn aber Türhüter,
einer mächtiger als der andere. Schon den Anblick des dritten kann
nicht einmal ich mehr ertragen." Solche Schwierigkeiten hat der
Mann vom Lande nicht erwartet; das Gesetz soll doch jedem und
15 immer zugänglich sein, denkt er, aber als er jetzt den Türhüter in
seinem Pelzmantel genauer ansieht, seine große Spitznase, den
langen, dünnen, schwarzen tatarischen Bart, entschließt er sich,
doch lieber zu warten, bis er die Erlaubnis zum Eintritt bekommt.
Der Türhüter gibt ihm einen Schemel und läßt ihn seitwärts von
20 der Tür sich niedersetzen. Dort sitzt er Tage und Jahre. Er macht

[2] *Mann vom Lande* translation of the
     Hebrew *am-ha-aretz*, i.e. the aver-
     age, untutored, unsophisticated
     man — everyman
[7] *sich bücken* bend down

[12] *schon* even, merely
[15] *zugänglich* accessible
[17] *tatarisch* Tartar
[19] *Schemel* stool

viele Versuche, eingelassen zu werden, und ermüdet den Türhüter durch seine Bitten. Der Türhüter stellt öfters kleine Verhöre mit ihm an, fragt ihn über seine Heimat aus und nach vielem andern, es sind aber teilnahmslose Fragen, wie sie große Herren stellen, und zum Schlusse sagt er ihm immer wieder, daß er ihn noch nicht ₂₅ einlassen könne. Der Mann, der sich für seine Reise mit vielem ausgerüstet hat, verwendet alles, und sei es noch so wertvoll, um den Türhüter zu bestechen. Dieser nimmt zwar alles an, aber sagt dabei: „Ich nehme es nur an, damit du nicht glaubst, etwas versäumt zu haben." Während der vielen Jahre beobachtet der Mann ₃₀ den Türhüter fast ununterbrochen. Er vergißt die andern Türhüter, und dieser erste scheint ihm das einzige Hindernis für den Eintritt in das Gesetz. Er verflucht den unglücklichen Zufall, in den ersten Jahren rücksichtslos und laut, später, als er alt wird, brummt er nur noch vor sich hin. Er wird kindisch, und, da er in ₃₅ dem jahrelangen Studium des Türhüters auch die Flöhe in seinem Pelzkragen erkannt hat, bittet er auch die Flöhe, ihm zu helfen und den Türhüter umzustimmen. Schließlich wird sein Augenlicht schwach, und er weiß nicht, ob es um ihn wirklich dunkler wird, oder ob ihn nur seine Augen täuschen. Wohl aber erkennt er jetzt ₄₀ im Dunkel einen Glanz, der unverlöschlich aus der Türe des Gesetzes bricht. Nun lebt er nicht mehr lange. Vor seinem Tode sammeln sich in seinem Kopfe alle Erfahrungen der ganzen Zeit zu einer Frage, die er bisher an den Türhüter noch nicht gestellt hat. Er winkt ihm zu, da er seinen erstarrenden Körper nicht mehr ₄₅ aufrichten kann. Der Türhüter muß sich tief zu ihm hinunterneigen, denn der Größenunterschied hat sich sehr zuungunsten des Mannes verändert. „Was willst du denn jetzt noch wissen?" fragte der Türhüter, „du bist unersättlich." „Alle streben doch nach dem Gesetz", sagte der Mann, „wie kommt es, daß in den vielen ₅₀ Jahren niemand außer mir Einlaß verlangt hat?" Der Türhüter erkennt, daß der Mann schon an seinem Ende ist, und, um sein

---

²² *an-stellen* institute; *Verhör* hearing
²³ *aus-fragen* question
²⁴ *teilnahmslos* apathetic, indifferent
²⁷ *aus-rüsten* equip
²⁸ *bestechen* bribe
²⁹ *versäumen* neglect
³⁴ *rücksichtslos* recklessly

³⁵ *brummen* grumble; *vor sich hin* to himself
³⁸ *um-stimmen* convert
⁴¹ *unverlöschlich* inextinguishably
⁴⁵ *zu-winken* beckon to
⁴⁷ *zuungunsten* to the disadvantage
⁴⁹ *unersättlich* insatiable

vergehendes Gehör noch zu erreichen, brüllt er ihn an: „Hier konnte
niemand sonst Einlaß erhalten, denn dieser Eingang war nur für
55 dich bestimmt. Ich gehe jetzt und schließe ihn.‟

115

GESCHICHTEN VOM HERRN KEUNER

BERTOLT BRECHT (1898–1956)

Brecht was one of the most original dramatists of the twentieth century.
A wily Marxist by religion, he brilliantly exposed the weaknesses of bourgeois capitalist society and preached Stalinist communism in his clever plays
and stories and even in his aesthetic writings.
    The tales of Herr Keuner (= Herr Keiner, Swabian dialect Mr. Anony-
mous) reveal as well as any of his longer works Brecht's mental attitude.
While it is not advisable to give a specific interpretation to each of these
little parables, one may say that, in general, they represent a Marxian point
of view (*Der unentbehrliche Beamte*) or condemn a supposedly capitalist
belief (*Erfolg*) or present a view that will shock the respectable (*Erträg-
licher Affront*).

Erfolg

    Herr K. sah eine Schauspielerin vorbeigehen und sagte: „Sie ist
schön.‟ Sein Begleiter sagte: „Sie hat neulich Erfolg gehabt, weil
sie schön ist.‟ Herr K. ärgerte sich und sagte: „Sie ist schön, weil
sie Erfolg gehabt hat.‟

Eine gute Antwort

5   Ein Prolet wurde vor Gericht gefragt, ob er die weltliche oder
dir kirchliche Form des Eides benutzen wollte. Er antwortete:
„Ich bin arbeitslos.‟ „Dies war nicht nur Zerstreutheit‟, sagte
Herr K. „Durch diese Antwort gab er zu erkennen, daß er sich

---

53 *vergehend* fading; *an-brüllen* roar at   6 *Eid* oath
                                                7 *Zerstreutheit* scatterbrainedness

in einer Lage befand, wo solche Fragen, ja vielleicht das ganze
Gerichtsverfahren als solches keinen Sinn mehr haben."   10

Das Wiedersehen

Ein Mann, der Herrn K. lange nicht gesehen hatte, begrüßte ihn
mit den Worten: „Sie haben sich gar nicht verändert." „Oh!"
sagte Herr K. und erbleichte.

Erträglicher Affront

Ein Mitarbeiter Herrn K.s wurde beschuldigt, er nehme eine
unfreundliche Haltung zu ihm ein. „Ja, aber nur hinter meinem   15
Rücken", verteidigte ihn Herr K.

Der unentbehrliche Beamte

Von einem Beamten, der schon ziemlich lange in seinem Amt
saß, hörte Herr K. rühmenderweise, er sei unentbehrlich, ein so
guter Beamter sei er. „Wieso ist er unentbehrlich?" fragte Herr
K. ärgerlich. „Das Amt liefe nicht ohne ihn", sagten seine Lober.   20
„Wie kann er da ein guter Beamter sein, wenn das Amt nicht ohne
ihn liefe?" sagte Herr K., „er hat Zeit genug gehabt, sein Amt so
weit zu ordnen, daß er entbehrlich ist. Womit beschäftigt er sich
eigentlich? Ich will es euch sagen: mit Erpressung!"

Der Zweckdiener

Herr K. stellte die folgenden Fragen: 25
„Jeden Morgen macht mein Nachbar Musik auf einem Grammophonkasten. Warum macht er Musik? Ich höre, weil er turnt.
Warum turnt er? Weil er Kraft benötigt, höre ich. Wozu benötigt er Kraft? Weil er seine Feinde in der Stadt besiegen muß,
sagt er. Warum muß er Feinde besiegen? Weil er essen will, höre   30
ich."

Die Frage, ob es einen Gott gäbe

Einer fragte Herrn K., ob es einen Gott gäbe. Herr K. sagte:
„Ich rate dir, nachzudenken, ob dein Verhalten je nach der Ant-

---

[10] *Gerichtsverfahren* court procedure
[13] *erbleichen* blanch
[18] *rühmenderweise* by way of praise
[24] *Erpressung* blackmail, i.e. his indispensable status is a sort of blackmail practiced on society to get
salary, praise, power, etc.
[33] *Verhalten* conduct

wort auf diese Frage sich ändern würde. Würde es sich nicht ändern,
35 dann können wir die Frage fallenlassen. Würde es sich ändern, dann
kann ich dir wenigstens noch so weit behilflich sein, daß ich dir
sage, du hast dich schon entschieden: Du brauchst einen Gott."

Verläßlichkeit

Herr K., der für die Ordnung der menschlichen Beziehungen war,
blieb zeit seines Lebens in Kämpfe verwickelt. Eines Tages geriet
40 er wieder einmal in eine unangenehme Sache, die es nötig machte,
daß er nachts mehrere Treffpunkte in der Stadt aufsuchen mußte,
die weit auseinanderlagen. Da er krank war, bat er einen Freund
um seinen Mantel. Der versprach ihn ihm, obwohl er dadurch
selbst eine kleine Verabredung absagen mußte. Gegen Abend nun
45 verschlimmerte sich Herrn K.s Lage so, daß die Gänge ihm nichts
mehr nützten und anderes nötig wurde. Dennoch und trotz des
Zeitmangels holte Herr K., eifrig, die Verabredung auch seinerseits einzuhalten, den unnütz gewordenen Mantel pünktlich ab.

Der Gesandte

Neulich sprach ich mit Herrn K. über den Fall des Gesandten
50 einer fremden Macht, Herrn X., der in unserm Land gewisse Aufträge seiner Regierung ausgeführt hatte und nach seiner Rückkehr,
wie wir mit Bedauern erfuhren, streng gemaßregelt wurde, obgleich
er mit großen Erfolgen zurückgekehrt war. „Es wurde ihm vor-
gehalten, daß er, um seine Aufträge auszuführen, sich allzu tief mit
55 uns, den Feinden, eingelassen habe", sagte ich. „Glauben Sie denn,
er hätte ohne ein solches Verhalten Erfolg haben können?" —
„Sicher nicht", sagte Herr K., „er mußte gut essen, um mit seinen
Feinden verhandeln zu können, er mußte Verbrechern schmeicheln
und sich über sein Land lustig machen, um sein Ziel zu erreichen."
60 — „Dann hat er also richtig gehandelt?" fragte ich. „Ja, natürlich", sagte Herr K. zerstreut. „Er hat da richtig gehandelt."
Und Herr K. wollte sich von mir verabschieden. Ich hielt ihn
jedoch am Ärmel zurück. „Warum wurde er dann mit dieser Ver-

Verläßlichkeit reliability
39 *zeit seines Lebens* all his life
44 *Verabredung* appointment
49 *Gesandte* ambassador
50 *Auftrag* commission

52 *maßregeln* discipline
53 *vor-halten* reproach
55 *sich ein-lassen* associate
58 *verhandeln* negotiate

achtung bedacht, als er zurückkam?" rief ich empört. „Er wird
wohl an das gute Essen sich gewöhnt, den Verkehr mit Verbrechern 65
fortgesetzt haben und in seinem Urteil unsicher geworden sein",
sagte Herr K. gleichgültig, „und da mußten sie ihn maßregeln."
„Und das war Ihrer Meinung nach von ihnen richtig gehandelt?"
fragte ich entsetzt. — „Ja, natürlich, wie sollten sie sonst handeln?"
sagte Herr K. „Er hatte den Mut und das Verdienst, eine tödliche 70
Aufgabe zu übernehmen. Dabei starb er. Sollten sie ihn nun,
anstatt ihn zu begraben, in der Luft verfaulen lassen und den Ge-
stank ertragen?"

[64] *bedenken* provide with, treat; *empört*   [69] *entsetzt* horrified
    revolted   [72] *verfaulen* rot; *Gestank* stink

VII   GEDANKLICHES

116

BESCHREIBUNG DES BELVEDERISCHEN APOLLO

JOHANN JOACHIM WINCKELMANN (1717–1768)

Winckelmann was an antiquarian and archaeologist. He is the founder of art history as a discipline and the father of German classicism, in whose spirit Goethe, Schiller, and the Weimar group wrote. He is also the first great prose stylist of modern Germany. The following passage is from *Geschichte der Kunst des Altertums* (1764). A critical appraisal of Winckelmann's judgment on this statue is given by Sir Kenneth Clark in his book *The Nude.*

Die Statue des Apollo ist das höchste Ideal der Kunst unter allen Werken des Altertums, welche der Zerstörung entgangen sind. Der Künstler hat dieses Werk gänzlich auf das Ideal gebaut, und nur ebensoviel von Materie dazu genommen, als nötig war, seine Absicht auszuführen und sichtbar zu machen.   5

Dieser Apollo übertrifft alle anderen Bilder so weit, als der Apollo des Homerus den, welchen die folgenden Dichter malen. Über die Menschheit erhaben ist sein Wuchs, und seine Stellung zeugt von der ihn erfüllenden Größe. Ein ewiger Frühling, wie in dem glücklichen Elysium, bekleidet die reizende Männlichkeit voll-   10 kommener Jahre mit gefälliger Jugend und spielt mit sanften Zärtlichkeiten auf dem stolzen Gebäude seiner Glieder.

Geh mit deinem Geist in das Reich unkörperlicher Schönheiten, und versuch, ein Schöpfer einer himmlischen Natur zu werden, um den Geist mit Schönheiten, die sich über die Natur erheben, zu er-   15 füllen: denn hier ist nichts Sterbliches, noch was die menschliche Dürftigkeit erfordert. Keine Adern noch Sehnen erhitzen und regen diesen Körper, sondern ein himmlischer Geist, der sich wie

---

8 *erhaben* elevated; *zeugen* testify   12 *Gebäude* structure
10 *Elysium* the heaven of the Greeks   17 *Dürftigkeit* inadequacy

ein sanfter Strom ergossen, hat gleichsam die ganze Umschreibung
20 dieser Figur erfüllt.

Er hat den Python, wider welchen er zuerst seinen Bogen gebraucht, verfolgt, und sein mächtiger Schritt hat ihn erreicht und
erlegt. Von der Höhe seiner Genügsamkeit geht sein erhabener
Blick, wie ins Unendliche, weit über seinen Sieg hinaus; Verachtung
25 sitzt auf seinen Lippen, und der Unmut, welchen er in sich zieht,
bläht sich in den Nüstern seiner Nase und tritt bis in die stolze
Stirn hinauf. Aber der Friede, welcher in einer seligen Stille auf
derselben schwebt, bleibt ungestört, und sein Auge ist voll Süßig-
keit, wie unter den Musen, die ihn zu umarmen suchen.

30 In allen uns übrigen Bildern des Vaters der Götter, welche die
Kunst verehrt, nähert er sich nicht der Größe, in welcher er sich
dem Verstande des göttlichen Dichters offenbarte, wie hier in dem
Gesichte des Sohnes, und die einzelnen Schönheiten der übrigen
Götter treten hier, wie bei der Pandora, in Gemeinschaft zusammen.
35 Eine Stirn des Jupiter, die mit der Göttin der Weisheit schwanger
ist, und Augenbrauen, die durch ihr Winken ihren Willen erklären;
Augen der Königin der Göttinnen mit Großheit gewölbt, und ein
Mund, welcher denjenigen bildet, der dem geliebten Bacchus die
Wollüste eingeflößt. Sein weiches Haar spielt, wie die zarten und
40 flüssigen Schlingen edler Weinreben, gleichsam von einer sanften
Luft bewegt, um dieses göttliche Haupt: es scheint gesalbt mit
dem Öle der Götter und von den Grazien mit holder Pracht auf
seinem Scheitel gebunden.

Ich vergesse alles andere über dem Anblicke dieses Wunderwerkes
45 der Kunst, und nehme selbst einen erhabenen Stand an, um mit

---

19 *Umschreibung* here: outline
21 The python was a dragon which
   Apollo slew at Delphi.
23 *erlegen* slay; *Genügsamkeit* self-
   sufficiency, poise; *erhaben* sublime
26 *sich blähen* swell
30 *Vater* i.e. Zeus or Jupiter; Apollo
   was his son.
32 *offenbaren* reveal
34 *Pandora* the first mortal woman,
   whom the gods endowed with every
   charm
35 *Göttin der Weisheit* Athena, goddess

of wisdom, sprang full-grown from
the head of Zeus; *schwanger* pregnant
36 *Winken* i.e. the expression of the eyebrows indicates a beckoning
37 *Königin der Göttinnen* Hera, wife of
   Zeus, queen of heaven
38 *welcher denjenigen bildet* i.e. it is the
   same mouth as that of Bacchus
   (god of wine)
39 *Wollust* pleasure
40 *Schlinge* tendril
42 *Grazien* Graces
45 *erhaben* dignified

Würdigkeit anzuschauen. Mit Verehrung scheint sich meine Brust
zu erweitern und zu erheben, wie diejenigen, die ich wie vom Geiste
der Weissagung geschwellt sehe, und ich fühle mich weggerückt
nach Delos und in die Lycischen Haine, Orte, welche Apollo mit
seiner Gegenwart beehrte; denn mein Bild scheint Leben und   50
Bewegung zu bekommen, wie des Pygmalion Schönheit. Wie ist
es möglich, es zu malen und zu beschreiben! Die Kunst selbst
müßte mir raten und die Hand leiten, die ersten Züge, welche ich
hier entworfen habe, künftig auszuführen. Ich lege den Begriff,
welchen ich von diesem Bilde gegeben habe, zu dessen Füßen, wie   55
die Kränze derjenigen, die das Haupt der Gottheiten, welche sie
krönen wollten, nicht erreichen konnten.

117

WAS IST AUFKLÄRUNG?

IMMANUEL KANT (1724–1804)

For a sketch of Kant's life and personality see § 32. The following essay,
reprinted here in abridged form, was written in 1784. It is a statement of
the ideals of the *Aufklärung* by a thinker who was of the movement and
who helped to overcome it.

Aufklärung ist der Ausgang des Menschen aus seiner selbst-
verschuldeten Unmündigkeit. Unmündigkeit ist das Unvermögen,
sich seines Verstandes ohne Leitung eines andern zu bedienen.

[46] *Würdigkeit* due respect
[47] *diejenigen* i.e. *Brüste*
[48] *Weissagung* prophecy; *weg-rücken* transport
[49] *Delos* an island in the Aegean, birthplace of Apollo and a center of his worship. The Lycian groves in Athens were dedicated to Apollo.
[51] *Pygmalion* Pygmalion made and fell in love with a statue which the gods, acceding to his prayer, brought to life for him.
[53] *Züge* lines
[54] *entwerfen* sketch
[55] *dessen* i.e. of the statue itself

[1] *Ausgang* emergence; *selbstverschuldet* self-incurred
[2] *Unmündigkeit* minority (in age), i.e. immaturity

Selbstverschuldet ist diese Unmündigkeit, wenn die Ursache der-
5 selben nicht am Mangel des Verstandes, sondern der Entschließung
und des Mutes liegt, sich seiner ohne Leitung eines andern zu bedienen. Sapere aude! Habe Mut dich deines eigenen Verstandes
zu bedienen! ist also der Wahlspruch der Aufklärung.

Faulheit und Feigheit sind die Ursachen, warum ein so großer
10 Teil der Menschen, nachdem sie die Natur längst von fremder
Leitung frei gesprochen, dennoch gerne zeitlebens unmündig bleiben; und warum es andern so leicht wird, sich zu deren Vormündern
aufzuwerfen. Es ist so bequem, unmündig zu sein. Habe ich ein
Buch, das für mich Verstand hat, einen Seelsorger, der für mich
15 Gewissen hat, einen Arzt, der für mich die Diät beurteilt, u.s.w.,
so brauche ich mich ja nicht selbst zu bemühen. Ich habe nicht
nötig zu denken, wenn ich nur bezahlen kann; andere werden das
verdrießliche Geschäft schon für mich übernehmen. Daß der bei
weitem größte Teil der Menschen, (darunter das ganze schöne Ge-
20 schlecht), den Schritt zur Mündigkeit, außerdem daß er beschwerlich ist, auch für sehr gefährlich halte, dafür sorgen schon jene
Vormünder, die die Oberaufsicht über sie gütigst auf sich genommen
haben. Nachdem sie ihr Hausvieh zuerst dumm gemacht haben
und sorgfältig verhüteten, daß diese ruhigen Geschöpfe ja keinen
25 Schritt außer dem Gängelwagen, darin sie sie einsperrten, wagen
durften, so zeigen sie ihnen nachher die Gefahr, die ihnen droht,
wenn sie es versuchen, allein zu gehen. Nun ist diese Gefahr zwar
eben so groß nicht, denn sie würden durch einigemal Fallen wohl
endlich gehen lernen; allein ein Beispiel von der Art macht doch
30 schüchtern und schreckt gemeiniglich von allen ferneren Versuchen
ab.

Es ist also für jeden einzelnen Menschen schwer, sich aus der
ihm beinahe zur Natur gewordenen Unmündigkeit herauszuarbeiten.
Er hat sie sogar liebgewonnen und ist vorderhand wirklich unfähig,

---

6 *seiner* i.e. *des Verstandes*
7 *sapere aude* dare to know
8 *Wahlspruch* slogan
11 *zeitlebens* all their life
12 *Vormund* trustee
13 *sich auf-werfen* set oneself up
14 *Seelsorger* spiritual adviser
18 *verdrießlich* annoying
20 *beschwerlich* difficult

22 *Oberaufsicht* supervision
23 *Hausvieh* domestic animals; here:
children; *dumm* tame (Biblical
usage)
25 *Gängelwagen* go-cart; *darin = worin*
30 *schüchtern* timid; *gemeiniglich* commonly
34 *vorderhand* at present

sich seines eigenen Verstandes zu bedienen, weil man ihn niemals 33
den Versuch davon machen ließ. Satzungen und Formeln, diese
mechanischen Werkzeuge eines vernünftigen Gebrauchs oder vielmehr Mißbrauchs seiner Naturgaben, sind die Fußschellen einer
immerwährenden Unmündigkeit. Wer sie auch abwürfe, würde
dennoch auch über den schmalsten Graben einen nur unsicheren 40
Sprung tun, weil er zu dergleichen freier Bewegung nicht gewöhnt
ist. Daher gibt es nur wenige, denen es gelungen ist, durch eigene
Bearbeitung ihres Geistes sich aus der Unmündigkeit heraus-
zuwickeln und dennoch einen sicheren Gang zu tun.

Zu dieser Aufklärung aber wird nichts erfordert als Freiheit; und 45
zwar die unschädlichste unter allem, was nur Freiheit heißen mag,
nämlich die: von seiner Vernunft in allen Stücken öffentlichen
Gebrauch zu machen. Nun höre ich aber von allen Seiten rufen: räsoniert nicht! Der Offizier sagt: räsoniert nicht, sondern
exerziert! Der Finanzrat: räsoniert nicht, sondern bezahlt! Der 50
Geistliche: räsoniert nicht, sondern glaubt! (Nur ein einziger
Herr in der Welt sagt: räsoniert, so viel ihr wollt, und worüber
ihr wollt; aber gehorcht!) Hier ist überall Einschränkung der
Freiheit. Welche Einschränkung aber ist der Aufklärung hinderlich,
welche nicht, sondern ihr wohl gar beförderlich? — Ich antworte: 55
Der öffentliche Gebrauch seiner Vernunft muß jederzeit frei sein,
und der allein kann Aufklärung unter Menschen zustande bringen;
der Privatgebrauch derselben aber darf öfters sehr enge eingeschränkt
sein, ohne doch darum den Fortschritt der Aufklärung sonderlich
zu hindern. Ich verstehe aber unter dem öffentlichen Gebrauche 60
seiner eigenen Vernunft denjenigen, den jemand als Gelehrter von
ihr vor dem ganzen Publikum der Leserwelt macht. Den Privatgebrauch nenne ich denjenigen, den er in einem gewissen ihm an-
vertrauten bürgerlichen Posten oder Amte von seiner Vernunft
machen darf. Nun ist zu manchen Geschäften, die in das Interesse 65

---

³⁶ *Satzung* precept
³⁸ *Fußschelle* shackle
³⁹ *immerwährend* permanent
⁴³ *Bearbeitung* cultivation; *sich heraus-
wickeln* extricate oneself
⁴⁷ *in allen Stücken* in every way
⁴⁹ *räsonieren* reason, argue
⁵⁰ *exerzieren* drill; *Finanzrat* financier
⁵¹ *Geistliche* clergyman

⁵² *Herr* i.e. Frederick the Great, noted
for his intellectual toleration
⁵³ *Einschränkung* limitation
⁵⁵ *beförderlich* advantageous
⁵⁹ *sonderlich = besonders*
⁶³ *an-vertrauen* entrust
⁶⁵*ff* The sense is: In certain matters of
national policy it is not possible to
go on debating the issues indefi-

des gemeinen Wesens laufen, ein gewisser Mechanism notwendig,
vermittelst dessen einige Glieder des gemeinen Wesens sich bloß
passiv verhalten müssen, um durch eine künstliche Einhelligkeit
von der Regierung zu öffentlichen Zwecken gerichtet oder wenigstens
70 von der Zerstörung dieser Zwecke abgehalten zu werden. Hier ist
es nun freilich nicht erlaubt zu räsonieren; sondern man muß
gehorchen. Sofern sich aber dieser Teil der Maschine zugleich als
Glied eines ganzen gemeinen Wesens, ja sogar der Weltbürgergesellschaft ansieht, mithin in der Qualität eines Gelehrten, der
75 sich an ein Publikum im eigentlichen Verstande durch Schriften
wendet, kann er allerdings räsonieren, ohne daß dadurch die Geschäfte leiden, zu denen er zum Teile als passives Glied angesetzt
ist. So würde es sehr verderblich sein, wenn ein Offizier, dem von
seinen Oberen etwas anbefohlen wird, im Dienste über die Zweck-
80 mäßigkeit oder Nützlichkeit dieses Befehls laut vernünfteln wollte;
er muß gehorchen. Es kann ihm aber billigermaßen nicht verwehrt
werden, als Gelehrter über die Fehler im Kriegesdienste Anmerkun-
gen zu machen und diese seinem Publikum zur Beurteilung vorzu-
legen. Der Bürger kann sich nicht weigern, die ihm auferlegten
85 Abgaben zu leisten; sogar kann ein vorwitziger Tadel solcher Auf-
lagen, wenn sie von ihm geleistet werden sollen, als ein Skandal,
(das allgemeine Widersetzlichkeiten veranlassen könnte), bestraft
werden. Ebenderselbe handelt demohngeachtet der Pflicht eines
Bürgers nicht entgegen, wenn er als Gelehrter wider die Unschick-
90 lichkeit oder auch Ungerechtigkeit solcher Ausschreibungen öffentlich seine Gedanken äußert. Ebenso ist ein Geistlicher verbunden,

nitely, but the government must
act. In such cases the private
citizen must remain passive and
let the government make the decision and act on it.
66 *das gemeine Wesen* the commonwealth or state; *Mechanism* older
form of *Mechanismus*
67 *vermittelst* by means of
68 *künstliche Einhelligkeit* artificial ac-
cord
73 *Weltbürgergesellschaft* cosmopolitan
society
74 *mithin* accordingly
75 *im eigentlichen Verstande* in the
proper sense of the word
77 *an-setzen* affix, attach
78 *verderblich* harmful
79 *Zweckmäßigkeit* appropriateness
80 *vernünfteln* subtilize, reason pedan-
tically
81 *billigermaßen* properly
84 *auf-erlegen* impose
85 *Abgabe* tribute, tax; *vorwitzig* smart-
alecky
87 *Widersetzlichkeit* insubordination
88 *demohngeachtet* = *demungeachtet*
nevertheless
89 *Unschicklichkeit* impropriety
90 *Ausschreibung* order
91 *verbunden* obliged

seinen Katechismusschülern und seiner Gemeinde nach dem Symbol
der Kirche, der er dient, seinen Vortrag zu tun, denn er ist auf diese
Bedingung angenommen worden. Aber als Gelehrter hat er volle
Freiheit, ja sogar den Beruf dazu, alle seine sorgfältig geprüften 95
und wohlmeinenden Gedanken über das Fehlerhafte in jenem Symbol
und Vorschläge wegen besserer Einrichtung des Religions- und
Kirchenwesens dem Publikum mitzuteilen. Es ist hiebei auch
nichts, was dem Gewissen zur Last gelegt werden könnte.

Wenn denn nun gefragt wird: leben wir jetzt in einem aufgeklärten 100
Zeitalter? so ist die Antwort: Nein, aber wohl in einem Zeitalter
der Aufklärung. Daß die Menschen, wie die Sachen jetzt stehen,
im ganzen genommen, schon imstande wären, oder darin auch nur
gesetzt werden könnten, in Religionsdingen sich ihres eigenen Verstandes ohne Leitung eines andern sicher und gut zu bedienen, 105
daran fehlt noch sehr viel. Allein daß jetzt ihnen doch das Feld
geöffnet wird, sich dahin frei zu bearbeiten, und die Hindernisse
der allgemeinen Aufklärung allmählich weniger werden, davon
haben wir doch deutliche Anzeigen. In diesem Betracht ist dieses
Zeitalter das Zeitalter der Aufklärung, oder das Jahrhundert Fried- 110
richs.

Ein Fürst, der es seiner nicht unwürdig findet, zu sagen: daß er
es für Pflicht halte, in Religionsdingen den Menschen nichts vor-
zuschreiben, sondern ihnen darin volle Freiheit zu lassen, der also
selbst den hochmütigen Namen der Toleranz von sich ablehnt, ist 115
selbst aufgeklärt und verdient von der dankbaren Welt und Nachwelt als derjenige gepriesen zu werden, der zuerst das menschliche
Geschlecht der Unmündigkeit wenigstens von Seiten der Regierung
entschlug und jedem frei ließ, sich in allem, was Gewissensangelegenheit ist, seiner eigenen Vernunft zu bedienen. 120

---

[93] *Vortrag tun* expound
[97] *Einrichtung* organization
[98] *Wesen* matters
[107] *sich bearbeiten* exercise themselves
[109] *Anzeige* indication; *Betracht* respect
[110] *Friedrich* i.e. Frederick the Great

[115] *hochmütig* arrogant; *ab-lehnen* decline
[116] *Nachwelt* posterity
[118] *von Seiten* on the part
[119] *entschlagen* release; *Angelegenheit*
matter

118

DIE NATUR

Johann Wolfgang von Goethe (1749–1832)

It is now generally assumed that this magnificent rhapsody on nature was not written by Goethe, but by Georg Christoph Tobler. But Goethe read the manuscript, made corrections on it and, as he pointed out many years later, approved its basic pantheistic position. The "Fragment" (as it was called) appeared in the *Tierfurter Journal* in 1783. It is included in all editions of Goethe's works.

Natur! Wir sind von ihr umgeben und umschlungen — unvermögend aus ihr herauszutreten, und unvermögend tiefer in sie hineinzukommen. Ungebeten und ungewarnt nimmt sie uns in den Kreislauf ihres Tanzes auf und treibt sich mit uns fort, bis wir
5 ermüdet sind und ihrem Arme entfallen.

Sie schafft ewig neue Gestalten; was da ist war noch nie, was war kommt nicht wieder — Alles ist neu und doch immer das Alte.

Wir leben mitten in ihr und sind ihr fremde. Sie spricht unaufhörlich mit uns und verrät uns ihr Geheimnis nicht. Wir wirken
10 beständig auf sie und haben doch keine Gewalt über sie.

Sie scheint alles auf Individualität angelegt zu haben und macht sich nichts aus den Individuen. Sie baut immer und zerstört immer und ihre Werkstätte ist unzugänglich.

Sie lebt in lauter Kindern, und die Mutter, wo ist sie? — Sie ist
15 die einzige Künstlerin: aus dem simpelsten Stoffe zu den größten Kontrasten: ohne Schein der Anstrengung zu der größten Vollendung — zur genausten Bestimmtheit immer mit etwas Weichem überzogen. Jedes ihrer Werke hat ein eigenes Wesen, jede ihrer

---

4 *Kreislauf* orbit; *sich fort-treiben* move on   care for
11 *angelegt* intended; *sich machen aus*   14 *lauter* sheer, nothing but
                                                  18 *überzogen* covered

Erscheinungen den isoliertesten Begriff und doch macht alles eins
aus.   20

Sie spielt ein Schauspiel: ob sie es selbst sieht, wissen wir nicht,
und doch spielt sie's für uns, die wir in der Ecke stehen.

Es ist ein ewiges Leben, Werden und Bewegen in ihr und doch
rückt sie nicht weiter. Sie verwandelt sich ewig und ist kein Moment Stillestehen in ihr. Fürs Bleiben hat sie keinen Begriff und   25
ihren Fluch hat sie ans Stillestehen gehängt. Sie ist fest. Ihr Tritt
ist gemessen, ihre Ausnahmen selten, ihre Gesetze unwandelbar.

Gedacht hat sie und sinnt beständig; aber nicht als ein Mensch,
sondern als Natur. Sie hat sich einen eigenen allumfassenden Sinn
vorbehalten, den ihr niemand abmerken kann.   30

Die Menschen sind all in ihr und sie in allen. Mit allen treibt
sie ein freundliches Spiel, und freut sich, je mehr man ihr abgewinnt.
Sie treibt's mit vielen so im verborgenen, daß sie's zu Ende spielt,
ehe sie's merken.

Auch das Unnatürlichste ist Natur. Wer sie nicht allenthalben   35
sieht, sieht sie nirgendwo recht.

Sie liebet sich selber und haftet ewig mit Augen und Herzen ohne
Zahl an sich selbst. Sie hat sich auseinander gesetzt um sich selbst
zu genießen. Immer läßt sie neue Genießer erwachsen, unersättlich
sich mitzuteilen.   40

Sie freut sich an der Illusion. Wer diese in sich und andern zerstört, den straft sie als der strengste Tyrann. Wer ihr zutraulich
folgt, den drückt sie wie ein Kind an ihr Herz.

Ihre Kinder sind ohne Zahl. Keinem ist sie überall karg, aber
sie hat Lieblinge, an die sie viel verschwendet und denen sie viel   45
aufopfert. Ans Große hat sie ihren Schutz geknüpft.

Sie spritzt ihre Geschöpfe aus dem Nichts hervor, und sagt ihnen
nicht, woher sie kommen und wohin sie gehen. Sie sollen nur laufen;
die Bahn kennt sie.

Sie hat wenige Triebfedern, aber nie abgenutzte, immer wirksam, 50
immer mannigfaltig.

Ihr Schauspiel ist immer neu, weil sie immer neue Zuschauer

---

[19] *Erscheinung* phenomenon   [38] *auseinander-setzen* analyze
[24] *ist = es ist*   [47] *hervor-spritzen* spurt out
[30] *sich vorbehalten* reserve for oneself;   [50] *Triebfeder* mainspring;   *abgenutzt*
     abmerken learn by observation   worn out
[35] *allenthalben* everywhere

schafft. Leben ist ihre schönste Erfindung, und der Tod ist ihr
Kunstgriff viel Leben zu haben.

55 Sie hüllt den Menschen in Dumpfheit ein und spornt ihn ewig
zum Lichte. Sie macht ihn abhängig zur Erde, träg und schwer
und schüttelt ihn immer wieder auf.

Sie gibt Bedürfnisse, weil sie Bewegung liebt. Wunder, daß sie
alle diese Bewegung mit so wenigem erreichte. Jedes Bedürfnis ist
60 Wohltat. Schnell befriedigt, schnell wieder erwachsend. Gibt sie
eins mehr, so ist's ein neuer Quell der Lust. Aber sie kommt bald
ins Gleichgewicht.

Sie setzt alle Augenblicke zum längsten Lauf an und ist alle Augenblicke am Ziel.

65 Sie ist die Eitelkeit selbst; aber nicht für uns, denen sie sich zur
größten Wichtigkeit gemacht hat.

Sie läßt jedes Kind an sich künsteln, jeden Toren über sich richten,
tausend stumpf über sich hingehen und nichts sehen, und hat an
allen ihre Freude und findet bei allen ihre Rechnung.

70 Man gehorcht ihren Gesetzen, auch wenn man ihnen widerstrebt;
man wirkt mit ihr, auch wenn man gegen sie wirken will.

Sie macht alles, was sie gibt, zur Wohltat, denn sie macht es erst
unentbehrlich. Sie säumet, daß man sie verlange, sie eilet, daß
man sie nicht satt werde.

75 Sie hat keine Sprache noch Rede, aber sie schafft Zungen, und
Herzen, durch die sie fühlt und spricht.

Ihre Krone ist die Liebe. Nur durch sie kommt man ihr nahe.
Sie macht Klüfte zwischen allen Wesen und alles will sich verschlingen. Sie hat alles isoliert, um alles zusammenzuziehen. Durch
80 ein paar Züge aus dem Becher der Liebe hält sie für ein Leben voll
Mühe schadlos.

Sie ist alles. Sie belohnt sich selbst und bestraft sich selbst, erfreut und quält sich selbst. Sie ist rauh und gelinde, lieblich und
schrecklich, kraftlos und allgewaltig. Alles ist immer da in ihr.
85 Vergangenheit und Zukunft kennt sie nicht. Gegenwart ist ihr
Ewigkeit. Sie ist gütig. Ich preise sie mit allen ihren Werken.

---

54 *Kunstgriff* device
55 *Dumpfheit* insensibility, torpor
63 *an-setzen* get set (to run)
67 *künsteln* play around, toy (like a dil-
ettante)

68 *über sich hingehen* walk over her
69 *die Rechnung finden* reap advantage
78 *sich verschlingen* i.e. interact
80 *hält schadlos* keeps (one) unharmed

Sie ist weise und still. Man reißt ihr keine Erklärung vom Leibe, trutzt ihr kein Geschenk ab, das sie nicht freiwillig gibt. Sie ist listig, aber zu gutem Ziele, und am besten ist's, ihre List nicht zu merken. 90

Sie ist ganz und doch immer unvollendet. So wie sie's treibt, kann sie's immer treiben.

Jedem erscheint sie in einer eigenen Gestalt. Sie verbirgt sich in tausend Namen und Termen und ist immer dieselbe.

Sie hat mich hereingestellt, sie wird mich auch herausführen. 95 Ich vertraue mich ihr. Sie mag mit mir schalten. Sie wird ihr Werk nicht hassen. Ich sprach nicht von ihr. Nein, was wahr ist und was falsch ist, alles hat sie gesprochen. Alles ist ihre Schuld, alles ist ihr Verdienst.

119

LEHRBRIEF

From Book 7 of *Wilhelm Meisters Lehrjahre* (1795). The *Lehrbrief* (= indentures) was given to an apprentice when he set out on his travels as a journeyman (*Geselle*) as a certificate of satisfactory performance. The following *Lehrbrief* is a collection of aphorisms on life and art.

Die Kunst ist lang, das Leben kurz, das Urteil schwierig, die Gelegenheit flüchtig. Handeln ist leicht, denken schwer; nach dem Gedachten handeln unbequem. Aller Anfang ist heiter, die Schwelle ist der Platz der Erwartung. Der Knabe staunt, der Eindruck bestimmt ihn. Die Nachahmung ist uns angeboren, das 5 Nachzuahmende wird nicht leicht erkannt. Selten wird das Treffliche gefunden, seltener geschätzt. Die Höhe reizt uns, nicht die Stufen; den Gipfel im Auge, wandeln wir gerne auf der Ebene.

---

88 *ab-trutzen* (or *trotzen*) win by de-
    fiance
95 *hereingestellt* i.e. into the world
96 *schalten* command

3 *heiter* cheerful
4 *Schwelle* threshold
5 *angeboren* innate
6 *Nachzuahmende* that which is to be
    imitated; *trefflich* excellent

Nur ein Teil der Kunst kann gelehrt werden, der Künstler braucht
10 sie ganz. Wer sie halb kennt, ist immer irre und redet viel; wer
sie ganz besitzt, mag nur tun und redet selten oder spät. Jene
haben keine Geheimnisse und keine Kraft, ihre Lehre ist wie ge-
backenes Brot, schmackhaft und sättigend für einen Tag; aber
Mehl kann man nicht säen, und die Saatfrüchte sollen nicht ver-
15 mahlen werden. Die Worte sind gut, sie sind aber nicht das Beste.
Das Beste wird nicht deutlich durch Worte. Der Geist, aus dem
wir handeln, ist das Höchste. Die Handlung wird nur vom Geiste
begriffen und wieder dargestellt. Niemand weiß, was er tut, wenn
er recht handelt; aber des Unrechten sind wir uns immer bewußt.
20 Wer bloß mit Zeichen wirkt, ist ein Pedant, ein Heuchler oder ein
Pfuscher. Es sind ihrer viel, und es wird ihnen wohl zusammen.
Ihr Geschwätz hält den Schüler zurück, und ihre beharrliche Mittelmäßigkeit ängstigt die Besten. Des echten Künstlers Lehre schließt
den Sinn auf; denn wo die Worte fehlen, spricht die Tat. Der
25 echte Schüler lernt aus dem Bekannten das Unbekannte entwickeln
und nähert sich dem Meister.

120

ÜBER DEN MÜSSIGGANG

FRIEDRICH SCHLEGEL (1772–1829)

Schlegel was one of the leaders of the romantic movement in Germany. His
writings were chiefly in the fields of criticism and aesthetics. He also left an
unfinished novel *Lucinde* (1799), from which the following essay is taken.
The argument is that man is happiest in a passive, vegetative existence,
when his intellect is dormant and he lives by his instincts, like an animal.
This is the central doctrine of romanticism, known as "primitivism," most
strikingly formulated by Rousseau in 1750 in his first, prize-winning essay.
Schlegel advances his thesis in a playful, exaggerated form; but the thesis
is an important one in modern thought.

10 *irre* astray
14 *Saatfrucht* seed grain
20 *Heuchler* hypocrite
21 *Pfuscher* bungler; *es wird ihnen wohl*
    they feel well

22 *Geschwätz* chatter; *beharrliche Mittel-
    mäßigkeit* persistent mediocrity

Müßiggang idleness

„Siehe, ich lernte von selbst, und ein Gott hat mancherlei Weisen
mir in die Seele gepflanzt." So darf ich kühnlich sagen, wenn nicht
von der fröhlichen Wissenschaft der Poesie die Rede ist, sondern
von der gottähnlichen Kunst der Faulheit. Mit wem sollte ich
also lieber über den Müßiggang denken und reden, als mit mir   5
selbst? Und so sprach ich denn auch in jener unsterblichen Stunde,
da mir der Genius eingab, das hohe Evangelium der echten Lust
und Liebe zu verkündigen, zu mir selbst: „Müßiggang, Müßiggang! Du bist die Lebensluft der Unschuld und der Begeisterung;
dich atmen die Seligen, und selig ist, wer dich hat und hegt, du 10
heiliges Kleinod! einziges Fragment von Gottähnlichkeit, das uns
noch aus dem Paradiese blieb."
Ich saß, da ich so in mir sprach, wie ein nachdenkliches Mädchen
in einer gedankenlosen Romanze am Bach, sah den fliehenden Wellen
nach. Mit dem äußersten Unwillen dachte ich an die schlechten   15
Menschen, welche den Schlaf vom Leben subtrahieren wollen. Sie
haben wahrscheinlich nie geschlafen und auch nie gelebt. Warum
sind denn die Götter Götter, als weil sie mit Bewußtsein und Absicht
nichts tun, weil sie das verstehen und Meister darin sind? Und wie
streben die Dichter, die Weisen und Heiligen auch darin den Göttern 20
ähnlich zu werden! Wie wetteifern sie im Lobe der Einsamkeit, der
Muße und einer liberalen Sorglosigkeit und Untätigkeit! Und mit
großem Recht: denn alles Gute und Schöne ist schon da und erhält
sich durch seine eigne Kraft. Was soll also das unbedingte Streben
und Fortschreiten ohne Stillstand und Mittelpunkt? Kann dieser   25
Sturm und Drang der unendlichen Pflanze der Menschheit, die im
stillen von sich selbst wächst und sich bildet, nährenden Saft oder
schöne Gestaltung geben? Nichts ist es, dieses leere unruhige Treiben, als eine nordische Unart und wirkt auch nichts als Langeweile,
fremde und eigene. Und womit beginnt und endigt es als mit der   30
Antipathie gegen die Welt, die jetzt so gemein ist? Der unerfahrene

---

[1] *siehe* behold
[7] *ein-geben* inspire; *Evangelium* gospel
[10] *hegen* cherish
[11] *Kleinod* jewel
[13] *nachdenklich* pensive
[14] *Romanze* novel
[15] *Unwille* displeasure
[21] *wetteifern* compete

[22] *liberal* free
[24] *unbedingt* absolute
[26] *Sturm und Drang* storm and stress
[29] *nordisch* The northern races are supposedly more restless and active,
"Faustian," than the Mediterranean peoples. Cf. §9. *wirken*
produce

Eigendünkel ahnt gar nicht, daß dies nur Mangel an Sinn und Verstand sei, und hält es für hohen Unmut über die allgemeine Häßlich-
keit der Welt und des Lebens, von denen er doch noch nicht einmal
35 das leiseste Vorgefühl hat. Er kann es nicht haben, denn der Fleiß
und der Nutzen sind die Todesengel mit dem feurigen Schwert,
welche dem Menschen die Rückkehr ins Paradies verwehren. Nur
mit Gelassenheit und Sanftmut, in der heiligen Stille der echten
Passivität kann man sich an sein ganzes Ich erinnern und die Welt
40 und das Leben anschauen. Wie geschieht alles Denken und Dichten,
als daß man sich der Einwirkung irgendeines Genius ganz überläßt
und hingibt? Und doch ist das Sprechen und Bilden nur Nebensache in allen Künsten und Wissenschaften, das Wesentliche ist
das Denken und Dichten, und das ist nur durch Passivität möglich.
45 Freilich ist es eine absichtliche, willkürliche, einseitige, aber doch
Passivität. Je schöner das Klima ist, je passiver ist man. Nur
Italiener wissen zu gehen, und nur die im Orient verstehen zu liegen;
wo hat sich aber der Geist zarter und süßer gebildet als in Indien?
Und unter allen Himmelsstrichen ist es das Recht des Müßiggangs,
50 was Vornehme und Gemeine unterscheidet, und das eigentliche
Prinzip des Adels.

In der Tat, man sollte das Studium des Müßigganges nicht so
sträflich vernachlässigen, sondern es zur Kunst und Wissenschaft,
ja zur Religion bilden! Um alles in eins zu fassen: je göttlicher
60 ein Mensch oder ein Werk des Menschen ist, je ähnlicher werden
sie der Pflanze; diese ist unter allen Formen der Natur die sittlichste
und die schönste. Und also wäre ja das höchste, vollendetste Leben
nichts als ein *reines* Vegetieren.

Endlich, wo ist mehr Genuß und mehr Dauer, Kraft und Geist
des Genusses; bei den Frauen, deren Verhältnis wir Passivität
nennen, oder etwa bei den Männern, bei denen der Übergang von
55 übereilender Wut zur Langeweile schneller ist, als der Übergang
vom Guten zum Bösen?

---

32 *Eigendünkel* conceit	42 *sich hin-geben* give oneself over;
33 *Unmut* displeasure	*bilden* give form
35 *Vorgefühl* adumbration, presenti-	45 *willkürlich* arbitrary
ment	53 *Verhältnis* condition
36 *Schwert* Genesis 3:24	58 *sträflich* criminally
37 *verwehren* prevent	59 *fassen* sum up
38 *Gelassenheit und Sanftmut* calmness	61 *sittlich* well-mannered
and gentleness	63 *vegetieren* vegetate

121

SELBSTDENKEN

Arthur Schopenhauer (1788–1860)

Schopenhauer was a stylist of note. His essays, written as marginalia to his great work *Die Welt als Wille und Vorstellung*, are masterpieces in the genre. The following is from the volume *Parerga und Paralipomena* (Subordinate and Supplementary Writings) and is reprinted here in abridged form.

Wie die zahlreichste Bibliothek, wenn ungeordnet, nicht so viel Nutzen schafft, als eine sehr mäßige, aber wohlgeordnete; ebenso ist die größte Menge von Kenntnissen, wenn nicht eigenes Denken sie durchgearbeitet hat, viel weniger wert, als eine weit geringere, die aber vielfältig durchdacht worden. Denn erst durch das allseitige Kombinieren dessen, was man weiß, durch das Vergleichen jeder Wahrheit mit jeder andern, eignet man sein eignes Wissen sich vollständig an und bekommt es in seine Gewalt. Durchdenken kann man nur, was man weiß; daher man etwas lernen soll: aber man weiß auch nur, was man durchdacht hat.

Im Grunde haben nur die eigenen Grundgedanken Wahrheit und Leben: denn nur sie versteht man recht eigentlich und ganz. Fremde, gelesene Gedanken sind die Überbleibsel eines fremden Mahles, die abgelegten Kleider eines fremden Gastes.

Zum eigenen, in uns aufsteigenden Gedanken verhält der fremde, gelesene, sich wie der Abdruck einer Pflanze der Vorwelt im Stein zur blühenden Pflanze des Frühlings.

Die Leute, die ihr Leben mit Lesen zugebracht und ihre Weisheit aus Büchern geschöpft haben, gleichen denen, welche aus vielen Reisebeschreibungen sich genaue Kunde von einem Lande erworben

---

⁷ *sich an-eignen* make one's own
¹³ *Überbleibsel* remnant

¹⁵ *aufsteigend* originating
¹⁶ *Vorwelt* prehistoric world

haben. Diese können über vieles Auskunft erteilen: aber im Grunde haben sie doch keine zusammenhängende, deutliche, gründliche Kenntnis von der Beschaffenheit des Landes. Hingegen die, welche ihr Leben mit Denken zugebracht haben, gleichen solchen, die selbst
25 in jenem Lande gewesen sind: sie allein wissen eigentlich wovon die Rede ist, kennen die Dinge dort im Zusammenhang und sind wahrhaft darin zu Hause.

Wenn man auch bisweilen eine Wahrheit, eine Einsicht, die man mit vieler Mühe und langsam durch eigenes Denken und Kom-
30 binieren herausgebracht hat, hätte mit Bequemlichkeit in einem Buche ganz fertig vorfinden können; so ist sie doch hundert Mal mehr wert, wenn man sie durch eigenes Denken erlangt hat. Denn nur alsdann tritt sie als lebendiges Glied in das ganze System unserer Gedanken ein, steht mit demselben in vollkommenem und festem
35 Zusammenhange, wird mit allen ihren Gründen und Folgen verstanden, trägt die Farbe, den Farbenton, das Gepräge unserer ganzen Denkweise, ist eben zur rechten Zeit gekommen, als das Bedürfnis derselben rege war, sitzt daher fest und kann nicht wieder verschwinden. Demnach findet hier Goethes Vers:

40   Was du ererbt von deinen Vätern hast,
                Erwirb es, um es zu besitzen,

seine vollkommenste Anwendung, ja, Erklärung. Der Selbstdenker nämlich lernt die Autoritäten für seine Meinungen erst hinterher kennen, wo sie ihm dann bloß zur Bekräftigung derselben und zu
45 eigener Stärkung dienen; während der Bücherphilosoph von ihnen ausgeht, indem er aus fremden zusammengelesenen Meinungen sich ein Ganzes konstruiert, welches alsdann einem aus fremdem Stoff zusammengesetzten Automaten gleicht, jenes andere hingegen einem lebenden erzeugten Menschen. Denn gleich diesem ist es entstanden,
50 indem die Außenwelt den denkenden Geist befruchtete, der danach es austrug und gebar.

Die bloß erlernte Weisheit klebt uns nur an, wie ein angesetztes

---

[23] *Beschaffenheit* quality
[36] *Farbenton* nuance; *Gepräge* stamp
[40] *ererben* inherit
[41] *besitzen* The quotation is from *Faust I*, lines 682–3.
[42] *Anwendung* application

[43] *hinterher* subsequently
[44] *Bekräftigung* confirmation
[49] *erzeugen* procreate
[50] *befruchten* fertilize
[51] *aus-tragen* be pregnant with
[52] *an-setzen* attach

Glied, ein falscher Zahn, eine wächserne Nase, oder höchstens wie
eine rhinoplastische aus fremdem Fleische; die durch eigenes Denken
erworbene aber gleicht dem natürlichen Gliede: sie allein gehört 55
uns wirklich an. Drauf beruht der Unterschied zwischen dem Den-
ker und dem bloßen Gelehrten. Daher sieht der geistige Erwerb
des Selbstdenkens aus, wie ein schönes Gemälde, das lebendig hervortritt, mit richtigem Lichte und Schatten, gehaltenem Ton,
vollkommener Harmonie der Farben. Hingegen gleicht der geistige 60
Erwerb des bloßen Gelehrten einer großen Palette, voll bunter
Farben, allenfalls systematisch geordnet, aber ohne Harmonie,
Zusammenhang und Bedeutung.

122

WAS IST KULTUR?

Friedrich Nietzsche (1844–1900)

Nietzsche began his philosophical life as a disciple of Schopenhauer but
soon discovered that pessimism was alien to his temperament. He therefore became the apostle of the "joyous wisdom," the great affirmer of life,
the Dionysian philosopher. Like Schopenhauer, he was a superb stylist;
every line he wrote is distinguished in imagery and diction. The following
extracts are from his early writings, the last one from the essay *Schopenhauer als Erzieher* (1874).

Kultur ist vor allem Einheit des künstlerischen Stiles in allen
Lebensäußerungen eines Volkes. Vieles Wissen und Gelernthaben
ist aber weder ein notwendiges Mittel der Kultur, noch ein Zeichen
derselben und verträgt sich nötigenfalls auf das beste mit dem
Gegensatze der Kultur, der Barbarei, das heißt: der Stillosigkeit 5
oder dem chaotischen Durcheinander aller Stile.

---

53 *wächsern* waxen
54 *rhinoplastisch* acquired through plas-
   tic surgery
59 *gehalten* sustained
62 *allenfalls* at best

2 *Lebensäußerung* expression of life
4 *sich vertragen* be compatible; *nötigenfalls* at a pinch
6 *Durcheinander* confusion

*

Ich mache mir aus einem Philosophen gerade soviel, als er imstande ist ein Beispiel zu geben. Daß er durch das Beispiel ganze
Völker nach sich ziehen kann, ist kein Zweifel; die indische Ge-
10 schichte, die beinahe die Geschichte der indischen Philosophie ist,
beweist es. Aber das Beispiel muß durch das sichtbare Leben
und nicht bloß durch Bücher gegeben werden, also dergestalt, wie
die Philosophen Griechenlands lehrten, durch Miene, Haltung,
Kleidung, Speise, Sitte, mehr als durch Sprechen oder gar Schreiben.
15 Was fehlt uns noch alles zu dieser mutigen Sichtbarkeit eines philo-
sophischen Lebens in Deutschland! Ganz allmählich befreien sich
hier die Leiber, wenn die Geister längst befreit scheinen; und doch
ist es nur ein Wahn, daß ein Geist frei und selbständig sei, wenn
diese errungene Unumschränktheit nicht durch jeden Blick und
20 Schritt von früh bis Abend neu bewiesen wird.

Heute darf es niemand wagen, das Gesetz der Philosophie an
sich zu erfüllen, niemand lebt philosophisch, mit jener einfachen
Mannestreue, die einen Alten zwang, wo er auch war, was er auch
trieb, sich als Stoiker zu gebärden, falls er der Stoa einmal Treue
25 zugesagt hatte. Alles moderne Philosophieren ist politisch und
polizeilich, durch Regierungen, Kirchen, Akademien, Sitten und
Feigheiten der Menschen auf den gelehrten Anschein beschränkt.
Ja, man denkt, schreibt, druckt, spricht, lehrt philosophisch — so
weit ist ungefähr alles erlaubt; nur im Handeln, im sogenannten
30 Leben ist es anders: da ist immer nur eins erlaubt und alles andere
einfach unmöglich. Sind das noch Menschen, fragt man sich dann,
oder vielleicht nur Denk-, Schreib- und Rechenmaschinen?

*

Es gibt drei Bilder des Menschen, welche unsere neuere Zeit hinter-
einander aufgestellt hat: das ist der Mensch Rousseaus, der Mensch
35 Goethes und endlich der Mensch Schopenhauers. Von diesen hat
das erste Bild das größte Feuer und ist der populärsten Wirkung

---

7 *sich machen aus* value
12 *dergestalt* in such a way
13 *Haltung* bearing
15 *Sichtbarkeit* visibility
19 *erringen* win (after a struggle); *Un-
    umschränktheit* liberty
23 *Alten* i.e. a Greek or Roman

24 *sich gebärden* gesture, act; *Stoa* i.e.
    the Stoic system
25 *zu-sagen* promise
27 *Anschein* appearance
33 *neuer* modern
36 *Feuer* i.e. power of inspiration

gewiß; das zweite ist nur für wenige gemacht, nämlich für die, welche beschauliche Naturen im großen Stile sind, und wird von der Menge mißverstanden. Das dritte fordert die tätigsten Menschen als seine Betrachter: nur diese werden es ohne Schaden ansehen; denn die Beschaulichen erschlafft es und die Menge schreckt es ab. Von dem ersten ist eine Kraft ausgegangen, welche zu ungestümen Revolutionen drängte und noch drängt; denn bei allen sozialistischen Erzitterungen und Erdbeben ist es immer noch der Mensch Rousseaus, welcher sich bewegt, wie der alte Typhon unter dem Ätna.

Der Mensch Goethes ist keine so bedrohliche Macht, ja in einem gewissen Verstande sogar das Korrektiv und Quietiv gerade jener gefährlichen Aufregungen, denen der Mensch Rousseaus preisgegeben ist. Der Mensch Goethes haßt jedes Gewaltsame, jeden Sprung — das heißt aber: jede Tat. Er ist, wie ich sagte, der beschauliche Mensch im hohen Stile, der nur dadurch auf der Erde nicht verschmachtet, daß er alles Große und Denkwürdige, was je da war und noch ist, zu seiner Ernährung zusammenbringt unter der Gefahr, daß er zum Philister entarten kann, wie der Mensch Rousseaus leicht zum Catilinarier werden kann. Ein wenig mehr Muskelkraft und natürliche Wildheit bei jenem, und alle seine Tugenden würden größer sein. Es scheint, daß Goethe wußte, worin die Gefahr und Schwäche seines Menschen liege, und er deutet es mit den Worten Jarnos an Wilhelm Meister an: „Sie sind verdrießlich und bitter, das ist schön und gut; wenn Sie nur einmal recht böse werden, so wird es noch besser sein."

Also, unverhohlen gesprochen: es ist nötig, daß wir einmal recht

---

37 Nietzsche's conception of Goethe as a contemplative and Schopenhauer as an active man is wrong, as any student of the two men knows. The source of the error is simple; Nietzsche was for a "living" philosophy; at this time he was also a disciple of Schopenhauer. So he conceived of Schopenhauer's philosophy as an activist doctrine.

38 *beschaulich* contemplative

41 *erschlaffen* weaken

42 *ungestüm* violent

44 *Erdbeben* earthquake

45 *Typhon* a monster whom Zeus sub-

dued and buried under Mount Aetna

47 *bedrohlich* threatening

48 *Verstand* sense

49 *preis-geben* deliver

52 *verschmachten* languish

53 *denkwürdig* memorable

55 *Philister* philistine, babbitt, lowbrow

56 *Catilinarier* assassin; after the Roman conspirator Catiline

57 *jenem* i.e. the Goethe type

60 *Jarno* a character in Goethe's novel *Wilhelm Meister*

61 *böse* angry

63 *unverhohlen* i.e. frankly

böse werden, damit es besser wird. Und hierzu soll uns das Bild
65 des Schopenhauerischen Menschen ermutigen. Der Schopen-
hauerische Mensch nimmt das freiwillige Leiden der Wahrhaftigkeit
auf sich, und dieses Leiden dient ihm, seinen Eigenwillen zu ertöten
und jene völlige Umwälzung und Umkehrung seines Wesens vor-
zubereiten, zu der zu führen der eigentliche Sinn des Lebens ist.
70 Dieses Heraussagen des Wahren erscheint den anderen Menschen
als Ausfluß der Bosheit, denn sie halten die Konservierung ihrer
Halbheiten und Flausen für eine Pflicht der Menschheit, und meinen,
man müsse böse sein, um ihnen also ihr Spielwerk zu zerstören.
Aber es gibt eine Art zu zerstören, welche gerade der Ausfluß jener
75 mächtigen Sehnsucht nach Heiligung und Errettung ist, als deren
erster philosophischer Lehrer Schopenhauer unter uns entheiligte
und verweltlichte Menschen trat. Alles Dasein, welches verneint
werden kann, verdient es auch verneint zu werden; und wahrhaftig
sein heißt: an ein Dasein zu glauben, welches überhaupt nicht
80 verneint werden könnte und welches selber wahr und ohne Lüge ist.

123

WERT UND EHRE DEUTSCHER SPRACHE

HUGO VON HOFMANNSTHAL (1874–1929)

Hugo von Hofmannsthal was one of the foremost men of letters of his age.
A lyric poet of exquisite sensibility, he is best remembered for his dramas
and librettos written for Richard Strauss's operas (*Der Rosenkavalier,
Ariadne auf Naxos, Arabella*). He was also an essayist, critic, and anthol-
ogist of rare distinction. The following essay forms the preface to an anthology of writings on the German language compiled by Hofmannsthal.

[68] *Umwälzung* upheaval; *Umkehrung*   [76] *entheiligt* profane
     revolution   [77] *verweltlicht*   worldly;   *verneinen*
[71] *Bosheit* malice   negate
[72] *Halbheit* inadequacy; *Flause* whim

Denkt man über das Geschick und die Beschaffenheit unserer Sprache nach, so tritt dies entgegen: wir haben eine sehr hohe dichterische Sprache und sehr liebliche und ausdrucksstarke Volks- dialekte, von denen die Sprache des Umgangs in allen deutschen Landschaften verschiedentlich angefärbt ist. Woran es uns man- gelt, das ist die mittlere Sprache, nicht zu hoch, nicht zu niedrig, in der sich die Geselligkeit der Volksglieder untereinander auswirkt. Unsere Nachbarn, Nord und Süd, Ost und West, haben sie; wir allein sind ihrer entbehrend. In dieser mittleren Sprache aber faßt sich allezeit das Gesicht einer Nation zusammen; — noch einer nicht mehr gegenwärtigen Nation: die Miene der Römer erkennen wir in den Sprachen, die von der mittleren Römersprache abgeleitet sind. Die deutsche Nation aber hat für den Blick der andern kein Gesicht; davon kommt viel Mißtrauen, Unruhe, Nichtverstehen, geringe Würdigung, ja sogar Haß und Verachtung; aber das muß getragen werden, da es zum Schicksal gehört.

Die mittleren Sprachen der anderen besitzen eine glatte Fügung, in der das einzelne Wort nicht zu wuchtig noch zu grell hervortritt. An den Hörer soll gar nicht das Wort herandringen mit seiner ma- gischen Eigenkraft, sondern die Verbindungen, das in jedem Wort Mitverstandene, das mimische Element der Rede. Nicht sowohl der Einzelne, der zu ihm redet, soll ihm zunächst fühlbar werden, als das gesellige Element, worin sich beide, der Redende und der Angeredete, zusammen wissen; von dem Einzelnen, der ihm gegen- übersteht, nicht so sehr dessen Sich-Unterscheiden, nicht der in- dividuelle Anspruch, der ja leicht zu Ablehnung herausfordert, sondern Verflochtenheit, gemäß der ein jeder zu den Gruppierungen innerhalb der Gesamtheit, den Einrichtungen, den Unternehmungen in gewissen typischen Verhältnissen steht. Nicht so sehr das, was er für sich ist, soll in seiner Sprache sich ausprägen, als das, was

---

[1] *Geschick* destiny; *Beschaffenheit* character
[4] *Umgangssprache* colloquial speech
[5] *an-färben* color
[7] *Geselligkeit* sociability; *sich aus-
wirken* express itself
[9] *entbehrend* deprived; *sich zusammen-
fassen* be summed up
[10] *noch* even
[12] *ab-leiten* derive
[17] *Fügung* arrangement
[18] *wuchtig* weighty; *grell* harsh, sharp
[21] *mitverstanden* understood as an ad-
junct or overtone; *mimisch* mimic
[26] *Anspruch* address; *Ablehnung* re-
fusal; *heraus-fordern* challenge
[27] *Verflochtenheit* intertwining; *gemäß
der* in accordance with which
[28] *Gesamtheit* totality; *Einrichtung* institution
[29] *Verhältnis* relationship
[30] *sich aus-prägen* express itself

er vorstellt. In seinem Sprechen repräsentiert sich der Einzelne,
in der ganzen Sprache repräsentiert sich die Gesamtheit. Es herrscht
in einer solchen Umgangsrede zwischen den Worten ein Etwas, daß
sie untereinander gleichsam Familie bilden, wobei sie alle gleich-
35 mäßig verzichten, ihr Tiefstes auszusagen. Ihre Anklänge und
Wechselbezüge kommen mehr zur Geltung als ihr Urlaut.

Unsere gegenwärtige deutsche Verkehrssprache hingegen ist ein
Konglomerat von Individualsprachen. In einer Individualsprache
ringen die Worte um ihr höchstes Eigenleben, das sie nie völlig
40 erlangen können, sie wollen sozusagen in ihr statisches Gleichgewicht
zurück und schwanken in sich selber. Nur das Individuum mit
seiner Magie vermag sie fallweise zu bändigen. Dies aber ist unübertragbar. Darum kann man deutsch nicht korrekt schreiben. Man
kann nur individuell schreiben, oder man schreibt schon schlecht.
45 An Stelle einer geselligen Sprache haben wir, da doch etwas da sein
muß, eine Gebrauchssprache hervorgebracht, in der die Dialekte
— wenn auch nicht alle gleichmäßig — zusammentraten; es ist wie
ein See, dessen Wasser schal schmecken würde, brächten ihm nicht
die immer zuströmenden Quellen etwas von ihrer Schmackhaftigkeit.
50 Aber wie alles aus dem Ursprünglichen Abgezogene — wo nicht ein
gewaltiger geistiger Schwung immer wieder dreinfährt — hat diese
Verkehrssprache viele Laster. Sie will mehr und weniger als sie
kann; es stecken zu viele philosophische ausgebildete Begriffe in
ihr, die nur durch eine unablässige Aufmerksamkeit treffend scharf
55 erhalten werden könnten, so aber bald der Verwahrlosung anheim-
fallen, bald der Pedanterie oder der Affektation Nahrung geben.
Bald macht sich eine Eigenbrötelei geltend, die auch niemals frei
ist von Affektation, bald die Überlust am Annehmen fremder Na-

---

34 *gleichsam* as it were
35 *verzichten* renounce; *Anklang* harmony
36 *Wechselbezug* mutual interrelation-
   ship; *zur Geltung kommen* have
   validity; *Urlaut* original sound
37 *Verkehrssprache* everyday language
39 *ringen* struggle
40 *Gleichgewicht* equilibrium
42 *fallweise* in certain cases; *bändigen*
   control; *unübertragbar* untranslatable
46 *Gebrauchssprache* everyday utilitarian language

48 *schal* flat
50 *abgezogen* abstracted
51 *Schwung* flight; *drein-fahren* move
   in
52 *Laster* vice
53 *ausgebildet* developed
54 *unablässig* constant; *treffend scharf*
   with adequate sharpness
55 *Verwahrlosung* neglect; *anheim-fal-
   len* fall a prey
57 *macht sich eine Eigenbrötelei geltend*
   an eccentricity prevails

turen. Die Sprache ist voller zerriebener Eitelkeiten, falscher Titanismen, voller Schwächen, die sich für Stärken ausgeben möchten. 60
Man mag hundert Bücher, Abhandlungen, Zeitungsblätter in die
Hand nehmen, und wird in ihrer Sprache das Volk nicht finden,
nicht seine Zufriedenheit mit sich selbst, das Behagliche, noch sein
Tiefes, Starkes — noch das Einfache, welches das Höchste wäre;
noch aber wird man aus dieser Bücher- und Zeitungssprache die 65
Anschauung einer großen Nation gewinnen, ja nicht die Ahnung
von ihrer Haltung, ihrer eigentlichen und eigenartigen Präsenz.

Wo aber ist dann die Nation zu finden? Einzig in den hohen
Sprachdenkmälern und in den Volksdialekten. Die einen und die
anderen stehen in Wechselbezug. In den Dialekten deutet der 70
Naturlaut schattenhaft auf hohe Sprachgeburten, in den hohen
Denkmälern blickt das Naturhafte hindurch — in beiden zusammen
ist die Nation; aber wie unsicher und zerrissen ist dieser Zustand, wie
bedarf er des Schlüssels der Vertrautheit, um einem solchen Volk
ins Innere zu dringen! 75

Die poetische Sprache der Deutschen vermag in eine sehr erhabene Region aufzusteigen. Dort wo sie zuhöchst schwebt, in
Goethes vorzüglichsten lyrischen Stücken, in Hölderlins letzten
Elegien und Hymnen, dort wird sie kaum von einer der neueren
Nationen erreicht — vielleicht daß selbst Miltons Flügelschlag da- 80
hinter zurückbleibt. Hier wird jenes „Griechische" der deutschen
Sprache wirksam, jenes Äußerste an freier Schönheit. Die „glatte"
und die „rauhe" Fügung vermögen in dieser Region kaum mehr
unterschieden zu werden, alles, was dem Bereich der poetischen
Rhetorik angehört, bleibt weit zurück; das Gehauchte, dem Volks- 85
lied Verwandte, verbindet sich mit der höchsten Kühnheit, Erhabenheit und Wucht des Ausdrucks, die Spannung zwischen dem
Sprachlaut, in dem „die Unmittelbarkeit des Kreatürlichen sich
enthüllt", und dem von höchster Besonnenheit gesetzten Sprachbild

---

59 *zerrieben* crushed; *Titanismus* attempt to suggest power through
language
61 *Abhandlung* treatise
63 *behaglich* comfortable
67 *Haltung* basic attitude; *eigenartig*
peculiar; *Präsenz* presence
74 *bedürfen* (+ gen.) need

75 *Innere* inner soul
77 *zuhöchst* at its highest
85 *Gehauchte* breathlike, delicate
87 *Spannung* tension
88 *Kreatürliche* i.e. man's connection
with the lower forms of nature
89 *Besonnenheit* reflectiveness; *Sprachbild* image

90 ist aufgehoben; wer in diese Region verstehend aufzusteigen vermag, weiß, wie die deutsche Sprache ihre Schwingen führt — auch
in Prosa kann ein solches Höchstes zuweilen erreicht werden, es
ist gleichfalls den Meistern vorbehalten: das Ende der „Wanderjahre" ist in einer solchen Prosa verfaßt, bei Novalis hier und da
95 für Augenblicke erscheint diese letzte Meisterschaft, in Hölderlins
Briefen der spätesten Zeit: da ist wirklich das Zauberische erreicht,
die Gewalt der Worte und Wortverbindungen übersteigt alles, was
ohne solche Beispiele geahnt werden könnte; die Sprache wirkt
hier völlig als geisterhaftes Wunder wie bei Rembrandt manchmal
100 die Farbe, in Beethovens späten Werken der Ton.

Weit darunter ist die Region, in der wir leben. Unsere höchsten
Dichter allein, möchte man sagen, gebrauchen unsere Sprache
sprachgemäß — ob auch die Schriftsteller, bleibt schon fraglich.
Die Zeitung, die öffentliche Rede, die Fassung der Gesetze und
105 Anordnungen, alles das ist in seiner Sprache schon verwahrlost;
die wahre, zur zweiten Natur gewordene Aufmerksamkeit fehlt,
es fehlt das Gefühl für das Richtige und Mögliche, es ist ein ewiges
„das Kind mit dem Bad ausgießen". Die Rückwirkung dessen auf
die Nation ist gefährlich, ja verderblich; aber es spricht ja daraus
110 auch schon der Zustand der Nation selber, jenes fieberhaft Unruhige
und zugleich Gefesselte, Dumpf-Ängstliche.

Es ist eine sehr harte, finstere und gefährliche Zeit über uns
gekommen. Sie ist wohl über ganz Europa gekommen, aber keines
der anderen Völker hat so viele Fugen in seiner Rüstung, durch
115 die das Gefährliche eindringt und sich bis ans Herz heranbohren
kann. Wo das wahre Leben der Nationen immer wieder im Zu-
einanderstreben aller ihrer Glieder liegt, haben wir, schon entzwei-
geteilt durch die Religion, zuerst noch, zu Ende des achtzehnten
Jahrhunderts, alles Überkommene, sittlich-geistig Gebundene jäh
120 auseinandertreten sehen mit dem Neuen, Individual-Geistigen,

---

90 *auf-heben* cancel out
91 *Schwinge* pinion; *führen* use
93 *vor-behalten* reserve; *Wilhelm Meisters Wanderjahre* the second part
of Goethe's great novel
99 *geisterhaft* spectral
102 *Dichter* creative writer; *Schriftsteller* writer of lesser stature
103 *sprachgemäß* linguistically proper

104 *öffentlich* public; *Fassung* form
105 *Anordnung* decree
111 *gefesselt* held captive; *dumpf-
ängstlich* dully anxious
114 *Fuge* crack, chink; *Rüstung* armor
119 *überkommen* traditional; *sittlich-
geistig Gebundene* held together
ethically and intellectually
120 *auseinander-treten* separate out

Verantwortungslosen; auseinandertreten dann allmählich die
Geisteswissenschaften mit den Naturwissenschaften, auseinander-
treten die Sprache, die alles vereinigen müßte, und jenes mathe-
matisch übersprachliche Streben, von dem die Wissenschaften
schicksalhaft ergriffen wurden, und dem nur Einzelne zu folgen 125
vermögen; nun reißen neue Glaubensbegriffe, mit religiösem Eifer
in die Massen geworfen, die Klassen der Gesellschaft auseinander
— aber wie in einem Wirbelsturm überschäumende Querwellen
die Wellen noch durchkreuzen, so jagt jetzt quer durch alles Denken hin, zerstäubend was sich ihm entgegenstellt, ein neuer Begriff 130
von der alleinigen Gültigkeit der Gegenwart. Es ist der Zustand
furchtbarer sinnlicher Gebundenheit, in welchen das neunzehnte
Jahrhundert uns hineingeführt, woraus nun dieses Götzenbild
„Gegenwart" hervorsteigt. Nur den ans Sinnliche völlig Hin-
gegebenen, der sich aller Machtmittel des Geistes entäußert hat, 135
bannt das Scheinbild des Augenblicks, der keine Vergangenheit
und keine Zukunft hat. Allem höheren Denken immer lag das
Wunder in der Gemeinschaft des Gegenwärtigen mit dem Ver-
gangenen, im Fortleben der Toten in uns, dem einzig wir danken,
daß die wechselnden Zeiten wahrhaft inhaltvoll sind und nicht 140
„als ewiger Gleichklang sinnlos wiederholter Takte erscheinen".
Dem Denkenden ist, nach Kierkegaards Wort, das Gegenwärtige
das Ewige — oder besser: das Ewige ist das Gegenwärtige und
dieses ist das Inhaltvolle. „Der Augenblick bezeichnet das Gegenwärtige als ein solches, das keine Vergangenheit hat und keine 145
Zukunft. Darin liegt ja eben die Unvollkommenheit des sinnlichen
Lebens. Das Ewige bezeichnet auch das Gegenwärtige, das kein
Vergangenes und kein Zukünftiges hat, und dies ist des Ewigen
Vollkommenheit." Nur mit dieser wahren Gegenwart hat die
Sprache zu tun. Der Augenblick ist ihr nichts. Aber das Dahin- 150
gegangene zu vergegenwärtigen, das ist ihre wahre Aufgabe. Das
was nicht mehr ist, das was noch nicht ist, das was sein könnte;

---

[122] *Geisteswissenschaften* social sciences
and humanities
[128] *Wirbelsturm* hurricane; *Querwelle*
cross wave
[130] *zerstäuben* pulverize
[131] *alleinig* sole; *Gültigkeit* validity
[133] *Götzenbild* idol
[135] *sich entäußern* alienate oneself

[136] *bannen* hold fast; *Scheinbild* decep-
tive image
[141] *Gleichklang* monotony; *Takt* beat,
bar
[142] *Søren Kierkegaard* (1813–55) exis-
tentialist theologian
[151] *vergegenwärtigen* make present

aber vor allem das was niemals war, das schlechthin Unmögliche und darum über alles Wirkliche, dies auszusprechen ist ihre Sache.

155 Sie ist das uns gegebene Werkzeug, aus dem Schein zu der Wirklichkeit zu gelangen, und indem er spricht, bekennt der Mensch sich als das Wesen, das nicht zu vergessen vermag. Die Sprache ist ein großes Totenreich, unauslotbar tief; darum empfangen wir aus ihr das höchste Leben. Es ist unser zeitloses Schicksal in ihr,
160 und die Übergewalt der Volksgemeinschaft über alles Einzelne.

Unmittelbar schreiten wir durch sie in das Volk hinein; das fühlen wir. Wie wir das erfassen können: die Seele eines Volkes, danach fahnden wir, und Zweifel versehrt uns wieder, ob einem solchen Begriff jemals die Anschauung abzuringen sei. Hier aber,
165 in der Sprache, spricht uns ein Wirkliches an, durchdringt uns bis ins Mark: die Urkraft, daran wir Teil haben.

Unsere Gedanken über die wichtigsten Gegenstände unseres Lebens bedürfen immer aufs neue der Klärung. Nichts aber ist so hoch, daß ihm nicht Pflege not täte. Das, von dem selbst die höchste
170 bejahende Kraft ausgeht, muß immer aufs neue bejaht werden, und dies ist der Sinn eines jeden gegenwärtigen Geschlechtes: daß es das Leben des Hohen nicht unterbreche.

124

APHORISMEN

The collection of aphorisms which appear in this book includes maxims, epigrams, and proverbs; for it is difficult to draw sharp distinctions between these different types of wisdom literature. The aphorism is a concentrated essay, a philosophical discourse compressed into a sentence or two

153 *schlechthin* simply
155 *Schein* appearance
156 *sich bekennen* reveal oneself
158 *unauslotbar* unfathomably
159 *Es ist . . . = Unser zeitloses Schicksal ist in ihr.*
160 *Volksgemeinschaft* community (used with an almost mystical overtone of ethnic solidarity)
163 *fahnden* search; *versehren* injure
164 *Anschauung* concrete, intuitive vision; *ab-ringen* wrest
166 *Mark* marrow
169 *not tun* need
171 *Geschlecht* generation

(Cf. the first aphorism by Marie von Ebner-Eschenbach on page 357). It may present a profound and original idea, a psychological observation, an ethical precept, or it may state a well-known truth — even a platitude — so strikingly, picturesquely, or wittily — that the reader derives keen pleasure from it. The aphorist, moreover, may use one of two methods to present his thought. He may state the idea so simply that the reader grasps the import of the epigram in a flash. Or he may deliberately seek to obscure the meaning, in order to stimulate the reader to reflection.

Because a large part of wisdom literature occupies itself with the study of human nature, the aphorism tends to take on a satirical character. Its aim, like that of comedy, of which it is really a branch, is to chastise morals through ridicule, *castigare ridendo mores*.

The masters of the aphorism were the Orientals, the Greeks, and the French. In Germany the genre is best represented by Logau, Lichtenberg, Lessing, Goethe, Schiller, Grillparzer, Hebbel, Nietzsche, and Marie von Ebner-Eschenbach.

Friedrich von Logau (1604–1655)

Freundschaft ist ein teurer Schatz; immer hört man davon sagen.
Selten rühmt sich Einer recht, daß er ihn davongetragen.

Göttliche Rache

Gottes Mühlen mahlen langsam, mahlen aber trefflich klein;
Ob aus Langmut er sich säumet, bringt mit Schärf' er alles ein.

Gewaffneter Friede

Krieg hat den Harnisch weggelegt, der Friede zeucht ihn an;   5
Wir wissen, was der Krieg verübt; wer weiß, was Friede kann?

Mütterliche Liebe

Die Mutter trägt im Leibe das Kind, drei Vierteljahr;
Die Mutter trägt auf Armen das Kind, weil's schwach noch war;
Die Mutter trägt im Herzen die Kinder immerdar.

Weißt du, was in dieser Welt   10
Mir am meisten wohlgefällt?
Daß die Zeit sich selbst verzehret
Und die Welt nicht ewig währet.

³ *trefflich* excellently
⁴ *ob* = *obgleich*; *Langmut* forbearance;
  sich säumen tarry
⁵ *Harnisch* armor; *zeucht* = *zieht*

⁹ *immerdar* for ever
¹² *verzehren* consume
¹³ *währen* last

Willst du fremde Fehler zählen, heb an deinen an zu zählen;
15 Ist mir recht, dir wird die Weile zu den fremden Fehlern fehlen.

GEORG CHRISTOPH LICHTENBERG (1742–1799)

Mäßigkeit setzt Genuß voraus, Enthaltsamkeit nicht. Es gibt
daher mehr enthaltsame Menschen als solche, die mäßig sind.

Wer in sich selbst verliebt ist, hat wenigstens bei seiner Liebe
den Vorteil, daß er nicht viele Nebenbuhler erhalten wird.

20 Ich bin überzeugt, man liebt sich nicht bloß in andern, sondern
haßt sich auch in andern.

Eine goldene Regel: man muß die Menschen nicht nach ihren
Meinungen beurteilen, sondern nach dem, was diese Meinungen
aus ihnen machen.

25 Ist es nicht sonderbar, daß die Menschen so gerne für die Religion
fechten, und so ungern nach ihren Vorschriften *leben?*

Gib meinen guten Entschlüssen Kraft, ist eine Bitte, die im
Vaterunser stehen könnte.

Sie sprechen für ihre Religion mit einer Hitze, als wenn sie unrecht
30 hätten.

Es ist eine alte Regel: ein Unverschämter kann bescheiden aus-
sehen, wenn er will, aber kein Bescheidener unverschämt.

Es ist schade, daß es keine Sünde ist, Wasser zu trinken, rief ein
Italiener, wie gut würde es schmecken!

35 Wir fressen einander nicht, wir schlachten uns bloß.

Wie glücklich würde mancher leben, wenn er sich um anderer
Leute Sachen so wenig bekümmerte als um seine eigenen.

Sagt, ist noch ein Land außer Deutschland, wo man die Nase
eher rümpfen lernt als putzen?

40 Wenn ein Buch und ein Kopf zusammenstoßen und es klingt hohl,
ist das allemal im Buch?

Ein Buch ist ein Spiegel, wenn ein Affe hineinguckt, so kann frei-

---

15 *ist mir recht* if I am right; *Weile*   26 *fechten* fight; *Vorschrift* prescription
  time   31 *unverschämt* insolent
16 *voraus-setzen* presuppose; *Enthalt-*   39 *rümpfen* wrinkle, i.e. turn up
  samkeit abstemiousness   41 *allemal = immer*
19 *Nebenbuhler* rival   42 *gucken* look

lich kein Apostel heraussehen. Wir haben keine Worte, mit dem
Dummen von Weisheit zu sprechen. Der ist schon weise, der den
Weisen versteht. 45

Es kommt nicht darauf an, ob die Sonne in eines Monarchen
Staaten nicht untergeht, wie sich Spanien ehedem rühmte, sondern
was sie während ihres Laufes in diesen Staaten zu sehen bekommt.

Eine seltsamere Ware als Bücher gibt es wohl schwerlich in der
Welt. Von Leuten gedruckt, die sie nicht verstehen; von Leuten 50
verkauft, die sie nicht verstehen; rezensiert und gelesen von Leuten,
die sie nicht verstehen; und nun gar geschrieben von Leuten, die
sie nicht verstehen.

Heutzutage machen drei Pointen und eine Lüge einen Schriftsteller. 55

Es ist fast unmöglich, die Fackel der Wahrheit durch ein Gedränge
zu tragen, ohne jemandem den Bart zu versengen.

GOTTHOLD EPHRAIM LESSING (1729–81)

Man spricht selten von der Tugend, die man hat; aber desto
öfter von der, die uns fehlt.

Der Wille und nicht die Gabe macht den Geber. 60

Wenn Gott in seiner Rechten alle Wahrheit und in seiner Linken
den einzigen, immer regen Trieb nach Wahrheit, obschon mit dem
Zusatze, mich immer und ewig zu irren, verschlossen hielte und
spräche zu mir: „Wähle!" ich fiele ihm mit Demut in seine Linke
und sagte: „Vater, gib! die reine Wahrheit ist ja nur für dich allein." 65

Der Langsamste, der sein Ziel nicht aus den Augen verliert, geht
noch immer geschwinder, als der ohne Ziel herumirrt.

---

46 *an-kommen* matter   58 *desto* all the
47 *ehedem = früher*   61 *Rechte* right hand
49 *schwerlich* hardly   62 *rege* live
51 *rezensieren* review   63 *Zusatz* addition
54 *Pointe* witticism   64 *fiele* would grasp; *Demut* humility
56 *Fackel* torch; *Gedränge* throng   67 *der = derjenige, der*
57 *versengen* singe

JOHANN WOLFGANG VON GOETHE (1749–1832)

Einer neuen Wahrheit ist nichts schädlicher als ein alter Irrtum.
Denken und Tun, Tun und Denken, das ist die Summe aller
70 Weisheit, von jeher anerkannt, von jeher geübt, nicht eingesehen
von einem jeden. Beides muß wie Aus- und Einatmen sich im
Leben ewig fort hin und wider bewegen; wie Frage ohne Antwort
sollte eines ohne das andere nicht stattfinden.

Es ist nicht genug zu wissen, man muß auch anwenden; es ist
75 nicht genug zu wollen, man muß auch tun.

Es gibt keinen größeren Trost für die Mittelmäßigkeit, als daß
das Genie nicht unsterblich sei.

Es ist nichts schrecklicher als eine tätige Unwissenheit.

Widerspruch und Schmeichelei machen beide ein schlechtes
80 Gespräch.

Wir erschrecken über unsre eigenen Sünden, wenn wir sie an
andern erblicken.

Man darf nur alt werden, um milder zu sein; ich sehe keinen
Fehler, den ich nicht auch begangen hätte.

85 Der Handelnde ist immer gewissenlos; es hat niemand Gewissen
als der Betrachtende.

Welche Regierung die beste sei? Diejenige, die uns lehrt, uns
selbst zu regieren.

Gegen große Vorzüge eines andern gibt es kein Rettungsmittel
90 als die Liebe.

Der Mensch muß bei dem Glauben verharren, daß das Unbegreifliche begreiflich sei; er würde sonst nicht forschen.

Um zu begreifen, daß der Himmel überall blau ist, braucht man
nicht um die Welt zu reisen.

95 Es gibt keine Lage, die man nicht veredeln könnte durch Leisten
oder Dulden.

Alles, was unsern Geist befreit, ohne uns die Herrschaft über uns
selbst zu geben, ist verderblich.

---

70 *ein-sehen* realize
74 *an-wenden* apply
76 *Mittelmäßigkeit* mediocrity
79 *Schmeichelei* flattery
84 *begehen* commit

89 *Vorzug* advantage; *Rettungsmittel*
remedy
91 *verharren* persevere
98 *verderblich* destructive

Allgemeine Begriffe und großer Dünkel sind immer auf dem Wege, entsetzliches Unglück anzurichten. 100

Es ist besser, daß Ungerechtigkeiten geschehen, als daß sie auf eine ungerechte Weise behoben werden.

Gegner glauben, uns zu widerlegen, wenn sie ihre Meinung wiederholen und auf die unsrige nicht achten.

Toleranz sollte eigentlich nur eine vorübergehende Gesinnung 105 sein: sie muß zur Anerkennung führen. Dulden heißt beleidigen.

Herrschen lernt sich leicht, regieren schwer.

Dummheit, seinen Feind vor dem Tode, und Niederträchtigkeit, nach dem Siege zu verkleinern.

Drei Dinge werden nicht eher erkannt als zu gewisser Zeit. Ein 110 Held im Kriege, ein weiser Mann im Zorn, ein Freund in der Not.

Seelenleiden zu heilen vermag der Verstand nichts, die Vernunft wenig, die Zeit viel, entschlossene Tätigkeit alles.

Ein unnütz Leben ist ein früher Tod.

Man spricht vergebens viel, um zu versagen; 115
Der andre hört von allem nur das Nein.

Ein edler Mann wird durch ein gutes Wort
Der Frauen weit geführt.

Es bildet ein Talent sich in der Stille,
Sich ein Charakter in dem Strom der Welt. 120

Und wenn der Mensch in seiner Qual verstummt,
Gab mir ein Gott, zu sagen, was ich leide.

Willst du ins Unendliche schreiten,
Geh nur im Endlichen nach allen Seiten.

Wer ist ein unbrauchbarer Mann? 125
Der nicht befehlen und auch nicht gehorchen kann.

---

[99] *Dünkel* conceit
[100] *entsetzlich* frightful; *an-richten* produce
[102] *beheben* remove
[103] *widerlegen* refute
[105] *vorübergehend* transitory; *Gesinnung* attitude
[107] *regieren* govern
[108] *niederträchtig* base, low

[109] *verkleinern* belittle
[112] *Seelenleid* mental ailment
[113] *entschlossen* resolute
[114] *ff* The following aphorisms are from plays and poems by Goethe.
[114] *unnütz* useless
[115] *vergebens* in vain; *versagen* refuse
[121] *Qual* torment; *verstummen* grow mute

Willst du immer weiter schweifen?
Sieh, das Gute liegt so nah.
Lerne nur das Glück ergreifen,
130   Denn das Glück ist immer da.

Bilde Künstler, rede nicht!
Nur ein Hauch sei dein Gedicht.

Was im Leben uns verdrießt,
Man im Bilde gern genießt.

135   Ein guter Mensch in seinem dunklen Drange,
Ist sich des rechten Weges wohl bewußt.

Was du ererbt von deinen Vätern hast,
Erwirb es, um es zu besitzen.

Was glänzt, ist für den Augenblick geboren;
140   Das Echte bleibt der Nachwelt unverloren.

Das ist der Weisheit letzter Schluß:
Nur der verdient sich Freiheit wie das Leben,
Der täglich sie erobern muß.

Den lieb ich, der Unmögliches begehrt.

145   Alles Vergängliche
Ist nur ein Gleichnis;
Das Unzulängliche
Hier wird's Ereignis;
Das Unbeschreibliche,
150   Hier ist's getan;
Das Ewig-Weibliche
Zieht uns hinan.

127 *schweifen* roam   144 *begehren* desire
137 *ererben* inherit   145 *vergänglich* transitory
138 *erwerben* acquire   146 *Gleichnis* symbol
140 *Nachwelt* posterity   147 *unzulänglich* i.e. unattainable
143 *erobern* conquer   152 *hinan-ziehen* attract

FRIEDRICH SCHILLER (1759–1805)

Pflicht für jeden
Immer strebe zum Ganzen! und kannst du selber kein Ganzes
Werden, als dienendes Glied schließ an ein Ganzes dich an!

Das Kind in der Wiege
Glücklicher Säugling! dir ist ein unendlicher Raum noch die Wiege. 155
Werde Mann, und dir wird eng die unendliche Welt.

Weibliches Urteil
Männer richten nach Gründen, des Weibes Urteil ist seine
Liebe; wo es nicht liebt, hat schon gerichtet das Weib.

Korrektheit
Frei von Tadel zu sein, ist der niedrigste Grad und der höchste,
Denn nur die Ohnmacht führt oder die Größe dazu. 160

Wissenschaft
Einem ist sie die hohe, die himmlische Göttin, dem andern
Eine tüchtige Kuh, die ihn mit Butter versorgt.

Würde des Menschen
Nichts mehr davon, ich bitt' euch! Zu essen gebt ihm, zu wohnen;
Habt ihr die Blöße bedeckt, gibt sich die Würde von selbst.

FRIEDRICH HEBBEL (1813–1863)

Das Steigen hat seine Grenze, aber nicht das Fallen. 165
Der Mensch wird durch künstlich gemachten Ruhm so wenig
groß, als er durch ein Faß Butter, das man ihm auf den Rücken
bindet, fett wird.
Die Höhe der Kultur ist die einzige, zu der viele Schritte hinauf-
führen und nur ein einziger herunter. 170
Der Jüngling fordert vom Tag, daß er etwas bringt; der Mann
ist zufrieden, wenn er nur nichts nimmt.

---

155 *Säugling* infant
160 *Ohnmacht* impotence
164 *Blöße* nakedness; *sich geben* be yielded

Es gibt Leute, die nur aus dem Grunde in jeder Suppe ein Haar finden, weil sie, wenn sie davor sitzen, so lange den Kopf schütteln,
175 bis eines hineinfällt.

Im Tiere tritt die Natur vor den Menschen und spricht: „Soviel habe ich für dich getan; was tust du jetzt für mich?"

Es gibt Leute, die sich über den Weltuntergang trösten würden, wenn sie ihn nur vorausgesagt hätten.

180 Wer ein Kunstwerk in sich aufnimmt, macht denselben Prozeß in sich durch, wie der Künstler, der es hervorbrachte, nur umgekehrt und unendlich viel rascher.

Man versteht eine Kunst, sobald sie leicht wird; das Schreiben versteht man erst, wenn es schwer wird.

185 Die Eitelkeit ist im höheren Menschen das erhaltende, im niederen das zerstörende Prinzip.

Liebe ist darum so schön, weil sie vor Selbstliebe schützt.

Wer mehr als einen Freund verlangt, verdient keinen.

Daß ein Mensch, der sie besitzt, das Recht hat, die Juno Ludovici
190 zu zertrümmern!

Daß Shakespeare Mörder schuf, war seine Rettung, daß er nicht selbst Mörder zu werden brauchte.

FRIEDRICH NIETZSCHE (1844–1900)

Überzeugungen sind gefährlichere Feinde der Wahrheit als Lügen.

Vor wem man glänzt, den betrachtet man gern als Licht.

195 Der Mensch braucht ein Ziel; und eher will er noch nichts wollen, als nicht wollen.

Wer sich selbst erniedrigt, will erhöht werden.

„Das habe ich getan", sagt mein Gedächtnis. „Das kann ich nicht getan haben", sagt mein Stolz und bleibt unerbittlich. End-
200 lich — gibt das Gedächtnis nach.

---

173 *ein Haar in der Suppe finden* equivalent to our idiom, to find a fly in the ointment
179 *voraus-sagen* predict
185 *erhalten* sustain

189 *Juno* i.e. a statue of the Greek goddess
190 *zertrümmern* smash
197 *will* a parody on Scripture, which has *wird*
199 *unerbittlich* inexorable

Der Irrsinn ist bei Einzelnen etwas Seltenes, aber bei Gruppen, Parteien, Völkern, Zeiten die Regel.

Ich mißtraue allen Systematikern und gehe ihnen aus dem Weg. Der Wille zum System ist ein Mangel an Rechtschaffenheit.

Von der Mutter her — Jeder trägt ein Bild des Weibes von der 205 Mutter her in sich: davon wird er bestimmt, die Weiber überhaupt zu verehren oder sie geringzuschätzen oder gegen sie im allgemeinen gleichgültig zu sein.

Und nochmals gesagt: Öffentliche Meinungen — private Faulheiten. 210

Aus dem Lande der Menschenfresser — In der Einsamkeit frißt sich der Einsame selbst auf, in der Vielsamkeit fressen ihn die vielen. Man wähle.

Hat man Charakter, so hat man auch sein typisches Erlebnis, das immer wiederkommt. 215

Wirkung des Lobes — Die einen werden durch großes Lob schamhaft, die andern frech.

Was sagt dein Gewissen? — „Du sollst der werden, der du bist."

MARIE VON EBNER-ESCHENBACH (1830–1916)

Ein Aphorismus ist der letzte Ring einer langen Gedankenkette.
Wir müssen immer lernen, zuletzt auch noch sterben lernen. 220
Der größte Feind des Rechtes ist das Vorrecht.
Das Recht des Stärkeren ist das stärkste Unrecht.
Was du zu müssen glaubst, ist was du willst.
Der Weise ist selten klug.
Die glücklichen Sklaven sind die erbittertsten Feinde der Freiheit. 225
Du kannst so rasch sinken, daß du zu fliegen meinst.

---

201 *Irrsinn* madness
204 *rechtschaffen* honest
207 *gering-schätzen* despise
209 *öffentlich* public

212 *Vielsamkeit* (Nietzsche's invention) plenitude, i.e. society
216 *schamhaft* bashful
221 *Vorrecht* privilege
224 *klug* clever, cunning

Künstler haben gewöhnlich die Meinung von uns, die wir von ihren Werken haben.

Eigensinn, das Rückgrat der Schwachen.

230 Nichts ist weniger verheißend als Frühreife; die junge Distel sieht einem zukünftigen Baume viel ähnlicher als die junge Eiche.

Im Unglück finden wir meistens die Ruhe wieder, die uns durch die Furcht vor dem Unglück geraubt wurde.

Wenn man ein Seher ist, braucht man kein Beobachter zu sein.

235 Viele Leute glauben, wenn sie einen Fehler eingestanden haben, brauchen sie ihn nicht mehr abzulegen.

Glaube deinen Schmeichlern — du bist verloren; glaube deinen Feinden — du verzweifelst.

Steril ist der, dem nichts einfällt; langweilig ist, der ein paar 240 alte Gedanken hat, die ihm alle Tage neu einfallen.

Ausnahmen sind nicht immer Bestätigung der alten Regel; sie können auch die Vorboten einer neuen Regel sein.

Unbegründeter Tadel ist manchmal eine feine Form der Schmeichelei.

245 Wir werden vom Schicksal hart oder weich geklopft; es kommt auf das Material an.

Die öffentliche Meinung wird verachtet — von den erhabensten und von den am tiefsten gesunkenen Menschen.

Es gibt Menschen mit leuchtendem und Menschen mit glänzendem 250 Verstande. Die ersten erhellen ihre Umgebung, die zweiten verdunkeln sie.

Respekt vor dem Gemeinplatz! Er ist seit Jahrhunderten aufgespeicherte Weisheit.

Die stillstehende Uhr, die täglich zweimal die richtige Zeit an-255 gezeigt hat, blickt nach Jahren auf eine lange Reihe von Erfolgen zurück.

---

229 *Eigensinn* stubbornness; *Rückgrat* backbone
230 *verheißen* promise; *Distel* thistle
231 *ähnlich sehen* resemble
234 *Seher* seer
235 *ein-gestehen* confess
236 *ab-legen* get rid of
239 *ein-fallen* occur
241 *bestätigen* confirm

242 *Vorbote* herald
245 *an-kommen* depend
249 *leuchtend* illuminating; *glänzend* shining, glittering
250 *Umgebung* environment
252 *Gemeinplatz* commonplace; *aufspeichern* store up
254 *an-zeigen* register

VIII   WISSENSCHAFTLICHES

125

DER PSYCHISCHE APPARAT

SIGMUND FREUD (1856–1939)

This is the opening chapter of Freud's little treatise *Abriß der Psychoanalyse*, which he began in London in 1938 but never finished. It was first published in 1940.

Die Psychoanalyse macht eine Grundvoraussetzung, deren Diskussion philosophischem Denken vorbehalten bleibt, deren Rechtfertigung in ihren Resultaten liegt. Von dem, was wir unsere Psyche (Seelenleben) nennen, ist uns zweierlei bekannt, erstens das körperliche Organ und Schauplatz desselben, das Gehirn (Nervensystem), ₅ anderseits unsere Bewußtseinsakte, die unmittelbar gegeben sind und uns durch keinerlei Beschreibung näher gebracht werden können. Alles dazwischen ist uns unbekannt, eine direkte Beziehung zwischen beiden Endpunkten unseres Wissens ist nicht gegeben. Wenn sie bestünde, würde sie höchstens eine genaue Lokalisation der Be- ₁₀ wußtseinsvorgänge liefern und für deren Verständnis nichts leisten.

Unsere beiden Annahmen setzen an diesen Enden oder Anfängen unseres Wissens an. Die erste betrifft die Lokalisation. Wir nehmen an, daß das Seelenleben die Funktion eines Apparates ist, dem wir räumliche Ausdehnung und Zusammensetzung aus mehreren ₁₅ Stücken zuschreiben, den wir uns also ähnlich vorstellen wie ein Fernrohr, ein Mikroskop u. dgl. Der konsequente Ausbau einer

¹ *Voraussetzung* assumption
² *vor-behalten* reserve
⁴ It is well to remember that Germans use the word *Seele* to include the whole of mental life: intellectual, emotional, moral (ethical).
⁵ *Schauplatz* theater

¹¹ *Vorgang* process
¹² *an-setzen* begin
¹⁵ *Ausdehnung* extension
¹⁶ *zu-schreiben* ascribe
¹⁷ *u. dgl. = und dergleichen* etcetera; *konsequent* consistent

361

solchen Vorstellung ist ungeachtet gewisser bereits versuchter Annäherung eine wissenschaftliche Neuheit.

20　Zur Kenntnis dieses psychischen Apparates sind wir durch das Studium der individuellen Entwicklung des menschlichen Wesens gekommen. Die älteste dieser psychischen Provinzen oder Instanzen nennen wir das *Es;* sein Inhalt ist alles, was ererbt, bei Geburt mitgebracht, konstitutionell festgelegt ist, vor allem also

25　die aus der Körperorganisation stammenden Triebe, die hier einen ersten uns in seinen Formen unbekannten psychischen Ausdruck finden.*

Unter dem Einfluß der uns umgebenden realen Außenwelt hat ein Teil des Es eine besondere Entwicklung erfahren. Ursprünglich

30　als Rindenschicht mit den Organen zur Reizaufnahme und den Einrichtungen zum Reizschutz ausgestattet, hat sich eine besondere Organisation hergestellt, die von nun an zwischen Es und Außenwelt vermittelt. Diesem Bezirk unseres Seelenlebens lassen wir den Namen des *Ichs.*

35　Die hauptsächlichen Charaktere des Ich. Infolge der vorgebildeten Beziehung zwischen Sinneswahrnehmung und Muskelaktion hat das Ich die Verfügung über die willkürlichen Bewegungen. Es hat die Aufgabe der Selbstbehauptung, erfüllt sie, indem es nach außen die Reize kennenlernt, Erfahrungen über sie

40　aufspeichert (im Gedächtnis), überstarke Reize vermeidet (durch Flucht), mäßigen Reizen begegnet (durch Anpassung) und endlich lernt, die Außenwelt in zweckmäßiger Weise zu seinem Vorteil zu verändern (Aktivität); nach innen gegen das Es, indem es die

---

* Dieser älteste Teil des psychischen Apparates bleibt durchs ganze Leben der wichtigste. An ihm hat auch die Forschungsarbeit der Psychoanalyse eingesetzt.

19 *Annäherung* attempt
22 *Instanz* stage, agency
23 *Es* known in English as the id
24 *fest-legen* fix
　　Footnote: *ein-setzen* begin
30 *Rindenschicht* cortical layer; *Reizaufnahme* reception of stimuli
31 *Einrichtung* apparatus; *Reizschutz* protection against (excessive) stimuli; *aus-statten* equip
33 *vermitteln* mediate; *Bezirk* region

34 *Ich* ego
36 *vorgebildet* pre-established; *Sinneswahrnehmung* sense perception
37 *Verfügung* control; *willkürlich* voluntary
38 *Selbstbehauptung* self-preservation
40 *auf-speichern* store up
41 *begegnen* i.e. handle; *Anpassung* adaptation
42 *zweckmäßig* purposeful

Herrschaft über die Triebansprüche gewinnt, entscheidet, ob sie
zur Befriedigung zugelassen werden sollen, diese Befriedigung auf 45
die in der Außenwelt günstigen Zeiten und Umstände verschiebt
oder ihre Erregungen überhaupt unterdrückt. In seiner Tätigkeit
wird es durch die Beachtungen der in ihm vorhandenen oder in
dasselbe eingetragenen Reizspannungen geleitet. Deren Erhöhung
wird allgemein als *Unlust,* deren Herabsetzung als *Lust* empfunden. 50
Wahrscheinlich sind es aber nicht die absoluten Höhen dieser Reizspannung, sondern etwas im Rhythmus ihrer Veränderung, was als
Lust und Unlust empfunden wird. Das Ich strebt nach Lust, will
der Unlust ausweichen. Eine erwartete, vorausgesehene Unlust-
steigerung wird mit dem *Angstsignal* beantwortet, ihr Anlaß, ob 55
er von außen oder innen droht, heißt eine *Gefahr.* Von Zeit zu
Zeit löst das Ich seine Verbindung mit der Außenwelt und zieht
sich in den Schlafzustand zurück, in dem es seine Organisation
weitgehend verändert. Aus dem Schlafzustand ist zu schließen,
daß diese Organisation in einer besonderen Verteilung der seelischen 60
Energie besteht.

Als Niederschlag der langen Kindheitsperiode, während der der
werdende Mensch in Abhängigkeit von seinen Eltern lebt, bildet
sich in seinem Ich eine besondere Instanz heraus, in der sich dieser
elterliche Einfluß fortsetzt. Sie hat den Namen des *Über-Ichs* er- 65
halten. Insoweit dieses Über-Ich sich vom Ich sondert und sich
ihm entgegenstellt, ist es eine dritte Macht, der das Ich Rechnung
tragen muß.

Eine Handlung des Ichs ist dann korrekt, wenn sie gleichzeitig
den Anforderungen des Es, des Über-Ichs und der Realität genügt, 70
also deren Ansprüche miteinander zu versöhnen weiß. Die Einzelheiten der Beziehung zwischen Ich und Über-Ich werden durchwegs aus der Zurückführung auf das Verhältnis des Kindes zu
seinen Eltern verständlich. Im Elterneinfluß wirkt natürlich nicht

---

[44] *Triebansprüche* demands of the instincts
[45] *Befriedigung* satisfaction
[46] *verschieben* postpone
[47] *Erregung* excitation
[48] *Beachtung* consideration
[49] *ein-tragen* import; *Reizspannung*
  tension
[50] *Unlust* pain; *herab-setzen* lower

[55] *Steigerung* increase; *Anlaß* occasion
[60] *Verteilung* distribution; *seelisch*
  mental
[62] *Niederschlag* precipitate, i.e. result
[63] *werdend* growing, developing
[65] *Über-Ich* superego
[70] *Anforderung* demand
[72] *durchwegs* completely

75 nur das persönliche Wesen der Eltern, sondern auch der durch sie
fortgepflanzte Einfluß von Familien-, Rassen- und Volkstradition
sowie die von ihnen vertretenen Anforderungen des jeweiligen
sozialen Milieus. Ebenso nimmt das Über-Ich im Laufe der individuellen Entwicklung Beiträge von seiten späterer Fortsetzer
80 und Ersatzpersonen der Eltern auf, wie Erzieher, öffentlicher Vor-
bilder, in der Gesellschaft verehrter Ideale. Man sieht, daß Es
und Über-Ich bei all ihrer fundamentalen Verschiedenheit die eine
Übereinstimmung zeigen, daß sie die Einflüsse der Vergangenheit
repräsentieren, das Es den der ererbten, das Über-Ich im wesent-
85 lichen den der von anderen übernommenen, während das Ich hauptsächlich durch das selbst Erlebte, also Akzidentelle und Aktuelle
bestimmt wird.

Dies allgemeine Schema eines psychischen Apparates wird man
auch für die höheren, dem Menschen seelisch ähnlichen Tiere gelten
90 lassen. Ein Über-Ich ist überall dort anzunehmen, wo es wie beim
Menschen eine längere Zeit kindlicher Abhängigkeit gegeben hat.
Eine Scheidung von Ich und Es ist unvermeidlich anzunehmen.

Die Tierpsychologie hat die interessanteste Aufgabe, die sich
hier ergibt, noch nicht in Angriff genommen.

126

DIE BEDEUTUNG IN DER NATUR

JAKOB VON UEXKÜLL (1864–1944)

Uexküll was a Baltic German. He did outstanding research in the fields
of physiology, biology, and ecology, living the life of a non-academic scien-
tist until the loss of his fortune compelled him to take a post at the University of Hamburg. The following selection is the closing section of his book

77 *vertreten* represent; *jeweilig* particu-   86 *aktuell* current
  lar   92 *Scheidung* differentiation
79 *Beitrag* contribution   94 *sich ergeben* be yielded; *in Angriff*
80 *Ersatzperson* substitute; *Vorbild*   *nehmen* attack
  model

Bedeutungslehre (1940). The term *Bedeutung* may be rendered as "significance" or "purpose," as long as it is understood that Uexküll is not involving himself in arguments about teleology. He is concerned with a study of animal behavior in the environment.

Wenn wir den Körper eines Tieres mit einem Hause vergleichen, so haben bisher die Anatomen die Bauweise und die Physiologen die im Hause befindlichen maschinellen Anlagen genau studiert. Auch haben die Ökologen den Garten, in dem sich das Haus befindet, abgegrenzt und untersucht. 5

Man hat aber den Garten immer so geschildert, wie er sich unseren menschlichen Augen darbietet, und darüber verabsäumt, sich Rechenschaft davon abzulegen, wie sich der Garten ausnimmt, wenn er von dem Subjekt, das das Haus bewohnt, betrachtet wird.

Und dieser Ausblick ist höchst überraschend. Der Garten des 10 Hauses grenzt sich nicht, wie es unserem Auge dünkt, von einer umfassenden Welt ab, von der er nur einen kleinen Ausschnitt darstellt, sondern er ist ringsum von einem Horizont umschlossen, der das Haus zum Mittelpunkt hat. Jedes Haus wird von seinem eigenen Himmelsgewölbe überdeckt, an dem Sonne, Mond und 15 Sterne, die direkt zum Hause gehören, entlangwandeln.

Jedes Haus hat eine Anzahl von Fenstern, die auf den Garten münden — ein Lichtfenster, ein Tonfenster, ein Duftfenster, ein Geschmackfenster und eine große Anzahl von Tastfenstern.

Je nach der Bauart dieser Fenster ändert sich der Garten vom 20 Hause aus gesehen. Er erscheint keineswegs wie der Ausschnitt einer größeren Welt, sondern ist die einzige Welt, die zum Haus gehört — seine Umwelt.

Grundverschieden ist der Garten, wie er unserem Auge erscheint, von dem, der sich den Bewohnern des Hauses darbietet, besonders 25 in Bezug auf die ihn erfüllenden Dinge.

Während wir im Garten tausend verschiedene Steine, Pflanzen und Tiere entdecken, nimmt das Auge des Hausbewohners nur

---

[3] *maschinelle Anlagen* mechanical devices
[4] *Ökologe* ecologist, who studies the life of an organism in relation to its environment
[5] *ab-grenzen* delimit

[7] *verabsäumen* neglect; *Rechenschaft ab-legen* take stock
[8] *sich aus-nehmen* look
[15] *Gewölbe* vault
[18] *münden* open
[28] *wahr-nehmen* perceive

eine ganz beschränkte Anzahl von Dingen in seinem Garten wahr
30 — und zwar nur solche, die für das Subjekt, das das Haus bewohnt,
von Bedeutung sind. Ihre Anzahl kann auf ein Minimum reduziert
sein, wie in der Umwelt der Zecke, in der immer nur das gleiche
Säugetier mit einer ganz beschränkten Anzahl von Eigenschaften
auftritt. Von all den Dingen, die wir im Umkreis der Zecke ent-
35 decken, von den duftenden und farbigen Blumen, den rauschenden
Blättern, den singenden Vögeln, tritt kein einziges in die Umwelt
der Zecke ein.

Ich habe gezeigt, wie der gleiche Gegenstand, in vier verschiedene
Umwelten versetzt, vier verschiedene Bedeutungen annimmt und
40 jedes Mal seine Eigenschaften von Grund aus ändert.

Dies ist nur dadurch zu erklären, daß sämtliche Eigenschaften
der Dinge im Grunde nichts anderes sind als Merkmale, die ihnen
vom Subjekt aufgeprägt werden, zu dem sie in Beziehung treten.

Um das zu verstehen, muß man sich daran erinnern, daß jeder
45 Körper eines Lebewesens aus lebenden Zellen aufgebaut ist, die
gemeinsam ein lebendiges Glockenspiel bilden. Die lebende Zelle
besitzt eine spezifische Energie, die es ihr ermöglicht, jede an sie
herantretende äußere Wirkung mit einem ‚Ichton' zu beantworten.
Die Ichtöne können unter sich durch Melodien verbunden werden
50 und bedürfen nicht eines mechanischen Zusammenhanges ihrer
Zellkörper, um aufeinander einzuwirken.

In ihren Grundzügen ähneln sich die Körper der meisten Tiere
darin, daß sie als Grundstock Organe besitzen, welche dem Stoffwechsel dienen und die aus der Nahrung gewonnene Energie der
55 Lebensleistung zuführen. Die Lebensleistung des Tiersubjektes als
Bedeutungsempfänger besteht im Merken und Wirken.

Gemerkt wird mit Hilfe der Sinnesorgane, die dazu dienen, die
allerseits eindringenden Reize zu sortieren, die unnötigen abzublen-
den und die dem Körper dienlichen Reize in Nervenerregung zu
60 verwandeln, die, im Zentrum angelangt, das lebende Glockenspiel

---

[32] *Zecke* tick
[33] *Säugetier* mammal
[42] *Merkmal* characteristic
[43] *auf-prägen* impress
[46] *Glockenspiel* chime
[48] *Ichton* personal note
[52] *Grundzug* basic feature

[53] *Grundstock* matrix; *Stoffwechsel* metabolism
[55] *Lebensleistung* needs of life
[56] *Bedeutungsempfänger* bearer (or agent) of purpose; *wirken* react
[58] *Reiz* stimulus; *ab-blenden* turn away

der Hirnzellen erklingen läßt. Die dabei ansprechenden Ichtöne dienen als Merkzeichen des äußeren Geschehens. Sie werden je nachdem, ob sie Hörzeichen, Sehzeichen, Riechzeichen usw. sind, als entsprechende Merkmale der jeweiligen Reizquelle aufgeprägt.

Zugleich induzieren die im Merkorgan anklingenden Zellglocken 65 die Glocken im zentralen Wirkorgan, die ihre Ichtöne als Impulse hinaussenden, um die Bewegungen der Muskeln der Effektoren auszulösen und zu dirigieren. Es ist also eine Art musikalischen Vorganges, der, von den Eigenschaften des Bedeutungsträgers ausgehend, wieder zu ihm zurückführt. Deshalb ist es zulässig, 70 sowohl die rezeptorischen wie die effektorischen Organe des Bedeutungsempfängers mit den entsprechenden Eigenschaften des Bedeutungsträgers als Kontrapunkte zu behandeln.

Wie man sich stets von neuem überzeugen kann, ist bei den meisten Tieren ein sehr verwickelter Körperbau die Voraussetzung, um 75 das Subjekt mit seinem Bedeutungsträger reibungslos zu verbinden.

Der Körperbau ist niemals von Anfang an vorhanden, sondern ein jeder Körper beginnt seinen Aufbau als eine einzige Zellglocke, die sich teilt und sich zu einem tönenden Glockenspiel gliedert nach einer bestimmten Gestaltungsmelodie. 80

Wie ist es möglich, daß zwei Dinge so verschiedenen Ursprunges, wie es z. B. die Hummel und die Blüte des Löwenmaules sind, so gebaut sind, daß sie in allen Einzelheiten ineinander passen? Offenbar dadurch, daß die beiden Gestaltungsmelodien sich gegenseitig beeinflussen — daß die Melodie des Löwenmaules als Motiv in die 85 Melodie der Hummel eingreift und umgekehrt. Was für die Biene galt, gilt auch für die Hummel: Wäre nicht ihr Körper blumenhaft, sein Aufbau würde nie gelingen.

Mit der Anerkennung dieses Kardinalsatzes der Naturtechnik ist die Frage, ob es einen Fortschritt von Unvollkommenerem zu Vollkommenerem gibt, bereits in negativem Sinne entschieden. Denn 90

---

[61] *Hirnzelle* brain cell; *ansprechend* addressing (us), i.e. relevant
[64] *jeweilig* in question
[67] *Effektor* active agent
[68] *aus-lösen* cause, produce
[70] *zulässig* admissible
[73] *Kontrapunkt* counterpoint
[75] *Voraussetzung* presupposition
[76] *reibungslos* without friction

[79] *sich gliedern* be organized
[80] *Gestaltung* structure
[82] *Hummel* bumble bee; *Löwenmaul* snapdragon
[86] *ein-greifen* interfere
[87] *Wäre* ... an echo of Goethe's lines:
    Wär' nicht das Auge sonnenhaft,
    Die Sonne könnt' es nie erblicken.

wenn fremde Bedeutungsmotive allseitig eingreifend den Aufbau der Tiere gestalten, so ist nicht abzusehen, was daran eine noch so große Abfolge von Generationen ändern könnte.

95　Wenn wir die Ahnenspekulation hinter uns lassen, betreten wir den soliden Boden der Naturtechnik. Aber hier erwartet uns eine große Enttäuschung. Die Erfolge der Naturtechnik liegen offen vor unsern Augen da, aber ihre Melodienbildung ist für uns gänzlich unerforschlich.

100　Das hat die Naturtechnik mit der Entstehung eines jeden Kunstwerkes gemein. Wir sehen wohl, wie die Hand des Malers Farbfleck an Farbfleck auf die Leinwand setzt, bis das Gemälde fertig vor uns dasteht, aber die Gestaltungsmelodie, die die Hand bewegte, bleibt uns völlig unerkennbar.

105　Wir können wohl verstehen, wie eine Spieluhr ihre Melodien erklingen läßt, aber wir werden nie verstehen, wie eine Melodie ihre Spieluhr erbaut.

Gerade darum handelt es sich bei der Entstehung eines jeden Lebewesens. In jeder Keimzelle liegt das Material da, auch die
110　Tastatur ist in den Genen vorhanden. Es fehlt nur die Melodie, um die Gestaltung zu vollbringen. Woher stammt sie?

In jeder Spieluhr befindet sich eine Walze, die mit Stiften besetzt ist. Beim Drehen der Walze schlagen die Stifte an Metallzungen von verschiedener Länge und erzeugen Luftschwingungen, die unser
115　Ohr als Töne wahrnimmt.

Ein jeder Musiker wird mit Leichtigkeit in der Stellung der Stifte auf der Walze die Partitur der Melodie wiedererkennen, die von der Spieluhr gespielt wird.

Denken wir uns für den Augenblick den menschlichen Verfertiger
120　der Spieluhr fort und nehmen wir an, sie sei ein Naturerzeugnis, so werden wir sagen können, wir haben es hier mit einer körperlichen dreidimensional ausgebildeten Partitur zu tun, die offenbar aus der Melodie selbst herauskristallisiert ist, weil die Melodie den

---

93　*ab-sehen* foresee
94　*Abfolge* sequence
95　*Ahnen* i.e. heredity
105　*Spieluhr* chime clock
109　*Keimzelle* germ cell
110　*Tastatur* keyboard

112　*Walze* roller; *Stift* peg; *besetzen* fill
114　*Schwingung* vibration
117　*Partitur* score
119　*fort-denken* disregard; *Verfertiger* maker

Bedeutungskeim der Spieluhr darstellt, dem ihre Teile entstammen, vorausgesetzt, daß genügendes und fügsames Material vorhanden ist. 125

Im Nationalmuseum von Stockholm befindet sich ein kleines Bild von Ivar Arosenius, ‚Jul‘ (Weihnachten) zubenannt, das eine zarte junge Mutter darstellt mit ihrem Kind auf dem Schoß. Über der Mutter schwebt ein feiner leichter Heiligenschein. Es ist eine einfache Dachstube, in der diese rührende kleine Madonna sitzt. Alles 130 um sie herum ist ganz alltäglich, aber alle Gegenstände vor ihr auf dem Tisch, die Lampe, der Vorhang, die Kommode mit dem Geschirr wirken als stimmungsvolle Motive, um die rührende kleine Heiligkeit zu steigern.

Das Bild ist so vollkommen durchkomponiert, daß man den 135 Maler darüber vergißt und ein kleines Naturwunder zu sehen glaubt. Hier lautet der Bedeutungskeim: ‚Madonna‘. Aus ihm ergeben sich alle anderen Dinge von selbst, wie bei einer melodischen Kristallbildung. Zugleich glaubt man in eine reine Umwelt zu schauen, in der es keine fremden Zutaten gibt. Alles hängt ineinander wie 140 Punkt und Kontrapunkt.

Nur ein weniges aber fügsames Material — ein wenig Leinwand und ein paar gedämpfte Farben — war nötig, um dies kleine Kunstwerk herauskristallisieren zu lassen. Die Menge des Materials spielt eine ganz nebensächliche Rolle. Mit mehr oder weniger Material in 145 größerem oder kleinerem Umfang hätte der Künstler das gleiche Resultat erzielen können.

Aber ein anderer Künstler hätte mit dem gleichen Material aus dem gleichen Bedeutungskeim ‚Madonna‘ ein völlig anderes Madonnenbild hervorgehen lassen.   150

Nun wollen wir die Entstehung eines Kunstwerkes dazu benutzen, um aufzuzeigen, inwiefern die Entstehung eines Lebewesens gleichartig verläuft.

Es besteht kein Zweifel, daß wir eine Eichel als Bedeutungskeim der Eiche und ein Ei als Bedeutungskeim des Huhnes ansprechen 155

---

124 *Bedeutungskeim* gem (or core) of significance
125 *fügsam* pliable
127 *zubenannt* entitled
129 *Heiligenschein* halo
130 *Dachstube* attic
133 *stimmungsvoll* atmospheric
135 *vollkommen durchkomponiert* perfect
in its composition
140 *Zutat* addition
143 *gedämpft* subdued
145 *nebensächlich* subsidiary
147 *erzielen* achieve
152 *gleichartig* similarly
154 *Eichel* acorn
155 *an-sprechen* claim

dürfen. Das Material ist in beiden Fällen das fügsamste, das die
Natur besitzt, nämlich lebendes Protoplasma, das jeder Formbildung, wenn sie von Ichtönen ausgeht, nachgibt und jede Form
zu bewahren imstande ist.

160 Die Eiche kristallisiert, vom Bedeutungskeim der Eichel ausgehend, ebenso sicher heraus wie das Huhn aus dem Ei — aber
wie geschieht das?

Es legen sich, wie bereits ausgeführt, immer neue Organknospen
an, die sich völlig selbständig ausbilden. In jeder Organknospe
165 befindet sich ein Bedeutungskeim, der aus dem ihm gebotenen
Material das fertige Organ herauskristallisieren läßt. Entfernt man
einen Teil des Baumaterials, so wird das Organ wohl in allen Einzelheiten genau ausgebildet werden, aber von geringerer Größe sein
als die normalen Organe. Braus hat gezeigt, daß die Kugel des
170 Schultergelenkes nicht mehr in die Pfanne paßt, wenn diese aus
Mangel an Bildungsstoff nicht die normale Größe erreicht.

Und Spemann hat, wie wir gesehen haben, erwiesen, daß eine
neu eingesetzte Organknospe einer andern Tierart wohl den der
Lage im Körper entsprechenden Bedeutungskeim erhält, der aber
175 ein völlig anderes Organ hervorgehen läßt, das wohl dem Stammtier
aber nicht dem Wirtstier dienlich sein kann, weil beide Tiere die
gleiche Funktion in völlig anderer Art ausführen. In beiden Fällen
war die Freßfunktion der Bedeutungskeim, aber der Frosch frißt
andere Nahrung als Triton.

180 So werden zwei Madonnenbilder, wenn sie von zwei verschiedenen
Malern stammen, wohl den gleichen Bedeutungskeim haben und
sich dennoch nicht gleichen.

Sobald die Organe sich zur gemeinsamen Körperfunktion zusam-
mengefunden haben, kommen Fehlbildungen aus Mangel an Bau-
185 material, wie sie Braus feststellte, nicht mehr vor. Wessely konnte
zeigen, daß bei jungen Kaninchen, die ihre Augenlinse in vergrößer-

---

158 *nach-geben* yield
163 *sich an-legen* be started; *aus-führen*
    describe; *Knospe* bud
169 *Hermann Braus* (1868–1924) scien-
    tist at the University of Heidelberg
170 *Gelenk* joint; *Pfanne* socket
172 *Hans Spemann* (1869–1941) zoolo-
    gist at the Universities of Berlin

    and Freiburg
175 *Stammtier* guest animal
176 *Wirtstier* host animal
179 *Triton* a type of sea snail
184 *Fehlbildung* malformation
185 *wie sie* such as; *Karl Wessely*
    German zoologist
186 *Kaninchen* rabbit

tem oder verkleinertem Maßstabe regenerieren, die sämtlichen am
Sehakt beteiligten Organe sich in gleichem Maße vergrößern oder
verkleinern, so daß in jedem Fall die Funktion des Sehens ungestört
weiter verläuft. Auch hier ist es die Bedeutung, die den Umbau 190
leitet.

Daß es wirklich die Bedeutung ist, die die Regeneration beherrscht,
geht schlagend aus einem Versuch Nissls hervor. Die Schädeldecke
der Säugetiere hat unzweifelhaft die Bedeutung einer festen Schutzdecke für das darunterliegende Großhirn. Die Schädeldecke wird 195
bei jungen Kaninchen auch anstandslos regeneriert, solange das
Großhirn nicht verletzt wird. Wird dagegen das halbe Großhirn
operativ entfernt, so regeneriert die darüberliegende Schädeldecke
nicht mehr. Sie hat ihre Bedeutung verloren. Eine einfache Vernarbung genügt in diesem Fall. 200

Wie man sieht, tritt die Bedeutung überall als entscheidender
Naturfaktor auf, in immer neuen und überraschenden Formen.

Lassen wir die Umwelten vor unserem geistigen Auge Revue
passieren, so finden wir in den Gärten, die die Körperhäuser der
Subjekte umgeben, die wunderlichsten Gestalten, die als Bedeu- 205
tungsträger dienen, deren Deutung oft große Schwierigkeiten bietet.
Man erhält dadurch den Eindruck, daß die Bedeutungsträger
Geheimzeichen oder Symbole darstellen, die nur von den Individuen
der gleichen Art verstanden werden, für die Mitglieder fremder
Arten aber völlig unverständlich bleiben. 210

Der Umriß und die Wasserströme der Teichmuschel liefern das
Liebessymbol des Bitterlings. Der Geschmackwechsel von Spitze
und Stiel der Blätter wird zum Formsymbol für den Regenwurm.
Der gleiche Ton wird zum Freundessymbol für die Fledermaus und
zum Feindessymbol für den Nachtschmetterling, und so fort in un- 215
absehbarer Reihe.

Haben wir uns durch die überwältigende Menge an Beispielen

---

[187] *Maßstab* scale
[190] *Umbau* rebuilding
[193] *schlagend* decisively; *Franz Nissl* (1860–1919) psychiatrist at the University of Heidelberg
[195] *Großhirn* cerebrum
[196] *anstandslos* spontaneously
[198] *operativ* by an operation
[199] *Vernarbung* scarring

[203] *Revue passieren* pass in review
[205] *wunderlich* strange
[211] *Wasserstrom* water current; *Teich-muschel* pond mussel
[212] *Bitterling* small carp
[213] *Stiel* stem
[214] *Fledermaus* bat
[215] *unabsehbar* infinite
[217] *überwältigend* overpowering

schließlich davon überzeugt, daß grundsätzlich jede Umwelt nur
von Bedeutungssymbolen erfüllt ist — so drängt sich uns die zweite
220 noch überraschendere Tatsache auf, daß jedes Bedeutungssymbol
eines Subjektes zugleich ein Bedeutungsmotiv für die Körpergestaltung des Subjektes ist.

Das Körperhaus ist einerseits der Erzeuger der Bedeutungssym-
bole, die seinen Garten bevölkern, und andererseits das Erzeugnis
225 der gleichen Symbole, die als Motive in den Hausbau eingreifen.

Dem Augenfenster des Hauses verdankt die Sonne ihren Schein
und ihre Gestalt droben am Himmel, der den Garten überwölbt.
Sie ist aber zugleich das Motiv für den Aufbau des Augenfensters.

Dies gilt für Tiere und Menschen und kann seinen Grund nur
230 darin haben, daß es der gleiche Naturfaktor ist, der in beiden Fällen
in die Erscheinung tritt.

Nehmen wir an, durch irgendein Naturereignis seien die Nachtschmetterlinge ausgestorben und wir wären vor die Aufgabe gestellt,
mit Hilfe der Naturtechnik diesen Ausfall aus der Tastatur des
235 Lebens zu ersetzen. Wie würden wir dabei vorgehen?

Wir würden voraussichtlich einen Tagesfalter nehmen und ihn
auf die in der Nacht blühenden Blumen umdressieren, wobei das
größere Gewicht auf die Ausbildung der Riechfühler als auf die
Ausbildung der Augen gelegt werden müßte.

240 Da die neuen Nachtschmetterlinge aber wehrlos den fluggewandten
Fledermäusen ausgeliefert wären, muß ein Erkennungszeichen für
diesen Feind geschaffen werden, das es der Mehrzahl der Schmetterlinge ermöglicht, rechtzeitig dem Feinde zu entgehen.

Als Feindsymbol ist der Pieplaut der Fledermaus am besten zu
245 verwenden, weil ihn die Fledermaus als Freundessymbol stets verwendet.

Um den Pieplaut wahrnehmen zu können, muß der Schmetterling
umgebaut werden und ein Gehörorgan erhalten, das ihn mit dem
Feindsymbol in Beziehung setzt. Das will sagen, daß das Symbol
250 als Motiv in den Aufbauplan eintritt.

219 *sich auf-drängen* force itself upon (one)
231 *in die Erscheinung tritt* appears (in reality)
236 *voraussichtlich* presumably; *Falter* butterfly
237 *um-dressieren* retrain
240 *wehrlos* defenseless; *fluggewandt* skillful in flying
241 *aus-liefern* fall a prey
244 *Pieplaut* squeak

,Wäre nicht der Nachtfalter fledermaushaft,
Sein Leben wäre bald beendet.'

Man kann sich wohl denken, daß die Zecke entstanden ist, um
eine Lücke in der Naturtastatur auszufüllen. In diesem Falle wäre
der aus den allgemeinen Säugetiereigenschaften bestehende Bedeu- 255
tungsträger zugleich Symbol für die Beute und Motiv im Bauplan
der Zecke.

Nun versuchen wir es zum Schluß, unser eigenes Körperhaus mit
dem dazugehörigen Garten von außen zu betrachten. Wir wissen
jetzt, daß unsere Sonne an unserem Himmel mitsamt dem Garten, 260
der erfüllt ist von Pflanzen, Tieren und Menschen, nur Symbole
sind einer allumfassenden Naturkomposition, die alles nach Rang
und Bedeutung ordnet.

Wir gewinnen durch diesen Überblick auch die Kenntnis von den
Grenzen unserer Welt. Zwar können wir durch immer feinere Ap- 265
parate allen Dingen zu Leibe gehen, aber wir gewinnen dabei kein
Sinnesorgan mehr, und alle Eigenschaften der Dinge, auch wenn
wir sie in die letzten Einzelheiten zerlegen — in Atome und Elektronen —, bleiben immer nur Merkmale unserer Sinne und Vorstellungen. 270

Wir wissen, daß diese Sonne, dieser Himmel und diese Erde mit
unserem Tode verschwinden werden; weiterleben werden sie in
ähnlichen Formen in den Umwelten kommender Geschlechter.

Es gibt nicht nur die beiden Mannigfaltigkeiten von Raum und
Zeit, in denen sich die Dinge ausbreiten können. Es gibt noch die 275
Mannigfaltigkeit der Umwelten, in der sich die Dinge in immer
neuen Formen wiederholen.

All die zahllosen Umwelten liefern in der dritten Mannigfaltigkeit
die Klaviatur, auf der die Natur ihre überzeitliche und überräum-
liche Bedeutungssymphonie spielt. 280

Uns ist während unseres Lebens die Aufgabe zugewiesen, mit
unserer Umwelt eine Taste in der riesenhaften Klaviatur zu bilden,
über die eine unsichtbare Hand spielend hinübergleitet.

---

256 *Beute* booty
266 *zu Leibe gehen* attack
279 *Klaviatur* keyboard

281 *zu-weisen* assign
282 *Taste* key

127

DAS PHYSIKALISCHE DENKEN

ARTHUR MARCH (1891–   )

Arthur March is professor of physics at the University of Innsbruck. The following selection is from his book *Das neue Denken der modernen Physik* (1957).

Das naturwissenschaftliche Weltbild hat durch die moderne Physik eine tiefgehende Wandlung erfahren, die keineswegs allgemein mit Zustimmung aufgenommen worden ist. Umwälzungen sind in der Physik nichts Außerordentliches, weil es ohne sie keinen
5 Fortschritt geben würde. Denn die entscheidenden Fortschritte der Physik vollzogen sich fast immer so, daß irgendwelche neu gewonnene Erfahrungen ein bis dahin für gesichert gehaltenes Naturgesetz außer Kraft setzten, weil sie mit ihm nicht vereinbar waren. An die Stelle des Gesetzes mußte dann ein neues treten.
10 Denken wir etwa an die Entdeckung der Radioaktivität, die es unmöglich machte, weiterhin an die Unveränderlichkeit der chemischen Elemente zu glauben.

Die Physik lebt also davon, daß sie in fortwährenden Umstürzen der Wahrheit immer näher kommt. Dann erscheint aber das un-
15 gewöhnliche Aufsehen, das die Quantenphysik mit ihren neuen Ideen erregt hat, nicht gleich verständlich. Die Erklärung ist, daß es diesmal um mehr ging als lediglich um die Korrektur eines Naturgesetzes. Es handelt sich in der Quantenphysik nicht mehr um die unmittelbar beobachtbaren Dinge und Vorgänge der Makro-
20 welt, mit denen sich die klassische Physik ausschließlich befaßt

---

3 *Umwälzung* revolution
6 *sich vollziehen* occur
8 *vereinbar* compatible
13 *Umsturz* overthrow, revolution

15 *Aufsehen* sensation
17 *lediglich* merely
19 The *macroworld* is the world of perceptible reality.

hatte, sondern ihren Gegenstand bildet die Mikrowelt der Atome
und letzten Materieteilchen. Die Erforschung dieser Welt aber
begann mit einer Überraschung. Man hielt es zunächst für ausgemacht, daß die Gesetze, welche die klassische Physik aus der
Beobachtung von Makrokörpern abgeleitet hatte, auch für Mikro-   25
körper Gültigkeit haben müßten. Denn warum sollte es für die
Gültigkeit eines Naturgesetzes einen Unterschied ausmachen, ob
wir es auf einen großen oder kleinen Körper anwenden?

Tatsächlich aber ergab sich sehr bald, daß nicht bloß die Gesetze
der Makrophysik in der Anwendung auf Atome und letzte Materie-   30
teilchen völlig versagten, sondern daß darüber hinaus nicht einmal
die Begriffe, in denen die klassische Physik ihre Gesetze formuliert
hatte, sich sinnvoll auf die Mikrowelt übertragen ließen. Das
zwang die neue Physik zu einer vollständigen Umstellung ihres
Denkens, indem es galt, erst nach den Begriffen zu suchen, die eine 35
adäquate Beschreibung des Mikrokosmos ermöglichen. Es waren
dies sehr fremdartige Begriffe, denen sich kein anschaulich vor-
stellbarer Inhalt unterlegen ließ, so daß die Theorie eine ihre Verständlichkeit sehr erschwerende Abstraktheit annahm. Aber das
war noch nicht alles. Viel weitergehend war, daß man sich ent-   40
schließen mußte, gewisse bereits zu Denkformen erstarrte Grundsätze der klassischen Physik einer Revision zu unterziehen. Der
wichtigste dieser Grundsätze war der der Kausalität, von der es
zunächst schien, als ob sie überhaupt aufgegeben werden müßte,
so daß die Quantenphysik in den Ruf geriet, daß sie einen Zusam- 45
menhang zwischen Ursache und Wirkung leugne und damit an die
Stelle der Kausalität den reinen unberechenbaren Zufall setze.

Das war indessen ein Mißverständnis. Wenn in der Natur nur
der Zufall regierte, so würde es keine Gesetze geben, die von der
Gegenwart auf die Zukunft schließen lassen, und damit würde die 50
Physik jeden Inhalt verlieren. Es ist nämlich so, daß weitaus die
überwiegende Mehrzahl der physikalischen Gesetze sich auf das

[22] *Teilchen* particle
[23] *ausgemacht* definite
[26] *Gültigkeit* validity
[29] *sich ergeben* be seen
[31] *versagen* fail
[33] *sinnvoll* meaningfully
[34] *Umstellung* readjustment

[35] *es galt* it was necessary
[37] *anschaulich* i.e. perceptible to the
  senses
[38] *unterlegen* hypostatize
[42] *unterziehen* subject
[51] *weitaus* by far
[52] *überwiegend* predominant

zeitliche Verhalten gewisser meßbarer Größen beziehen und damit einen Zusammenhang zwischen Gegenwart und Zukunft herstellen.

55 Es ist in erster Linie dieser Zusammenhang, auf dem der Wert der Physik beruht, weil er Voraussagen für die Zukunft zuläßt. Eine Kausalität muß es also auch nach der Quantenmechanik geben, so daß der Umsturz nur darin bestehen kann, daß der Begriff der Kausalität sich geändert hat.

60 Um hier zu einer Klarheit zu kommen, muß man sich zunächst darüber einigen, was man überhaupt unter Kausalität verstehen will. Denn die Diskussionen über diesen Begriff scheitern gewöhnlich daran, daß jeder mit ihm etwas anderes meint. Es sind die verschiedensten Definitionen der Kausalität möglich. Kant z. B.

65 hat sie als eine *a priori* gegebene Denkform erklärt, die eine Voraussetzung für jede Erfahrung bildet. Für den Physiker dagegen ist es das einzig Zweckmäßige, unter der Kausalität einen Satz zu verstehen, der der Erfahrung entnommen ist und sich daher experimentell überprüfen läßt. Den Satz nämlich, daß in der Natur

70 unter den gleichen Bedingungen immer dasselbe geschieht. Oder, etwas genauer ausgedrückt: daß in einem System, das unter gegebenen Bedingungen steht, aus dem gleichen Anfangszustand immer dieselbe Reihe von Folgezuständen hervorgeht. Das ist eine Behauptung, die keineswegs eine Denknotwendigkeit darstellt,

75 sondern ebensogut wahr wie falsch sein kann. Zeigt die Erfahrung, daß sie zutrifft, so wollen wir sagen, daß in der Natur das Prinzip der Kausalität herrscht. Die wichtigste Folgerung dieses Prinzips ist, daß die in der Natur stattfindenden Ereignisse vorhersagbar werden; denn wir können ja, wenn eine Kausalität besteht, für

80 jedes System, das sich in einem gegebenen Zustand befindet und unter gegebenen Einwirkungen steht, auf Grund unserer früheren Erfahrungen voraussagen, wie sich das System verändern wird.

Diese Definition der Kausalität deckt sich nicht mit der landläufigen Auffassung, die unter Kausalität einfach den Satz versteht,

85 daß zu jedem Ereignis ein anderes als Ursache gehört. Es entspricht

---

53 *Verhalten* behavior; *Größe* quantity
55 *in erster Linie* primarily
56 *Voraussage* prediction
62 *scheitern* fail
65 *a priori* i.e. preceding experience;
   Voraussetzung presupposition

67 *Satz* proposition
69 *überprüfen* test
76 *zu-treffen* apply
77 *Folgerung* conclusion
78 *vorhersagbar* predictable
83 *sich decken* agree; *landläufig* current

dies der auf Aristoteles zurückgehenden Idee, daß die Gesamtheit
der Geschehnisse sich in Paare aufteilen läßt, die zueinander in der
Beziehung von Ursache und Wirkung stehen. Aber das ist eine,
physikalisch genommen, ganz unsinnige Vorstellung. Irgendein
Geschehnis hat niemals nur eine Ursache, sondern deren unendlich 90
viele, die kettenartig zusammenhängen, wobei außerdem noch unendlich viele derartige Ketten im betrachteten Geschehnis zusam-
menlaufen können.

Von der Physik aus gesehen erscheint somit die Kausalität als
ein Prinzip, das ungleich komplexer ist als es gewöhnlich hingestellt 95
wird. Ein Ereignis 1 weist nicht einfach auf ein anderes 2 als seine
Ursache hin, sondern ist mit der ganzen Vergangenheit der Welt
kausal verknüpft. Das zwingt die Physik zu einer Formulierung
des Kausalitätsprinzips, in der nicht von Ursache und Wirkung die
Rede ist, sondern nach der jedes Ereignis die Folge aller vorher- 100
gehenden Ereignisse ist. Was mit anderen Worten heißt, daß die
Natur eine Beschaffenheit hat, die es uns ermöglicht, vom gegenwärtigen Zustand eines Systems auf die zukünftigen Zustände zu
schließen.

Die klassische Physik war streng nach diesem Grundsatz aus- 105
gerichtet. Alle ihre Grundgesetze, sowohl die der Mechanik wie
der Elektrodynamik, bezogen sich auf den zeitlichen Differential-
quotienten irgendeiner Größe, wie des mechanischen Impulses oder
einer Feldstärke. Sie verknüpften damit den Wert, den diese Größe
zu irgendeinem Zeitpunkt hat, mit dem Wert, der ihr im nächstfol- 110
genden Augenblick zukommt, womit sie eine Verbindung der Gegenwart mit der Zukunft herstellten.

Aber als man begann, die Mikrowelt der Atome zu studieren,
machte man eine Entdeckung, welche die Gültigkeit des Kausal-
prinzips in Frage zu stellen schien. Die Kausalität setzt ein kon- 115
tinuierliches, von keinen Unstetigkeiten unterbrochenes Geschehen
voraus, weil sie ja den momentanen Zustand eines Systems mit
dem unmittelbar vorhergehenden verknüpft. Die Makrowelt erfüllt
diese Forderung, indem sie dem Grundsatz *natura non facit saltus*

102 *Beschaffenheit* quality
105 *aus-richten* orient
107 *Differentialquotient* derivative
109 *Feldstärke* intensity of the field (or
  surrounding area)

116 *Unstetigkeit* inconstancy
117 *momentan* at any moment
119 *natura non facit saltus* nature does
  not make a leap

120 genügt, und darum stand ihrer kausalen Auffassung nichts im Wege.
Die Mikrowelt dagegen zeigte ein ganz anderes Verhalten; für sie
gilt, wie sich herausstellte, nicht mehr, daß die Natur keine Sprünge
macht, sondern ihre Besonderheit liegt gerade darin, daß sich ihre
Veränderungen in sprunghaften Akten vollziehen. Es sind dies
125 Akte, die sich mit dem Begriffsapparat der klassischen Physik nicht
analysieren lassen und sich damit jeder raum-zeitlichen Beschreibung
entziehen. Nehmen wir z. B. die Veränderung, die ein Atom erfährt,
wenn es eine Lichtwelle emittiert. Sie besteht darin, daß ein Elektron des Atoms seinen Bewegungszustand gegen einen anderen
130 vertauscht. Aber dieser Übergang vollzieht sich in einem nicht-
analysierbaren Prozeß, den wir nicht erfassen können, weil sich
dafür die uns zur Verfügung stehenden anschaulichen Begriffe nicht
eignen. Wie ein Atom es anstellt, Licht zu produzieren oder zu
absorbieren, werden wir, wenn die Quantenmechanik recht hat,
135 in der uns gewohnten Sprache niemals sagen können, weil es sich nicht
sagen läßt. Das bedeutet aber, daß der Prozeß in die Stetigkeit des
Naturgeschehens eine Lücke reißt, die wir nicht zu überbrücken
vermögen und die daher — und das ist nun das Entscheidende —
die Kette des kausalen Zusammenhanges zerreißt. Wir können
140 einen derartigen unzerlegbaren Prozeß in das Naturgeschehen nicht
kausal einordnen, was mit anderen Worten heißt, daß es uns unmöglich ist, seinen Eintritt vorher zu sagen. Es passieren somit in
der Natur Dinge, für die sich kein Grund angeben läßt. Wir wissen
nicht, was ein Atom veranlaßt, plötzlich unter Ausstrahlung einer
145 Lichtwelle seinen Zustand zu ändern. Ebensowenig läßt sich vor-
hersehen, wann ein radioaktives Atom unter Emission eines α-
oder β-Teilchens zerfallen und sich in ein anderes Atom umwandeln
wird, weil auch diese Umwandlung einen nicht zergliederbaren Akt
darstellt, der außerhalb jeder Kausalität steht. Betrachten wir als
150 drittes Beispiel die Veränderung, die ein Elektron erfährt, wenn
wir es durch einen Kristall schießen. Es erleidet dann einen Zusam-
menstoß mit einem der Atome des Kristalls und, als Folge dieses
Zusammenstoßes, eine Ablenkung in der Bewegungsrichtung, so

---

122 *sich heraus-stellen* turn out
129 *Bewegungszustand* condition of motion
132 *Verfügung* disposal
133 *an-stellen* bring about
137 *Lücke* gap

140 *unzerlegbar* unanalyzable
141 *ein-ordnen* integrate
148 *zergliederbar* analyzable
151 *erleiden* undergo
153 *Ablenkung* diversion

daß es den Kristall in einer veränderten Richtung verläßt. Das
geschieht wiederum durch einen akausalen Prozeß, so daß sich [155]
Größe und Richtung der Ablenkung aus den Versuchsbedingungen
nicht vorhersagen läßt. Wiederholen wir den Versuch unter genau
denselben Bedingungen, so ist das Ergebnis jedesmal ein anderes.

Es finden also in der Mikrowelt Vorgänge statt, die keine kausale
Deutung zulassen, weil uns ihr raum-zeitlicher Verlauf nicht er- [160]
faßbar ist. Die Unschärfe-Relationen der Quantenmechanik, nach
denen es unmöglich ist, zwei zusammengehörige Zustandsgrößen
eines Systems, wie etwa die Lage und die Geschwindigkeit einer
Partikel, gleichzeitig scharf zu messen, erklären sich aus der Wirksamkeit solcher Vorgänge, indem sie darauf zurückgehen, daß jede [165]
an einem System vorgenommene Messung einen Eingriff bedeutet,
der einen unzerlegbaren Prozeß auslöst. Die Folge ist, daß uns
durch die Messung einer Größe die Kenntnis einer anderen Größe
verlorengeht, so daß es niemals gelingt, den Zustand des Systems
in allen ihn kennzeichnenden Größen exakt festzulegen. Es liegt [170]
das nicht an einer zufälligen und möglicherweise in der Zukunft
einmal behebbaren Unvollkommenheit unserer heutigen Meßtech-
nik, sondern an einer durch ein Naturgesetz bedingten Einschränkung der Meßmöglichkeiten.

Die entscheidende Frage ist nun aber, ob die Tatsache von nicht- [175]
analysierbaren Elementarprozessen bedeutet, daß das Geschehen in
der Mikrowelt keiner kausalen Ordnung, sondern dem reinen unberechenbaren Zufall untersteht. Mit anderen Worten: ob die
Prozesse jeden Schluß von der Gegenwart auf die Zukunft unmöglich machen, womit das Prinzip der Kausalität jeden Inhalt ver- [180]
lieren würde. Die Antwort auf diese Frage ist, daß es auch nach
der Quantenmechanik eine Kausalität gibt, daß sie aber nicht
mehr bestimmte, sondern lediglich statistische Vorhersagen zuläßt.
Es läßt sich nämlich nicht mehr mit Sicherheit, sondern nur mehr
mit einer bestimmten Wahrscheinlichkeit behaupten, daß dies oder [185]

[161] *Unschärfe-Relation* uncertainty principle
[162] *Zustandsgröße* static quantity
[164] *Wirksamkeit* effectiveness
[166] *Eingriff* interference; *aus-lösen* produce
[170] *kennzeichnende Größen* quantitative
aspects; *fest-legen* determine

[172] *behebbar* removable
[178] *unterstehen* be subjected
[183] *bestimmte ... statistische* i.e. we cannot predict how any one atom will
behave but can know how a group
will behave. This is explained in
the sentences that follow.

jenes passieren wird. Ein Beispiel mag das klarmachen. Wie wir
vorhin gesehen haben, erfolgt der Zerfall eines radioaktiven Atoms
durch einen Prozeß, der sich jeder Voraussicht entzieht. Ein ge-
gebenes Atom kann im nächsten Augenblick, aber ebensogut erst
190 nach Jahren zerfallen. Aber das heißt nicht, daß deswegen der
Eintritt des Zerfalles dem reinen Zufall unterliegt. Denn wenn
wir nicht mit einem einzigen Atom, sondern einer sehr großen Anzahl von Atomen experimentieren, so stellt sich heraus, daß sich
mit beträchtlicher Genauigkeit angeben läßt, wieviele von ihnen
195 in einem beliebig vorgegebenen zukünftigen Zeitintervall zerfallen
werden. Was mit anderen Worten besagt, daß der Zerfall der
Atome, obwohl er sich im Einzelfall nicht voraussehen läßt, nicht
völlig gesetzlos vor sich geht, sondern einem bestimmten Wahr-
scheinlichkeitsgesetz untersteht, so daß über ihn eine statistische
200 Vorhersage erstellt werden kann.

Noch deutlicher wird das, wenn wir das andere vorhin angeführte
Beispiel betrachten, das sich auf Elektronen bezog, die durch einen
Kristall geschossen werden. Was sich in diesem Fall jeder Voraussicht entzieht, ist die Ablenkung, die ein einzelnes Elektron durch
205 den Kristall erfährt. Zur Feststellung der Ablenkung denken wir
uns hinter dem Kristall eine photographische Platte aufgestellt, die
jedes sie treffende Elektron durch ein geschwärztes Silberkorn anzeigt. Der Lage dieses Korns läßt sich die Ablenkung entnehmen.
Stellen wir nun eine große Zahl von Versuchen an, bei denen der
210 Kristall jedesmal in genau derselben Art von einem Elektron be-
schossen wird, so trifft das abgelenkte Elektron die photographische
Platte bald da und bald dort. Aber wiederum erweisen sich die Ab-
lenkungen als nicht völlig gesetzlos. Denn wenn wir die Versuche
hinreichend lange fortsetzen, so kommt auf der Platte immer deut-
215 licher eine Figur zum Vorschein. Diese Figur bedeutet, daß es
Richtungen gibt, nach denen das Elektron besonders häufig ab-
gelenkt wird, während nach gewissen anderen Richtungen eine
Ablenkung niemals zustandekommt. Das ermöglicht, genau wie
beim radioaktiven Zerfall, gewisse Wahrscheinlichkeitsvorhersagen
220 für die Zukunft. Eine Kausalität, die in einem solchen eingeschränk-

---

188 *Voraussicht* prediction   201 *an-führen* quote
194 *beträchtlich* considerable   205 *fest-stellen* determine
195 *beliebig* arbitrary, any   209 *an-stellen* institute
200 *erstellen* set up

ten Sinn von der Gegenwart auf die Zukunft schließen läßt, wird man passend eine statistische Kausalität nennen.

Wir haben damit die Denkweise der heutigen Physik charakterisiert; sie ist wesentlich statistisch, womit gemeint ist, daß alle ihre Gesetze, welche die Gegenwart mit der Zukunft verbinden, sich nie 225 auf den einzelnen Fall beziehen, sondern immer nur das statistische Verhalten vieler Fälle betreffen.

Bleibt noch die Frage offen, was denn die neue Physik zwang, auf alle Gewißheit zu verzichten und sich mit einer rein statistischen Betrachtung der Natur zu begnügen. Der Grund sind die nicht- 230 analysierbaren Elementarprozesse, aus denen sich das Geschehen in der Mikrowelt der Atome zusammensetzt, die den kausalen Zusammenhang des Geschehens fortgesetzt unterbrechen und damit dem einzelnen Geschehen jede Determiniertheit nehmen. Aber wir dürfen dies nicht dahin verstehen, daß nun durch diese Prozesse 235 das Naturgeschehen überhaupt jede Determiniertheit verliert. In Wahrheit heben die nicht-zerlegbaren Prozesse nur die Erkennbarkeit der Kausalität auf. Wir können das Einzelgeschehen nicht als kausal bedingt erkennen, weil die Prozesse in den kausalen Zusammenhang nicht-ausfüllbare Lücken reißen. Dann muß aber der 240 Zusammenhang durch ein statistisches Verfahren, indem wir den Versuch viele Male wiederholen, rekonstruierbar sein. Eine Analogie mag dies klarmachen. Denken wir uns einen Sender, der eine Botschaft übermittelt. Ein Störsender, der nicht kontinuierlich, sondern intermittierend in kleinen Stößen arbeitet, mag die Bot- 245 schaft unkenntlich machen, indem er sie fortgesetzt auf kurze Zeit auslöscht. Aber wenn so auch die einzelne Botschaft unverständlich wird, so gibt es doch ein Verfahren, ihren Sinn ausfindig zu machen. Der Sender muß sie dazu nur genügend oft wiederholen; sie wird dann vom Störer jedesmal an anderen Stellen unterbrochen, und 250 das bringt die Möglichkeit mit sich, ihren Wortlaut aus vielen Sendungen zu rekonstruieren. Genau wie bei der Kausalität gelingt es also auch hier nur auf dem Wege einer Statistik, das Bestehen eines Zusammenhanges nachzuweisen.

[235] *dahin* in such a way
[237] *auf-heben* remove
[243] *Sender* radio transmitter
[244] *übermitteln* send, emit; *Störsender*
jamming transmitter
[245] *Stoß* thrust
[248] *ausfindig machen* ascertain

IX   SCHERZ UND SPASS

128

DIE UNGLEICHEN EHELEUTE

ABRAHAM A SANTA CLARA (1644–1709)

Ulrich Megerle, who took the above name when he became an Augustinian monk, was the most eminent preacher of his day in the German Empire. Endowed with a strong literary talent, with a special turn for satire, he poured out his fiery reproaches to sinful humanity in poetic prose and verse. His powerful sermons and homilies are couched in the baroque diction of his time.

Will er Sauer, so will ich Süß,
Will er Mehl, so will ich Grieß,
Schreit er hu, so schrei' ich ha,
Ist er dort, so bin ich da,
Will er essen, so will ich fasten,   5
Will er gehn, so will ich rasten,
Will er recht, so will ich link,
Sagt er Spatz, so sag' ich Fink,
Ißt er Suppen, so eß' ich Brocken,
Will er Strümpf', so will ich Socken,   10
Sagt er ja, so sag' ich nein,
Sauft er Bier, so trink' ich Wein,
Will er dies, so will ich das,
Singt er den Alt, so sing' ich den Baß,
Steht er auf, so sitz' ich nieder,   15
Schlägt er mich, so kratz' ich wieder,
Will er hü, so will ich hott,
Das ist ein Leben, erbarm' es Gott!

---

² *Grieß* grits
⁸ *Spatz* sparrow; *Fink* finch
¹² *sauft* Austrian for *säuft* guzzles

¹⁴ *Alt* alto
¹⁶ *kratzen* scratch; *wieder* back
¹⁷ *hü . . . hott* whoa! gee up!

129

DAS LIED VOM FLOH

JOHANN WOLFGANG VON GOETHE (1749–1832)

From *Faust I,* the scene entitled *Auerbachs Keller.* The song is sung by
Mephistopheles. It is a satire on favoritism and upstarts at court. The
meter is iambic trimeter. The musical setting by Moussorgsky was made
famous by the Russian singer Chaliapin.

> Es war einmal ein König,
> Der hatt' einen großen Floh,
> Den lieb' er gar nicht wenig,
> Als wie seinen eignen Sohn.
> 5 Da rief er seinen Schneider,
> Der Schneider kam heran:
> „Da, miß dem Junker Kleider
> Und miß ihm Hosen an!"
>
> In Sammet und in Seide
> 10 War er nun angetan,
> Hatte Bänder auf dem Kleide,
> Hatt' auch ein Kreuz daran,
> Und war sogleich Minister,
> Und hatt' einen großen Stern.
> 15 Da wurden seine Geschwister
> Bei Hof auch große Herr'n.

---

4 *Sohn* In the Frankfurt dialect the *n*
  is barely heard, so that there is a
  fair rhyme with *Floh.*
7 *Junker* squire

10 *angetan* dressed
11 *Bänder* ribbons
12 *Kreuz* and *Stern* i.e. decorations

Und Herr'n und Frau'n am Hofe,
Die waren sehr geplagt,
Die Königin und die Zofe
Gestochen und genagt,   20
Und durften sie nicht knicken
Und weg sie jucken nicht.
Wir knicken und ersticken
Doch gleich, wenn einer sticht.

130

ELFENLIED

EDUARD MÖRIKE (1804–1875)

Written in 1831; one of Mörike's many delightfully humorous poems.

Bei Nacht im Dorf der Wächter rief:
　　　　　Elfe!
Ein ganz kleines Elfchen im Walde schlief —
　　　　　Wohl um die Elfe —
Und meint', es rief ihm aus dem Tal   5
Bei seinem Namen die Nachtigall,
Oder Silpelit hätt' ihm gerufen.
Reibt sich der Elf die Augen aus,
Begibt sich vor sein Schneckenhaus
Und ist als wie ein trunken Mann,   10
Sein Schläflein war nicht voll getan,
Und humpelt also tippe tapp
Durchs Haselholz ins Tal hinab,

---

19 *Zofe* lady-in-waiting
20 *nagen* gnaw
21 *knicken* pinch
22 *weg-jucken* itch away

---

2 *elfe* eleven

7 *Silpelit* name of an elf
9 *sich begeben* betake oneself; *Schnecke* snail
10 *trunken* drunken
12 *humpeln* hobble, limp

Schlupft an der Mauer hin so dicht,
15   Da sitzt der Glühwurm, Licht an Licht.
„Was sind das helle Fensterlein?
Da drin wird eine Hochzeit sein:
Die Kleinen sitzen beim Mahle
Und treiben's in dem Saale.
20   Da guck' ich wohl ein wenig 'nein!"
— Pfui, stößt den Kopf an harten Stein!
Elfe, gelt, du hast genug?
                                    Gukuk! Gukuk!!

131

HUMOR

WILHELM BUSCH (1832–1908)

Wilhelm Busch is Germany's most popular satirist with pen and pencil.
His cartoons have endeared him to children and adults alike, and he has
the dubious distinction of being the father of our comics.   He is a major satirist in German literature, and his wry use of language (reminiscent of Ogden
Nash) gives his satire an added pungency.   The following definition of humor refers to that special brand of desperate cheerfulness that we know from
Dickens, which Germans call *Galgenhumor*.

Es sitzt ein Vogel auf dem Leim,
Er flattert sehr und kann nicht heim.
Ein schwarzer Kater schleicht herzu,
Die Krallen scharf, die Augen gluh.
5   Am Baum hinauf und immer höher
Kommt er dem armen Vogel näher.

---

14 *schlupfen* slip
15 *Glühwurm* glowworm; *an* upon
17 *wird sein* must be
19 *treiben's* are having a good time
20 *gucken* peep
21 *pfui* expression of disgust: pah

22 *gelt = nicht wahr?*

---

1 *Leim* bird lime (spread on the
    branches to catch birds)
3 *Kater* tomcat
4 *Kralle* claw; *gluh* glowing

Der Vogel denkt: Weil das so ist
Und weil mich doch der Kater frißt,
So will ich keine Zeit verlieren,
Will noch ein wenig quinkelieren   10
Und lustig pfeifen wie zuvor.

Der Vogel, scheint mir, hat Humor.

132

DER UNENTBEHRLICHE

Wirklich, er war unentbehrlich!
Überall, wo was geschah
Zu dem Wohle der Gemeinde,
Er war tätig, er war da.

Schützenfest, Kasinobälle,   5
Pferderennen, Preisgericht,
Liedertafel, Spritzenprobe,
Ohne ihn da ging es nicht.

Ohne ihn war nichts zu machen,
Keine Stunde hat er frei.   10
Gestern, als sie ihn begruben,
War er richtig auch dabei.

---

10 *quinkelieren* trill
12 *der* demonstrative adjective

---

1 *unentbehrlich* indispensable
2 *was = etwas*

5ff. shooting match, officers' balls,
horse racing, contest judging, glee
club, (voluntary) fire-brigade drill
12 *richtig* sure enough

133

DORFKIRCHE IM SOMMER

DETLEV VON LILIENCRON (1844–1909)

This delightful snapshot of rustic life shows Liliencron's superb mastery of impressionistic technique in literature.   The meter is trochaic tetrameter.

Schläfrig singt der Küster vor,
Schläfrig singt auch die Gemeinde.
Auf der Kanzel der Pastor
Betet still für seine Feinde.

5   Dann die Predigt, wunderbar,
Eine Predigt ohnegleichen.
Die Baronin weint sogar
Im Gestühl, dem wappenreichen.

Amen, Segen, Türen weit,
10   Orgelton und letzter Psalter.
Durch die Sommerherrlichkeit
Schwirren Schwalben, flattern Falter.

---

[1] *Küster* sexton; here also choirmaster
[4] *Feinde* These enemies are wholly imaginary.
[7] *Baronin* The local Junker family sets the tone in the community.

[8] *Gestühl* pew; *wappenreich* richly adorned with the baronial coat of arms
[12] *schwirren* whir; *Falter* butterfly

134

DIE MUSIK KOMMT

Written and published in 1881; this is Liliencron's most popular poem. It is a tour de force of impressionistic technique. The meter is iambic tetrameter. There is a musical setting by Oscar Strauss.

Klingkling, bumbum und tschingdada,
Zieht im Triumph der Perserschah?
Und um die Ecke brausend bricht's
Wie Tubaton des Weltgerichts,
    Voran der Schellenträger.   5

Brumbrum, das große Bombardon,
Der Beckenschlag, das Helikon,
Die Pikkolo, der Zinkenist,
Die Türkentrommel, der Flötist,
    Und dann der Herre Hauptmann.   10

Der Hauptmann naht mit stolzem Sinn,
Die Schuppenketten unterm Kinn,
Die Schärpe schnürt den schlanken Leib,
Beim Zeus! das ist kein Zeitvertreib;
    Und dann die Herren Leutnants.   15

[2] *Perserschah* the shah of Persia; the last word in pomp and dignity
[4] The well-known Latin hymn *Dies irae* has the line: The trumpet, spreading a marvelous sound, will gather all before the throne.
[5] *Schellenträger* crescent player. The crescent is a Turkish instrument consisting of bells and a crescent at the top.
[6] The bombardon is a large wind instrument.
[7] *Beckenschlag* clang of cymbals. The helicon is a wind instrument resembling the French horn.
[8] *Zinkenist* cornet player
[9] *Türkentrommel* kettle drum
[12] *Schuppenkette* chin strap
[13] *Schärpe* sash; *schnüren* lace tight
[14] *Zeitvertreib* pastime

Zwei Leutnants, rosenrot und braun,
Die Fahne schützen sie als Zaun;
Die Fahne kommt, den Hut nimm ab,
Der bleiben treu wir bis ans Grab!
20   Und dann die Grenadiere.

Der Grenadier im strammen Tritt,
In Schritt und Tritt und Tritt und Schritt,
Das stampft und dröhnt und klappt und flirrt,
Laternenglas und Fenster klirrt;
25   Und dann die kleinen Mädchen.

Die Mädchen alle, Kopf an Kopf,
Das Auge blau und blond der Zopf,
Aus Tür und Tor und Hof und Haus
Schaut Mine, Trine, Stine aus;
30   Vorbei ist die Musike.

Klingkling, tschingtsching und Paukenkrach.
Noch aus der Ferne tönt es schwach,
Ganz leise bumbumbumbum tsching;
Zog da ein bunter Schmetterling,
35   Tschingtsching, bum, um die Ecke?

135

AUF DER ELEKTRISCHEN

LUDWIG THOMA (1867–1921)

Ludwig Thoma was a Bavarian journalist and humorist. He is remembered best for his *Lausbubengeschichten* (Stories of a Bad Boy).   The following sketch is from *Nachbarsleute*.

17 *Zaun* hedge
21 *stramm* vigorous
23 There is a stamping and roaring and
clattering and vibrating.

24 *Laterne* lamppost
26 *an* beside
29 Wilhelmine, Katharine, Christine
31 *Paukenkrach* crash of the bass drum

Der schwere Wagen poltert auf den Schienen; beim Anhalten gibt es einen Ruck, daß die stehenden Passagiere durcheinander gerüttelt werden.

Ein Schaffner ruft die Station aus. „Müliansplatz!" Heißt eigentlich Maximiliansplatz. Aber der Schaffner hat Schmalzler 5 geschnupft und kann die langen Namen nicht leiden.

Ein Student steigt auf. Er trägt eine farbige Mütze, und der Schaffner salutiert militärisch. Er weiß: das zieht bei den Grünschnäbeln. Sie bilden sich darauf was ein. Und wenn sich Grünschnäbel geschmeichelt fühlen, geben sie Trinkgelder. Er ist 10 Menschenkenner und hat sich nicht getäuscht. Der junge Herr mit der großen Lausallee gibt fünf Pfennige. Er sieht dabei den Schaffner nicht an; er sieht gleichgültig ins Leere; er zeigt, daß er dem Geschenke keine Bedeutung beimißt. Der Schaffner salutiert wieder. 15

Wumm! Prr! Der Wagen hält. „Deonsplatz!" schreit der Schaffner. Heißt eigentlich Odeonsplatz.

Eine Frau, die ein großes Federbett trägt, schiebt sich in den Wagen. Ein Sitzplatz ist noch frei. Die Frau zwängt sich zwischen zwei Herren. Sie stößt dem einen den Zylinder vom Kopfe. Das 20 ärgert den Herrn. Er klemmt den Zwicker fester auf die Nase und blickt strafend auf das Weib. „Aber erlauben Sie!" sagt er. „—? !—" „Aber erlauben Sie, mit einem solchen Bett!"

Die Leute im Wagen werden aufmerksam. Der Mann scheint ein Norddeutscher zu sein; der Sprache nach zu schließen. Ein 25 besserer Herr, der Kleidung nach zu schließen. Was fällt ihm ein, die arme Frau aus dem Volke zu beleidigen?

Ein dicker Mann, dessen grünen Hut ein Gemsbart ziert, verleiht der allgemeinen Stimmung Ausdruck. „Warum soll denn dös arme Weiberl net da herin sitzen? Soll's vielleicht draußen bleib'n und 30

---

1 *poltern* rumble
2 *Ruck* jolt
3 *rütteln* shake
5 *Schmalzler* a lubricating snuff
7 *Mütze* i.e. a cap with the colors of one of the student fraternities
8 *ziehen* go well; *Grünschnabel* greenhorn
9 *sie bilden sich darauf was ein* it makes them conceited
12 *Lausallee* (vulgar) part in the hair
14 *bei-messen* attribute
20 *Zylinder* top hat
21 *klemmen* press; *Zwicker* pince-nez
26 *was fällt ihm ein* how dare he
28 *Gemsbart* goat's beard
29 *dös = das*
30 *net = nicht; da herin = hier drinnen*

frier'n? Bloß weil's dem nobligen Herrn net recht is? Wenn ma
so noblig is, fahrt ma halt mit da Droschken!" Der dicke Mann ist
erregt. Der Gemsbart auf seinem Hute zittert.

Einige Passagiere nicken ihm beifällig zu; andere murmeln ihre
35 Zustimmung. Ein Arbeiter sagt: „Überhaupt is de Tramway für
an jed'n da. Net wahr? Und dera Frau ihr Zehnerl is vielleicht
g'rad so guat, net wahr, als wia dem Herrn sei Zehnerl."

Die Frau mit dem Bett sieht recht gekränkt aus. Sie schweigt;
sie will nicht reden; sie weiß schon, daß arme Leute immer unter-
40 drückt werden. Sie schnupft ein paarmal auf und setzt sich zurecht.
Dabei fährt sie mit dem Bette ihrem anderen Nachbarn ins Gesicht.
Der stößt das Bett unsanft weg und redet in soliden Baßtönen: „Sie,
mit Eahnan dreckigen Bett brauchen S' mir fei's Maul net abwisch'n!
Glauben S' vielleicht, Sie müassen's mir unta d'Nasen halt'n, weil
45 S' as jetzt aus 'm Versatzamt g'holt hamm?"

Die Passagiere horchen auf. Da ist noch einer, der die Frau aus
dem Volke beleidigt; aber, wie es scheint, ein süddeutscher Landsmann. Die Stimmung richtet sich nicht gegen ihn. Übrigens sieht
er so aus, als wenn ihm das gleichgültig sein könnte. Er hat etwas
50 Gesundes an sich, etwas Robustes, Hinausschmeißerisches. Er
imponiert sogar dem Herrn mit dem grünen Hute. Und dann,
alle haben es gesehen: Die Frau ist ihm wirklich mit dem Feder-
bette über das Gesicht gefahren. So etwas tut man nicht.

Der Mann selbst ist noch nicht fertig mit seiner Entrüstung.
55 Er wirft einen sehr unfreundlichen Blick auf die Frau aus dem
Volke und einen sehr verächtlichen Blick auf das Bett. Er sagt:
„Überhaupt is dös a Frechheit gegen die Leut', mit so an Bett do
rei'geh'. Wer woaß denn, wer in dem Bett g'leg'n is? Vielleicht a
Kranker; und mir fahren S' ins Gesicht damit! Sie ausg'schamte
60 Person!"

Einige murmeln beifällig. Der Mann mit dem grünen Hute gerät

---

³¹ *noblig = nobel*
³² *fahrt = fährt;   ma = man;   halt*
   simply; *Droschke* cab
³⁴ *beifällig* approvingly
³⁵ *Zustimmung* agreement; *Tramway*
   streetcar
³⁶ *an = einen; dera Frau ihr Zehnerl =*
   das Zehner (ten pfennigs) *der Frau*
³⁷ *wia = wie*
³⁸ *kränken* offend

⁴³ *Eahnan = Ihrem; fei = fein* really
⁴⁴ *müassen = müssen*
⁴⁵ *Versatzamt* pawnshop; *hamm = haben*
⁵⁰ *Hinausschmeißerisches* i.e. as if he
   could throw you out
⁵¹ *imponieren* impress
⁵⁴ *Entrüstung* indignation
⁵⁸ *rei'geh' = hereingehen; woaß = weiß*
⁵⁹ *ausg'schamt = unverschämt* shame-
   less

wieder in Zorn. Er sagt: „Der Herr hat ganz recht. Mit so an
Bett geht ma nett in a Tramway. Da kunnten ja mir alle o'g'steckt
wer'n. Heuntzutag, wo's so viel Bazüllen gibt!" Der Gemsbart
auf seinem Hute zittert. Alle Passagiere sind jetzt wütend über 65
die Unverschämtheit der Frau.

Man ruft den Schaffner. „De muaß außi!" sagt der Mann mit
dem Gemsbart, „und überhaupts, wia könna denn Sie de Frau da
einanschiab'n? Muaß ma sie vielleicht dös g'fallen lassen bei der
Tramway? Daß de Bazüllen im Wag'n umanandafliag'n?" 70
Der Schaffner trifft die Entscheidung, daß die Frau sich auf die
vordere Plattform stellen muß. Sie verläßt ihren Platz und geht
hinaus. „Dös war amal a freche Person!" sagt der Mann mit dem
Gemsbart. Der Herr mit dem Zwicker meint: „Eigentlich war
sie ganz anständig. Nur mit dem Bette..." „Was?" schreit sein 75
robuster Nachbar. „Sie woll'n vielleicht das Weibsbild in Schutz
nehma? Gengan S' außi dazua, wann's Eahna so guat g'fällt!"

Alle murmeln beifällig. Und der Arbeiter sagt: „Da siecht ma
halt wieda de Preißen!"

136

DER WERWOLF

CHRISTIAN MORGENSTERN (1871–1914)

Morgenstern was a deeply religious, mystical thinker, who expressed himself
mostly in humorous, sometimes nonsensical, verse. His poems always have
a philosophical undertone, either expressing an unrealized ideal or sadly
recording some imperfection in man or the universe. *Der Werwolf* is from
Galgenlieder (1905).

[63] *kunnten = könnten; o'g'steckt = angesteckt* infected
[64] *heutzutage* nowadays; *Bazüllen =
Bazillen*
[67] *De muaß außi = die muß hinaus*
[69] *einanschiab'n = hereinschieben; sich
gefallen lassen* put up with
[70] *umanandafliag'n = herumfliegen*
[71] *trifft die Entscheidung* rules

[75] *anständig* decent
[77] *gengan = gehen; dazua* to her
[78] *siecht = sieht*
[79] *Preißen = Preußen* There has always
been strong rivalry between the
various German *Stämme*. At this
time the Prussians were particularly disliked because of their recent
rise to power.

Ein Werwolf eines Nachts entwich
von Weib und Kind und sich begab
an eines Dorfschullehrers Grab
und bat ihn: „Bitte, beuge mich!"

5   Der Dorfschulmeister stieg hinauf
auf seines Blechschilds Messingknauf
und sprach zum Wolf, der seine Pfoten
geduldig kreuzte vor dem Toten:

„Der Werwolf", sprach der gute Mann,
10   „des Weswolfs, Genitiv sodann,
dem Wemwolf, Dativ, wie man's nennt,
den Wenwolf, — damit hat's ein End."

Dem Werwolf schmeichelten die Fälle,
er rollte seine Augenbälle.
15   „Indessen", bat er, „füge doch
zur Einzahl auch die Mehrzahl noch!"

Der Dorfschulmeister aber mußte
gestehn, daß er von ihr nichts wußte.
Zwar Wölfe gäb's in großer Schar,
20   doch „Wer" gäb's nur im Singular.

Der Wolf erhob sich tränenblind —
er hatte ja doch Weib und Kind! !
Doch da er kein Gelehrter eben,
so schied er dankend und ergeben.

---

[1] *Werwolf* werewolf, literally man-wolf; Morgenstern uses the word *wer* in its pronominal sense of *who*.
[4] *beugen* decline
[6] *Blechschilds Messingknopf* the brass knob at the top of the tin plate (in lieu of a stone monument) which bears the name of the dead man
[7] *Pfote* paw
[13] *Fall* case
[15] *fügen* add
[16] *Einzahl* singular
[23] *Gelehrter* scholar
[24] *ergeben* humbly

137

DER WÜRFEL

Ein Würfel sprach zu sich: „Ich bin
Mir selbst nicht völlig zum Gewinn:

Denn meines Wesens sechste Seite,
Und sei es auch Ein Auge bloß,
Sieht immerdar, statt in die Weite,   5
Der Erde ewig dunklen Schoß."

Als dies die Erde, drauf er ruhte,
Vernommen, ward ihr schlimm zumute.

„Du Esel", sprach sie, „ich bin dunkel,
Weil dein Gesäß mich just bedeckt!   10
Ich bin so licht wie ein Karfunkel,
Sobald du dich hinweggefleckt."

Der Würfel, innerlichst beleidigt,
Hat sich nicht weiter drauf verteidigt.

---

[1] *Würfel* die
[2] *Gewinn* profit
[5] *immerdar = immer*
[6] *Schoß* womb, center
[7] *drauf = worauf*

[10] *Gesäß* seat
[11] *Karfunkel* carbuncle (type of garnet)
[12] *sich hinweg-flecken* i.e. hop away
[13] *innerlichst* to his deepest core

138

DER MENSCH

KURT TUCHOLSKY (1890–1935)

Tucholsky was one of the most brilliant journalists of Weimar Germany. He was co-editor of *Die Weltbühne,* a radical journal of opinion and literature, where he wrote under four pseudonyms and in his own name, sometimes carrying on a feud between two of his alter egos. He was a sharp satirist in prose and verse; but his negative picture of society and man clearly reveals his high ideals of what they might and ought to be. The following sketch was written in 1931, a year before the fall of the Weimar Republic, when Tucholsky left Germany for Sweden. In form it is a schoolboy's essay.

Der Mensch hat zwei Beine und zwei Überzeugungen: eine wenn's ihm gut geht, und eine, wenn's ihm schlecht geht. Die letztere heißt Religion.

Der Mensch ist ein Wirbeltier und hat eine unsterbliche Seele, 5 sowie auch ein Vaterland, damit er nicht zu übermütig wird.

Der Mensch wird auf natürlichem Wege hergestellt, doch empfindet er dies als unnatürlich und spricht nicht gern davon. Er wird gemacht, hingegen nicht gefragt, ob er auch gemacht werden wolle.

10 Der Mensch ist ein nützliches Lebewesen, weil er dazu dient, durch den Soldatentod Petroleumaktien in die Höhe zu treiben, durch den Bergmannstod den Profit der Grubenherren zu erhöhen, sowie auch Kultur, Kunst und Wissenschaft.

Der Mensch hat neben dem Trieb der Fortpflanzung und dem, 15 zu essen und zu trinken, zwei Leidenschaften: Krach zu machen und nicht zuzuhören. Man könnte den Menschen gradezu als ein

---

4 *Wirbeltier* mammal   14 *Fortpflanzung* procreation
11 *Aktie* share (of stock)   15 *Krach* noise, row
12 *Bergmann* miner; *Grube* mine

Wesen definieren, das nie zuhört. Wenn er weise ist, tut er damit recht: denn Gescheites bekommt er nur selten zu hören. Sehr gern hören Menschen: Versprechungen, Schmeicheleien, Anerkennungen und Komplimente. Bei Schmeicheleien empfiehlt es sich, immer drei Nummern gröber zu verfahren als man es grade noch für möglich hält.

Der Mensch gönnt seiner Gattung nichts, daher hat er die Gesetze erfunden. Er darf nicht, also sollen die andern auch nicht.

Um sich auf einen Menschen zu verlassen, tut man gut, sich auf ihn zu setzen; man ist dann wenigstens für diese Zeit sicher, daß er nicht davonläuft. Manche verlassen sich auch auf den Charakter.

Der Mensch zerfällt in zwei Teile:

In einen männlichen, der nicht denken will, und in einen weiblichen, der nicht denken kann. Beide haben sogenannte Gefühle; man ruft diese am sichersten dadurch hervor, daß man gewisse Nervenpunkte des Organismus in Funktion setzt. In diesen Fällen sondern manche Menschen Lyrik ab.

Der Mensch ist ein pflanzen- und fleischfressendes Wesen; auf Nordpolfahrten frißt er hier und da auch Exemplare seiner eigenen Gattung; doch wird das durch den Faschismus wieder ausgeglichen.

Der Mensch ist ein politisches Geschöpf, das am liebsten zu Klumpen geballt sein Leben verbringt. Jeder Klumpen haßt die andern Klumpen, weil sie die andern sind, und haßt die eignen, weil sie die eignen sind. Den letzteren Haß nennt man Patriotismus.

Jeder Mensch hat eine Leber, eine Milz, eine Lunge und eine Fahne; sämtliche vier Organe sind lebenswichtig. Es soll Menschen ohne Leber, ohne Milz und mit halber Lunge geben; Menschen ohne Fahne gibt es nicht.

Schwache Fortpflanzungstätigkeit facht der Mensch gern an, und dazu hat er mancherlei Mittel: den Stierkampf, das Verbrechen, den Sport und die Gerichtspflege.

Menschen miteinander gibt es nicht. Es gibt nur Menschen,

[18] *Gescheites* sensible things
[19] *Anerkennung* appreciation
[21] *Nummer* size
[23] *gönnen* favor, grant; *nichts gönnen* begrudge everything
[33] *ab-sondern* secrete
[36] *aus-gleichen* balance, compensate. Perhaps the idea is that the Fascists do not eat their fellowmen; they just kill or maim them.
[38] *Klumpen* clump, i.e. nation; *geballt* rolled up
[41] *Milz* spleen
[45] *an-fachen* stimulate
[46] *Stierkampf* bull fight
[47] *Gerichtspflege* administration of justice
[48] *miteinander* together, i.e. undifferentiated

die herrschen, und solche, die beherrscht werden. Doch hat noch
50 niemand sich selber beherrscht; weil der opponierende Sklave
immer mächtiger ist als der regierungssüchtige Herr. Jeder Mensch
ist sich selber unterlegen.

Wenn der Mensch fühlt, daß er nicht mehr hinten hoch kann,
wird er fromm und weise; er verzichtet dann auf die sauern Trau-
55 ben der Welt. Dieses nennt man innere Einkehr. Die verschiedenen
Altersstufen des Menschen halten einander für verschiedene Rassen:
Alte haben gewöhnlich vergessen, daß sie jung gewesen sind, oder
sie vergessen, daß sie alt sind, und Junge begreifen nie, daß sie alt
werden können.

60 Der Mensch möchte nicht gern sterben, weil er nicht weiß, was
dann kommt. Bildet er sich ein, es zu wissen, dann möchte er es
auch nicht gern, weil er das Alte noch ein wenig mitmachen will.
Ein wenig heißt hier: ewig.

Im übrigen ist der Mensch ein Lebewesen, das klopft, schlechte
65 Musik macht und seinen Hund bellen läßt. Manchmal gibt er
auch Ruhe, aber dann ist er tot.

Neben den Menschen gibt es noch Sachsen und Amerikaner, aber
die haben wir noch nicht gehabt und bekommen Zoologie erst in
der nächsten Klasse.

139

ANSPRACHE ZUM SCHULBEGINN

ERICH KÄSTNER (1899–)

Erich Kästner is best known as a writer of children's stories, but he is also
a satirist of quality, both in verse and prose. The following speech,
addressed to children who are about to embark on their career in school, is
directed principally at their parents, who should be sitting at the back of
the school room.

50 *opponieren* oppose
51 *regierungssüchtig* power-greedy
52 *unterlegen* inferior
53 *hinten* i.e. by devious, crooked means
55 *Einkehr* contemplation

61 *sich ein-bilden* imagine
62 *mit-machen* participate in
64 *klopfen* knock (at a door for admis-
    sion)
65 *Ruhe geben* leave one in peace

Liebe Kinder,

da sitzt ihr nun, alphabetisch oder nach der Größe sortiert, zum
erstenmal auf diesen harten Bänken, und hoffentlich liegt es nur
an der Jahreszeit, wenn ihr mich an braune und blonde, zum Dörren
aufgefädelte Steinpilze erinnert. Statt an Glückspilze, wie sich's   5
eigentlich gehörte. Manche von euch rutschen unruhig hin und
her, als säßen sie auf Herdplatten. Andre hocken wie angeleimt
auf ihren Plätzen. Einige kichern blöde, und der Rotkopf in der
dritten Reihe starrt, Gänsehaut im Blick, auf die schwarze Wand-
tafel, als sähe er in eine sehr düstere Zukunft.   10
Euch ist bänglich zumute, und man kann nicht sagen, daß euer
Instinkt tröge. Eure Stunde X hat geschlagen. Die Familie gibt
euch zögernd her und weiht euch dem Staate. Das Leben nach
der Uhr beginnt, und es wird erst mit dem Leben selber aufhören.
Das aus Ziffern und Paragraphen, Rangordnung und Stundenplan   15
eng und enger sich spinnende Netz umgarnt nun auch euch. Seit
ihr hiersitzt, gehört ihr zu einer bestimmten Klasse. Noch dazu
zur untersten. Der Klassenkampf und die Jahre der Prüfungen
stehen bevor. Früchtchen seid ihr, und Spalierobst müßt ihr werden!
Aufgeweckt wart ihr bis heute, und einwecken wird man euch ab   20
morgen! So, wie man's mit uns getan hat. Vom Baum des Lebens
in die Konservenfabrik der Zivilisation, — das ist der Weg, der
vor euch liegt. Kein Wunder, daß eure Verlegenheit größer ist
als eure Neugierde.
Hat es den geringsten Sinn, euch auf einen solchen Weg Ratschläge 25
mitzugeben? Ratschläge noch dazu von einem Manne, der, da half
kein Sträuben, genau so „nach Büchse" schmeckt wie andre Leute
auch? Laßt es ihn immerhin versuchen, und haltet ihm zugute,

---

³ *liegt es nur an* it is only due to
⁴ *dörren* dry
⁵ *auf-fädeln* string up; *Steinpilz* mush-
  room; *Glückspilz* lucky fellow;
  sich gehören be fitting
⁶ *rutschen* wiggle
⁷ *Herdplatte* stove lid; *hocken* squat;
  angeleimt glued down
⁸ *kichern blöde* giggle stupidly
⁹ *Gänsehaut* goosepimples
¹² *tröge* from: *trügen* deceived you
¹⁵ *Paragraph* regulation; *Rangordnung*
  rank; *Stundenplan* timetable
¹⁶ *umgarnen* ensnare

¹⁹ *Früchtchen* young fruit, i.e. scamp,
  jerk; *Spalierobst* wall fruit, i.e.
  something exotic, extraordinary
²⁰ *aufgeweckt* awakened, also: alert;
  ein-wecken preserve, pickle; *ab*
  beginning
²² *Konservenfabrik* canning factory;
  Zivilisation to a German conveys
  the atmosphere of the unnatural,
  mechanical, technical, as opposed
  to organic *Kultur.*
²⁵ *Ratschlag* advice
²⁷ *sträuben* resist; *Büchse* can
²⁸ *zugute* to his credit

daß er nie vergessen hat, noch je vergessen wird, wie eigen ihm
30 zumute war, als er selber zum erstenmal in der Schule saß. In
jenem grauen, viel zu groß geratenen Ankersteinbaukasten. Und
wie es ihm damals das Herz abdrückte. Damit wären wir schon
beim wichtigsten Rat angelangt, den ihr euch einprägen und ein-
hämmern solltet wie den Spruch einer uralten Gedenktafel:

35 *Laßt euch die Kindheit nicht austreiben!* Schaut, die meisten
Menschen legen ihre Kindheit ab wie einen alten Hut. Sie vergessen sie wie eine Telefonnummer, die nicht mehr gilt. Ihr Leben
kommt ihnen vor wie eine Dauerwurst, die sie allmählich aufessen,
und was gegessen worden ist, existiert nicht mehr. Man nötigt
40 euch in der Schule eifrig von der Unter- über die Mittel- zur Oberstufe. Wenn ihr schließlich drobensteht und balanciert, sägt man
die „überflüssig“ gewordenen Stufen hinter euch ab, und nun könnt
ihr nicht mehr zurück! Aber müßte man nicht in seinem Leben
wie in einem Hause treppauf und treppab gehen können? Was soll
45 die schönste erste Etage ohne den Keller mit den duftenden Obst-
borden und ohne das Erdgeschoß mit der knarrenden Haustür und
der scheppernden Klingel? Nun — die meisten leben so! Sie
stehen auf der obersten Stufe, ohne Treppe und ohne Haus, und
machen sich wichtig. Früher waren sie Kinder, dann wurden sie
50 Erwachsene, aber was sind sie nun? Nur wer erwachsen wird und
Kind bleibt, ist ein Mensch! Wer weiß, ob ihr mich verstanden
habt. Die einfachen Dinge sind so schwer begreiflich zu machen!
Also gut, nehmen wir etwas Schwierigeres, womöglich begreift es
sich leichter. Zum Beispiel:

55 *Haltet das Katheder weder für einen Thron noch für eine Kanzel!*
Der Lehrer sitzt nicht etwa deshalb höher, damit ihr ihn anbetet,
sondern damit ihr einander besser sehen könnt. Der Lehrer ist
kein Schulwebel und kein lieber Gott. Er weiß nicht alles, und er

---

29 *eigen* peculiar
31 *geraten* turned out; *Ankersteinbaukasten* a stone building erected by
the firm of Anker; a *Baukasten* is
also a box of children's building
blocks.
32 *ab-drücken* constrict, choke; *wären*
are
33 *ein-prägen* impress upon
34 *Gedenktafel* memorial tablet
38 *Dauerwurst* a hard smoked sausage
that keeps
39 *nötigen* force
45 *Etage* storey; *Obstbord* fruit shelf
46 *knarren* creak
47 *scheppernd* jangling
52 *begreiflich* intelligible
55 *Katheder* the teacher's rostrum;
Kanzel pulpit
56 *an-beten* worship
58 *Schulwebel* school sergeant (coined
from *Feldwebel* sergeant-major)

kann nicht alles wissen. Wenn er trotzdem allwissend tut, so seht
es ihm nach, aber glaubt es ihm nicht! Gibt er hingegen zu, daß 60
er nicht alles weiß, dann liebt ihn! Denn dann verdient er eure
Liebe. Und da er im übrigen nicht eben viel verdient, wird er sich
über eure Zuneigung von Herzen freuen. Und noch eins: Der
Lehrer ist kein Zauberkünstler, sondern ein Gärtner. Er kann und
wird euch hegen und pflegen. Wachsen müßt ihr selber! 65
Nehmt auf diejenigen Rücksicht, die auf euch Rücksicht nehmen!
Das klingt selbstverständlicher, als es ist. Und zuweilen ist es
furchtbar schwer. In meine Klasse ging ein Junge, dessen Vater
ein Fischgeschäft hatte. Der arme Kerl, Breuer hieß er, stank so
sehr nach Fisch, daß uns anderen schon übel wurde, wenn er um 70
die Ecke bog. Der Fischgeruch hing in seinen Haaren und Kleidern,
da half kein Waschen und Bürsten. Alles rückte von ihm weg.
Es war nicht seine Schuld. Aber er saß, gehänselt und gemieden,
ganz für sich allein, als habe er die Beulenpest. Er schämte sich
in Grund und Boden, doch auch das half nichts. Noch heute, 75
fünfundvierzig Jahre danach, wird mir flau, wenn ich den Namen
Breuer höre. So schwer ist es manchmal, Rücksicht zu nehmen.
Und es gelingt nicht immer. Doch man muß es stets von neuem
versuchen.
Seid nicht zu fleißig! Bei diesem Ratschlag müssen die Faulen 80
weghören. Er gilt nur für die Fleißigen, aber für sie ist er sehr
wichtig. Das Leben besteht nicht nur aus Schularbeiten. Der
Mensch soll lernen, nur die Ochsen büffeln. Ich spreche aus Erfahrung. Ich war als kleiner Junge auf dem besten Wege, ein Ochse
zu werden. Daß ich's, trotz aller Bemühung, nicht geworden bin, 85
wundert mich heute noch. Der Kopf ist nicht der einzige Körper-
teil. Wer das Gegenteil behauptet, lügt. Und wer die Lüge glaubt,
wird, nachdem er alle Prüfungen mit Hochglanz bestanden hat,
nicht sehr schön aussehen. Man muß nämlich auch springen,

---

[59] *tut* acts; *nach-sehen* be indulgent
[63] *Zuneigung* affection
[65] *hegen und pflegen* cherish and protect
[66] *Rücksicht nehmen* be considerate
[70] *einem übel werden* feel sick
[72] *alles* everyone
[73] *hänseln* bait

[74] *Beulenpest* bubonic plague
[75] *in Grund und Boden* to his roots
[76] *einem flau werden* feel faint
[81] *weg-hören* turn a deaf ear
[83] *büffeln* slave (slang); *Ochse* in German connotes a stupid person.
[88] *mit Hochglanz* with high honors

90 turnen, tanzen und singen können, sonst ist man, mit seinem Wasserkopf voller Wissen, ein Krüppel und nichts weiter.
    Lacht die Dummen nicht aus! Sie sind nicht aus freien Stücken
dumm und nicht zu eurem Vergnügen. Und prügelt keinen, der
kleiner und schwächer ist als ihr! Wem das ohne nähere Erklärung
95 nicht einleuchtet, mit dem möchte ich nichts zu tun haben. Nur
ein wenig warnen will ich ihn. Niemand ist so gescheit oder so
stark, daß es nicht noch Gescheitere und Stärkere als ihn gäbe.
Er mag sich hüten. Auch er ist, vergleichsweise, schwach und ein
Dummkopf.
100 Mißtraut gelegentlich euren Schulbüchern! Sie sind nicht auf
dem Berge Sinai entstanden, meistens nicht einmal auf verständige
Art und Weise, sondern aus alten Schulbüchern, die aus alten Schulbüchern entstanden sind, die aus alten Schulbüchern entstanden
sind, die aus alten Schulbüchern entstanden sind. Man nennt das
105 Tradition. Aber es ist ganz etwas anderes. Der Krieg zum Beispiel
findet heutzutage nicht mehr wie in Lesebuchgedichten statt, nicht
mehr mit geschwungener Plempe und auch nicht mehr mit blitzendem
Küraß und wehendem Federbusch wie bei Gravelotte und Mars-
la-Tour. In manchen Lesebüchern hat sich das noch nicht herum-
110 gesprochen. Glaubt auch den Geschichten nicht, worin der Mensch
in einem fort gut ist und der wackre Held vierundzwanzig Stunden
am Tage tapfer! Glaubt und lernt das, bitte, nicht, sonst werdet
ihr euch, wenn ihr später ins Leben hineintretet, außerordentlich
wundern! Und noch eins: Die Zinseszinsrechnung braucht ihr auch
115 nicht mehr zu lernen, obwohl sie noch auf dem Stundenplan steht.
Als ich ein kleiner Junge war, mußten wir ausrechnen, wieviel Geld
im Jahre 1925 aus einem Taler geworden sein würde, den einer
unserer Ahnen Anno 1525, unter der Regierung Johannes des Be-

---

90 *turnen* do gymnastics; *Wasserkopf*
    hydrocephalus, i.e. swelled head
92 *aus-lachen* ridicule; *aus freien
    Stücken* of their own will
95 *ein-leuchten* be clear
101 *Sinai* where God gave the ten com-
    mandments to Moses
107 *Plempe* short sword
108 *Küraß* cuirass (breastplate); *Feder-
    busch* plume attached to the hel-
    met; *Gravelotte* and *Mars-la-Tour*
    were two battles in the Franco-

Prussian War of 1870.
109 *sich herum-sprechen* be talked about,
    be discovered
111 *in einem fort* continually
114 *Zinseszinsrechnung* compound in-
    terest
117 *Taler* 3 marks
118 *Anno* in the year; *Johannes der Be-
    ständige* John the Constant (an
    imaginary sovereign invented by
    the writer)

ständigen, zur Sparkasse gebracht hätte. Es war eine sehr kompli-
zierte Rechnerei. Aber sie lohnte sich. Aus dem Taler, bewies man 120
uns, entstünde durch Zinsen und Zinseszinsen das größte Vermögen
der Welt! Doch dann kam die Inflation, und im Jahre 1925 war
das größte Vermögen der Welt samt der ganzen Sparkasse keinen
Taler mehr wert. Aber die Zinseszinsrechnung lebte in den Rechen-
büchern munter weiter. Dann kam die Währungsreform, und mit 125
dem Sparen und der Sparkasse war es wieder Essig. Die Rechen-
bücher haben es wieder nicht gemerkt. Und so wird es Zeit, daß
ihr einen Rotstift nehmt und das Kapitel „Zinseszinsrechnung" dick
durchstreicht. Es ist überholt. Genau so wie die Attacke auf
Gravelotte und der Zeppelin. Und wie noch manches andere.   130

Da sitzt ihr nun, alphabetisch oder nach der Größe geordnet,
und wollt nach Hause gehen. Geht heim, liebe Kinder! Wenn
ihr etwas nicht verstanden haben solltet, fragt eure Eltern! Und,
liebe Eltern, wenn Sie etwas nicht verstanden haben sollten, fragen
Sie Ihre Kinder!   135

---

120 *Rechnerei* calculation
122 The German inflation began in the
early twenties and reached its
height in 1923, ruining millions of
Germans financially. It was curbed
by the stabilization of the currency
(*Währungsreform*).
125 *munter* cheerfully

126 *Essig* vinegar, i.e. a flop, no go
128 *Rotstift* red pencil; *dick durch-
streichen* put a heavy line through
129 *überholt* out of date
130 *Zeppelin* dirigible airship invented
by Ferdinand Graf von Zeppelin
(1838–1917)

VOCABULARY

For reasons of space this vocabulary omits the most common words, those which a student taking intermediate German should know. In addition, the following types of derivatives have been omitted:

compounds whose meaning is obvious

nouns ending in *–chen, –lein, –heit, –keit, –nis, –schaft, –tät, –ung*

nouns ending in *–e* which are derived from adjectives: *Länge, Schwäche*

infinitives used as nouns

nouns and verbs related in meaning: if *Antwort* is given, *antworten* is omitted

adjectives ending in *–haft, –ig, –isch, –lich, –los, –voll*.

Since nearly all feminine nouns in German are weak, the plural is indicated only for the twenty odd exceptions. For strong nouns (masculine and neuter) the plural only is given. The plural is omitted for nouns in *–nis* and *–tum*.

An asterisk before an infinitive indicates that it is of the strong or irregular conjugation. Strong verbs included in the vocabulary are given exactly as they occur in the text: *auswich, fiel zu, gerissen.* The principal parts are not indicated for all strong verbs; the student will find the parts for the various separable and compound verbs under the root verb: for *herum-schließen,* see *schließen.*

The past participle of a weak verb will be found under the infinitive, except when it has developed a special adjectival meaning; then it is listed separately in the participial form.

*ab-beißen bite off
die Abbildung illustration
die Abbitte apology
ab-blenden turn off
ab-borgen borrow
der Abdruck –e imprint, impression
das Abendgebet –e evening prayer
das Abendland Occident, West
der Aberglaube superstition
abermals again
abertausend many thousand
*ab-fließen recede
die Abfolge succession
*ab-fressen eat away
die Abgabe tax, tribute
abgebraucht used, shabby
abgehalten held, kept away
*ab-gehen depart, leave
abgeklärt clear, calm, self-possessed
abgelaufen having run its course, gone
abgelegen out of the way
abgemüdet tired out
abgenommen taken off
der Abgeschickte –n messenger, deputy
abgeschieden remote, out of the way
abgeschlossen concluded, complete, finished
die Abgeschmacktheit lack of taste
abgetragen worn down, carried away
abgewiesen (weisen) rejected
der Abglanz –e reflection
ab-grenzen define, demarcate

der Abgrund ⁼e abyss
*ab-halten prevent
die Abhandlung treatise, essay
der Abhang ⁼e mountain slope
*ab-hängen depend
*sich ab-heben separate oneself
ab-holen fetch, call for
ab-kommandieren detach, order off
der Abkömmling –e descendant
die Abkunft descent
ab-lagern deposit
*ab-lassen desist
*ab-laufen turn out
ab-lecken lick off
ab-legen take off, cast off (clothes), lay down, get rid of
die Ablegung taking (a vow)
ab-lehnen reject, decline, avert
ab-leiten derive, deduce, divert
ab-lenken divert, deflect
ab-mähen mow down
ab-mühen exert, labor, toil
die Abneigung dislike
ab-pflücken pluck off
ab-rasieren shave off
die Abrechnung settlement (of accounts)
die Abreise departure
*ab-ringen wrest from
der Abriß –e sketch, résumé
ab-sagen cancel
ab-sägen saw off, dismiss
der Absatz ⁼e heel
ab-schaffen dismiss
abscheulich abominable

der **Abschied** –e departure, parting,
   farewell, retirement
*ab-schließen close, conclude
*ab-schmelzen melt away
*ab-schneiden cut down *or* off
der **Abschnitt** –e section, division
abschoß (schießen) shot down
ab-schrecken frighten off
ab-schütteln shake off
*ab-schwören abjure
*ab-sehen see, look away, disregard
ab-setzen put down, dismiss
die **Absicht** intention
absieht disregards
ab-sondern segregate
abspenstig machen estrange
sich ab-spielen be enacted
*ab-sprechen deny
ab-stammen descend
ab-stecken mark out
abstießen (stoßen) repelled
ab-stufen grade
der **Absturz** ⸚e precipice
ab-trennen cut off
*ab-treten withdraw
ab-warten wait for
ab-wechseln alternate
die **Abwechslung** variety
der **Abweg** –e wrong way, byway
die **Abwehr** defense
ab-wenden ward off, avert
ab-zapfen drain
*ab-ziehen depart
die **Acht** attention; **in — nehmen**
   perceive, watch
achten heed, notice, esteem
achtungsvoll respectful
ächzen moan
der **Acker** ⸗ field, soil
der **Ackerboden** ⸚ cultivated land
die **Ackerscholle** clod of earth, lump
der **Adel** –s aristocracy, dignity
die **Ader** vein
der **Adler** – eagle
der **Affe** –n ape, monkey

affektieren play a part
äffen ape, mock
der **Ahn** –en ancestor
ähneln resemble
ahnen suspect
ahnend prophetically
der **Ahnherr** –n ancestor
ähnlich similar
die **Ahnung** premonition, suggestion,
   idea, presentiment
die **Ähre** ear of grain
albern silly
das **All** universe
allda there
die **Allee** avenue (with trees on the
   sides)
alleinig sole, exclusive
allemal every time, still, always
allenfalls to be sure
allenfallsig possibly occurring
allerdings to be sure
das **Allerheiligste** –n Holy of Holies
allerletzt last of all
allerorten everywhere
allerseits in every direction
allerwärts everywhere
der **Alliierte** –n ally
allmächtig almighty
allmählich gradual
allseitig universal
allumfassend comprehensive
allwissend omniscient
alsbald soon, at once
alsdann then
alsobald as soon as
alsogleich at once
der **Alt** –e alto
der **Altersgenosse** –n person of the
   same age
die **Altersstufe** stage of life
das **Altertum** antiquity
althebräisch ancient Hebrew
der **Amboß** –e anvil
die **Amme** nurse
die **Ampel** hanging lamp

die **Amtstrachtsfarbe** color for official dress
anbefohlen (befehlen) ordered
an-belangen concern
an-beten adore, worship
der **Anblick** –e sight
***an-brechen** dawn
die **Andacht** devotion
andächtig religious
das **Andenken** – memory
andererseits on the other hand
anderthalb one and a half
anderwärts elsewhere
an-deuten indicate, suggest
an-drängen press upon
sich **an-eignen** make one's own, acquire
***an-empfehlen** recommend
das **Anerbieten** – offer
***an-erkennen** recognize, appreciate
***an-fangen** begin, do
der **Anfangszustand** ⁼e original state
an-festen fasten on
an-feuchten dampen
anficht (fechten) attacks
an-flehen beseech
die **Anforderung** claim, demand
an-führen mention, hoax
an-füllen fill up
***an-geben** report, mention
angeboren native, innate
das **Angebot** –e offer
angefärbt colored
angegriffen (greifen) attacked, jeopardized
***an-gehen** concern, be done
an-gehören belong
der **Angeklagte** –n accused
die **Angel** hinge, fishing tackle
die **Angelegenheit** affair
an-geloben vow
angemessen appropriate, proportionate
angesammelt accumulated
angesehen prominent

angesetzt appointed
das **Angesicht** –er countenance
angestanden suited
der **Angestellte** –n employee
angetan done, dressed
angetrieben (treiben) pressed down
angewiesen (weisen) instructed
***an-greifen** touch, handle, undertake, attack
ängsten worry; sich — fret
ängstigen frighten
an-haben wear
das **Anhalten** stopping
anhaltend constant, continuous
an-hängen adhere
der **Anhäng** er– disciple, adherent, supporter
die **Anhänglichkeit** attachment
***an-heben** start
an-heften fasten on
die **Anhöhe** hill
an-klagen accuse
an-kleben stick to
sich **an-kleiden** dress
***an-klingen** sound, remind slightly
der **Ankömmling** –e arrival (person)
an-kündigen announce
die **Ankunft** ⁼e arrival
die **Anlage** plan, building, predisposition, equipment
an-langen arrive
der **Anlaß** ⁼e occasion
der **Anlauf** ⁼e start, onset
an-legen put on, lay down
anmaßend presumptuous, overbearing
an-melden announce
die **Anmerkung** remark, observation, note
die **Anmut** grace, charm
die **Annäherung** approach
die **Annahme** acceptance, assumption
die **Annalen** annals
***an-nehmen** accept, suppose; sich — interest oneself

die Anordnung order, arrangement
die Anrede address
an-regen stimulate
an-richten do, institute, prepare
*an-rufen invoke
an-rühren touch
ansah looked at, regarded, took for
der Ansatz ⸗e start, beginning
an-schaffen procure
anschaulich clear
die Anschauung view, observation, perception, intuition
der Anschein –e appearance
anscheinend seemingly
*an-schlagen estimate, value
*sich an-schließen join, accompany
das Ansehen – appearance, respect, dignity, authority, prominence
ansehnlich considerable
an-setzen affix, join on, begin
die Ansicht view
der Ansiedler – settler
an-spannen harness; angespannt tense
an-spornen spur on
*an-sprechen appeal, address
der Anspruch ⸗e claim, right
anspruchslos unassuming
die Anstalt institution
der Anstand ⸗e dignity
anständig decent
an-stecken set fire
*an-stoßen hit
an-strengen strain
anstrengend strenuous
die Anstrengung effort
der Anteil –e part, sympathy, share
antik ancient, classical
das Antlitz –e countenance
*an-tragen offer
*an-treten approach
der Antrieb –e instigation
*an-weisen direct, instruct, appoint
an-wenden apply
die Anzeige indication, report

an-zünden light, kindle, set fire
der Äon –en aeon
die Aprikose apricot
das Arbeitsgebiet –e field of operation
die Arbeitskraft ⸗e energy
der Arbeitslohn ⸗e wage
arg harsh, grossly; ärger worse
der Ärger vexation
ärgerlich bad, vexatious, annoying
sich ärgern be annoyed
argwohnen suspect
die Armbrust ⸗e crossbow
der Ärmel – sleeve
ärmlich poor
armselig poor
die Armut poverty
die Art und Weise way
arten acquire, assume a certain quality or form
artig nice
der Ast ⸗e branch
atem-holen draw breath
der Atemzug ⸗e breath
ätherisch ethereal
die Aue meadow
auf und nieder up and down
auf-atmen draw a deep breath (of relief)
der Aufbau building, structure, development, evolution
*auf-behalten keep
auf-bewahren preserve
*auf-bieten summon, call up
*auf-bringen bring together
der Aufbruch ⸗e departure
*auf-dringen force upon
der Aufenthalt –e stay, sojourn
auferlegen place upon
*auf-fahren leap up
*auf-fallen strike, surprise
auffallenderweise noticeable
auffällig striking
*auf-fangen catch
die Auffassung conception

auffiel surprised
*auf-finden find out
auf-fordern urge
*auf-fressen eat up, devour
auf-führen produce, perform, erect
der Aufgang ⸗e ascent
aufgebrochen (brechen) set out
aufgedonnert loudly dressed (slang)
*auf-gehen rise, disappear
das Aufgehen absorption
aufgehoben (heben) abolished
aufgeschlitzt slit open
aufgespeichert stored up
aufgeweckt mentally alert
aufgeworfen (werfen) erected, thrown up
*auf-greifen take in
*auf-heben break up, pick up, suspend
auf-horchen prick up one's ears
auf-klären enlighten
auf-kleben stick on, paste
auf-klinken unlatch (a door)
*auf-laden load
die Auflage tribute, assessment, tax
auflebend reviving
auf-legen put on; aufgelegt inclined
die Auflehnung revolt
auf-lodern flame up
auf-lösen loosen, dissolve
sich auf-machen set out, arise
die Aufmerksamkeit attentiveness, attention
auf-muntern encourage
*auf-nehmen receive, absorb
auf-nötigen force upon
sich auf-opfern sacrifice oneself
auf-prägen imprint
sich auf-raffen rouse oneself
auf-rechnen charge up
aufrecht upright
die Aufrechterhaltung preservation, support, maintenance
auf-regen excite, irritate, stimulate

auf-reizen provoke, irritate
auf-richten set up, raise up; sich — stand up, sit up
aufrichtig sincerely
*auf-rufen summon
der Aufruhr −e revolt
auf-sacken load, pile on
der Aufsatz ⸗e article, essay
*auf-schieben o o raise, postpone
*auf-schlagen put up
auf-schnupfen sniff
auf-schütten throw up, pile up
der Aufschwung ⸗e rise
das Aufsehen − sensation
auf-setzen lay
auf-sperren open wide
die Aufstachelung stirring up, goading
der Aufstand ⸗e commotion
auf-stellen set up; sich — take one's position
auf-tauchen emerge, appear, arise
auf-teilen divide up
der Auftrag ⸗e commission
*auf-tragen serve
*auf-treten appear
der Auftritt −e scene
*sich auf-tun open up
auf-türmen tower
der Aufwand ⸗e expenditure, extravagance, display
auf-warten wait on
aufwärts upwards
auf-wecken awaken; aufgeweckt alive, vigorous
*sich auf-werfen set up
auf-wirbeln whirl up
auf-zeigen show, exhibit
*auf-ziehen rise, draw up
der Aufzug ⸗e act
die Augenlinse eye lens
augenscheinlich obviously
aus-arbeiten compose
aus-arten degenerate
der Ausbau completion

die Ausbeute yield
aus-beuten exploit
aus-bilden develop, evolve, educate, train
aus-bluten bleed to death
der Ausbruch ⁼e outbreak
aus-drücken express
ausdrücklich explicitly
ausdrucksvoll expressive
auseinander from one another, apart
die Auseinandersetzung conflict
*auseinander-stoßen separate
auserlesen select
auserwählt select, rare
die Ausfertigung issue
der Ausfluß ⁼e result
aus-führen carry out, complete, execute, point out
ausführlich in detail
die Ausgabe expense
der Ausgang ⁼e exit, outcome, departure
*sich aus-geben pass for
ausgebissen (beißen) broken
*aus-gehen begin, proceed, depart, end
ausgelassen wanton, wild
ausgemacht accomplished
ausgenommen excepted
ausgereift matured, developed, ripened
ausgerissen (reißen) torn out
ausgeschlafen well rested
ausgeschlagen faced
ausgeschlossen excluded
die Ausgestaltung shaping, arrangement of details
ausgetragen decided
*aus-gießen pour out
*aus-gleichen i i make even, harmonize, equalize
*aus-greifen reach out
*aus-halten endure
aus-harren persevere
aus-hungern starve; ausgehungert famished

*aus-kommen get along
die Auskunft ⁼e information
aus-lachen ridicule
das Ausland foreign country, abroad
*aus-lassen work off
aus-legen interpret
aus-liefern expose
*aus-löschen o o extinguish
aus-machen determine
die Ausnahme exception
*sich aus-nehmen appear, exempt
aus-nutzen utilize fully, exploit
aus-prägen express
aus-rechnen reckon, calculate
aus-richten achieve
*aus-rufen exclaim
aus-ruhen rest thoroughly
aus-rüsten equip
*aus-schlafen sleep off
der Ausschlag ⁼e decision; den — geben decide
ausschließlich exclusive
der Ausschnitt –e cut, slit, notch
aus-schöpfen exhaust, empty
ausschweifend extravagant
*aus-sehen look, seem, appear
außen: nach — outwardly
äußer outer, exterior
äußerlich outwardly
sich äußern express oneself
außerordentlich extraordinary, exceedingly
äußerst extremely
aus-setzen object, expose
die Aussicht view
aus-söhnen reconcile
der Ausspruch ⁼e declaration, remark
aus-statten supply
*aus-stehen endure
das Aussterben extinction
die Ausstrahlung radiation
aus-strecken stretch out
*aus-streichen i i strike out, erase
aus-strömen stream out

aus-suchen seek out; **ausgesucht** choice
aus-teilen hand out
*aus-tragen bear (a child) the full term, deliver
*aus-treiben drive out
der Austritt –e withdrawal, exit
aus-üben exercise, exert
die Auswahl choice, selection
auswärtig foreign
*aus-weichen i i avoid, retreat
auswendig outwardly; by heart
auswich (weichen) avoided
aus-wirken take effect
der Auswurf ⸗e refuse
aus-zeichnen distinguish
*aus-ziehen undress
der Automat –en automaton
die Axt ⸗e axe

B

der Bach ⸗e brook
der Bachpfad –e brook path
die Backe cheek
*backen buk gebacken bake
das Backwerk –e pastry
das Bad ⸗er bath
die Bahn path
balancieren balance
der Balken – beam
balsamisch balmy
das Band –e bond
das Band ⸗er ribbon
die Bande gang
bändigen master
bangen fret, fear
der Bann –e excommunication
bannen charm, hold spellbound
bar cash
barmherzig merciful
der Bartscherer – barber
der Baß ⸗e bass

bastblond light blond
der Bau –e *or* –ten structure, building, condition
die Bauanstalt construction plant
die Bauart design
der Bauch ⸗e stomach, belly
der Bauernstand ⸗e peasant class
die Baukunst architecture
die Baulust love of building
sich bäumen rise, rear up
die Baumwolle cotton
die Bauweise method of construction
das Bayern Bavaria
beabsichtigen intend
die Beachtung noticing
die Beamtenschaft officialdom
beanspruchen claim
bearbeiten cultivate
der Bebauer – cultivator
beben tremble, quiver
der Becher – beaker, cup
bedacht considered
bedächtig prudent
bedarf (dürfen) requires
bedauern regret
*bedenken consider, provide
das Bedenken afterthought, misgiving
bedenklich dangerous
bedeutsam significant, important
bedienen serve; sich — make use
bedingen make a condition
bedrängen oppress
bedrohen threaten
bedrücken oppress
bedürfen need
bedürftig in need
beehren honor
beeidigen administer an oath
beeilen hurry, hasten
beeinflussen influence
beeinträchtigen prejudice
beengt oppressed
beerdigen bury

befähigt gifted, capable
befahl (befehlen) commanded
sich befassen be occupied, be concerned, be engaged
*befehlen a o command
der Befehlshaber – commander, general
befestigen fortify
*sich befinden be
befindlich being, existing
beflecken defile
befohlen (befehlen) commanded
befolgen obey
beförderlich helpful
befördern promote
befremden appear strange
befriedigen satisfy, gratify
die Befugnis authority, power
die Begabung talent
begangen committed
*sich begeben renounce; betake oneself
die Begebenheit incident
*begehen commit
begehren desire, request
begeistern inspire, fill with enthusiasm
die Begierde desire
begierig greedy, desirous
der Begleiter – companion
sich begnügen be contented
begossen (begießen) drenched
*begraben bury
*begreifen understand, grasp
begrenzen limit
der Begriff –e idea, concept; im — sein be on the point of
begriff (greifen) grasped, understood
begrub (graben) buried
begründen establish, found, justify
begrüßen greet
begünstigen favor
begütert propertied, wealthy
das Behagen comfort
behandeln treat, deal with

beharren persist, persevere
behaupten assert
*beheben remove
behend swift
beherrschen master, dominate, command
behilflich helpful
behüten guard
behutsam careful, cautious
*bei-bringen teach
der Beifall applause, approval
bei-fügen add
die Beihilfe help
*bei-kommen get at
das Beil –e axe
bei-legen add
beimißt (messen) attributes, lends
der Beirat counsel
bei-schaffen bury
*beiseite-stehen help
*beißen i i bite
der Beitrag ⸗e contribution
bei-wohnen witness
die Beize hawking
bejahen accept, give consent to
bekämpfen fight, subdue
der Bekämpfer – enemy, fighter
bekanntlich as is well known
bekehren convert
*bekennen confess, avow
sich beklagen complain
beklagenswert lamentable
bekleiden clothe, fill
die Bekräftigung corroboration
bekriegen war on, combat
bekümmern take care of, worry, pay attention
beladen laden, loaded
belagern besiege
belauschen listen to, overhear
beleben animate
der Beleg –e proof, example
belehren instruct
beleidigen insult
beleuchten illuminate

beliebig at will
beliebt popular, favorite
bellen bark
belohnen reward
sich bemächtigen take possession
*bemessen a e regulate
bemittelt well-to-do
sich bemühen trouble, strive, endeavor
benahm took from
benebelt tipsy
das Benehmen conduct, demeanor
beneiden envy
*benennen name
benötigen want, need
beobachten observe
der Berater – adviser
berauben rob
berauschen intoxicate
berechnen calculate
berechtigen justify
beredt eloquent
der (das) Bereich –e sphere
bereichern enrich
bereits already
bereuen repent, regret
bergan uphill
*bergen a o conceal, contain
die Bergeshöhle mountain cavern
die Bergkette mountain chain
der Bergmann –leute miner
die Bergquelle mountain spring
bergunter downhill
der Bericht –e report
der Berichterstatter – chronicler
*bersten a o burst
der Beruf –e calling, vocation, profession
*berufen appoint; (adj.) qualified
die Berufenheit vocation
beruhen rest
beruhigen calm, reassure
berühren touch, move
besagt said
besah examined

besänftigen soothe, appease
besaß possessed
beschädigen injure
beschaffen made, constructed
beschäftigen occupy, engage
beschämen make ashamed
die Beschattung shadow, shading
der Beschauer – spectator
beschaulich contemplative
der Bescheid –e decision
bescheidentlich modest
beschenken give gifts to
beschieden destined
*beschießen o o bombard
die Beschimpfung abuse
*beschließen end, close, lock, resolve
der Beschluß ⸗e conclusion
*beschneiden pare (nails)
die Beschönigung glossing over, palliation
beschränken confine, limit, narrow
*beschreiben describe
beschuldigen accuse
beschützen protect
die Beschwerde difficulty, hardship
beschweren load
beschwerlich troublesome, difficult
beschwichtigen appease
*beschwören beseech
*besehen inspect
beseitigen remove
beseligen make happy, inspire
der Besen – broom
besetzen occupy, fill
besiegeln seal
besiegen conquer
*sich besinnen reflect
der Besitz –e possession
*besitzen possess, own, occupy
besorgen take care of
besorgt worried
bessern improve, reform
bestand consisted, withstood
beständig constant
bestätigen confirm, endorse, verify

*bestehen consist, exist, endure, undergo, win
*besteigen ie ie climb, mount
bestellen order, command
bestens highly
bestieg (steigen) mounted
bestimmen determine, destine, define, appoint, settle
bestrafen punish
bestreben strive
das Bestreben endeavor, striving
*bestreiten itt itt dispute, pay for
bestrich (streichen) painted, smeared
bestürzt dismayed
betauen bedew
sich beteiligen take part
beten pray
beteuern assert
betonen stress
betrachten regard, observe, consider, contemplate
beträchtlich considerable
*sich betragen act, behave
*betreffen concern, befall
*betreten enter
der Betrieb –e management
betroffen (treffen) perplexed
betrogen (trügen) deceived
betrüben sadden
der Betrüger – deceiver
der Betsaal –säle chapel
die Betstunde prayer-meeting
betteln beg
die Bettlade bedstead
der Bettler – beggar
beugen bend, conjugate, inflect
beurteilen judge, prescribe, criticize
die Beute booty, spoil
der Beutel – purse
bevölkern populate
*bevor-stehen be imminent
bevorzugt favorite
bewachen guard
die Bewaffnung arming

bewahre! by no means
bewahren preserve, keep, save, protect from
bewähren prove, verify, stand a test
beweglich versatile, lively, flexible, agile
bewegt moved, alive, mobile
die Bewegung agitation, stir, commotion
die Bewegungsrichtung direction of movement
beweinen mourn
*beweisen prove
*sich bewerben um court
bewirken effect
bewohnen inhabit
bewölkt cloudy
bewühlen root up, dig up
bewundern admire
das Bewußtsein consciousness
der Bewußtseinsvorgang ⁼e conscious process
bezeichnen designate, mark, characterize
*bezeihen ie ie accuse
bezeugen testify
*beziehen refer
die Beziehung relation, connection
der Bezirk –e area
*bezwingen a u conquer, subdue
*biegen o o bend, curve, turn
die Biene bee
*bieten o o offer
bilden create, form, build up, educate
der Bildhauer – sculptor
bildhübsch lovely
das Bildnis –se portrait, likeness
bildschön very beautiful
die Bildung form, development, formation, education, culture
die Bildungssilbe suffix
billig cheap, decent, fair, prudent
billigen approve of
binnen within
birgt (bergen) contains, hides

die **Birne** pear
der **Bischof** ⸗e bishop
biß (beißen) bit
bisweilen occasionally
bitter severe, bitter
das **Biwak** –s bivouac
blähen inflate
blank shining
*****blasen** ie a blow
blaß pale
das **Blatt** ⸗er leaf, page
die **Bläue** blueness
blauen turn *or* be blue
bleich pale
blenden dazzle
blies (blasen) blew
blindlings blindly
blinken glimmer
blinzeln wink
der **Blitz** –e (flash of) lightning
blöd shy, stupid
bloß bare, mere, only
der **Blumenkranz** ⸗e wreath of
  flowers
der **Blumenkrug** ⸗e flower vase
die **Bluse** blouse
die **Blüte** bloom, blossom, flower,
  golden age
der **Blütenschimmer** – shimmer of
  blossoms
blutgierig bloodthirsty
der **Blutsfreund** –e blood relation
die **Blutwurst** ⸗e blood sausage
die **Bodengestaltung** nature of the
  soil
der **Bogen** ⸗ arch, rainbow, sheet
  (paper)
bohren bore
bombensicher dead certain
borgen borrow
die **Börse** stock exchange
die **Bosheit** malice
der **Bote** –n messenger
boten sich dar (bieten) offered
  themselves

die **Botschaft** message
brachte entgegen offered
brachte hervor exclaimed
der **Brand** ⸗e fire, conflagration
brannte (brennen) burned
*****braten** ie a roast
die **Bratwurst** ⸗e fried sausage
der **Brauch** ⸗e usage, custom
brauchbar useful
die **Braue** eyebrow
bräunen tan
brausen roar, storm
die **Braut** ⸗e betrothed, fiancée
der **Bräutigam** –e fiancé
brav good, kind
die **Breite** breadth, width, latitude
das **Brett** –er board, stage, shelf
die **Brille** spectacles
*****bringen** brachte gebracht bring
das **Bruchstück** –e fragment
die **Brücke** bridge
die **Brühe** broth
brüllen roar
brummen growl, grumble
der **Brunnen** – well
die **Brunst** ⸗e fervor
der **Bub** –en lad
der **Büchersaal** –säle library
bücken bend down
bucklig hunchbacked
die **Bude** booth, shop
der (die) **Buhle** lover, sweetheart
die **Bühne** stage
buk (backen) baked
der **Bund** ⸗e league
die **Bundesbrüderschaft** alliance
der **Bundesgenosse** –n confederate,
  ally
der **Bundesstaat** –en federal state
der **Bundestag** federal parliament
das **Bündnis** union
bunt gay, motley
das **Bureau** = **Büro** –s office
die **Burg** castle, stronghold, (place
  of) refuge

das Bürgergefühl –e civic sense
der Bürgerkrieg –e civil war
bürgerlich bourgeois
der Bürgermeister – mayor
die Burgruine castle ruin
der Bursch(e) –en fellow
das Burschenleben student life
bürsten brush
der Busch ≃e bush
das Büschel – cluster
der Busen – bosom, breast
die Buße atonement
büßen atone, pay for
das Butterbrot –e slice of bread and butter

C

die Charaktereigenschaft quality of character
charakterisieren characterize
der Chef –s chief
cholerisch choleric
der Christbaum ≃e Christmas tree
die Christenheit Christendom
das Christentum Christianity
der Chor ≃e chorus
der Chronist –en chronicler

D

dabei at the same time
daher along, from there, therefore
*daher-fahren move along
daherkroch (kriechen) crawled along
dahinfuhr sailed on
dahingegangen passed
*dahin-schreiten stride forth
damalig then, of that time
dämmerig twilit, hazy

dämmern take shape, loom
die Dämmerung dawn, twilight
dampfen steam
dämpfen subdue
danach then, for it, accordingly
dann und wann now and again
dannen: von — from there
darben starve
*dar-bieten offer
dar-legen expose, disclose
dar-reichen offer
dar-stellen depict, represent, display
das Dasein existence
die Dauer permanence
*davon-kommen escape, get away
davonlief ran away
*sich davon-stehlen steal away
*davon-tragen obtain
dazu for that, thereto, in addition
der Degen – sword
sich dehnen stretch
deinesgleichen your equal
demnach accordingly
die Demut humility
*denken dachte gedacht think
das Denkmal ≃er monument, memorial
die Denkungsart way of thinking
denkwürdig memorable
dennoch nevertheless
derart in such a way
derb firm, vigorous, coarse
dergestalt in such a way
dergleichen the like (of which), such things
dermaßen in such a way
deshalb therefore
desto (so much) the
deswegen on that account
deuchte (dünken) seemed
deuten interpret
diamantenbesät diamond-studded
die Diät diet
dicht close, thick
dichten compose (poetry), imagine

die **Dichtkunst** literature, art of poetry
das **Dickicht** –e thicket
der **Dieb** –e thief
der **Diebstahl** ⁼e theft
dienstfertig respectful
Ding: vor allen —en primarily
dirigieren direct
die **Dirne** girl, wench
die **Distel** thistle
der **Dolch** –e dagger, pomard
der **Dom** –e cathedral
doppelsinnig in a double sense
dorthin thither
der **Draht** ⁼e wire
drall plump
der **Dramatiker** – dramatist
der **Dramenheld** –en drama hero
der **Drang** urge
drang (dringen) penetrated
drängen urge, press, crowd
die **Drangsal** –e hardship
dreifach threefold
drein-schauen look on
dreist bold
*****dringen a u** penetrate, press
droben up above
drohen threaten
das **Dröhnen** hum, roaring, thunder
drüben over there
drucken print
drücken press, oppress, weigh on
der **Duft** ⁼e fragrance, odor
der **Dukaten** – ducat
dulden endure
dumpf muffled, dull
der **Dünkel** arrogance, conceit
*****dünken dünkte gedünkt** *or* **deuchte gedeucht** seem; **sich** — think oneself
durchbrausen roar through
*****durchdringen** penetrate, prevail
durchführbar feasible
durchglüht glowing

durchkreuzen prevent, frustrate, thwart
durchlauchtig illustrious
durchlöchern pierce
durch-machen experience
durchmustern scrutinize
*****sich durch-schlagen** make one's way
der **Durchschnitt** average
durch-schwitzen sweat through
durch-setzen carry through, realize
durchsichtig transparent
durchstach (stechen) pierced
durch-stürmen dash through
durchweg exclusively, without exception
durchwühlen grub, rummage
durchzog traversed
dürr dry, withered
düster gloomy

E

eben smooth, just, precisely
ebenbürtig of equal rank
ebenderselbe the very same person
die **Ebene** level, plain
ebenlagernd evenly deposited
echt genuine
eckig angular
der **Edeldienst** –e service of a nobleman
der **Edelstein** –e diamond, jewel
der **Efeu** ivy
effektorisch effecting
egal sein be indifferent
die **Ehe** marriage
ehedem before
ehemalig former
ehemals formerly
das **Ehepaar** –e married couple, husband and wife
eher rather, sooner
ehern brazen, firmly established

ehrbar honest
der Ehrenmann ⸗er worthy
ehrenwert honorable
ehrerbietig reverent
die Ehrfurcht awe, respect, reverence
der Ehrgeiz ambition
ehrsam honorable
die Ehrung token of esteem
ehrwürdig dignified, venerable
ei! oh!
die Eiche oak
der Eichenstamm ⸗e oak tree
der Eid –e oath
der Eifer zeal
eifern thunder
die Eifersucht jealousy
eifrig zealous
die Eigenart characteristic, peculiarity, quality
eigenartig peculiar
die Eigenheit peculiarity
eigens particularly
die Eigenschaft quality
der Eigensinn obstinacy, stubbornness
eigentlich actual, proper, real
eigentümlich individual, peculiar
der Eigenwille –ns –n self-will
sich eignen be adapted
der Eimer – pail
der Einband ⸗e binding
sich ein-bilden imagine
der Einbruch ⸗e irruption
sich ein-bürgern establish oneself
*ein-dringen penetrate, close in;
—d trenchant
eindringlich perspicacious, insistent
der Eindruck ⸗e impression
einerlei of no importance
einfach simple
*ein-fallen occur
die Einfalt simplicity, innocence
*sich ein-finden appear
einfing (fangen) captured
*ein-fließen flow in, throw in

ein-flößen suggest
ein-fügen insert
ein-führen introduce
eingab (geben) inspired
der Eingang ⸗e entry, arrival
eingebildet imaginary
eingerichtet adapted
eingeschränkt limited
eingesehen admitted, perceived
*ein-gestehen admit
ein-gliedern incorporate
*ein-greifen interfere
der Eingriff –e grasp, encroachment
*ein-halten keep (in)
ein-hämmern impress (upon the memory)
ein-heizen light a fire
einher-hauchen blow
*einher-schreiten move along
ein-holen overtake
ein-hüllen envelop, wrap up
einig united, agreed
einigermaßen to a certain extent
die Einigung unification
ein-kassieren collect
die Einkehr lodging, putting up (at an inn)
der Einklang harmony
die Einkunft ⸗e income
der Einlaß admission, entrance
*sich ein-lassen meddle with, venture
*ein-laufen come in, arrive, pour in
ein-legen lay, place, put in
ein-leuchten be evident
ein-liefern hand in
die Einmischung mingling, interference
*ein-nehmen take in, accept, receive, collect, assume, occupy
die Einöde desert
ein-ordnen classify
ein-packen pack up, take
ein-prägen impress
die Einquartierung quartering
ein-reden persuade

*ein-reißen tear down, spread
ein-richten furnish, institute
einsam lonely, alone
ein-schärfen impress
ein-scharren bury
ein-schätzen estimate
ein-schenken pour out
*ein-schlafen fall asleep
*ein-schlagen enter upon, traverse
ein-schränken limit
ein-schütten pour out
ein-setzen reinstate
die Einsicht insight
ein-sperren shut up, confine
der Einspruch ⸚e protest
einst once
ein-stellen put up
einstig one time
ein-stimmen harmonize, join
einstmals once
*ein-tragen produce, yield, bring in
das Eintreffen – arrival
*ein-treten enter, enlist
der Eintritt –e entrance, commencement
einverstanden agreed
ein-weihen dedicate
ein-willigen consent
ein-wirken help, influence
der Einwohner – inhabitant
die Einzahl singular
der Einzelfall ⸚e individual case
das Einzelgeschehen single occurrence
die Einzelheit detail
einzig sole, unique; —artig unique
der Einzug ⸚e entrance
der Eisbrei slush
die Eisenstange iron rod
eitel vain
der Ekel disgust
die Elektrische streetcar, tram
elend wretched
die Elfe elf
der Ell(en)bogen – elbow

das Elsaß Alsace
sich empfahl (empfehlen) said goodbye
empfand (finden) felt
*empfangen take, receive
*empfehlen a o recommend
*empfinden feel
empfindlich sensitive
empfindsam sentimental, sensitive
empfing (fangen) received
*empor-helfen help up
emporgehoben (heben) lifted up
empört indignant
die Empörung revolt
der Engel – angel
entarten degenerate
entatmet out of breath
entbehren be deprived of, do without, lack
entblößen bare
entdecken discover
entfachen kindle
entfalten unfold, develop
entfernen withdraw, remove
entfesseln unfetter, loosen
*entfliehen escape
entfremden alienate
entgegen against, toward, contrary to
das Entgegenkommen co-operation
entgegen-stellen set against
entgegentritt (treten) meets, stands before one
*sich entgegen-werfen oppose oneself
entgegnen reply
*entgehen escape
*entgleiten slip away, escape
*enthalten contain; sich — refrain
enthaupten behead
entheiligen desecrate, profane
enthüllen reveal
*entkommen escape
entkräftet exhausted
entkrochen (kriechen) crept out

*entladen unload, relieve, discharge
entlang-wandeln amble along
*entlassen dismiss, permit to leave
*entlaufen escape
entledigen exempt
entlegen remote
entlocken draw from
entmutigen discourage
*entnehmen gather
*entrinnen a o escape
entrissen (reißen) snatched, torn away
entrüstet disgusted, indignant
entsagen renounce
entsandte (senden) dispatched
entschädigen compensate
*entscheiden decide
eine Entscheidung treffen make a decision
entschieden decided
*entschließen decide, determine, resolve
entschlug released
entschlummern fall asleep
entschlüpfen slip away, escape
der Entschluß ⁼e decision
entschuldigen excuse
entschweben soar away
das Entsetzen horror
entsetzt horrified
entsprang sprang from
*entsprechen correspond
entsprechend adequate, corresponding
die Entsprechung equivalent
entsprossen (sprießen) sprouted, sprung
entsprungen sprung from
entstammen originate
*entstehen arise, originate, ensue
entstellen disfigure, distort
enttäuschen disappoint
*entwachsen outgrow
*entweichen escape
*entwerfen draw up, sketch

entwerten depreciate
entwich (weichen) escaped
entwickeln develop, evolve
entwischen slip away from
entworfen drawn up, sketched
der Entwurf ⁼e design, plan
entzaubert disenchanted
*entziehen take away, remove, extract
entzücken enchant
das Entzücken delight, ecstasy
entzwei in two
entzweien set at variance, separate; sich — quarrel
die Epaulette epaulet
die Equipage carriage
erbarmen move to pity
erbärmlich miserable, pitiful
erbauen erect, edify
der Erbe –n heir
das Erbe inheritance
erbeben quiver, shake
erben be bequeathed
*erbitten win, obtain, request, beg for
erbittert embittered
erblassen turn pale
*erbleichen i i turn pale
erblich inheritable
erblicken catch sight of
erblühen blossom
erbot sich (bieten) offered himself
das Erbteil inheritance
das Erdbeben – earthquake
die Erdbeere strawberry
erdbeschmutzt soiled by the earth
die Erdenformenwelt world of terrestrial forms
*erdenken think out
der Erdenkreis sphere of the earth
der Erdenruhm earthly fame
das Erdgeschoß –e ground floor
sich erdreisten dare
erdulden endure
sich ereignen happen
ereignislos uneventful

ererben inherit
*erfahren experience, learn
erfassen grip, grasp
*erfinden invent
erfinderisch inventive
erfochten (fechten) won
der Erfolg –e success
erfolgen take place, follow
erfolgreich successful
erfordern demand
sich erfreuen rejoice, enjoy
erfrischen refresh
erfroren (frieren) frozen
erfüllen fill, fulfill
*sich ergeben yield, devote oneself, result
ergeben devoted, humble
*ergehen fare
*ergießen pour out, diffuse
die Ergießung effusion
ergötzen delight
*ergreifen catch, grip, seize, conceive
ergreifend touching, moving
ergrimmt angry
erhaben sublime
*erhalten receive, maintain, preserve
erharren await
*erheben raise, elevate
erheischen demand
erheitern exhilarate
erhellen clarify, enlighten
erhitzen heat
erhöhen elevate, exalt
die Erholung recovery, refreshment
erhören hear
erkämpfen win (by fighting)
die Erkenntnis recognition, knowledge
das Erkennungszeichen – distinctive mark, sign of identification
*erkiesen erkor erkoren choose [poetical]
erklettern climb
*erklimmen o o climb up to
*erklingen sound, be heard, resound

sich erkundigen inquire
erlangen attain
der Erlaß ⸗e order, decree
*erlassen issue, spare
erlaucht noble
erläutern illustrate
erleben experience, live to see
erledigen attend to, accomplish
erlegen kill
erlernen learn
erlesen chosen
*erliegen succumb
erließ spared
erlitten suffered
*erlöschen o o extinguish, become extinct
erlösen redeem, save
ermahnen exhort, admonish
sich ermöglichen become possible
ermorden murder
ermüden tire
ermuntern encourage
ermutigen encourage
die Ernährung nourishment
*ernennen appoint
erneuern renew, restore
erneut again
erniedrigen humiliate, depress
ernten harvest
erobern conquer
eröffnen open
die Erpressung blackmail, extortion
erprobt tested
erquicken refresh
*erraten guess
erregen stir, excite
die Errettung rescue
errichten erect, set up
*erringen achieve, acquire
erröten blush
ersann (sinnen) invented
ersättigen satiate
der Ersatz compensation, amends, substitute
*erschaffen create

erschallen sound, be heard
erschauen behold
*erscheinen ie ie appear
die Erscheinung phenomenon, appearance
die Erscheinungsart phenomenon
*erschießen shoot down, kill
erschlaffen weaken
die Erschlaffung slackening, effeminacy
*erschlagen kill, murder
*erschließen open, unlock, reveal, discover
erschöpfen exhaust
erschrecken frighten
*erschrecken erschrak erschrocken be frightened
erschuf (schaffen) created
erschüttern shake
erschweren make difficult
ersehnen yearn for
ersetzen replace
*ersinnen imagine
ersparen spare, save
*ersprießen rise from
erstanden arisen
erstarb died away
erstarren grow numb, stiff; —d hardened
erstatten: Bericht — report
erstaunen be astonished
erstellen establish
ersticken stifle, throttle
erstreben strive for
erst recht more than ever
erstrecken extend, concern
erstünde (stehen) would arise
erstürmen storm
erteilen allow, impart
ertönen echo, resound, peal
ertöten deaden
*ertragen bear, endure
erträglich bearable, tolerable
erwachsen grown
der Erwachsene –n adult

erwägen consider
erwähnen mention
sich erwehren defend oneself
erweichen soften
*erweisen show, prove
erweislich demonstrable
erweitern expand, widen
*erwerben earn, acquire
erwidern answer, reply
erwies (weisen) showed, proved
erwuchs (wachsen) grew up
erwünscht desirable; — kommen be welcome
erwürgen strangle
das Erz –e bronze, ore
erzeugen produce, create
das Erzeugnis product
erziehbar educable
die Erziehung education
erzielen achieve, obtain
erzittern tremble, shudder, shiver
erzogen (ziehen) raised
sich erzürnen become angry
erzwungen (zwingen) forced
der Essig vinegar
die Eßwaren provisions
die Etage floor
etliche some, several
etwa about, perhaps
die Eule owl
evangelisch Protestant
das Exemplar –e copy
das Extemporale –ien class composition

F

das Fach –er profession
die Fackel torch, flare
fade insipid, flat
der Faden ‗ thread, yarn
fähig capable
fahl pale, faded

die **Fahne** flag
der **Fahrdamm** ⁼e roadway
fahrlässig negligent
das **Fahrzeug** –e vehicle, vessel
der **Falke** –n falcon
*__fallen ie a__ fall
fällen fell
falls in case
die **Falte** pleat, fold, wrinkle
der **Familientag** family reunion
der **Fanatiker** – fanatic
fand vor found in existence
*__fangen i a__ catch, capture
der **Farbfleck** –e color spot
das **Faß** ⁼er barrel
faßbar conceivable, understandable
fassen seize, grasp, form (a resolve);
 sich — control oneself, compose
 oneself; **in eins —** combine; **gefaßt** prepared
faßlich comprehensible
die **Fassung** composure
fauchen spit, hiss
faulend decaying
faulenzen idle, loaf
die **Faust** ⁼e fist
*__fechten o o__ fight, fence; beg
der **Fechter** – fencer
der **Federzug** ⁼e stroke of the pen
fegen sweep
das **Fehlende** –n remainder
fehlerhaft faulty
der **Fehlschlag** ⁼e failure
feierlich solemn
feiern celebrate, honor
der **Feiertag** –e holiday
feig cowardly
die **Feige** fig
die **Feile** file
fein fine, choice, subtle, delicate,
 neat, elevated
das **Feindessymbol** –e symbol of
 enmity
feindselig malignant
feinnervig sensitive

der **Feldherr** –n general
das **Fell** –e hide
der **Fels** –en rock
die **Felsenplatte** rocky platform
das **Felsenriff** –e reef
die **Felsenwand** ⁼e cliff
das **Felsskelett** –e rocky skeleton
die **Ferien** (*pl.*) vacation
fernher from far away
das **Fernrohr** –e telescope
das **Fernsein** absence
die **Ferse** heel
fesseln fetter, bind, fascinate
festgenommen caught, arrested
fest-legen determine
festlich festive
die **Festlichkeit** feast
fest-setzen establish
fest-stellen find
die **Festung** fortress
die **Festwerdung** establishment
das **Fett** dripping
fett fat, rich, fertile
feucht damp, moist
der **Feuerflug** ⁼e fiery flight
die **Fichte** pine (tree)
das **Fieber** – fever
fiel zu closed
*__finden a u__ find; **sich —** be found
die **Finesse** finesse, stratagem
der **Fingerhut** ⁼e thimble
der **Fink** –en finch
finster dark
der **Firmendruck** ⁼e firm's printed
 name
der **Fischgeruch** ⁼e fish smell
fixieren fix, establish
flach flat
die **Fläche** plane, surface
der **Flachs** flax
flackern flicker
flämisch Flemish
flattern flutter, dangle, stream
flau faint, feeble
der **Fleck** –e place, spot, stain

flehen beg, beseech
die Fleischerfaust ⁼e butcher's fist
der Fleiß zeal, diligence
*fliehen o o flee
*fließen o o flow
flirren vibrate
die Flocke flake
flog voraus (fliegen) flew ahead
der Floh ⁼e flea
florieren flourish, prosper
die Flöte flute
die Flotte fleet
der Fluch ⁼e curse
die Flucht flight
flüchten rescue, save by flight
flüchtig fleeting, flighty
der Flüchtling –e refugee
der Flug ⁼e flight
die Flur field, soil
Fluß: im — in flux or transformation
flüssig liquid
flüstern whisper
die Flut flood, water, outpouring
föderalistisch federal
föderativ federative
die Folge series, (con)sequence
folgendermaßen as follows
die Folgerung conclusion
der Folgezustand ⁼e following state
folglich consequently
foltern torture
fordern demand, challenge, summon
fördern promote
die Formbildung structural growth
die Formel formula, rule
der Formenschatz ⁼e wealth of
  forms
der Formensinn sense of form
formulieren formulate, define
forschen search, investigate
der Forst –e forest, wood
fort: in einem — constantly
fortan from this time
*sich fort-begeben leave

sich fort-bewegen move along
fortfuhr continued
fortgegangen proceeded, gone forth
fortgezogen carried along
fort-leben live on, survive
sich fort-machen escape
*fort-reißen carry along, compel
*fort-schreiten progress
der Fortschritt –e progress
fort-setzen continue
fortwährend continuous
fort-wandern walk forth, out
fort-wirken continue to influence
die Frage question
fraglich questionable
das Franzosentum French culture
  and civilization
der Fraß fodder
die Frauensperson woman
frech insolent
das Freie open air
der Freier – suitor
der Freigeist –er freethinker
der Freiheitskampf ⁼e war for liberation
der Freiherr –n baron
freilich to be sure
der Freimut frankness
der Freisinn free-mindedness
freiwillig voluntary
fremdartig strange
die Fremde foreign land
die Fremdherrschaft foreign domi-
  nation
*fressen a e eat (of animals)
die Freßfunktion eating function
der Frevel – crime
freveln blaspheme
das Friedensreich kingdom of peace
der Friedensschluß signing of peace
*frieren o o freeze, be cold
frisch fresh, quick, vivid, vigorous
frisieren dress the hair
die Frist respite, delay, appointed
  time

fristen prolong
froh happy, joyful
frohlocken exult
fromm religious, pious, innocent, gentle, chaste
der Frosch ⁼e frog
die Frucht ⁼e fruit
fruchtbar fertile, fruitful
das Fruchtbonbon –s fruit drop
fruchten benefit, be fruitful
früchtereifend fruit-ripening
die Frühreife precocity
mit Fug justly
die Fuge joint, seam; fugue
fügen add, put, submit, throw
fuglich conveniently
fügsam yielding, adaptive
die Fügung construction, arrangement
fühlbar tangible
das Fuhrwerk –e vehicle
die Fülle abundance, host, profusion
die Füllung (door) panel
der Funke –ns –n spark
funkeln sparkle, shine
fürchterlich terrible, fearful
fürder in future, further, onwards
die Furia impetuosity
der Fürst –en prince
fürwahr forsooth
Fuß für Fuß step by step
der Fußgänger – pedestrian
die Fußsohle sole
die Fußstapfe footstep
der Fußsteig –e footpath
das Futter – fodder

G

gab auf instructed
die Gabe gift
gab hin gave away
gähnen yawn

die Galle bile
galt (gelten) was valid, was good, was regarded, was a question
der Gang ⁼e passage, errand, way, movement, process, walk
die Gangart gait, walk
gangbar passable
die Gans ⁼e goose
gänzlich whole
das Garn –e yarn
garstig horrid
die Gasse lane
gastfrei hospitable
die Gastfreundschaft hospitality
der Gasthof ⁼e hotel, inn
die Gatten married couple
die Gattin wife
die Gattung kind, species, class
der Gaul ⁼e nag (horse)
der Geängstete –n worried person
das Geäst branches
die Gebärde gesture, bearing
sich gebärden act
*__gebären__ a o give birth to
*__sich geben__ appear
das Gebet –e prayer
das Gebiet –e realm, territory, field
*__gebieten__ o o command
der Gebieter – ruler, master
das Gebild –e formation, structure
gebildet learned, trained
das Gebirge – mountain range
geblasen (blasen) blown
geblendet blinded
gebogen (biegen) bent
das Gebot –e commandment
geboten (bieten) offered
gebraten (braten) roasted
der Gebrauch ⁼e use
gebrauchen use
gebrechlich frail
die Gebrüder brothers
das Gebrüll roaring
gebühren be fitting

die Gebundenheit constraint, affili-
ation
das Gebüsch –e bushes, thicket
gedacht remembered, intended
das Gedächtnis memory
gedämpft subdued
*gedeihen ie ie thrive, prosper
gediegen solid
das Gedränge crowd
gedrungen (drängen) penetrated;
thickset
die Geduld patience
gefährden endanger
der Gefährte –n companion
die Gefälligkeit satisfaction, favor
gefaltet folded
das Gefangenenlager – prisoners'
camp
gefänglich einziehen be imprisoned
das Gefängnis prison
geflochten (flechten) woven
die Gefühllosigkeit apathy, insensi-
tivity
die Gefühlsbetonung sentimentality,
sensitivity
das Gegenbild –er contrasting picture
die Gegend district, region, location
der Gegengruß ⁼e return greeting
der Gegenmarsch ⁼e countermarch
der Gegensatz ⁼e antithesis, opposite, contrast
gegenseitig reciprocal
der Gegenstand ⁼e object, subject
matter
das Gegenstück –e counterpart
das Gegenteil –e opposite, contrary
*gegenüber-stehen confront, face,
meet
gegenwärtig at present, at this moment
der Gegenwind –e head wind
geglückt successful
der Gegner – opponent
gegossen (gießen) poured

gegründet established
der Gehalt –e content
das Gehalt ⁼er salary
gehalten considered; uniform
gehaltvoll rich in content
das Gehäuse – shell, frame
geheiligt hallowed, sacred
geheim secret, mysterious
geheimnisvoll mysterious
das Geheimzeichen – secret sign
*gehen um be a matter of; vor sich
— proceed
das Gehirn –e brain
gehorchen obey
sich gehören be fitting
gehörig belonging, necessary, proper
das Gehörorgan –e organ of hearing
der Gehorsam obedience
die Geige violin
die Geiß goat
die Geistesgegenwart presence of
mind
geistig spiritual, intellectual
geistlich ecclesiastical, clerical
der Geistliche –n clergyman
die Geistlichkeit clergy
geistreich witty, clever
geistvoll clever, brilliant, intelligent
der Geiz greed
geizen be covetous
der Geizhals ⁼e miser
geizig avaricious
gekennzeichnet characterized
das Gelächter laughter
gelähmt paralyzed
gelangen attain, reach, get, arrive
gelassen calm, gentle
geläufig current
das Geläute music (bells)
die Geldsorge financial worry
gelegentlich occasionally
gelehrig intelligent
der Gelehrte –n scholar
der Geliebte –n lover; die — beloved

gelinde gently
*gelingen a u succeed, manage to, prosper
gellend shrill
geloben vow
gelockert relaxed
*gelten a o be valid, be worth, pass for, apply to, concern, grant
die Geltung validity, value
das Gemach ⁼er chamber
gemächlich comfortable
der Gemahl husband
die Gemahlin wife
das Gemälde – painting
gemäß commensurate
gemäßigt temperate, moderate
gemein common, vulgar
die Gemeinde community, congregation
das Gemeingut ⁼er common property
gemeinhin commonly
gemeiniglich usually
gemeinsam common
die Gemeinschaft community; in — together
gemeinschaftlich together (shared)
gemessen formal, sedate, proportioned
das Gemetzel butchery
das Gemüt –er disposition, heart, mind
gemütlich cozy, complacent, good-natured, cheerful, easygoing
die Gemütlichkeit geniality, easygoing disposition
gen = gegen toward
das Gen –e gene
genehm agreeable
geneigt disposed
die Generalintendanz artistic management
generalisieren generalize
der Generalstabschef chief of general staff

*genesen a e recover, convalesce
genial gifted
der Genius (Genien) spirit, guardian angel
der Genosse –n companion
die Genüge satisfaction; zur — sufficiently
genügen suffice
genügsam frugal
die Genugtuung satisfaction, compensation
der Genuß ⁼e enjoyment
gepanzert armored
gepflastert paved
gepflogen (pflegen) maintained, fostered
das Gepolter uproar
das Gepräge stamp
gepriesen (preisen) esteemed
geradezu actually, almost
das Gerät –e tools, effect
*geraten get into, fall, come, give vent; wohl — successful, able
das Geratewohl at random, haphazard
geraum considerable
das Geräusch –e noise
gerecht just
das Gerede talk
das Gericht –e judgment, court of justice
geriet (geraten) came, fell
gering little, small, unimportant, slight, light
gerissen (reißen) torn, pulled down
gerochen (riechen) smelled
der Geruch ⁼e smell
das Gerücht –e rumor
gerungen (ringen) struggled
das Gerüst –e scaffolding
gesamt whole, total
der Gesandte –n ambassador
der Gesang ⁼e song, canto
die Gesangskräfte vocal resources
geschaffen made

die Geschäftigkeit zeal
geschäftstätig active in business
gescheit clever
das Geschenk –e gift
die Geschichtsschreibung historiography
das Geschick –e fate
die Geschicklichkeit skill
geschickt skillful, hardy
das Geschirr crockery
das Geschlecht –er generation, race, family
geschlossen closed, concluded, united
geschlungen (schlingen) wound, twisted
der Geschmack ⸚e taste
geschmackvoll in good taste
der Geschmackwechsel change in taste
das Geschmeide – jewelry
geschmeidig supple
gescholten (schelten) scolded
das Geschöpf –e creature
das Geschrei crying, uproar
geschweige not to speak of
geschwind(e) swift
die Geschwister siblings
der Gesell –en apprentice, companion
gesellig sociable
gesetzgebend legislative
das Geseufze – sighing
das Gesicht –e vision
der Gesichtsausdruck ⸚e facial expression
der Gesichtskreis horizon
der Gesichtspunkt –e point of view
der Gesichtszug ⸚e feature
gesinnt minded
die Gesinnung sentiment, conviction, mood, disposition
gesittet mannerly
das Gespenst –er ghost
gespensterartig ghostlike

der Gespiele –n playmate
das Gespinst weaving
das Gespräch –e conversation
das Gestade – shore
die Gestalt form, figure, shape
die Gestaltung form, shape, configuration, construction
die Gestaltungskraft creative power
gestand confessed
das Geständnis confession, avowal
gestatten allow
*gestehen confess
das Gestein –e rock
das Gestirn –e constellation
gestochen (stechen) stuck, bitten
gestört disturbed
das Gesträuch shrubbery
gestrig of yesterday
getäfelt paneled
das Getöse uproar, din
sich getrauen trust oneself
das Getreide grain
getrieben (treiben) driven, practiced
getrost confidently, cheerfully
das Getümmel – turmoil
getürmt piled up
gewachsen grown, a match for
gewaffnet armed
gewagt daring
gewahr aware
gewahren perceive
gewähren grant, give; — lassen leave alone
die Gewalt power, violence, force
der Gewaltherr –n oppressor, tyrant
gewaltsam powerful, violent
der Gewaltschädel – mighty head
gewalttätig violent
das Gewand ⸚er cloak, garment
gewärtigen expect
das Gewerk ⸚e guild, corporation
das Gewicht –e weight, emphasis
das Gewissen conscience
die Gewissensangelegenheit matter of conscience

gewissermaßen to a certain extent
das Gewitter – thunderstorm
die Gewohnheit habit
die Gewöhnung habit
das Gewölk cloud, group of clouds
geworfen thrown; born (animals)
gewuchert rampant
gezeichnet signed
gibt nach yields
gieren long, be greedy for
*gießen o o pour
das Gift –e poison
gilt (gelten) is involved
der Gipfel – peak, summit
der Gipfelriese –n gigantic peak
das Gitter – grating, lattice
der Glanz –e gleam, luster, splendor
glänzen shine, gleam; —d brilliant,
    splendid
glatt smooth, slippery
glaubensbedrängt persecuted in
    (his) faith
der Glaubensbegriff –e doctrine,
    dogma
der Gläubige –n believer
gleichartig similar
gleichermaßen likewise
gleichgeschwungen equally arched
gleichgestimmt congenial
das Gleichgewicht equilibrium, bal-
    ance
gleichgültig indifferent
gleichmäßig composed, equal
das Gleichnis symbol
gleichsam as if, almost, as it were
gleichwohl as well
gleißend hypocritical; glimmering
*gleiten glitt geglitten glide
der Gletscher – glacier
gliedern organize
die Glockenblume bellflower, blue-
    bell
glorreich glorious
glücken succeed
glückselig lucky

der Glücksritter – fortune hunter
glühen glow
die Glut fire
die Gnade grace, mercy
das Gnadengut ⸗er gift of grace
gnädig gracious
die Goldwage gold scale
gönnen grant
der Gönner – patron
goß (gießen) poured
der Gote –n Goth
der Götterfunken – divine spark
die Götterlüfte divine breezes
die Götterruhe divine calm
der Gottesdienst –e divine service
das Grab ⸗er grave
*graben u a dig
der Graben ⸗ ditch
der Grad –e degree
der Graf –en count
der Grafensohn ⸗e young count
der Gram sorrow
der Grammophonkasten ⸗ record
    player
gräßlich horrible
grauen feel horror
grauenhaft gruesome
grauenvoll awful
grausam gruesome, cruel
graus(ig) horrible
die Grazie grace, charm, graceful-
    ness
graziös graceful
*greifen iff iff touch, seize, comprehend
der Greis –e old man
grell dazzling, shrill
der Greuel – horror
der Griff –e clutch, trick, artifice
griff: — heraus picked out; —
    über extended
grimmig grim, furious
grob coarse
grobknochig heavy boned
der Groll spite, grudge
grollen resent

der Groschen – groat, penny
großartig magnificent, grandiose
die Größe size, quantity, value
der Größenunterschied –e difference
   in size
die Großmut generosity
die Grube pit
der Grund ⸚e ground, valley, reason;
   auf — by virtue of; im —(e)
   basically, fundamentally, really
der Grundbegriff –e basic concept
der Grundbesitz –e real estate
gründen establish
das Grundgesetz –e basic law
die Grundgewalt basic power
die Grundlage basis, foundation
gründlich thorough
die Grundmauer foundation wall
der Grundsatz ⸚e principle
der Grundstein –e corner stone
der Grundzug ⸚e basic principle or
   feature
grünen grow green
der Grünschnabel ⸚ greenhorn
die Gugelmütze cowl
gülden golden
die Gültigkeit validity
die Gunst ⸚e favor
die Gurke cucumber
der Gürtel – belt, girdle
das Gut ⸚er wealth, goods, estate,
   possession, property
die Güte kindness, goodness
gütlich friendly
gutmütig good-natured
der Gutsbesitzer – estate owner
das Gymnasium –sien secondary
   school (for studying the humanities)

H

die Habe possessions

die Habichtsnase hawk nose
die Habseligkeit possession
die Habsucht greed
die Hacke axe
der Hafen ⸚ haven, port, harbor
haften cling, be fastened, be fixed
der Hagel hail
hager lean, spare
der Hahn ⸚e cock, rooster
der Hain –e grove
halber for the sake of
halbgedämpft half-subdued
die Halle hall
hallen echo
der Halm –e blade (of grass)
die Halsberge gorget, neckpiece
der Halt halt
*halten ie a consider, insist; sich —
   have recourse; nichts davon —
   think it of no value
die Haltung bearing, attitude
der Hammelsbraten – mutton roast
hämmern hammer
der Handel ⸚ deal, trade, quarrel,
   affair
*hangen i a hang; sich — be con-
   nected
die Harke rake
harmlos innocent
harren wait
die Härte severity
hartnäckig stiff-necked, stubborn
das Haselholz hazel wood
der Haß hatred
hassen hate
häßlich ugly, hideous
die Hast haste
die Haube coif
der Hauch –e breath
*hauen hieb gehauen hit, chop, split,
   strike
der Haufe –n heap, throng, crowd,
   group
häufig frequent
das Haupt ⸚er head, chief

der **Hauptbestandteil** –e chief constituent
der **Hauptgrundsatz** ⸗e chief principle
das **Haupthaar** –e hair (of the head)
das **Hauptkissen** – pillow
die **Hauptleistung** chief function
der **Hauptmann** –leute captain
hauptsächlich chiefly
der **Hauptspaß** ⸗e capital joke
der **Hausbewohner** – tenant
hausen dwell
der **Hausflur** front hall
der **Haushalt** household, family
hausieren peddle
häuslich domestic
der **Hausrat** domestic implements
die **Haut** ⸗e skin
das **Hautübel** skin disease
*__heben__ o o lift, raise
hebräisch Hebrew
das **Heer** –e host, army
der **Heeresführer** – general
der **Heeresfürst** –en general
die **Heeresleitung** army command
die **Heerstraße** military road, highway
heften fasten
heftig violent
hegen cherish, foster
heil! hail!
das **Heil** prosperity, happiness, welfare
der **Heiland** –e Savior
heilen heal
der **Heilige** –n saint
heiligen consecrate
das **Heiligtum** ⸗er sanctuary
die **Heiligung** sanctification
heillos incurable, wicked, hopeless
heimisch native, domestic
heim-kehren return home
heimlich secret
die **Heimseligkeit** domestic bliss
heiser hoarse

heiter serene, cheerful, merry
der **Held** –en hero
heldenhaft heroic
der **Heldenmut** heroism
das **Heldenspiel** –e heroic game
der **Hellene** –n Greek
hellerleuchtet brightly lit
der **Helm** –e helmet
die **Hemdenleinwand** linen for shirts
hemmen hinder, check, stop
die **Herabsetzung** reduction
sich herab-stellen step down
*__heran-fahren__ drive up
heran-führen lead on
herangewachsen grown up
heran-nahen approach
heran-rücken advance
*__heran-treten__ approach
*__heran-wachsen__ grow up
herauf beschworen conjured up
heraufgeschoben (schieben) pushed up
*__herauf-kommen__ become prominent
*__sich heraus-finden__ find one's way out
heraus-fordern challenge
herausgebracht developed
*__heraus-kennen__ pick out, recognize
heraus-kristallisieren crystallize out
heraus-platzen burst out
heraus-rasseln clatter out
*__heraus-schlagen__ realize, make
sich heraus-stellen turn out
sich heraus-wagen venture forth
herb harsh, austere, pungent
herbei along
*__herbei-rufen__ summon
die **Herberge** inn
*__her-bringen__ bring over
das **Herdenglöckchen** little bell of the herd
*__herein-dringen__ penetrate
herein-rasseln roll in
hereinwärts inwards
hergebracht traditional

*her-gehen go on
der Hergereiste –n traveler
der Hering –e herring
her-jagen speed by
herkömmlich usual, traditional
die Herkunft origin
die Herkunftsbezeichnung mark of
   origin
hernach afterwards
hernieder down
sich hernieder-wenden turn down
herrisch imperious
herrlich splendid, glorious
die Herrschaft rule, command
herrschen reign, rule, command, pre-
   dominate
der Herrscher – the sovereign
die Herrschernatur dominating nature
her-stellen produce, establish
herüber-wirken influence
herum-hantieren manipulate, poke
   about
*herum-schließen enclose
herum-trippeln patter around
herunter-stürzen rush down
hervorbrachte produced
*hervor-bringen produce
*hervor-gehen originate, come forth,
   appear
*hervor-quellen spring forth
*hervor-rufen provoke
hervorstechend outstanding, prominent
*hervor-stoßen put forth
*hervor-treten emerge
ᵛsich hervor-tun excel
*her-wachsen grow from
der Herzensgrund bottom of the
   heart
das Herzklopfen – heart-beating
das Herzleid grief
herzlich kind, cordial, sincere
das Herzliebchen darling
der Herzog –e or ⸗e duke

herzu over (here)
hetzen race, tear
das Heu hay
heulen howl
heutzutag(e) nowadays
die Hexe witch
der Hexenmeister – sorcerer
der Hieb –e blow
hieb um (hauen) hewed, struck
   down
hienieden down here
hierauf thereupon
hierüber about this
hierzu to this end
hilfreich helpful, benevolent
das Himmelsgewölbe – firmament
der Himmelsstrich –e streak of sky
die Himmlischen heavenly powers
hinab-geleiten accompany down
hinab-schlucken swallow
hinan up
hinan-geleiten lead up
*hinan-ziehen attract, draw upward
hinauf up
hinauf-klettern climb up
*sich hinaus-begeben go out
*hinaus-dringen exceed
sich hinaus-setzen put oneself beyond
der Hinblick regard
hinderlich hindering, obstructive
hineingetan put in
hineingezerrt dragged in
hineingezogen drawn in
hinein-gucken peep in
*hinein-schieben push in
hinein-tauchen dip in
hinein-vegetieren vegetate into
hinein-weben weave in
sich hingab surrendered
die Hingabe devotion
*hin-geben sacrifice; sich — devote
   oneself
hingegen on the other hand, in its
   place

hingehalten put off
hin-gehören belong to
hingerissen (reißen) impelled
hingesenkt absorbed
hinlänglich sufficient, enough, adequate
hin-legen lay down
*__hin-nehmen__ submit to
hin-opfern sacrifice
hin-reichen suffice
hinreißend overpowering
hin-richten execute
hin-schenken give away
die Hinsicht respect, regard, consideration
hin-stellen put down, put forward
hinterdrein behind, afterwards
hinterher subsequently
*__hin-treten__ go over
*__hinüber-gleiten__ slide over *or* across
hinüber-schauen look around
hinuntergekrochen (kriechen) crept down
hinunter-neigen bend down
hinunter-schleudern hurl down
hinweg away
*__hinweg-gehen über__ overlook
hinweg-täuschen deceive
*__hin-weisen__ point out
das Hirschgeweihe stag's antlers
der Hirt –en shepherd
hochbefähigt highly gifted
die Hochebene table land, plateau
hochgemut high-spirited
hochgerecht highly suitable
hochgereckt tall
hochgestiegen (steigen) risen from the ranks, successful
die Hochhaltung respect
hochherzig high-minded
die Hochleistung high achievement
hochmütig arrogant
höckern peddle
der Hofmann –leute courtier
der Hofrat ⸚e court counselor

die Höhe height, summit, top, loftiness; **in die —** up(ward)
die Hoheit loftiness
der Höhepunkt –e peak
hohl hollow, empty
die Höhle cave, cavern
die Höhlung hollow
der Hohn scorn
höhnisch insulting, sarcastic
hold sweet, lovely
die Hölle hell
die Höllenwanderung journey through hell
hölzern wooden
der Holzhauer – woodcutter
die Holzkeule wooden club
das Holzlager – timberyard
honorieren pay (wages, bills)
horch hark! listen!
die Horde hoard
hörnen horny, made of horn
die Hornmasse mass of horn
der Huf –e hoof
die Hüfte hip
der Hügel – hill
die Hügelkette group of hills
die Huld grace
huldigen pay homage
die Hülle covering
der Hunger(s)lohn ⸚e starvation wages
die Hungersnot starvation
hüpfen skip, jump
die Hürde sheepfold
huscheln slip hurriedly past
husten cough
der Hüter – keeper
die Hütte hut, kennel

I

immerdar always, forever, ever
immerfort always

immerhin at any rate, nevertheless
immerzu always
imponieren impress
imstande able; — sein be in a position
inbrünstig ardent
indes *or* indessen however
indisch Indian
infolge in consequence
der Inhalt –e content
inhaltsvoll weighty, meaningful
das Innere interior, inside, core; inner self, inner life
innerhalb within, inside of
die Innerlichkeit life of the soul
innig inward, sincere, fervent, intimate
inniglich intimately
insbesondere especially, separately
insgesamt altogether
das Interessenbereich –e realm of interest
inwiefern to what extent
Irre: in die — gehen go astray
der Irrsinn madness

J

die Jagd hunt, chase
das Jagdgeleit –e hunting party, band
der Jagdgenosse –n hunting companion
der Jagdimbiß –e hunting meal
jagen hunt, chase; rush
der Jäger – hunter
jäh sudden
das Jahrzehnt –e decade
der Jammer misery, wretchedness
jammervoll pitiful
ja nicht not on any account
jauchzen exult, shout
jedweder each

jeglich each
jeher: von — at all times
jetzig present
jeweilig momentary, respective
der Jubel – exultation, jubilation
der Jude –n Jew
die Judenmörderei murder of Jews
das Jüngelchen (little) lad
der Jünger – disciple
die Jungfer lady's maid
die Jungfrau maiden, young woman
jüngst recently
der Junker – squire

K

kahl bald, spare
der Kahn ⸗e boat, canoe
der Kaiser – emperor
das Kaisertum imperial power, empire
das Kalb ⸗er calf
der Kalk –e lime
kam entgegen met, corresponded
kam vor happened
der Kamm ⸗e comb
die Kammer room, chamber
der Kammerdiener – valet
kämpfen fight, struggle
der Kämpfer – champion
der Kandelaber – (street) lamp
die Kanne can, jug
kantig edged, angular
der Kantor –s –en choir leader, organist
die Kanzel pulpit
der Kanzler – chancellor
die Kapelle chapel
das Kapitel – chapter
die Kappe hood, coif, cap
der Kardinalsatz ⸗e cardinal rule
karg miserly
der Karren – cart

der Karst -e mattock
das Kasino -s officers' mess, amusement place
der Kater - tomcat
der *or* das Katheder - academic
  chair
der Kaufherr -n merchant
keck bold
der Kegel - ninepin; — schieben
  bowl
die Kehle throat
kehren turn; sich — care
die Kehrseite reverse side
der Keim -e germ, bud
keinerlei (*adj.*) of no sort, not any
keineswegs by no means
*kennen kannte gekannt know
der Kenner - connoisseur
die Kenntnis knowledge
das Kennzeichen - characteristic
  mark
kennzeichnend distinguishing
der Kerker - prison
der Kerl -e fellow
der Kern -e kernel, core
die Kerze candle
der Kessel - kettle
die Kette chain
kettenartig chain-like
keuchen gasp, pant
die Keule club
keusch chaste
kichern chuckle, giggle
der Kies -e gravel
der Kiesel - pebble
die Kinderschar troop of children
die Kinderwiege cradle
beim Kirchgang on the way to
  church
der Kirchhof -e graveyard
kirchlich ecclesiastical
die Kirsche cherry
das Kissen - pillow
die Kiste box
kitzeln tickle

die Klafter cord (of wood)
die Klage complaint, accusation,
  lawsuit
kläglich poor, wretched
sich klammern cling to
der Klang -e sound
klappen clap, bang
klappern chatter, clatter
klären clarify
klatschen clap (one's hands)
die Klaue claw
die Kleiderordnung regulation con-
  cerning clothing
die Kleinigkeit trifle
das Kleinod -ien jewel
klemmen press
der Klerus clergy
klettern climb
das Klima -s climate
die Klinge blade (of a knife)
die Klingel small bell
*klingen a u sound, ring
die Klippe cliff
klirren rattle
klöppeln make lace
der Kloß -e clod of earth; dumpling
das Kloster - monastery
die Kluft -e gap, abyss, rift, chasm
knack crack!
knapp scarce
knarren creak, groan
knäuelartig in a coil
der Knecht -e servant, follower
die Knechtschaft servitude, slavery
die Knecht(s)gestalt servant's guise
knirschen grind (one's teeth)
das Knopfloch -er buttonhole
die Knospe bud
der Knoten - knot
knurren growl
der Köcher - quiver (arrows)
die Köchin cook
der Kohortensturm -e storm of the
  cohorts
das Koller - jerkin, doublet

die **Kolonne** column
die **Komik** comicality
*__kommen__ come; **zu sich —** come to one's senses
die **Kommode** chest of drawers
__kompliziert__ complicated
das **Komplott** –e plot, intrigue
der **Komponist** –en composer
__kompromittieren__ compromise
das **Konfekt** –e pastry
__königlich__ royal
das **Königsmahl** –e royal banquet
der **Königssaal** –säle royal hall
das **Königtum** –er kingdom
der **Konkurrent** –en competitor, rival
__kontinuierlich__ continuous
der **Kontrapunkt** counterpoint
das **Kopfrechnen** mental arithmetic
der **Kopfschmuck** –e headdress
die **Kopfsteuer** head tax
das **Kopfweh** –e headache
der **Korb** –e basket
das **Korn** –er grain
die **Körnerfrucht** grain crop
die **Körperbeschwerde** physical hardship
die **Körpergestaltung** body formation
die **Körperübung** physical exercise
die **Korrektur** correction
__korrigieren__ correct
die **Kost** fare
__kostbar__ precious
die **Kosten** costs; **auf —** at the expense, on account of
__köstlich__ precious
das **Kotelett** –e _or_ –s cutlet
der **Krach** –e quarrel
__krachen__ crash
die **Kraft** –e strength, force, resource; **außer — setzen** invalidate, abolish
der **Kragen** – collar
die **Krähe** crow
__krähen__ crow (like a rooster)

die **Kralle** claw
der **Kram** –e trash
der **Krämer** – shopkeeper
der **Kranich** –e crane
__kränken__ offend
__kränklich__ sickly
der **Kranz** –e wreath, laurel, circle
__kratzen__ scratch
__kraus__ curly
die **Krawatte** necktie
__kreischen__ shriek
__kreisen__ make the rounds
der **Krempelmarkt** –e junk market
das **Kreuz** –e cross; small of the back
__kreuzen__ cross (over)
der **Kreuzgang** –e cloisters
die **Kreuzlast** burden of the cross
__kreuz und quer__ in all directions (crisscross)
der **Kreuzzug** –e crusade
__kriechend__ submissive, crawling
das **Kriegsbeil** –e battle axe
der **Kriegsfürst** –en war prince
der **Kriegsschauplatz** theater of war
die **Krippe** crib, manger
__kristallen__ crystalline
die **Kritik** criticism
__kroch__ (__kriechen__) crept
die **Krone** crown
__krönen__ crown
die **Krücke** crutch
der **Krug** –e jug
die **Krume** crumb
__krumm__ crooked
__sich krümmen__ writhe
der **Krüppel** – invalid, cripple
die **Kugel** ball, bullet
__kühn__ bold
der **Kummer** sorrow, grief
__kümmerlich__ wretched
__sich kümmern__ care, concern oneself
__kummervoll__ wretched, pitiable
__kund__ known

die **Kunde** knowledge, information,
  evidence
*****kund-geben** make known
künftig in future
die **Kunstfähigkeit** artistic ability
der **Kunstgenosse** –n fellow artist
künstlich artificial
kunstreich artistic, skillful
kunstvoll ingenious, artistic
die **Kunstweise** artistic manner
das **Kupfer** – copper
der **Kurfürst** –en elector
das **Kurfürstentum** ⁼er electoral
  principality
die **Kurtisane** courtesan
kurz: vor —em a short while ago
kurzlebig short-lived
die **Küste** coast
die **Küstengegend** coastal region
die **Kutsche** coach

L

die **Labe** comfort
lächerlich ridiculous
*****laden u a** load; invite
die **Ladung** cargo
das **Lager** – camp, couch
lagern lie down, rest
die **Lagerstatt** ⁼en couch
lallen stammer
das **Lamm** ⁼er lamb
der **Landbauer** –n peasant
ländereinigend uniting countries
die **Länderstrecke** stretch of land
die **Landesregierung** state government
landfremd foreign
die **Landleute** peasants, countrymen
landschaftlich scenic
der **Land(e)smann** fellow country-
  man
die **Landstadt** ⁼e provincial town

die **Landtafel** tableland, plain
der **Landvogt** ⁼e governor of a province
der **Landwirt** –e farmer
die **Landwirtschaft** agriculture
landwirtschaftlich economic
langen reach
die **Langeweile** boredom
längs along
längst long ago
langweilig boring
die **Lanze** lance, spear
das **Lärmen** noise
*****lassen ie a** let
läßlich sluggish
die **Last** –en burden
das **Laster** – vice, depravity
lästern slander, blaspheme
lästig annoying
lateinisch Latin
die **Laterne** street lamp, lantern
lau gentle, lukewarm, tepid
das **Laub** foliage
die **Lauer** (secret) watch
lauern lurk
die **Laufbahn** career
die **Laune** whim, mood, whimsicality
lauschen listen
die **Laute** lute
lauten sound, read, mean
lauter pure, nothing but
die **Lebensgefahr** mortal danger
die **Lebensgefährtin** life's companion
der **Lebenslauf** ⁼e curriculum vitae
die **Lebensrichtung** life aims
lebenswichtig vital, essential
das **Lebewesen** – organism
lebhaft lively
die **Lebzeit: zu** —en during one's
  life
lecken lick
das **Lederzeug** leather equipment
ledig empty, vacant; unmarried
lediglich simply
ins Leere into space

leewärts leeward
sich legen subside
der Lehm –e clay, loam
lehnen lean
der Lehnstuhl ⸗e armchair
lehrhaft didactic
der Lehrjunge –n apprentice
der Lehrling –e apprentice, pupil
der Lehrmeister – instructor
der Lehrstuhl ⸗e professorial chair
die Lehrverpflichtung educational
  obligation
die Lehrweise teaching method
die Leiche corpse
leichenblaß pale as death
leichenstill deathly silent
der Leichnam –e corpse
leichtbeschwingt swift, flying
leichtfertig frivolous
leichtsinnig light-headed, indiscreet
das Leid –s –en sorrow, suffering
die Leidenschaft passion
leidig miserable, abominable
leidlich tolerable
leidvoll painful, sorrowful
*leihen ie ie lend
der Leim –e bird lime
die Leinwand linen, canvas
leisten accomplish, produce
der Leitartikel – editorial
leiten guide
der Leiter – leader, guide
die Leiter ladder
die Leitung guidance; circuit, cable
die Lektion lesson
die Lende loin
der Lenz –e spring
die Lerche lark
letztverflossen recently past
leuchten shine
leugnen disavow, lie
lichterloh with a bright flame
das Lid –er lid, eyelid
liebenswert attractive, lovely
liebenswürdig charming

die Liebesklage lament of love
das Liebesverständnis amour, secret
  love
das Liebesweh – pain of love
lieb-gewinnen grow fond of
der Liebhaber – lover, amateur
lieblich charming, lovely
der Liebling –e favorite, darling
liederlich careless
*liegen a e lie; daran — be concerned
  about, mean to one
lind gentle
die Linde linden tree
lindern relieve, soften
linkisch clumsy
die Linse lentil; lens
Lise Lizzy
lispeln whisper, murmur, lisp
die List cunning
der Lobgesang ⸗e hymn of praise
löblich laudable, honorable, worthy
die Locke curl
locken entice
lohen flare up
lohnen pay, be worthwhile, reward;
  —d profitable
der Lorbeer –s –en laurel
das Los –e fate, lot
*los-binden untie, release
*los-brechen break out
lösen solve, dissolve, separate,
  loosen, release, realize (from a
  sale)
*los-gehen make for
los-haken unhook
los-lösen detach
*los-schlagen hit, attack, strike out
die Lösung solution
*los-werden get rid of
der Löwe –n lion
die Lücke gap, break
lud (laden) invited
die Luftschwingung vibration in the
  air
die Lüge lie

die **Lügenbrut** lying brood
der **Luxus** luxury

M

machen make, see to it; **sich —** care, make for, set out
die **Machtergreifung** seizure of power
der **Machtkampf** ⁼e struggle for power
die **Machtwaffe** power weapon
das **Machtzentrum** –zentren center of power
das **Magazin** –e store
die **Magd** ⁼e maid
das **Mägdlein** little girl, maiden
mahlen grind
die **Mähne** mane
die **Mähre** tale
die **Maienglocke** *or* das **Maiglöckchen** lily of the valley
Mailand Milan
der **Mais** maize, sweet corn
das **Mal** –e sign
die **Mandel** almond
der **Mangel** ⁼ lack, defect, fault
der **Männerstolz** manly pride
das **Mannesalter** age of manhood
die **Mannestreue** manly loyalty
die **Mannhaftigkeit** manliness
mannigfaltig manifold, various, divers
die **Mappe** briefcase
der **Marchese** –n marquis
die **Märe** tidings, story
der **Marineanzug** ⁼e navy suit
das **Mark** marrow
markig pithy, sinewy
der **Marktschreier** – quack, charlatan
der **Marmor** –e marble
die **Marmorschale** marble basin

die **Marter** martyrdom
das **Maschinengewehr** –e machine gun
maschinenmäßig machine-like
die **Maske** masque
das **Maß** –e measure; **über die —en** exceeding
die **Masse** mass
maßgebend decisive
mäßig moderate
maßlos boundless
der **Maßstab** ⁼e scale, standard
maßvoll moderate
die **Matrosenmütze** sailor's cap
matt faint, tired, exhausted, dull
die **Matte** meadow
die **Mauer** wall
die **Mauerhöhle** hole in the wall
das **Maul** ⁼er mouth, muzzle (of animals)
das **Maultier** –e mule
die **Mausefalle** mouse trap
der **Mäusefang** mouse hunting
der **Mediziner** – medical doctor *or* student
das **Mehl** flour
der **Mehlkübel** – flour measure
die **Mehrzahl** plural, majority
*meiden ie ie avoid
meinen be of the opinion, say, think, ponder, mean
melden report, announce
die **Melodienbildung** melody structure
die **Menge** mob, crowd, host, large number
mengen mix
das **Menschenalter** – generation
der **Menschenfeind** –e misanthrope
das **Menschengeschlecht** –er human race
der **Menschenstand** ⁼e human condition
der **Menschenverstand** common sense

merklich visibly
das Merkmal –e sign, distinguishing mark
das Merkorgan –e organ of perception
merkwürdig remarkable, strange, peculiar
meßbar measurable
die Messe mass
der Messias Messiah
die Meßmöglichkeit measurability
der Metallschatz ⸗e metal treasure
die Metallzunge metal tongue, sliver
die Meute pack of hounds
miauen mew, meow
die Miene countenance, appearance
mieten rent
mildern soften
die Milz spleen
die Ministerialen government officials
minnenswert worthy of love
mischen mix
die Mißachtung contempt, disrespect
die Mißbildung disfigurement, malformation
mißbrauchen misuse
die Missetat evil deed
mißfallen displease
die Mißgestaltung deformity
*mißlingen a u fail
der Mißmut ill-humor
das Mißtrauen distrust, lack of confidence
der Mist –e manure heap
das Mistlachenwasser manure water
der Mitarbeiter – collaborator, colleague
der Mitbube –n fellow pupil
das Mitgefühl sympathy
die Mithilfe co-operation
*mit-leiden i i sympathize, suffer with
mit-machen participate
mitsamt together with

mit-schleppen drag along
der Mitschüler – classmate, fellow student
mit-teilen give, present, communicate
das Mittelalter Middle Ages
mittelmäßig mediocre, moderate
das Mittelschiff –e nave (of church)
mitunter at times
mit-wirken co-operate, assist
möblieren furnish
die Mode fashion
der Mohr –en Moor, black
momentweise at times
der Mönch –e monk
die Möncherei monasticism
der Mord –e murder, assassination
das Mordgericht –e murder tribunal
das Morgenland the East, Orient
das Morgenlied –er morning hymn
das Morgenrot dawn
der Mörtel – mortar
die Motette motet
der Mühlbach ⸗e mill stream
das Mühlenrad ⸗er mill wheel
die Mühsal difficulty, toil
mühsam laborious
münden flow into, run, fall (end)
die Mündigkeit majority, maturity
die Mündung mouth (of river)
munter lively, merry
die Münze coin
murmeln murmur
murren grumble
musizieren make music
die Muskelkraft muscular strength
muskelstark muscular
die Muße leisure
müßig idle
das Muster – sample, example
mutlos discouraged
das Mütterchen old woman
der Mutwille mischievousness

N

nach-ahmen imitate
die Nachahmungssucht mania for imitation
der Nachbarast ⁼e neighboring branch
der Nachbarstamm ⁼e neighboring tree
*****nach-denken** reflect, ponder
nachdenklich thoughtful, critical
der Nachdruck stress, emphasis
die Nachfolge succession
die Nachhilfe assistance
der Nachklang ⁼e echo
die Nachkommenschaft posterity
nachlässig negligent, careless
nach-machen imitate, counterfeit
der Nachname –ns –n surname
die Nachricht report
*****nach-schlagen** look up (reference)
*****nach-sehen** forgive
*****nach-sinnen** reflect
nach-suchen search for
das Nachtgespenst –er ghost
die Nachtigall nightingale
der Nachtriegel – night bolt
der Nachtschmetterling –e night butterfly
die Nachtseite dark side
nach und nach little by little
*****nach-wachsen** grow again, recur
die Nachwelt posterity
der Nacken – neck, nape
nackt bare, naked
die Nadel needle, spire
der Nadelwald ⁼er coniferous forest
der Nagel ⁼ nail
nagelneu brand new
*****nahe gehen** touch closely
nähen sew; **genäht** sewed
nahezu almost
nahm wahr perceived
die Nähnadel sewing needle
nähren nourish, feed

der Narr –en fool
die Nasenfalte nose wrinkle
das Naturbetrachten contemplation of nature
das Naturerzeugnis product of nature
die Naturgabe natural talent
naturgemäß naturally
naturwüchsig natural, native
der Nebel – mist
der Nebelglanz hazy glow
der Nebelstreif –e streak of mist
nebenher alongside, besides, incidentally
die Nebensache secondary matter
nebst beside
*****nehmen: auf sich —** take care of
der Neid envy
die Neige dregs
neigen bend, incline, take a fancy to
neigend declining
*****nennen nannte genannt** name
nennenswert worthy of mention
nervig sinewy
nesteln lace
das Netz –e net
die Neuauffassung new point of view
der Neubau reconstruction
neuerdings lately
die Neuerung innovation
neugewählt newly elected
die Neugierde curiosity
neugierig curious
die Neuzeit modern age
nichtig futile
die Nichtigkeit insignificance, nothingness
der Nichtkämpfer – noncombatant
der Nichtteilnehmer – nonparticipant
nicken nod
die Niederlage defeat
niederländisch Dutch
*****sich nieder-lassen** sit down
sich nieder-legen lie down

*nieder-rinnen a o run down
*nieder-schlagen put an end
die Niederschrift writing down
nieder-streifen hurl down
niederträchtig low-minded, base, vile
die Niederung low country, low level
der Nierenbraten – roast loin of veal
der Norweger – Norwegian
nötigen urge
nüchtern sober
die Nüster nostril
Nutz: sich zu —e machen make use of
der Nutzen use, profit, advantage

O

obendrein in addition
obenerwähnt above-mentioned
ober upper
der Obere pupil in the top class, superior
die Oberfläche surface area
der Obergeselle –n pupil in the top class
das Oberhaupt ⸗er head
der Oberpolizist –en high police official
der Oberst –en colonel
oberst highest
die Oberstufe highest grade
die Obrigkeit ruling body, authorities
obzwar although
öd(e) desolate
der Odem breath
offenbar obvious
offenbaren disclose
die Offenheit frankness, candor
öffentlich public, open
der Oheim –e uncle
ohnegleichen unequaled
die Ohnmacht impotence; swoon

ölen oil; anoint
olivenartig olive-like
die Opferfreudigkeit joyful sacrifice
der Opfergeruch ⸗e odor of sacrifice
die Opferlust pleasure in sacrifice
ordentlich proper, regular, thorough
ordnen order, regulate
die Organknospe organic bud
der Orgelton ⸗e organ peal
örtlich local
die Ostern Easter

P

der Pächter – tenant
das Pack ⸗e pack
packen seize, pack
der Pagendienst page service
der Palast ⸗e palace
der Panzer – coat of mail
das Panzerhemd –s –en coat or shirt of mail
der Papagei –en parrot
der Papst ⸗e Pope
das Parlamentsmitglied –er member of parliament
die Partei party, organization
der Paß ⸗e passport
der Patron –e client
die Pein grief, sorrow, pain
peinigen torture
peinlich meticulous, disagreeable
der Pelz –e fur
der Pelzkragen – fur collar
die Pest pestilence
der Pfad –e path
der Pfaffe –n priest
der Pfalzgraf –en count palatinate
das Pfand ⸗er pledge, pawn
die Pfanne pan, socket
das Pfarrhaus ⸗er parsonage
die Pfauenfeder peacock feather
der Pfauenschweif –e peacock tail

*pfeifen pfiff gepfiffen whistle
der Pfeil –e arrow
pfiff (pfeifen) whistled
das Pflaumenmus –e plum jam
pflegen be accustomed, nurse, tend, care for
die Pflegestätte breeding ground
die Pflicht duty
pflichtvergessen negligent of one's duty
der Pflug ⸗e plow
die Pforte gate
die Pfote paw
pfui! fie! shame!
das Pfund –e pound
die Phantasie imagination
philiströs unimaginative
der Philolog –en philologist
die Pietät piety, reverence
der Pilger – pilgrim
der Pilgerstab ⸗e pilgrim's staff
der Pinselstrich –e brush stroke
die Plackerei toil, trouble
plätschern splash
die Platte (photographic) plate
platterdings flatly, absolutely
plump heavy, rude, coarse, clumsy
der Pöbel mob
pochen pound, knock
poesiegetränkt full of poetry
der Pokal –e goblet
die Polemik polemic
das Polen Poland
der Polenfeldzug ⸗e Polish campaign
polizeilich (regulated by the) police
polnisch Polish
poltern rattle, rumble
der Posten – position, post
die Poststation stage-coach stop
die Pracht splendor
prägen coin, stamp
die Prahlerei boasting
prangen shine
predigen preach

die Predigt sermon
*preis-geben surrender, reveal, give up
preiswürdig praiseworthy
das Preußen Prussia
prickelnd tickling, pungent, sharp, spicy
der Primaner – pupil in the top class (of a secondary school)
das Prinzip –ien principle
der Privatgebrauch private use
privatim privately
die Probe rehearsal, sample, test
produzieren produce
der Prolet –en commoner
prophezeien prophesy
die Provinz area, province
der Prozeß –e process, trial
prüfen test, prove, examine
prüfend critically
prügeln beat, thrash
prunken swagger
der Psalter – psalm
das Publikum public, audience
das Pult –e desk
das Pulver powder
pulvern grind, pound
pünktlich punctual
die Pupille pupil (of the eye)
die Puppe doll
der Purpur deep red, royal purple
putzen clean

Q

quadratisch square
die Qual torment
quälen torment
der Qualm smoke
qualvoll painful
die Quantenphysik quantum physics
der Quell –e spring, source
die Quelle spring, source

*quellen o o flow
quer across, crosswise; perversely
querüber across, kitty-cornered
quetschen crush
quittieren quit
quoll (quellen) flowed

R

der Rabe –n raven
die Rache revenge
der Rachen – jaw
rächen revenge
das Rad ⸚er wheel
der Radmantel ⸚ cape
ragen project
rammen ram
der Rand ⸚er edge, brink
der Rang ⸚e rank
der Rank ⸚e trick, wile
rasch swift, lively
der Rasen – lawn
rasend raving, furious
die Raserei frenzy
rasieren shave
das Rasierzeug shaving kit
räsonieren reason, argue
die Rasse breed, race
die Rast rest
*raten ie a advise
ratsam advisable
der Ratschlag ⸚e advice, counsel
ratschlagen take counsel
das Rätsel – riddle
der Ratsherr –n –en councilor
der Ratstag parliament
rauben rob, steal, plunder, deprive
der Räuber – robber
raufen tear out; sich — brawl
rauh rude, rough
räumen clear, make room
der Rausch ⸚e murmur; intoxication

rauschartig feverish
rauschen murmur, rustle, roar, surge
der Rautenkranz ⸚e wreath of rue
die Rebe vine
das Rechenbuch ⸚er arithmetic book
die Rechenmaschine adding machine
die Rechenschaft reckoning
das Rechnen arithmetic
Rechnung tragen take into account
das Recht –e right, justice
rechtfertigen justify
*recht-geben sanction
rechtmäßig legitimate
die Rechtschaffenheit righteousness
das Rechtsgefühl –e sense of justice
rechtzeitig in time
recken stretch
die Redensart phrase
redlich honest
der Reformator –s –en reformer
reg(e) stirring, alive
regellos at random
regelmäßig regular
regeln regulate
regen stir
der Regent –en ruler
der Regenwurm ⸚er rain worm
das Regierungsviertel – government, administrative district
regsam active, industrious
die Regung impulse, motion
*reiben ie ie rub
reibungslos smooth
das Reich –e kingdom, commonwealth, empire
reichlich rich, plentiful
das Reichsbewußtsein national consciousness
die Reichseinheit national unity
das Reichsland ⸚er imperial province
der Reichstag German parliament
der Reif –e hoarfrost
der Reifen – ring, hoop

reiflich carefully
der Reigen – round dance
sich reihen take one's position
die Reihenfolge series, order
der Reim –e rhyme
die Reisebeschreibung travelogue
der Reisewagen – carriage
reisig mounted
Reißaus nehmen run away
*reißen i i tear, break, urge
der Reiter – rider, horseman
das Reiterhandwerk horsemanship
die Reitstunde riding lesson
der Reiz –e charm, stimulus
reizbar sensitive
reizen charm, irritate
die Reizquelle source of stimulus
rekonstruierbar reconstructable
der Rektor –s –en rector, principal
die Repetierstunde coaching hour
die Residenz capital, seat of the court
der Rest –e remnant
rettungslos irretrievable
die Reue remorse
die Revolutionstruppe revolutionary troop
rezeptorisch receiving
rezitieren recite
richten judge, direct, set (a watch); sich — turn, be directed; gerichtet bent
der Richter – judge
der Richterstab ⸗e judge's staff
rieb (reiben) rubbed
*riechen o o smell
der Riechfühler – olfactory antenna
rief an (rufen) summoned
der Riemen – strap
der Riese –n giant
rieseln ripple
die Riesenfichte giant fir
die Riesenhummel giant bumble bee
die Rinde crust
das Rindfleisch beef

das Rindvieh horned cattle
der Ringel – ring
*ringen a u struggle
rings around
rings(her)um round about
der Riß –e crack, rent
der Ritt –e ride
der Ritter – knight
der Ritterkampf ⸗e tournament, chivalry
die Ritterschaft chivalry, knighthood
der Ritterstand ⸗e order of knights
die Ritterwürde dignity of knighthood
der Ritz –e slit
roch (riechen) smelt
roh raw
das Rohr –e tube, telescope, cane
die Röhre pipe
die Romangestalt character of a novel
romanisch romance
der Römer – Roman; wineglass
der Rosenduft scent of roses
die Rosenspur track of roses
der Rosenstrauch ⸗er rose bush
das Roß –e steed
rostig rusty
rotbäckig red-cheeked
rotblühend blooming red
der Rotstift –e red pencil
rotwangig rosy-cheeked
der Ruck –e jolt
der Rückblick –e backward glance
rücken move (over)
der Rückhalt reservation
die Rückkehr return
rückschauend in retrospect
das Rückschreiten regression
die Rücksicht consideration
rückwärts backwards
das Ruder – oar
der Ruf –e call, cry, reputation, offer
*rufen ie u call

die **Ruhestätte** resting place
der **Ruhm** fame
rühmen praise; **sich** — boast;
  gerühmt famed
ruhmvoll valiant
die **Rührung** emotion
das **Rund** –e round hollow
die **Runde** circular dance
rundscheibig with round panes
der **Russe** –n Russian
das **Rußland** Russia
rüsten arm, equip, prepare
rüstig vigorous
die **Rüstung** armor
rütteln shake

S

der **Saal** –säle hall, parlor
die **Saat** seed, standing crop, green
  corn
sachlich realistic, factual
das **Sachsen** Saxony
sacht gently, softly
säen sow
der **Saft** ≞e sap, juice
die **Sage** legend
die **Säge** saw
die **Sägemaschine** power saw
sah ein realized
die **Salbung** unction
der **Same** –ns –n seed
der **Sammelpunkt** –e recruiting center
der **Sammet** velvet
das **Sammetfutter** velvet lining
samt (together) with
sämtlich all
die **Samtsandale** velvet sandal
die **Sandwüste** sandy desert
die **Sanftmut** gentleness
sann (**sinnen**) schemed, plotted; —
  nach pondered

der **Sarg** ≞e coffin
satt satisfied, well fed, smug; —
  kriegen become tired of
der **Sattel** ≞ saddle
sättigen satiate
der **Satz** ≞e composition, sentence
die **Sauerei** filth, nastiness
***saufen soff gesoffen** drink, guzzle
saugen suck
die **Säule** pillar
der **Saum** ≞e hem, border, fringe
säumen tarry, delay
das **Säumnis** delay
säuseln rustle, whisper
der **Schacht** ≞e gorge, ravine
der **Schädel** – skull, head
die **Schädeldecke** scalp
der **Schaden** ≞ damage, injury, harm
schädlich harmful
schaffen procure, fetch, get; *—
  schuf geschaffen create
die **Schaffenslust** creative desire
der **Schaffner** – conductor (railway)
schal insipid
die **Schale** basin, shell, pan (of a
  scale); cover
der **Schall** –e ring, sound
schalt (**schelten**) scolded
die **Scham** shame
schamhaft modest
die **Schande** shame
schänden abuse
die **Schar** –en troop, band, host
der **Scharfrichter** – executioner
scharren scrape, dig
die **Schattenseite** drawback
schattig shaded, shady
der **Schatz** ≞e treasure
schätzen esteem, value
der **Schatzgräber** – treasure hunter
der **Schauder** – shudder
der **Schauer** – thrill; shower
schauerlich chilly, causing one to
  shiver
die **Schaufel** shovel

der Schaum ≟e foam, juice
das Schauspiel –e spectacle, play
der Schauspieler – actor
scheel askance
die Scheibe windowpane; slice
die Scheide sheath
*scheiden ie ie part, separate; —d
  departing
die Scheidung differentiation; di-
  vorce
scheinbar seeming
der Scheingrund ≟e pretext
das Scheinwesen – imaginary being
der Scheitel – crown (of head), part
  (hair)
scheitern suffer shipwreck, fail
der Schelm –e rogue
*schelten a o scold
das Scheltwort curse, scolding
der Schemel – footstool
die Scherbe shard
das Schermesser – razor
der Scherz –e joke
scheu timid, frightened
scheuen shun, avoid
die Scheune barn
das Scheusal –e monster
scheußlich hideous
die Schicht layer, stratum
das Schicksal –e fate, destiny
die Schickung ordinance
*schieben o o shove, push
schief crooked, askew
die Schiene track
das Schießzeug –e weapon
der Schiffbruch shipwreck
schiffen sail
der Schild –e shield; im —e führen
  intend
das Schild –er sign
schildern describe
schimmern shimmer, gleam
schirmen protect
der Schlachtbericht –e battle account

schlachten slaughter
das Schlachtgetümmel – melee
die Schläfe temple (head)
*schlafen ie ie a sleep
schläfern: ihn schläfert he feels
  sleepy
das Schläflein nap
schläfrig sleepy
die Schlafstätte sleeping quarters
schlaftrunken drowsy
der Schlag ≟e door (of a carriage)
*schlagen u a strike, hit; sich durch
  die Welt — make one's way
  through life
die Schlange snake
schlank slender
die Schlauheit slyness, cunning
schlechthin simply, merely
*schleichen i i creep, slink
der Schleier – veil
schleimig slimy
schlenkern swing (one's arms)
die Schleppe train (clothes)
schleppen drag
das Schlesien Silesia
schleudern hurl
schleunig quickly
schlich (schleichen) crept
die Schliche trick, wile
schlicht simple
*schließen o o lock, close
der Schlingel – rascal
Schlittschuh laufen skate
das Schlitzauge slit eye
schloß aus excluded
die Schloßwarte castle lookout
die Schlucht ravine
schlucken swallow
schlug auf opened
schlug ein smashed
schlug zusammen broke
der Schlummer – slumber
der Schlund ≟e gorge, abyss
schlupfen or schlüpfen slip
schlürfen sip

die **Schlüsselblume** cowslip, primrose

die **Schmach** disgrace

schmachten pine, yearn, languish

schmackhaft tasty

schmähen scorn

schmählich disgraceful, insulting

schmecken taste

schmeicheln flatter

*__schmelzen__ o o melt

der **Schmetterling** –e butterfly

schmettern crash, resound

die **Schmiede** smithy

schmieden forge, shape

schmiegsam pliant

der **Schmuck** –e ornament, jewelry

schmuck smart, neat

schmücken adorn

schmunzeln smirk

der **Schmutz** dirt

der **Schnabel** ⁼ bill (bird)

der **Schnabelschuh** peaked *or* pointed shoe

schnarren snarl

die **Schnauze** snout

das **Schneckenhaus** snail shell

der **Schneeabhang** ⁼e snowy slope

der **Schneefall** snowfall

die **Schneeflocke** snowflake

*__schneiden__ schnitt geschnitten cut, mow

sich **schneuzen** blow one's nose

der **Schnitt** –e cut, design

schnitzen carve, whittle

schnöde base, snide

schnupfen take snuff

schnüren lace, hold tight

das **Schnurrbärtchen** (small) mustache

schnurren purr

das **Schock** count by sixties (threescore)

der **Schöffenstuhl** ⁼e sheriff's court

scholl her (**schallen**) sounded

die **Schöne** beauty

schonen spare; —**d** sparing, cautious

der **Schöngeist** –er aesthete

schonungslos unsparing

schöpfen draw (water)

der **Schöpfer** creator

die **Schöpfung** creation

der **Schoß** ⁼e lap

schräg(e) oblique

die **Schranke** barrier, limit

der **Schreck** –e *or* der **Schrecken** – fright, terror

der **Schreiber** – clerk, scribe

der **Schrein** –e shrine

die **Schriftsprache** literary language

der **Schriftsteller** – writer

das **Schrifttum** literature

schrittweis at a walk

schroff abrupt, rough, rugged

die **Schublade** drawer

schüchtern shy

schuf (**schaffen**) created

die **Schulbildung** education, training

das **Schuldbuch** account book

die **Schuldigkeit** bill

das **Schultergelenk** –e shoulder joint

der **Schultheiß** –en village mayor

der **Schulz(e)** –n mayor

die **Schürze** apron

schürzen tie

schütten pour out

die **Schutzdecke** protective covering

der **Schütze** –n marksman, shooter

schützen protect, shield

das **Schützenfest** –e riflemen's festival

die **Schwalbe** swallow (bird)

der **Schwan** ⁼e swan

schwand (**schwinden**) disappeared

schwang (**schwingen**) waved; —**en sich** took wing

schwanger pregnant

schwanken vary, fluctuate, totter

der **Schwanz** ⁼e tail

der Schwarm ⸗e swarm
die Schwärmerei dreaming, fancy
schwärzen darken; smuggle
schwatzen chatter
schweben hover, soar, float
das Schwefelholz ⸗er match
der Schweif –e (long) tail
schweifen roam
der Schweiß sweat
die Schwelle threshold, doorstep
schwenken turn, swivel
schwerlich hardly
die Schwermut melancholy
das Schwert –er sword
schwerwiegend heavy, weighty
schwindelerregend causing giddiness
schwindeln be dizzy; cheat
schwindlig dizzy
schwoll (schwellen) swelled
*schwören o o swear
der Schwung ⸗e curve; enthusiasm
der See –s –n lake
die See sea
der Seehauch sea breeze
der Seehund –e seal
seelisch spiritual
das Segel – sail
der Segelsport yachting
der Segen – blessing
der Seher – seer, star gazer, astrologer
die Sehne tendon
sich sehnen long, yearn
sehnlich yearned for
die Sehnsucht yearning
die Seide silk
das Seifenbecken – lathering bowl
das Seil –e rope
seinerseits for his part
seinerzeit in its (his) time
seinesgleichen the like of him
seinetwegen for his part
die Seite: von —n on the part of
der Seitenflügel – side wing

selbstbewußt self-confident, arrogant
selbstdeutlich self-evident
selbsteigen very own
die Selbsterhaltung self-preservation
selbstgeschlagen self-inflicted
selbstisch selfish
der Selbstmord –e suicide
die Selbstoffenbarung self-revelation
die Selbstsucht selfishness
selbsttätig deliberate
die Selbstüberwindung self-discipline
die Selbstunterbrechung automatic interruption
die Selbstverleugnung self-denial
selbstverständlich of course
selbstwillig voluntary
selig blessed, blissful; late, of blessed memory
die Semmel roll
der Senf mustard
senken bow, drop, lower, plunge; sich — descend
die Sense scythe
der Sessel – (easy) chair
setzen suppose
seufzen sigh
das Sichanpassen adjustment
die Sicherheit certainty, security
sichtbar visible
das Sieb –e sieve
siebenfach sevenfold
*sieden sott gesotten boil
der Sieg –e victory, conquest
siegesfroh triumphant
der Siegeszug ⸗e triumphant victory march
sieghaft triumphant
siegreich victorious
sieht nach investigates
die Silbe syllable
die Silberader vein of silver
das Silberkorn ⸗er grain of silver
der Silberpanzer – silver armor

simplifizieren simplify
der Singsang singsong
der Sinn –e sense, mind, meaning, intention
*sinnen a o ponder, think; —d pensive
sinnig sensible, contemplative
sinnlich sensuous; material, physical
die Sitte custom, moral, morality
die Sittengeschichte description of manners and morals
die Sittenschilderung description of morals
die Sittenstrenge stern morality
sittlich moral, ethical
der Sitzplatz ⸚e seat
die Sitzung meeting
skandalös scandalous
der Sklave –n slave
der Skrupel – scruple
der Slawe –n Slav
smaragden emerald
die Socke sock (hose)
sodann then
sog (saugen) sucked
die Sohle sole (of shoe)
der Sommerhalm –e summer stalk, growing grain
die Sommerherrlichkeit summer splendor
der Sommersitz –e summer place
sonach accordingly
sonderlich extraordinary, particular
der Sonderpfad –e particular path
sonstig remaining
sorgen concern, worry; — für be troubled, care for, provide
die Sorgfalt care
sorglich carefully
sorgsam careful
sortieren classify
sowohl ... wie as well as
spähen spy, peer
der Spalt –e crevice
spalten split

der Span ⸚e splinter of wood
das Spanien Spain
spannen stretch; hitch, harness; gespannt tense, strained
die Sparbüchse savings box, penny bank
die Sparkasse savings bank
die Spärlichkeit sparseness
der Spaß ⸚e jest, fun
der Spaten – spade
der Spatz –en sparrow
der Speck bacon
der Speer –e spear, javelin
die Speiche (wheel) spoke
der Speichel spittle
*speien ie ie spit
der Speisezettel – menu
spektakeln make a row
die Spende gift
spenden dispense, bestow
sperren close; gesperrt tight
das Sperrholz ⸚er gag
die Sphäre sphere
spie (speien) spat
die Spiegelung reflection
die Spielleute musicians
das Spielwerk –e game
das Spielzeug –e toy
der Spieß –e spear
*spinnen a o purr; spin
der Spinnerlohn spinner's reward
das Spionagesystem –e espionage system
die Spitznase pointed nose
der Sporn –e spur
der Sportsegler – sport sailor, yachtsman
spotten mock
das Sprachdenkmal ⸚er literary document or text
die Sprachgeburt origin of language
sprang burst
sprengen burst, blow open
*sprießen o o sprout, bud
spritzen spurt

der **Spruch** ⸗e sentence
sprudeln bubble, gush, sparkle
der **Sprung** ⸗e jump, caper
sprungbereit ready to jump
der **Spuk** –e ghost, spook
spülen wash, rinse
die **Spur** trace, (animal) track
spüren feel
sich **sputen** hurry
die **Staatenbildung** formation of states
die **Staatengesellschaft** society of states
staatlich public, political, state-owned
die **Staatsangehörigkeit** citizenship
der **Staatsauftrag** ⸗e government contract
die **Staatsgewalt** political power
der **Staatsverein** –e association of states
das **Staatsverhältnis** condition of state
der **Stab** ⸗e bar, staff
stach (**stechen**) stung, burned
stach(e)lig prickly, thorny, stinging
das **Stadtgericht** –e municipal court
die **Stadtkantorenstelle** post of city choir leader
die **Stadtverfassung** municipal constitution
der **Stadtverordnete** –n town counselor
der **Stahl** –e or ⸗e steel
die **Stahlstange** steel rod
der **Stamm** ⸗e tree trunk; tribe
der **Stammcharakter** racial characteristic
stammen stem, descend, originate, derive
der **Stammesherzog** –e tribal duke
die **Stammeskultur** racial culture
das **Stammesschloß** ⸗er family castle
die **Stammeszugehörigkeit** tribal membership

stämmig strong, vigorous
der **Stammler** – stammerer
stampfen stamp
der **Stand** ⸗e social condition, position, class, station
das **Standesgefühl** –e class feeling
standhaft steadfast
ständig constant
der **Standort** –e or ⸗er stand
der **Standpunkt** –e point of view
die **Stange** pole
stapelweise in heaps
starr stiff, rigid
starren stare
die **Stätte** place
*****statt-finden** take place
statt-haben take place
stattlich stately
der **Staub** dust
staunen be astonished
stecken be fixed, be stuck, lie, be hidden
der **Steg** –e path
*****stehen** stand, guarantee
*****stehlen** a o steal
der **Steig** –e path
steigern increase, raise
steil steep
die **Steinhütte** stone cottage
das **Steinufer** – stony shore
der **Stellvertreter** – representative, alternative
der **Stempel** – mark, imprint
sterblich mortal
sternklar star bright
stet steady, permanent
stetig constant
steuern steer, check
das **Steuerruder** – rudder
der **Stich** –e stitch; stab, dig
der **Stiefel** – boot
stieg hervor (**steigen**) projected
der **Stiel** –e stem, stalk
stier staring
der **Stier** –e steer

stieß (stoßen) stroked, pushed; —
  auf met, pushed open
der Stift –e spike, peg
stiften found
die Stiftung foundation
still: im —en quietly, secretly
die Stillosigkeit lack of style
das Stillschweigen silence
der Stilwandel change of style
stimmen tune; dispose; gestimmt
  attuned
die Stimmung mood
stimmungsvoll imparting a certain
  mood
stochern pick (one's teeth)
stocken stop, hesitate
stöhnen groan
der Stoiker – Stoic
stolpern stumble
stopfen fill, cram
das Stoppelfeld (field of) stubble
störrisch stubborn
der Stoß ⸗e blow, push
*stoßen ie o push, strike, bang; en-
  counter
stottern stutter
der Strahl –s –en stream (of water);
  beam (of light)
stramm sturdy; rigid
die Straßenbahn tram, streetcar
sträuben ruffle; sich — stand on
  end (hair)
das Sträuben reluctance
der Strauch ⸗er shrub
der Strauß ⸗e bouquet
streben strive
die Strebsamkeit zeal
die Strecke stretch
der Streich –e stroke, blow
streicheln stroke
der Streifen – streak, strip
die Streitigkeit dispute
die Streitsucht love of quarreling
streng stern
strenggenommen strictly speaking

die Streu bed of straw, litter
streuen strew, scatter
der Strich –e stroke; region
der Strick –e rope
stricken knit
das Stroh straw
strömen stream, flow, pour
das Stromgewächs –e growth at the
  river's edge (reeds, etc.)
die Strömung current
strotzend be swelled, bursting
der Strudel – whirlpool
der Strumpf ⸗e stocking
die Studentenschaft student body
der Studienkollege fellow student
der Studierte –n university graduate, trained man
stumpf dull, obtuse
der Sturz ⸗e fall
stürzen fall, hurl, rush, throw, overthrow
stützen support
summen hum
der Sumpf ⸗e swamp, marsh
die Sünde sin

T

der Tadel – blame, censure
der Tagesfalter – butterfly
der Tageslauf daily routine
tagsüber throughout the day
taktfest keeping good time
tändelnd playfully
die Tanne fir tree
tänzeln trip, skip; dangle (on knee)
tapfer brave
tappen grope one's way
täppisch clumsy
der Tarif price list, tariff
die Taste (piano) key; touch
tasten touch
tat genug satisfied

tat herunter took down
tätig active
tatkräftig active, vigorous
das Tatleben active life
tatsächlich actually, real
die Tatze paw
der Tau –e dew
tauchen dip
taufen baptize
taugen be of use, be good for
der Tausch –e exchange
täuschen deceive; **sich —** be mistaken
tausenderlei a thousand kinds of
der Teich –e pond
der Teig –e dough
teilhaftig sein partake of
die Teilnahme participation, interest, sympathy
der Teppichmacher – carpet weaver
der Teufel – devil
der Teutone –n Teuton
tiefgehend far-reaching
das Tiefseekabel deep sea cable
tiefsinnig profound
tilgen destroy
der Tisch: nach — after dinner
der Tischler – carpenter, cabinetmaker
das Tischtuch ⸗er tablecloth
die Tischzucht table manners
toben roar, make a din
tobsüchtig raving mad
die Todesbereitschaft readiness to die
der Todesengel – angel of death
die Todesgefahr mortal danger
toll mad, insane
der Ton –e clay
tönen sound
die Tonwelle sound wave
der Tor –en fool
das Tor –e gate
der Torbogen – arched gateway
töricht foolish

die Torte tart, fancy cake
tosen roar
der Totaleindruck ⸗e total impression
das Totenbein skeleton, bone
totenblaß deathly pale
der Totengräber – gravedigger
das Totenreich Hades, realm of the dead
der Totschlag ⸗e homicide
*****tot-schlagen** kill
traben trot
die Tracht costume, dress; course (meal)
trachten think; try
träge lazy, slothful
*****tragen** u a carry, bear
der Träger – bearer, carrier
die Trägheit laziness
traktieren treat, entertain
die Träne tear
der Trank ⸗e drink
tränken water, drench
trat an began
trat ein (treten) ensued
die Traube grape
die Trauer mourning
der Traum ⸗e dream
traut dear, beloved, intimate
*****treffen** traf getroffen meet, hit, strike
treffend pertinent
trefflich excellent
der Treffpunkt –e meeting place
*****treiben** ie ie drive, practice, carry on
das Treiben activity
treibend driving
trennen separate
treppab downstairs
treppauf upstairs
*****treten** a e step; **mit Füßen —** tread under foot, disregard
treugesinnt loyally minded
treuherzig frank
der Trieb –e impulse
trieb (treiben) drove, forced, did

*triefen off off drip
das Trinkgeld –er tip
der Trompetenton –͏e trumpet tone
der Tropfen – drop
trösten comfort, console
die Trostlosigkeit despair
das Trottoir –s sidewalk
trotzen be defiant, be brave
trotzig stubborn, defiant
trüb(e) gloomy
trübselig afflicted, sad
der Trug illusion, deceit
die Trümmer ruins
der Trunk –͏e drink
trunken intoxicated
die Trunksucht alcoholism
der Trupp –s troop
der Trutz stubbornness
das Tuch –͏er scarf, cloth, barber's
    sheet
tüchtig vigorous, efficient
die Tücke malice, trick
die Tugend virtue
*tun: zu — haben deal
tunken dip, dunk
der Türhüter – doorkeeper
die Türkei Turkey
die Türklinke door handle, latch
der Turm –͏e tower
turnen practice gymnastics
turnieren joust
die Tüte paper bag
der Typenbegriff –e type concept
die Typusbezeichnung type designa-
    tion

U

übel bad, evil; — nehmen take
    amiss
über ... hinaus beyond
überaus exceedingly
*überbieten excel

der Überblick –e prospect, survey
überbrücken bridge
das Überdach –͏er roof
überdauern outlast, endure
überdies moreover
übereilend swift
die Übereinstimmung agreement,
    harmony
der Überfall –͏e attack, invasion
*überfallen overcome, attack
überflügeln outstrip
der Überfluß surplus
die Übergabe surrender
der Übergang –͏e transition
*übergeben transfer
*übergehen pass over
übergessen overeaten
die Übergewalt superior power
übergibt hands over
*über-greifen extend to, comprise
der Übergriff –e interference
überhastet too hastily
überholen surpass, overtake
überirdisch supernatural
*überlassen abandon; sich — yield
überlaufen overrun, too frequently
    visited
überlegen reflect, consider
überlegen superior
überliefert traditional
die Überlust excessive pleasure
übermäßig excessive
übermitteln transmit
der Übermut arrogance
übernachten spend the night
*übernehmen take over, accept;
    sich — overwork
überprüfen test
überragen tower above
überraschen surprise
überräumlich beyond space
überreden persuade
überreizt excessively irritated
überschaubar affording a general
    view, synoptic

über-schäumen froth over
*über-schlagen fold
*überschreiten cross
der Überschuß ⸗e surplus
der Überschwang excess, exuberance
*über-schwellen o o overflow
überschwemmen flood
*übersehen supervise
die Übersicht survey
über-siedeln migrate
*übersteigen ie ie surpass
übersteigern increase
übertönen drown out
überträfe (treffen) surpassed
*übertragen transmit
*übertreffen surpass
übertrieben exaggerated
übertroffen exceeded
überwältigend overpowering
*überweisen transfer, remit
überwiegend predominant
überwölben vault over
überwunden (winden) superseded, overcome
überzeitlich beyond the temporal
überzeugen convince
überzogen covered
üblich customary
übrig left; im —en for the rest
das Ufer – shore
der Umbau rebuilding
*um-blasen blow over
um-blicken look about
*um-bringen ruin, destroy
der Umfang ⸗e compass, extent
umfangen held, caught
umfassen embrace, comprehend, comprise; —d comprehensive
umflicht (flechten) entwines
um-formen transform
umgab surrounded
der Umgang intercourse
die Umgangsrede everyday speech
die Umgebung environment, entourage

umgebracht killed
*um-gehen travel about, haunt
umgekehrt vice versa
umgekommen perished
die Umgestaltung transformation, adaption
umgrenzen encircle, enclose
um-hängen wrap up
umhellen illuminate
umher-irren wander about, stray
*umher-schlagen lay about one
umhüllen envelop
um-kehren reverse, turn back, convert
der Umkreis –e circle, zone
um-mahlen regrind
umnahm put about (one's shoulders)
umorganisieren reorganize
umringen surround
der Umriß –e sketch, contour
sich umsah looked about
umsausen whistle about
umschatten shade, overshadow
der Umschlag ⸗e cuff
*umschlagen charge to
umschloß held together, embraced
umschlungen embraced
der Umschmelzungsprozeß –e process of recasting
die Umschreibung transcription
der Umschweif –e roundabout way
*sich um-sehen look about
um-setzen translate, transpose
die Umsicht prudence, vision
umsonst in vain, for nothing
der Umstand ⸗e circumstance; pl. ceremonies
umständlich circumstantial, elaborate
umstellen surround; sich — change
um-stimmen convert
*um-stoßen overturn
umstritten controversial
um-wandeln transform

der **Umweg** –e roundabout way
umwehen fan, surround
die **Umwelt** environment, surroundings
umwohnend surrounding, adjacent
umwunden (winden) tied
unabhängig independent
unablässig incessant
unabsehlich immeasurable
unabwendbar unavoidable
unangekündigt unannounced
unangesagt unannounced
die **Unart** crudeness, unpleasant mannerism, vagary
unaufhaltsam irresistible
unaufhörlich incessant
unausdenkbar unimaginable
unausgesetzt continually
unausgezogen without undressing
unauslöschlich inextinguishable
unbändig unruly, uncontrollable
unbarmherzig merciless
unbedenklich unhesitatingly
unbedingt unconditional, absolute
die **Unbefangenheit** impartiality, naïveté
unbegreiflich inconceivable
unbegründet unfounded
unbeholfen clumsy
unbeleidigend inoffensive
unberechenbar incalculable
unbeschädigt unharmed
unbeschreiblich indescribable
unbestochen incorruptible, uncorrupted
unbestraft unpunished
unbewegt immobile
unbewußt unconscious
unbezweifelt undoubted
unbrauchbar useless
der **Undank** ingratitude
undeutlich indistinct
undurchdringlich impenetrable
undurchsichtig opaque
unedel ignoble

uneigennützig unselfish
unentbehrlich indispensable
unentdeckt undiscovered
unentschieden undecided
unentwegt firm
unerachtet unheeded
unerbittlich inexorable
unerfahren inexperienced
unerforschlich impenetrable
unergründlich unfathomable
unerhört unheard of
unerkennbar unrecognizable
unerläßlich essential
unermeßlich boundless
unermüdlich tireless
unersättlich insatiable
unerschöpflich inexhaustible
unerschütterlich unshakeable
unerschüttert undisturbed
unerträglich unendurable
die **Unfähigkeit** inability
der **Unfall** ≠e accident
unfehlbar infallible
unfruchtbar barren
der **Unfug** mischief, disorder
ungarisch Hungarian
ungeachtet in spite of; **dessen —** nevertheless
ungebeugt inflexible
ungebildet uncultured
ungeblendet not blinded, clear-sighted
ungebrochen unbroken
ungefähr approximately, more or less
ungefüge disobliging, clumsy
ungeheuer enormous, monstrous
ungehörig improper
ungekünstelt simple, unaffected
ungelöst unsolved
ungemein uncommon; extremely
ungeniert unembarrassed
ungenügend insufficient
ungeordnet in disorder
ungerecht unjust

ungesättigt unsatisfied
ungestüm violent
das Ungetüm –e monster
ungezwungen spontaneous, natural
unglaublich incredible
die Ungnade displeasure
die Ungunst disfavor
das Unheil evil, disaster
unheilbar incurable
die Unkosten (*pl.*) expense(s)
das Unkraut ⸗er weed
die Unlust lack of desire, aversion
unmangelhaft adequately
unmittelbar immediate, direct
der Unmut displeasure
unnennbar unspeakable
der Unrat rubbish
unrecht unjust; — haben be wrong
unsäglich unspeakable
unsanft rude, rough
unschädlich harmless
unschätzbar inestimable
unscheinbar insignificant, unpretentious
die Unschuld innocence
unselig fatal
unsichtbar invisible
die Untätigkeit inactivity
untauglich useless
der Unterbeamte –n minor official
*unterbrechen interrupt
*unter-bringen put up, house
unterdessen meanwhile
unterdrücken suppress, oppress
untereinander mutually
unter-fassen put one's hand under, hold up
der Untergang destruction
untergebracht housed
*unter-gehen perish, decline
*untergraben undermine
unterhalb below
*unterhalten entertain, converse, discuss
unterirdisch subterranean

*unterlassen omit
unterlegen attribute
das Unterliegen defeat
die Unternehmungslust enterprise
unter-ordnen subordinate
die Unterredung conversation
die Unterschätzung underestimation
*unterscheiden differentiate, distinguish
*unter-schieben suggest
untersetzt thickset
*unterstehen be subject to; sich — presume
unterstützen support
untersuchen investigate
der Untertan –en subject
*unterwerfen subject
unterwiesen instructed
unterwürfig submissive
*unterziehen submit
unübersehbar vast
unübertragbar not transferable
ununterbrochen uninterrupted, continuous
unveränderlich invariable
unveräußerlich unsaleable, inalienable
unverbesserlich incorrigible
unverdorben innocent
unverdrossen patient, cheerful
unvergänglich imperishable
unvergleichlich incomparable
unverhohlen unconcealed, frank
unverletzt intact, uninjured
unverloren preserved
unvermeidlich unavoidable
das Unvermögen inability
unvermutet unexpected
unvernünftig irrational
unverrückt undisturbed
die Unverschämtheit shamelessness
der Unverstand stupidity
die Unverständlichkeit unintelligibility
unverwandt steady

unvollendet unfinished
unvollkommen imperfect
unvorsichtig incautious
unvorstellbar unimaginable
unweit close
unwichtig unimportant
unwiderstehlich irresistible
unwillig irritable
unwillkürlich involuntary
unwirsch irritable
unwürdig unworthy
unzählig countless
unzergliedbar indivisible
unzertrennlich inseparable
unzulänglich inadequate
unzweifelhaft doubtless
uralt very old, primeval
der Urenkel – great-grandson
die Urkraft ≈e original force, ele-
  mental power
die Urkunde document
der Ursprung ≈e origin
das Urteil –e judgment
urtümlich primitive, native
der Urvater ≈ ancestor

V

die Vätergüte paternal kindness
vaterländisch patriotic, national
das Vaterunser Lord's Prayer
der Veilchenduft ≈e fragrance of
  violets
die Verabredung appointment
verabscheuen detest
verabschieden dismiss, discharge;
  sich — take leave
verachten despise
verächtlich contemptuous
die Verachtung disdain, scorn, contempt
veraltet antiquated, obsolete
verändern change, alter

*veranlassen cause
verantwortlich responsible
sich verband (binden) was united
verbannen ban, exile
verbarg (bergen) concealed
*verbieten forbid
die Verbindung relationship, association, combination
verblassen grow pale
verblüffend startling, stupendous
verbluten bleed to death
verborgen (bergen) hidden
das Verbot –e prohibition
verbracht spent
verbrannt burned
*verbrechen commit a crime
die Verbündeten allies
der Verdacht –e suspicion
verdanken owe
*verderben a o spoil, corrupt, ruin,
  destroy, perish
verderblich corrupting, ruinous;
  fatal
verdeutschen translate (into German), popularize
das Verdienst –e merit
sich verdingen hire oneself out
verdoppelt double
verdrängen force out, displace
die Verdrehung distortion
verdrießlich vexed, vexatious
verdroß (verdrießen) vexed, angered
verdüstern make gloomy
veredeln ennoble
verehren honor, revere, worship
der Verein –e society, union
vereinbar compatible
vereinen unite
vereinigen combine
vereinsamt abandoned, alone
vereinzelt individual
verengen constrict
*verfahren proceed
verfälschen falsify
verfassen draw up (a document)

die **Verfassung** condition, organization, constitution
verfaulen rot, decay
verfehlen miss, fail
die **Verfeinerung** refinement
verfertigen manufacture
*****verflechten o o** involve, interlace
verfluchen curse
verfolgen pursue, persecute
verfügen command; **sich —** betake oneself, proceed
verführen carry on, seduce
vergänglich transitory
vergebens in vain
vergeblich in vain
vergegenwärtigen represent, bring to mind, picture
*****vergelten** repay
die **Vergeltung** retribution
vergeuden squander
vergewissern confirm, make sure
vergiften poison
das **Vergißmeinnicht** forget-me-not
der **Vergleich –e** comparison
vergleichsweise comparatively
das **Vergnügen –** pleasure
vergolden gild
vergöttern idolize, deify
vergrößern enlarge
die **Verhaftung** arrest
verhalten restrained, repressed
*****sich verhalten** be related
das **Verhalten** conduct
das **Verhältnis** relationship, attitude; condition
verhandeln discuss, negotiate
verhängen confer, inflict
das **Verhängnis** destiny
verhängnisvoll ominous, fatal
verharren persevere
die **Verhärtung** rigidity
verhaßt hateful
*****verheißen ie ei** promise
verhindern prevent, impede
verhöhnen mock

das **Verhör –e** hearing
verhüllen cover, envelop
verhungern starve
verhüten avert, prevent
verirren err, go astray; **verirrt** straying
verjagen chase away
verjüngen rejuvenate
*****verkannt werden** fail to be recognized
der **Verkehr** intercourse; traffic
verkehrt wrong
*****verkennen** misunderstand
verklagen accuse
verklang (klingen) faded away
verklären transfigure, exalt
die **Verkleidung** disguise
verkleinern diminish, minimize, slander
*****verkneifen iff iff** stifle, suppress
die **Verknotigung** bond, strengthening
verknüpfen link
verkörpern embody
verkroch sich (kriechen) crept away
verkümmern shrivel up, atrophy
verkünden announce
verkündigen announce; prophesy
verkürzen shorten
das **Verlangen** longing
die **Verläßlichkeit** reliability
der **Verlauf** course
*****verlaufen** pass, elapse, proceed
verlauten become known
verleben pass, spend
verlebt outlived
verlegen transfer; (*adj.*) embarrassed
die **Verlegenheit** embarrassment
der **Verleger –** publisher
verleiten tempt
verletzen hurt, damage, insult
verleugnen deny
verliebeln spend one's time in flirting
verliebt in love

verlief passed
sich verloben become engaged
der Verlobte –n betrothed
verlocken lure
der Verlust –e loss
vermachen bequeath
vermahlen mill
sich vermählen be married
vermauern use (as building material)
vermerken observe, remark, note down
vermitteln mediate, arrange
vermöge by virtue of
vermögen be able
das Vermögen – ability; wealth
vermummen mask
vermuten surmise
vermutlich presumably
vernachlässigen neglect
vernahm heard
vernarben heal over
*vernehmen hear
vernehmlich audible
sich verneigen bow
verneinen deny
vernichten destroy, annihilate
veröffentlichen publish
verordnen order, prescribe
verpassen let slip, miss
sich verpflichten oblige oneself
verrannt hidden, stuck fast
der Verrat treason
*verraten betray
sich verrechnen miscalculate
verrichten do, carry out
verriegeln bolt
verriet (raten) betrayed, informed
die Verrohung coarsening
verrückt insane
*verrufen condemn
versagen refuse, deny
versahen missed
versammeln assemble
versäuert acid
versäumen fail, neglect

verschaffen procure
verschämt bashful, timid
verscheuchen chase
die Verschiebung delay, displacement, shift
verschieden (scheiden) passed away
verschlagen driven
verschleiern veil
verschlendern idle away
die Verschleppung removal, displacement
verschlimmern make worse
*verschlingen swallow up
verschlossen reserved
verschmachten pine away, languish
verschmähen scorn
verschneien snow in *or* over
verschonen spare
*verschreiben prescribe, forfeit
verschrieen decried
verschulden be blameworthy
verschütten choke (with earth)
verschwenden squander, be lavish
verschwiegen silent
*versehen provide
das Versehen mistake
versehren injure
versenken lower, submerge; sich — become absorbed
versetzen remove, transfer, retort
versöhnen reconcile
versorgen care for, provide
sich verspäten be late
versperren block
verspotten scoff, mock
verspüren feel
verständig sensible, understandable
verständlich intelligible
das Verständnis comprehension, understanding
verständnisvoll appreciative
verstecken conceal
*sich verstehen be an expert on
versteinern petrify
die Verstellung hypocrisy

verstopft choked
verstorben deceased
verstört troubled, agitated
verstreuen scatter
verstummen grow silent
die Verstumpfung dulling *or* deadening of the senses
der Versuch –e attempt
die Versuchsbedingung experimental condition
vertauschen exchange
verteidigen defend
verteilen distribute
der Vertrag ⁼e contract
*sich vertragen be compatible, get on
die Verträglichkeit tolerance
vertrat represented
vertrauen trust; engage
vertraulich intimate
vertraut familiar, intimate
*vertreten represent
vertrieben driven out
verüben commit
sich veruneinigen disagree
verurteilen convict, condemn
die Vervollkommnung perfection
die Verwahrlosung neglect, degeneration
verwalten manage, govern, administer
verwandeln transform
verwandt related
verwegen bold
verwehen blow *or* fade away
verwehren prevent
verweigern deny, refuse
verweilen remain, stay
verwelken wither
verwenden use
verwickeln involve, complicate
verwildern grow wild
verwirklichen realize
verwirren confuse
sich verwischen fade
verwöhnen spoil, coddle

verworfen dismissed, discarded
der Verworfene –n reprobate
verworren confused
verwundbar vulnerable
verwundert in wonder
verwünschen curse
verwüsten lay waste
verzagen be discouraged
verzaubern bewitch, enchant
verzehren consume
verzeichnen note
das Verzeichnis list
verzerren distort
der Verzicht renunciation, resignation
verzweifeln despair
die Vielartigkeit diversity
vielberaten much deliberated
vielfach manifold
vielfältig manifold
vielverspottet much abused
die Viereckigkeit squareness
die Vierziger the forties
der Vogelherd –e fowling place
der Vogt ⁼e governor
die Vokabel word
die Völkerschaft community, race
die Volksentwicklung evolution of a nation
das Volksglied –er social body, citizen
der Volkskörper – nation
das Volksrecht popular *or* common law
der Volksstamm ⁼e race, tribe
volkstümlich popular
vollbrachte completed, accomplished
vollenden complete, perfect, accomplish
vollends completely
voll-propfen stuff
der Vollstrecker – executor
vollzählig complete
*vollziehen accomplish
voran in front, ahead

die **Voraussetzung** prerequisite, assumption

voraussichtlich presumably

*vor-behalten reserve

sich **vor-beugen** bend forward

das **Vorbild** –er model

vorbilden prepare, shape

vorder front

vor-drängen press, push forward

das **Vordringen** advance, penetration

vor-erzählen relate

der **Vorfahr** –en ancestor

der **Vorfall** ⸗e incident

*vor-finden find

der **Vorgang** ⸗e occurrence, process

der **Vorgänger** – predecessor

vorgenommen put before one

vorgeschichtlich prehistoric

vorgeschrieben prescribed

vorgeworfen reproached

vorging went on

*vor-haben plan, intend, propose

*vor-halten reproach

vorhanden at hand

vorhin a little while ago

vorig former, last

vorlag existed

vorläufig for the present

vor-legen submit, propose

*vor-lesen read aloud

die **Vorlesung** lecture

vor-leuchten act as a model

die **Vorliebe** preference

vormals formerly

sich **vornahm** planned

der **Vorname** –ns –n first name

vornehm aristocratic, distinguished

vornehmlich especially

vor-plaudern chat, chatter aloud

der **Vorposten** – outpost

vor-ragen protrude

vorragend projecting; outstanding

der **Vorrat** ⸗e supply

das **Vorrecht** –e privilege

die **Vorrichtung** preparation, device

der **Vorschein** –e appearance

der **Vorschlag** ⸗e proposal

vorschob (schieben) shot (the bolt)

*vor-schreiben ie ie prescribe

das **Vorschreiten** progress

die **Vorschrift** precept

der **Vorschuß** ⸗e advance (money)

die **Vorsehung** providence

vor-setzen serve

*vor-singen lead in singing

vorsorglich provident

vor-spannen harness

das **Vorspiel** –e prelude

vor-spielen perform

der **Vorsprung** ⸗e start

vorstellbar comprehensible

vorstellen imagine

die **Vorstellung** idea, conception

die **Vorstufe** preliminary stage

der **Vorteil** –e advantage

vortrefflich excellent

vortretend prominent

das **Vorurteil** –e prejudice

der **Vorwand** ⸗e pretense

*vor-werfen reproach

vorwiegend preponderant

der **Vorwurf** ⸗e reproach

das **Vorzimmer** – ante-room, outside room

der **Vorzug** ⸗e preference, superiority, priority

vorzüglich superior; primarily

W

die **Waage** scale

wach wakeful

die **Wache** guard

wachen be awake

das **Wachs** –e wax

wachsam watchful, alert

*wachsen u a grow

der **Wächter** – guard, watchman

der **Wachtturm** ⁼e watchtower
wacker brave, gallant, good
die **Waffe** weapon
der **Waffenschmied** –e armorer
sich **waffnen** arm oneself
wagen dare, venture
der **Wagner** – wagoner
das **Wahlrecht** suffrage
der **Wahn** illusion, madness
wähnen suppose
der **Wahnsinn** madness
wahnwitzig insane, mad
wahren preserve
währen last
wahrhaftig truthful, truly
wahrlich truly
***wahr-nehmen** hear, perceive
die **Waise** orphan
der **Waldrand** ⁼er edge of forest
die **Waldung** woods
wallen flow
walten rule
wälzen roll, echo
das **Wams** ⁼er doublet
der **Wandel** course
wandeln walk, wander; transform
die **Wandlung** transformation
wanken totter; —d unsteady
das **Wappen** – coat of arms
das **Waschfaß** ⁼er wash tub
das **Wasseraufgießen** pouring on of water
der **Wasserquell** –e water source, spring
der **Wassersturz** ⁼e waterfall
weben weave; stir
der **Weber** – weaver
der **Webstuhl** ⁼e loom
der **Wechsel** – change
wechseln alternate
wedeln wag (the tail)
weg-brummen grumble away
***weg-kommen** get away
weg-legen put away
wegstrich (streichen) stroked away

die **Weheklage** cry of pain
wehen blow, stir
die **Wehmut** melancholy
die **Wehr** defense
wehren prevent; **sich** — resist
die **Wehrkraft** ⁼e defense force
das **Weib** –er woman
der **Weiberrock** ⁼e skirt
das **Weibsbild** –er woman
***weichen** i i yield, give away, retreat
die **Weide** willow; meadow, pasture
weiden graze, feed
sich **weigern** refuse
die **Weile** time, while
weilen while
die **Weinrebe** grapevine
der **Weinstock** ⁼e grapevine
***weisen** ie ie show, point, dismiss, eject
die **Weite** extent, distance, fullness
das **Weite** distance
weiten widen, expand, enlarge, extend
weiter-bewegen move on
weiter-entwickeln develop further
weiterhin further
weiter-machen continue
***weiter-schreiten** advance
weitläufig spacious
welken wither
das **Wellenschlagen** beating of the waves
das **Weltall** universe
die **Weltanschauung** philosophy of life
das **Weltgebäude** – structure of the world, cosmic system
das **Weltgericht** –e last judgment
weltlich worldly, secular
der **Weltraum** ⁼e universe
das **Weltreich** –e empire
der **Weltruf** worldwide reputation
der **Weltuntergang** decline *or* destruction of the world
die **Wende** turn

*sich wenden an address
wenigstens at least
wenngleich although
*werben a o court
*werfen a o throw
das Wesen – essence, being, creature, nature
wesenhaft real, substantial
wesentlich essential
westfälisch Westphalian
die Westküste west coast
die Wette wager; um die — in
competition
wetterleuchten produce summer
lightning
der Wettlauf ∸e race
der Wettstreit –e contest
*widerfahren fall (to one's lot);
Übles — suffer harm
*wider-klingen re-echo
widerlegen refute
widerlich offensive
wider-schallen re-echo
der Widerschein –e reflection
widersinnig absurd
widerspenstig rebellious
wider-spiegeln mirror, reflect
das Widerspiel opposite
der Widerspruch ∸e contradiction,
opposition
*widerstehen resist
das Widerstreben resistance, opposition
der Widerstreit opposition
der Widerwille –ns aversion, repug-
nance
widmen dedicate
widrig repulsive
widrigenfalls failing which
die Wiederaufnahme resumption,
rehabilitation
der Wiederaufstieg renascence
die Wiederbelebung reanimation,
resuscitation
die Wiederentdeckung re-discovery

wieder-fordern request again
wieder-herstellen reconstruct, recover
*wieder-kennen recognize
wiederum again
die Wiedervereinigung reunion; re-
unification
wiegen rock, cradle; —d swaying
wiehern neigh
wies an (weisen) showed
der Wiesengrund meadow (land)
das Wiesental ∸er meadow (in the)
valley
wiewohl although
das Wild game
die Willkür arbitrariness
wimmelnd teeming, rich
wimmern whine
die Wimper eyelash
der Windstoß ∸e gust of wind
der Wink –e hint, sign
der Winkel – corner
winken wave, signal, beckon
winklig angular, bent, crooked
der Winzer – vintager
winzig tiny
der Wipfel – treetop
der Wirbel – whirl, rotation
wirken work, produce, influence, be
effective, appear
wirkend active
das Wirkorgan –e effector organ
wirksam effective
die Wirkung effect
wirr confused
die Wirtschaft administration, economy
wischen wipe
wissentlich conscious
wittern scent, feel
die Witwe widow
der Witz –e wit, joke
die Woge wave
wogen surge, undulate
wogenleer empty of waves, dried up

das **Wohl** welfare
wohlangesehen in high esteem
wohlanständig proper
wohlbestellt well-furnished
wohlfeil cheap
wohlgebildet well-formed
*__wohl-gefallen__ please, like
wohlgegründet well-established
wohlgenährt well-fed
wohlgepflegt well-kept
wohlgestaltet well-made
die **Wohlhabenheit** fortune, prosperity
wohlig pleasant
wohlmeinend well-meaning
das **Wohlsein** well-being
der **Wohlstand** well-being
die **Wohltat** benefit, beneficence, blessing
das **Wohltun** beneficence
wohlverdient well-deserved
wohnlich comfortable
der **Wohnsitz** –e residence
sich **wölben** arch, vault
der **Wolkenbruch** ⸗e cloudburst
der **Wolkenhügel** – hill of clouds
die **Wolkenschicht** layer of clouds
wollig woolly
die **Wollust** pleasure, desire
womöglich if possible
wonach after which
die **Wonne** bliss, joy, delight
der **Wortlaut** wording
die **Wortverbindung** combination of words
der **Wucher** usury
der **Wuchs** ⸗e form, growth
die **Wucht** weight; momentum
wühlen stir, rage
wund sore, wounded
wunderlich wonderful, strange
wunderlieb very dear
wundermild wonderfully generous
sich **wundern** be astonished
wundersam wonderful, strange

das **Wunderwerk** –e miracle
wünschenswert desirable
die **Würde** dignity
würdigen esteem, appreciate
die **Würdigkeit** worthiness
die **Würdigung** appreciation
der **Wurf** ⸗e throw (of dice), throwing
der **Wurfspieß** –e javelin
würgen choke, strangle, kill
der **Wurm** ⸗er worm
die **Würze** spice, seasoning
die **Wurzel** root
wüst wild, desolate
die **Wüste** desert
die **Wut** rage
wütend furious

Z

das **Zagen** hesitation
zaghaft timid
zäh(e) tough, tenacious, stubborn, sticky
zahm tame
zähmen tame
die **Zange** tongs, pliers
zanken quarrel
zart tender, delicate
der **Zauber** – charm, magic
der **Zauberkünstler** – magician, conjurer
zaudern hesitate
der **Zaun** ⸗e hedge
die **Zeche** banquet
zechen carouse
zehren consume
das **Zeitalter** – age, era
der **Zeitgenosse** –n contemporary
zeitig early
zeitlebens all one's life
zeitlich temporal, secular
der **Zeitmangel** ⸗ time shortage

der Zeitraum ⁼e period
das Zeitungsblatt ⁼er newspaper
das Zeitverhältnis condition of the
  period
der Zeitvertreib pastime
zeitweise temporarily
die Zelle cell; jail
*zerbrechen break; sich den Kopf —
  worry, torment oneself
zerdrücken crush, squash
das Zeremoniell –s ceremony
der Zerfall decay, disintegration
*zerfallen be divided
zerfetzt tattered
*zerfließen dissolve
zergliedern dissect
zerkratzen scratch
zerlegen divide
zerrann (rinnen) dissolved
*zerreißen tear to bits, destroy
zerscherben break to bits
*zerschlagen smash
die Zerschmetterung shattering, de-
  stroying
zersplittern dissipate
zersprengen burst, break
zerstören destroy; —d destructive
zerstreuen scatter
zerstreut distracted, absent-minded
zerstrobelt ruffled, tousled, knocked
  about
*zertreten trample down
zertrümmern demolish
der Zettel – note, slip of paper
das Zeug –e things, material, stuff,
  tableware
der Zeuge –n witness
zeugen procreate; testify
das Zeugnis testimony
*ziehen zog gezogen draw, move, go
sich ziemen be fitting
ziemlich fairly, considerable, quite
die Zierde ornament; credit
zierlich dainty, pretty
der Zimmermann –leute carpenter

zimperlich fastidious, affected
die Zinksalbe zinc ointment
das Zinngeschirr pewter plates
der Zins –es –en tax, duty, interest
zinsbar taxable, tributary
der Zipfel – flap
die Zipfelmütze peaked nightcap
zischen hiss
die Zitrone lemon
zittern tremble
der Zivildienst civil service
der Zivilist –en civilian
zögern hesitate
der Zopf ⁼e braid
der Zorn anger
zu shut
*zu-bringen spend
die Zucht discipline
züchtig decent
zucken twitch, palpitate
der Zufall ⁼e chance, coincidence
zu-fügen add
zu-führen conduct, introduce; supply
zugänglich accessible
*zu-geben admit, grant
zugegen present
die Zugehörigkeit belonging
der Zügel – reins, bridle
zugenommen increased
zugeschnitten designed, cut out
*zugestehen concede
zugetan devoted
zuging closed
*zugrunde gehen be ruined, perish
*(etwas) zugute halten take into con-
  sideration
*zugute kommen be of benefit or ad-
  vantage
zuhöchst topmost
*zu-kommen be due to; — lassen let
  have
*zu-lassen admit, allow, permit
zulieb to please, for the sake of
zumal particularly

zumute spirited; — sein feel

zunächst first of all, at first, primarily

zu-nageln nail up

der Zuname –ns –n nickname, surname

zünden catch fire, kindle

*zu-nehmen increase

die Zuneigung liking for

die Zunft ⁼e corporation, guild, craft

zupfen tug, pluck

zurecht-rücken move into place

sich zurecht-setzen arrange oneself comfortably

zu-reden advise, urge, console

zu-reichen suffice

zu-reisen arrive, come over

zürnen be angry

zurück-drängen force back

zurück-führen trace back, attribute, reduce

zurückgegangen fallen, gone down

zurückgestoßen thrust back

die Zurückkunft return

zurück-lehnen lean back

*zurück-schieben shove back

zurück-stürzen rush back

*zurück-treten recede, retire

*zurück-weichen retreat

*zurück-weisen refute, refuse

zu-sagen promise, correspond, agree with

zusammenbrach collapsed

*zusammen-fallen fall down, collapse

zusammen-fassen include, collect, summarize

*zusammen-finden meet

die Zusammengehörigkeit solidarity

der Zusammenhalt unity

der Zusammenhang ⁼e connection

die Zusammenkunft ⁼e meeting

die Zusammenraffung snatching up

zusammen-schnüren lace together

*zusammen-stoßen collide, encounter

*zusammen-treten come together, meet

zusammen-wirken combine

*zusammen-ziehen draw together, concentrate

zusamt together

der Zusatz ⁼e addition, amplification

der Zuschauer – spectator

*zu-schlagen strike, hit hard, strike away

*zu-schreiben attribute, assign

*zu-sehen watch

zu sein be closed

zu-setzen add

die Zusicherung assurance

*zu-sprechen comfort; award, adjudge

der Zustand ⁼e condition, state

*zustande bringen bring about

zu-stecken give secretly

zu-stimmen agree

zu-strömen stream in

*zutage kommen come to light

*zu-tragen make accessible

das Zutrauen confidence

*zu-treffen come true, apply

die Zuverlässigkeit reliability

die Zuversicht confidence

zuvor before, formerly

zuweilen at times

*zu-weisen attribute

*zu-wenden turn to

zuwider offensive

der Zuziehende –n newcomer, arrival

der Zwang violence, compulsion

sich zwängen force oneself

der Zweck –e purpose

der Zweckdiener – utilitarian

zweckmäßig appropriate

zweckvoll purposeful

das Zweiggeschäft –e business branch

der Zwiespalt discord

der Zwist –e quarrel

die Zylinderkrempe brim of a top hat